W9-ARE-766

INTERMEDIATE READINGS IN FRENCH PROSE

THE MACMILLAN COMPANY
NEW YORK • CHICAGO
DALLAS • ATLANTA • SAN FRANCISCO
LONDON • MANILA
BRETT-MACMILLAN LTD.
TORONTO

INTERMEDIATE READINGS IN *FRENCH PROSE*

Alternate Edition

SELECTED AND EDITED, WITH INTRODUCTIONS,
NOTES, EXERCISES, AND VOCABULARY BY

ALFRED M. GALPIN
&
E. E. MILLIGAN

DEPARTMENT OF FRENCH AND ITALIAN
THE UNIVERSITY OF WISCONSIN

THE MACMILLAN COMPANY, NEW YORK

Published simultaneously in Canada

Printed in the United States of America

FIRST PRINTING

Library of Congress catalog card number: 57-6554

PREFACE

This alternate edition of *Intermediate Readings in French Prose* has been undertaken in response to the favorable reception accorded to the original edition, and with the same fundamental aims. These are: to offer a wide variety of readings of good literary quality, suited by subject and language to students with only one year of previous training in college French, so the book may be an effective introduction to certain significant aspects of French life and literature. As a means to this end the readings are grouped under rather general headings in such a way that each passage gains additional meaning from its association with others.

The groupings were never intended to have anything like the force of law which the editors found, to their surprise, was expected by some teachers. In their Preface to the original edition the editors suggested that teachers use the material in any way they saw fit without attaching undue importance to the subtitles inserted by the editors, and they now repeat this recommendation.

At the same time, they believe that the alternate edition may be somewhat better suited than the original to the wishes of numerous teachers who use the readings more or less strictly in the sequence in which they are printed. This may be found true of the grouping within the categories, though this grouping remains to some degree arbitrary, and there is, and should be, a certain overlapping, so that many a selection is appropriate to more than one category. It may be true also with regard to the sequence in which the categories have been arranged, their general meaning, and their degrees of difficulty. Despite some differences between the two editions, we believe that most teachers can use the alternate in one year and the original in the next without alterations in their plans for the course.

Generally speaking, in the alternate edition the selections in Part I are the easiest, and those in Parts V and VI the most difficult reading. Part II contains material which may be found more difficult than most of Part III; but it is so placed in order to present the scientific material between two relevant but different groupings, each illustrating related aspects of what we have called, in the most general terms, French idealism. In the same way, the last three sections represent a tendency toward realism. In every case the final selection in the category will be found more difficult than the rest of the section.

The editors believe that only seven of their selections are now available, more or less exactly as presented here, in other texts edited for intermediate use: numbers 2, 3, 9, 10, 17, 18, and 19, of which only those by Balzac, Voltaire and Daudet could by any stretch of the fancy be called "chestnuts." A substantial portion of the other sixteen selections presents material never before edited for American students, notably the contemporary extracts in Part II which tell in narrative form, with the human element always dominant, of recent French achievements in scientific discovery. Others, like the passage on Pasteur in the same section, have not been previously available in the form presented here.

Especially in the extracts from longer works, the necessary cuts have been made to keep the work within bounds and to exclude extraneous matter; some other small excisions have been made in the interests of ordinary good taste or suitability for classroom use, but the language as presented is always that of the original. Suspension points, when used, are always those of the original text.

As the editors stated in 1950, they have no intention of presenting this material as a text in literary history. Compared to the original edition the alternate is less representative of French literature before 1800. On the other hand, the twentieth century is represented by thirteen selections out of twenty-three, and several others come from the last years of the nineteenth, so that most of the work belongs to the contemporary period.

We wish to acknowledge the assistance of colleagues in our department who helped clarify many points, of other university faculty whose specialized knowledge was needed in several instances, and especially of Professor Konrad F. Bieber of Connecticut College, who, in reading the galleys, made innumerable valuable suggestions.

A. G.
E. E. M.

TABLE OF CONTENTS

PART I

LE COEUR A SES RAISONS

LE COEUR A SES RAISONS

INTRODUCTION

I*T WAS* the inventor of the adding machine (Blaise Pascal, 1623-1662) who also wrote some of the greatest French prose, a work left at his premature death in the state of scattered fragments known as *Les Pensées.* One of Pascal's most frequently quoted *pensées* is to the effect that our intuition of reality, which he called heart or *coeur,* penetrates more deeply than our conscious reason into the motives of our acts and into the nature of things: *Le coeur a ses raisons que la raison ne connaît point.* Particularly since the beginning of the Romantic movement, which swept Europe in the first decades of the nineteenth century, this thought sometimes has been distorted by attributing to *coeur* a sentimental meaning quite alien to Pascal's intention: he used the same word—*coeur*—to describe the intuition by which we recognize that a straight line is the shortest distance between two points. But there is no doubt that Pascal did feel, as the Romantics felt after him and many great Frenchmen felt before him, that, powerful as reason is, there are some realities with which it cannot deal, and that it should not arbitrarily limit man's thirst for knowledge, conquest, love or adventure beyond the confines of the known or knowable.

French literature began in the eleventh century with the song of Roland, whose unyielding idealism—in older French called *démesure*—was such that he scorned to sound his horn for help until the French rear-guard under his command had already been destroyed by the Saracens. Every succeeding age of French history, and most periods of French literature, have produced distinguished examples of idealism akin in spirit to Roland's. This *démesure* should no more be considered *anti*-rational than should Pascal's concept of *coeur,* but rather as an idealism which rejects any arbitrarily imposed limits to human achievement, spiritual or material. Some of the leading figures of twentieth-century French literature, such as the dramatist Paul Claudel (1868–1955), seem to have come almost full circle in returning toward the cult of the same values as those of the age of Roland: faith, simplicity, primitive heroism and an enormous vitality that chafes at every restraint.

The full range of this idealism can be grasped only after a full and careful reading of such works as *La Chanson de Roland* or Claudel's *Le Soulier de Satin*. The following selections are necessarily more modest in claim, and should first of all be understood for what they are, as the authors meant them when they wrote them, without reference to any grouping such as has been imposed upon them after the fact by the present editors. They do, however, share a common tendency toward the type of idealism suggested above, and they serve also as an appropriate introduction to other passages in the present volume.

Within the present section the stories are presented in approximate order of difficulty, except that *Lilith,* by far the easiest extract in the book, yields priority to an anecdote by Saint Exupéry, which gives a more appropriate initial statement of theme. In this way it so happens that the last—or most contemporary writer in the section—is first. The brief Introductions preceding each passage should help the reader to evaluate the contribution each makes toward building up some first notions of French idealism.

In addition to much of the material in Part II, and to a certain extent that in Part VI (especially number 21), one passage from Part III (*Le Pilote et sa femme*), belongs also, by its stress on heroic or idealistic motivation, under the sign of Pascal.

ANTOINE DE SAINT EXUPÉRY

LE SOURIRE

Introduction

MANY *WRITERS* and artists of this century have pursued originality, but few have been so happy in their pursuit as Saint Exupéry, who gave the first great expression to the theme of aviation as a source of heroism and of philosophic reflection. Having staked out his claim in this pioneer field, and being himself a pilot of rich and varied experience, "Saint Ex" could put himself into his work with complete sincerity and lack of affectation, and the result is a small but precious body of work that has the freshness of a wellspring.

One of his later and minor works, *Lettre à un otage,* supplies the following brief narrative, which offers to the discerning reader some insight into that fundamental secret of the French by which they seem able always to come back after the worst defeats: their simple but absolute and ineradicable humanism. One cannot easily make a machine out of a Frenchman, or erase his horror of the robot. Witness the profound change of mood in Saint Exupéry, far beyond any concern for his personal safety, when he learns that under their dehumanized exterior the young Catalan militiamen among whom he finds himself are men, not machines.

A sample of Saint Exupéry's writing in his main field, aviation, will be found in *Le Pilote et sa femme* (Part III). For biographical data on him and other authors represented in this volume, see the Glossary of Authors preceding the Vocabulary.

LE SOURIRE

L'essentiel, le plus souvent, n'a point de poids. Un sourire est souvent l'essentiel. On est payé par un sourire. On est récompensé par un sourire. On est animé par un sourire. Et la qualité d'un sourire peut faire que l'on meure. J'ai aujourd'hui besoin, pour tenter 5 de m'exprimer mieux, de raconter l'histoire d'un sourire.

C'était au cours d'un reportage[1] sur la guerre civile en Espagne.[2] J'avais eu l'imprudence d'assister en fraude,[3] vers trois heures du matin, à un embarquement de matériel secret dans une gare de marchandises.[4] L'agitation des équipes et une certaine obscurité 10 semblaient favoriser mon indiscrétion. Mais je parus suspect à des miliciens anarchistes.[5]

Ce fut très simple. Je ne soupçonnais rien encore de leur approche élastique et silencieuse, quand déjà ils se refermaient sur moi, doucement, comme les doigts d'une main. Le canon de leur carabine pesa 15 légèrement contre mon ventre, et le silence me parut solennel. Je levai enfin les bras.

J'observai qu'ils fixaient, non mon visage, mais ma cravate (la mode d'un faubourg anarchiste déconseillait cet objet d'art). Ma chair se contracta. J'attendais la décharge, c'était l'époque des 20 jugements expéditifs.[6] Mais il n'y eut aucune décharge. Après quelques secondes d'un vide absolu, au cours desquelles les équipes au travail me semblèrent danser dans un autre univers une sorte de ballet de rêve, mes anarchistes, d'un léger mouvement de tête, me firent signe de les précéder, et nous nous mîmes en marche, sans 25 hâte, à travers les voies de triage.[7] La capture s'était faite dans un silence parfait, et avec une extraordinaire économie de mouvements.

Je m'enfonçai bientôt vers un sous-sol tranformé en poste de garde. Mal éclairés par une mauvaise lampe à pétrole, d'autres miliciens somnolaient, leur carabine entre les jambes. Ils échangè-

[1] **reportage,** after a serious plane crash in the Sahara in 1935, Saint Exupéry turned for a time to journalism and went to Madrid as a reporter for the newspaper *Paris-Soir* in 1937. The episode here related took place nearer the French border in Barcelona, capital city of Catalonia and largest European city on the Mediterranean.

[2] **guerre civile en Espagne,** the *Spanish Civil War* broke out when elements of the army under General Franco led a revolt in July, 1936, against the Republican government established in 1931. It ended with Franco's victory in March, 1939.

[3] **assister en fraude . . . à,** *to sneak in to watch.*

[4] **gare de marchandises,** *freight depot.*

[5] **miliciens anarchistes,** *militiamen* of the typically Spanish extremist group of anarchists, who were among the partisans of the Republic; the anarchists were especially numerous in Catalonia.

[6] **jugements expéditifs,** *summary judgments,* usually=*execution without trial.*

[7] **voies de triage,** *freight yard.*

30 rent quelques mots, d'une voix neutre, avec les hommes de ma patrouille. L'un d'eux me fouilla.

Je parle l'espagnol, mais ignore le catalan.[8] Je compris cependant que l'on exigeait mes papiers. Je les avais oubliés à l'hôtel. Je répondis: «Hôtel ... Journaliste ...» sans connaître si mon langage 35 transportait quelque chose. Les miliciens se passèrent[9] de main en main mon appareil photographique comme une pièce à conviction.[10] Quelques-uns de ceux qui bâillaient,[11] affaissés sur leurs chaises bancales, se relevèrent avec une sorte d'ennui et s'adossèrent au mur.

Car l'impression dominante était celle de l'ennui. De l'ennui et 40 du sommeil. Le pouvoir d'attention de ces hommes était usé, me semblait-il, jusqu'à la corde.[12] J'eusse[13] presque souhaité, comme un contact humain, une marque d'hostilité. Mais ils ne m'honoraient d'aucun signe de colère, ni même de réprobation. Je tentai à plusieurs reprises de protester en espagnol. Mes protestations tom- 45 bèrent dans le vide. Ils me regardaient sans réagir, comme ils eussent regardé un poisson chinois dans un aquarium.

Ils attendaient. Qu'attendaient-ils? Le retour de l'un d'entre eux? L'aube? Je me disais: «Ils attendent, peut-être, d'avoir faim . . .»

Je me disais encore: «Ils vont faire une bêtise![14] C'est absolument 50 ridicule! . . .» Le sentiment que j'éprouvais—bien plus qu'un sentiment d'angoisse—était le dégoût de l'absurde. Je me disais: «S'ils se dégèlent,[15] s'ils veulent agir, ils tireront!»

Étais-je, oui ou non, véritablement en danger? Ignoraient-ils toujours que j'étais, non un saboteur, non un espion, mais un 55 journaliste? Que mes papiers d'identité se trouvaient à l'hôtel? Avaient-ils pris une décision? Laquelle?

Je ne connaissais rien sur eux, sinon qu'ils fusillaient sans grands débats de conscience. Les avant-gardes révolutionnaires, de quelque parti qu'elles soient, font la chasse[16] non aux hommes (elles ne

[8] **catalan,** language, closely akin to the Provençal of the Southern French troubadours, still written and spoken in Catalonia.

[9] **se passèrent,** *passed to each other.*

[10] **pièce a conviction,** *evidence of (my) guilt.*

[11] **bâillaient,** *had been yawning.*

[12] **jusqu'à la corde,** *worn thin* (lit., *threadbare*).

[13] **J'eusse=J'aurais,** as **eussent** a few lines later=**auraient.**

[14] **faire une bêtise,** *do something desperate,* a frequent connotation of this expression, usually much stronger than its literal meaning *something stupid.*

[15] **se dégèlent,** *thaw out, warm up.*

[16] **font la chasse,** *go out hunting (for).*

60 pèsent pas l'homme dans sa substance)[17] mais aux symptômes. La vérité adverse[18] leur apparaît comme une maladie épidémique. Pour un symptôme douteux on expédie le contagieux au lazaret d'isolement. Le cimetière. C'est pourquoi me semblait sinistre cet interrogatoire qui tombait sur moi par monosyllabes vagues, de
65 temps à autre, et dont je ne comprenais rien. Une roulette aveugle jouait ma peau.[19] C'est pourquoi aussi j'éprouvais l'étrange besoin, afin de peser d'une présence réelle,[20] de leur crier, sur moi, quelque chose qui m'imposât[21] dans ma densité véritable. Mon âge par exemple! Ça, c'est impressionnant, l'âge d'un homme! Ça résume
70 toute sa vie. Elle s'est faite lentement, la maturité qui est sienne.[22] Elle s'est faite contre[23] tant d'obstacles vaincus, contre tant de maladies graves guéries, contre tant de peines calmées, contre tant de désespoirs surmontés, contre tant de risques dont la plupart ont échappé à la conscience.[24] Elle s'est faite à travers tant de désirs,
75 tant d'espérances, tant de regrets, tant d'oublis, tant d'amour. Ça représente une belle cargaison d'expériences et de souvenirs, l'âge d'un homme! Malgré les pièges, les cahots, les ornières, on[25] a tant bien que mal[26] continué d'avancer, cahin-caha,[27] comme un bon tombereau.[28] Et maintenant, grâce à une convergence obstinée de
80 chances heureuses, on en est là.[29] On a trente-sept ans. Et le bon tombereau, s'il plaît à Dieu, emportera plus loin encore sa cargaison de souvenirs. Je me disais donc: «Voilà où j'en suis. J'ai trente-sept ans . . .» J'eusse aimé alourdir mes juges de cette confidence . . . mais ils ne m'interrogeaient plus.

[17] **elles ne pèsent pas l'homme dans sa substance,** *they do not weigh the essential (humanity) of man.*

[18] **La vérité adverse,** *Any truth that conflicts with their ideas.*

[19] **Une roulette aveugle jouait ma peau,** *My life was the stake in a blind game of chance.*

[20] **peser d'une présence réelle,** *to make them conscious of my importance.* The same idea is expressed in other terms by **densité véritable** in the next phrase.

[21] **m'imposât dans=fît (ferait) connaître.**

[22] **sienne,** *one's own.*

[23] **contre=en luttant contre.**

[24] **ont échappé à la conscience=ont été oubliés.**

[25] **on=nous** as often, and in this context,=**je.**

[26] **tant bien que mal,** *somehow or other.*

[27] **cahin-caha,** *limping along.*

[28] **tombereau,** *tip-cart.* The term is unexpected here and may represent a touch of macabre humor, since it would be likely to remind a French reader of the *cart* (**tombereau**) used to carry the condemned to the guillotine in the French Revolution.

[29] **on en est là,** *we've reached this point* (37 years old).

C'est alors qu'eut lieu le miracle. Oh! un miracle très discret. Je manquais de cigarettes. Comme l'un de mes geôliers fumait, je le priai, d'un geste, de m'en céder une, et ébauchai un vague sourire.[30] L'homme s'étira d'abord, passa lentement la main sur son front, leva les yeux dans la direction, non plus[31] de ma cravate, mais de mon visage et, à ma grande stupéfaction, ébaucha, lui aussi, un sourire. Ce fut comme le lever du jour.

Ce miracle ne dénoua pas le drame,[32] il l'effaça tout simplement, comme la lumière, l'ombre. Aucun drame n'avait plus lieu. Ce miracle ne modifia rien qui fût visible. La mauvaise lampe à pétrole, une table aux papiers épars, les hommes adossés au mur, la couleur des objets, l'odeur, tout persista. Mais toute chose fut transformée dans sa substance même. Ce sourire me délivrait. C'était un signe aussi définitif, aussi évident dans ses conséquences prochaines, aussi irréversible que l'apparition du soleil. Il ouvrait une ère neuve. Rien n'avait changé, tout était changé. La table aux papiers épars devenait vivante. La lampe à pétrole devenait vivante. Les murs étaient vivants. L'ennui suinté par les objets morts de cette cave s'allégeait par enchantement. C'était comme si un sang invisible eût recommencé de circuler, renouant toute chose dans un même corps, et leur restituant une signification.

Les hommes non plus n'avaient pas bougé, mais, alors qu'ils m'apparaissaient une seconde plus tôt comme plus éloignés de moi qu'une espèce antédiluvienne, voici qu'ils naissaient à une vie proche.[33] J'éprouvais une extraordinaire sensation de présence. C'est bien ça: de présence! Et je sentais ma parenté.

Le garçon qui m'avait souri, et qui, une seconde plus tôt, n'était qu'une fonction, un outil, une sorte d'insecte monstrueux, voici qu'il se révélait un peu gauche, presque timide, d'une timidité merveilleuse. Non qu'il fût moins brutal qu'un autre, ce terroriste! mais l'avènement de l'homme en lui éclairait si bien sa part

[30] **ébauchai un vague sourire,** *gave a very weak smile.* (**ébaucher,** *to sketch*).

[31] **non plus,** here means *no longer* instead of the usual *neither*.

[32] **ne dénoua pas le drame,** *didn't release the tension.* The phraseology suggests the **dénouement,** or *resolution* of a classically constructed work for the stage, but the word **drame** is used freely in French to express any tense or melodramatic event or situation.

[33] **voici qu'ils naissaient à une vie proche,** *suddenly they sprang to life as my fellow-men* (no longer as remote as if they were antediluvians).

vulnérable![34] On prend de grands airs, nous les hommes, mais on connaît, dans le secret du coeur, l'hésitation, le doute, le chagrin . . .

Rien encore n'avait été dit. Cependant tout était résolu. Je posai la main, en remerciement, sur l'épaule du milicien, quand il me
120 tendit une cigarette. Et comme, cette glace une fois rompue, les autres miliciens, eux aussi, redevenaient hommes, j'entrai dans leur sourire à tous[35] comme dans un pays neuf et libre.

J'entrai dans leur sourire comme, autrefois, dans le sourire de nos sauveteurs du Sahara.[36] Les camarades nous ayant trouvés après
125 des journées de recherches, ayant atterri le moins loin possible, marchaient vers nous à grandes enjambées, en balançant bien visiblement, à bout de bras, les outres d'eau. Du sourire des sauveteurs[37] si j'étais naufragé, du sourire des naufragés si j'étais sauveteur, je me souviens aussi comme d'une patrie où je me sentais
130 tellement heureux. Le plaisir véritable est plaisir de convive.[38] Le sauvetage n'était que l'occasion de ce plaisir. L'eau n'a point le pouvoir d'enchanter, si elle n'est d'abord cadeau de la bonne volonté des hommes.

Les soins accordés au malade, l'accueil offert au proscrit, le
135 pardon même ne valent que grâce au sourire qui éclaire la fête.[39] Nous nous rejoignons dans le sourire au-dessus des langages, des castes, des partis. Nous sommes les fidèles d'une même Église,[40] tel[41] et ses coutumes, moi et les miennes.

Cette qualité de la joie n'est-elle pas le fruit le plus précieux de
140 la civilisation qui est nôtre? Une tyrannie totalitaire pourrait nous satisfaire, elle aussi, dans nos besoins matériels. Mais nous ne

[34] **l'avènement de l'homme en lui éclairait si bien sa part vulnérable,** (freely) *now that he was acting normally human again, this weakness seemed so likable.*

[35] **leur sourire à tous,** *their common smile.*

[36] **Sahara,** a reference to the plane crash mentioned in note 1 above, related in TERRE DES HOMMES (WIND, SAND AND STARS).

[37] **sauveteurs,** the author knew how his *rescuers* felt since he had often come to the rescue of others in his long career as a pilot.

[38] **convive,** *companionship* (*shared hospitality*).

[39] **ne valent que grâce au sourire qui éclaire la fête,** *are only of value thanks to the spirit in which they are offered* (lit., *to the smile which lights up the feast,* i.e., *of companionship*). The student will have noted that Saint Exupéry uses very simple words with meanings so essentially their own that it is frequently impossible to make his meaning clear with a literal translation.

[40] **d'une même Église,** *of the same* (*humanitarian*) *faith.*

[41] **tel.** *that man* ("*so-and-so*").

sommes pas un bétail à l'engrais.[42] La prospérité et le confort ne sauraient suffire à nous combler. Pour nous qui fûmes élevés dans le culte du respect de l'homme, pèsent lourd les simples rencontres
145 qui se changent parfois en fêtes merveilleuses . . .

Respect de l'homme! Respect de l'homme! . . . Là est la pierre de touche! Quand le Naziste[43] respecte exclusivement qui lui ressemble, il ne respecte rien que soi-même. Il refuse les contradictions créatrices, ruine tout espoir d'ascension,[44] et fonde pour mille ans,
150 en place d'un homme, le robot d'une termitière. L'ordre pour l'ordre[45] châtre l'homme de son pouvoir essentiel, qui est de transformer et le monde et soi-même. La vie crée l'ordre, mais l'ordre ne crée pas la vie.

Il nous semble, à nous, bien au contraire, que notre ascension n'est
155 pas achevée, que la vérité de demain se nourrit de l'erreur d'hier,[46] et que les contradictions à surmonter sont le terreau même de notre croissance. Nous reconnaissons comme nôtres[47] ceux mêmes qui diffèrent de nous. Mais quelle étrange parenté! elle se fonde sur l'avenir, non sur le passé. Sur le but, non sur l'origine. Nous
160 sommes l'un pour l'autre des pèlerins qui, le long de chemins divers, peinons vers le même rendez-vous.

—From *Lettre à un otage.* Reproduced by permission of Librairie Gallimard, Paris.

EXPRESSIONS FOR STUDY

1. La qualité d'un sourire peut faire qu'on meure. **2.** J'avais eu l'imprudence d'assister en fraude à un embarquement de matériel secret. **3.** Je parle l'espagnol, mais ignore le catalan. **4.** Les miliciens se passèrent de main en main mon appareil photographique comme une pièce à conviction. **5.** S'ils se dégèlent, s'ils veulent agir, ils tireront. **6.** Les avant-gardes révolutionnaires, de quelque parti qu'elles soient, font la chasse non aux hommes

[42] **un bétail à l'engrais,** *cattle to be fattened.*

[43] **Naziste,** *Nazi,* follower of National Socialism, the sole political party in Germany under Hitler (1933-1945).

[44] **ascension,** (*moral and intellectual*) *progress.*

[45] **L'ordre pour l'ordre,** *Order* (*merely*) *for the sake of order. Order* was a slogan favored by reactionary forces under the Third Republic.

[46] **la vérité de demain se nourrit de l'erreur d'hier,** this is a favorite theory of the author's, which he referred to above, speaking of "creative contradictions."

[47] **nôtres,** *fellows, fellow-men.*

mais aux symptômes. **7.** Une roulette aveugle jouait ma peau. **8.** C'est pourquoi j'éprouvais l'étrange besoin de leur crier, sur moi, quelque chose qui m'imposât dans ma densité véritable. **9.** Elle s'est faite lentement, la maturité qui est sienne. **10.** On a tant bien que mal continué d'avancer—et maintenant, on en est là. **11.** Ce miracle ne dénoua pas le drame, il l'effaça tout simplement, comme la lumière, l'ombre. **12.** Aucun drame n'avait plus lieu. **13.** L'ennui suinté par les objets morts de cette cave s'allégeait par enchantement. **14.** Les hommes non plus n'avaient pas bougé. **15.** Alors qu'ils m'apparaissaient une seconde plus tôt comme plus éloignés de moi qu'une espèce antédiluvienne, voici qu'ils naissaient à une vie proche. **16.** Le garçon qui, une seconde plus tôt, n'était qu'une fonction, une sorte d'insecte monstrueux, voici qu'il se révélait un peu gauche. **17.** Non qu'il fût moins brutal qu'un autre, ce terroriste! mais l'avènement de l'homme en lui éclairait si bien sa part vulnérable! **18.** Cette glace une fois rompue, les autres miliciens, eux aussi, redevenaient hommes. **19.** J'entrai dans leur sourire à tous comme dans un pays neuf et libre. **20.** Les soins accordés au malade, l'accueil offert au proscrit, le pardon même ne valent que grâce au sourire qui éclaire la fête. **21.** Nous sommes l'un pour l'autre des pèlerins qui, le long de chemins divers, peinons vers le même rendez-vous.

QUESTIONNAIRE

1. Où, et à quelle époque, se passe l'action de ce récit? **2.** Quelle indiscrétion l'auteur avait-il commise? **3.** Pourquoi leva-t-il les bras? **4.** La cravate était-elle la mode dans ce faubourg? **5.** Qu'attendait-il? **6.** Où descendit-il enfin? **7.** L'auteur parlait-il espagnol? **8.** Quelle langue parlaient les miliciens? **9.** Où étaient les papiers de l'auteur? **10.** Qu'est-ce que les miliciens se passaient de main en main? **11.** Quelle était l'impression dominante de ce poste de garde? **12.** L'auteur était-il vraiment un espion? **13.** A quoi ces hommes faisaient-ils la chasse? **14.** Qu'est-ce qui leur servait de lazaret d'isolement? **15.** Qu'est-ce qu'il avait envie de leur crier? **16.** Quel âge avait-il? **17.** Quel est le miracle qui eut lieu alors? **18.** Quel était l'effet du sourire sur tous les objets dans la pièce? **19.** Quelle était la "part vulnérable" du garçon qui avait souri? **20.** Que faisaient alors les autres miliciens? **21.** Selon l'auteur, quel est peut-être le fruit le plus précieux de notre civilisation? **22.** L'ordre crée-t-il la vie? **23.** Sur quoi se fonde la parenté entre nous et ceux qui diffèrent de nous? **24.** Comment trouvez-vous la philosophie exprimée ici par Saint Exupéry?

JULES LEMAITRE

LILITH

Introduction

WHILE Saint Exupéry responded only to his own vital experience as a man and an aviator, and could write of nothing else, Jules Lemaître usually required the stimulus of great literature to arouse his imagination. In his series of volumes *En marge des vieux livres* he acts as a kind of gleaner, extracting new wheat from what to others, less discerning, might seem the chaff of the Great Tradition in Greek, Roman, and Biblical literature, and to a lesser degree in the European past. While he is known mainly as a critic and a man of the theatre, his volume *Myrrha,* from which the tale in this section is taken, is likely to outlive much of the rest of his work; in the spirit of *En marge,* many of its tales relate episodes that might have happened—one may well say, ought to have happened—in famous moments of history or legend. The simplest, and one of the best of these is *Lilith.*

LILITH

Jésus étant né à Bethléem,[1] *au temps du roi Hérode, des mages d'Orient arrivèrent à Jérusalem et dirent:*

—Où est le roi des Juifs qui est né? Car nous avons vu son étoile en Orient, et nous sommes venus l'adorer.

5 *Le roi Hérode, l'ayant appris, fut troublé; et, ayant assemblé les sacrificateurs et les scribes, il s'informa d'eux où devait naître le Christ.*[2]

[1] The passage in italics is quoted from the Gospel according to St. Matthew, ch. 2, vv. 1-12 and 16.

[2] **Christ,** pronounced [krist] when alone; when preceded by the word **Jésus,** pron. [ʒezykri]. The final consonant is pronounced in **Bethléem** and all the other Biblical names in the story.

Et ils lui dirent:

—C'est à Bethléem.

10 *Alors Hérode, ayant appelé secrètement les mages, s'enquit du temps où ils avaient vu l'étoile; et, les envoyant à Bethléem, il leur dit:*

—Allez, informez-vous exactement de ce petit enfant et, quand vous l'aurez trouvé, faites-le-moi savoir, afin que j'aille aussi l'adorer.

15 *Mais, après que les mages, conduits par l'étoile, eurent trouvé et adoré l'enfant, avertis par un songe de ne pas retourner vers Hérode, ils s'en allèrent dans leur pays par un autre chemin.*

Alors Hérode, voyant que les mages s'étaient moqués de lui, fut fort en colère. . . .

20 La princesse Lilith, fille du roi Hérode, couchée sur un lit de pourpre, songeait, tandis que la négresse Noun balançait sur[3] son front un éventail de plumes et que son chat Astaroth dormait à ses pieds.

La princesse Lilith avait quinze ans. Ses yeux étaient profonds 25 comme une eau de citerne,[4] et sa bouche pareille à une fleur d'ibiscus.

Elle songeait à sa mère, la reine Marianne, morte quand Lilith était toute petite encore. Elle ne savait point que son père l'avait tuée par jalousie; mais elle savait qu'il conservait, au fond d'une 30 chambre secrète, le corps de la reine embaumé dans du miel et des aromates, et qu'il la pleurait encore.

Elle songeait à son père, le roi Hérode, si sombre et toujours malade. Quelquefois, il s'enfermait dans sa chambre et, là, on l'entendait pousser des cris. C'est qu'il croyait revoir ceux qu'il avait fait 35 mourir: son beau-frère Kostobar, sa femme Marianne, ses fils Aristobule et Alexandre, frères de Lilith, sa belle-mère Alexandra, son fils Antipater, le docteur de la loi Baba-ben-Bouta, et beaucoup d'autres. Et, bien que Lilith ignorât[5] ces choses, son père lui inspirait une grande terreur.

40 Elle songeait au Messie attendu des Juifs, et dont lui avait souvent

[3] **balançait sur,** *was waving over.*
[4] **citerne,** *well.*
[5] **ignorât,** *was unaware of.*

parlé sa nourrice Egla, morte à présent. Et, quoi que le Messie dût[6] être roi à la place d'Hérode, elle se disait qu'elle voudrait pourtant bien le voir; car l'attrait lointain de cet événement merveilleux la détournait de chercher comment il pourrait s'accomplir.

45 Elle songeait enfin au petit Hozaël, le fils de sa soeur de lait[7] Zébouda, qui demeurait à Bethléem. Hozaël était un petit garçon d'un an, qui riait et commençait à parler. Lilith l'aimait tendrement. Et, presque tous les jours, faisant atteler ses mules au chariot de cèdre, elle allait, avec la négresse Noun, visiter le petit Hozaël.

50 Lilith songeait à tout cela, et qu'elle était bien seule au monde, et que, sans le petit Hozaël, elle se serait beaucoup ennuyée.

Alors Lilith alla dans le jardin afin de s'y promener sous les grands sycomores.

Elle y rencontra le vieux Zabulon, qui avait été autrefois capitaine 55 des gardes du roi. Hérode avait remplacé sa garde juive par des soldats romains; mais, ayant confiance dans le vieux Zabulon, il l'avait chargé de surveiller la partie du palais qu'habitait la princesse Lilith.

Le vieux Zabulon, infirme depuis quelques années, se chauffait 60 au soleil sur un banc de pierre; et l'âge l'avait si fort incliné que sa large barbe se repliait sur ses genoux.

Lilith lui dit:

—Tu es triste, vieux Zabulon?

—C'est que j'ai su par un centurion[8] que le roi a donné l'ordre 65 de tuer demain, dès l'aube, tous les enfants de Bethléem au-dessous de deux ans.

—Oh! dit Lilith; et pourquoi?

—Les mages ont annoncé que le Messie était né. Mais on ne sait à quoi le reconnaître, et les mages ne sont pas revenus dire s'ils 70 l'avaient trouvé. En tuant tous les petits enfants de Bethléem, le roi est sûr que le Messie ne lui échappera pas.

—C'est vrai, dit Lilith; cela est très bien imaginé.

Puis, après un moment de réflexion:

—Est-ce qu'on peut le voir?

[6] **dût,** *was destined to.*

[7] **soeur de lait,** *foster-sister*—i.e., Zébouda's mother had been Lilith's wet-nurse.

[8] **j'ai su par un centurion,** *I have learned from a centurion* (Roman soldier).

75 —Qui?

—Le Messie.

—Pour le voir, il faudrait savoir où il est. Et, si l'on savait où il est, le roi n'aurait pas besoin de tuer tous les petits enfants de la même bourgade.

80 —C'est juste, dit Lilith.

Elle ajouta à voix basse, et comme ayant peur de ses paroles:

—Mon père est bien méchant.

Puis, tout à coup:

—Et le petit Hozaël?

85 —Le petit Hozaël, dit Zabulon, mourra comme les autres, car les soldats fouilleront dans toutes les maisons.

—Pourtant, je suis bien sûre, moi, que le petit Hozaël n'est pas le Messie. Comment voulez-vous qu'il soit le Messie? C'est le fils de ma soeur de lait.

90 —Demandez sa grâce à votre père, dit Zabulon.

—Je n'ose pas, dit Lilith.

Elle reprit:

—Je vais aller, avec Noun, chercher moi-même le petit Hozaël, et je le cacherai dans ma chambre. Il y sera en sûreté, car le roi n'y vient

95 presque jamais.

Lilith fit atteler les mules au chariot de cèdre, fut[9] à Bethléem avec Noun, entra chez sa soeur de lait Zébouda, et lui dit:

—Voilà trop longtemps que je n'ai vu[10] Hozaël. Je voudrais l'emporter dans mon palais et le garder un jour et une nuit. L'enfant

100 est sevré et n'a plus besoin de tes soins. Je lui donnerai une robe d'hyacinthe[11] et un collier de perles.

Et elle ne dit point à Zébouda ce qu'elle avait appris de Zabulon, tant elle avait peur du roi.

Mais elle remarqua que le visage de Zébouda rayonnait d'une

105 joie inaccoutumée.

—Pourquoi es-tu si joyeuse?

Zébouda hésita un moment, et dit:

—Je suis joyeuse, princesse Lilith, parce que vous aimez mon fils.

[9] **fut=alla.**

[10] **Voilà trop longtemps que je n'ai vu,** *It's been too long since I've seen.*

[11] **d'hyacinthe,** *hyacinth-colored.*

—Et ton mari, où donc est-il?

110 Zébouda hésita encore, et répondit:

—Il est allé rassembler son troupeau dans la montagne.

Noun cacha sous ses voiles le petit Hozaël; et Lilith et la bonne négresse rentrèrent au palais, à l'heure où le soleil se couchait derrière Jérusalem.

115 Quand Lilith fut dans sa chambre, elle prit Hozaël sur ses genoux; et l'enfant riait et voulait saisir les longs pendants d'oreilles de la petite princesse.

Mais Noun qui, dans sa salle voisine, préparait une bouillie de maïs[12] pour l'enfant, accourut et dit:

120 —Le roi! Voici le roi!

Lilith n'eut que le temps de cacher Hozaël au fond d'une large corbeille et de le recouvrir d'un monceau de soies et de laines éclatantes.

Le roi Hérode entra à pas pesants,[13] le dos voûté, les yeux

125 sanglants dans sa face terreuse, secouant sur lui des colliers et des plaques d'or; et son menton était agité d'un tremblement dont sa barbe tressée frissonnait toute.

Il dit à Lilith:

—D'où viens-tu?

130 —Elle répondit:

—De Jéricho.

Et elle leva sur le roi ses yeux tranquilles.

—Oh! comme elle lui[14] ressemble! murmura Hérode.

A ce moment, un petit cri sortit de la corbeille.

135 —Veux-tu bien te taire, dit Lilith au chat Astaroth, qui dormait sur le tapis.

Puis elle dit au roi:

—Mon père, vous semblez avoir du chagrin; voulez-vous que je vous chante une chanson?

140 Et, prenant sa cithare, elle chanta une chanson sur les roses.

Et le roi murmura:

[12] **bouillie de maïs,** *porridge,* not of maize in any strict sense, since this was first brought over from America.

[13] **à pas pesants,** *with heavy tread.*

[14] **lui**=**à sa mère.**

—Oh! cette voix!

Et il s'enfuit, comme pris d'épouvante, parce que les regards et la chanson de Lilith avaient rappelé la voix et les yeux de la reine 145 Marianne.

Un peu après, Lilith alla dans le jardin et vit le vieux Zabulon qui pleurait.

—Pourquoi pleures-tu, vieux Zabulon? demanda-t-elle.

—Vous le savez, princesse Lilith. Je pleure parce que le roi veut 150 tuer ce petit enfant qui est le Messie.

—Mais, dit Lilith, s'il était vraiment le Messie, les hommes n'auraient pas le pouvoir de le tuer.

—Dieu veut qu'on l'aide, répondit Zabulon. Princesse, vous qui êtes bonne et compatissante, vous devriez avertir le père et la mère 155 de ce petit enfant.

—Mais où les trouverai-je?

—Interrogez les gens de Bethléem.

—Mais dois-je sauver celui qui chassera ma race de ce palais, celui par qui je serai peut-être un jour une pauvre prisonnière ou 160 une mendiante des rues?

—Ces temps sont éloignés, dit Zabulon, et le Messie n'est encore qu'un tout petit enfant, plus faible que le petit Hozaël. Puis le Messie aura assez de puissance pour être roi sans faire de mal à personne. Et si un jour vous aviez une fille, princesse Lilith, le 165 Messie, quand il sera grand, pourrait la prendre en mariage.

—Mais est-il le Messie? demanda Lilith.

—Oui, dit Zabulon, puisqu'il est né à Bethléem au temps marqué par les prophètes et que les mages ont vu son étoile.

—Il doit être beau, quoique petit, n'est-ce pas, Zabulon?

170 —Il est écrit qu'il sera le plus beau entre les enfants des hommes.

—J'irai le voir, dit Lilith.

La nuit venue, Lilith s'enveloppa de voiles noirs; et les bracelets et les cercles d'or de ses bras et de ses chevilles, et les colliers de son cou et les pierres précieuses dont elle était toute couverte luisaient à 175 travers ses voiles aussi doucement que les étoiles dans le ciel; et ainsi Lilith ressemblait à la nuit, dont elle portait le nom.

Car «Lilith», en langue hébraïque, signifie la Nuit.

Elle sortit secrètement du palais avec la négresse Noun, et elle songeait en chemin:

180 —Je ne voudrais pas que le Messie enlevât la couronne à mon père: car il me serait dur de ne plus habiter un beau palais et ne plus avoir de beaux tapis, de belles robes, des joyaux et des parfums. Mais je ne veux pas non plus[15] que l'on fasse mourir ce petit enfant nouveau-né. Alors je dirai à mon père que j'ai découvert sa retraite 185 et, en récompense de ce service, je le prierai d'épargner cet enfant et de le garder dans son palais. Ainsi, il ne pourra nous nuire; mais, s'il est le Messie, il nous associera[16] sa puissance.

Lilith trouva Zébouda en prière avec son mari Méthouel. Et tous deux paraissaient remplis d'une grande joie.

190 Alors Lilith s'avisa d'une ruse:

—Hozaël va bien, dit-elle, et je vous le rendrai demain. Mais, puisque vous savez où est le Messie, conduisez-moi auprès de lui. Je suis venue pour l'adorer.

Méthouel était un homme simple et peu enclin à croire le mal. Il 195 répondit:

—Je vous conduirai, princesse Lilith.

Quand ils arrivèrent au lieu où était l'enfant, Lilith fut fort étonnée, car elle s'était attendue à quelque chose d'extraordinaire et de magnifique, sans savoir quoi, et elle ne vit qu'une hutte adossée 200 au rocher et, sous ce chaume, un âne, un boeuf, un homme qui avait l'air d'un artisan, une femme du peuple, belle sans doute, mais pâle et frêle, et pauvrement vêtue, et dans la mangeoire, sur de la paille, un petit enfant qui lui sembla d'abord pareil à beaucoup d'autres.

205 Mais, s'étant approchée, elle vit ses yeux et, dans ces yeux, un regard qui n'était point d'un enfant, une douceur infinie et plus qu'humaine; et elle s'aperçut que l'étable n'était éclairée que par la lumière qui émanait de lui.

Elle dit à la jeune mère:

210 —Comment vous appelez-vous?

[15] **non plus,** *either.*
[16] **nous associera,** *will share with us.*

—Miryem.[17]

—Et votre petit garçon?

—Jésus.

—Il a l'air bien sage.

215 —Il pleure quelquefois, mais il ne crie[18] jamais.

—Voulez-vous me permettre de l'embrasser?

—Oui, madame, dit Miryem.

—Lilith s'inclina, baisa l'enfant sur le front; et Miryem fut un peu fâchee de voir qu'elle ne s'agenouillait point.

220 —Ainsi, dit Lilith, ce petit enfant est le Messie?

—Vous l'avez dit, madame.

—Et il sera roi des Juifs?

—C'est pour cela que Dieu l'a envoyé.

—Mais alors il fera la guerre, il tuera beaucoup d'hommes, et il 225 détrônera le roi Hérode ou son successeur?

—Non, dit Miryem, car son royaume n'est pas de ce monde. Il n'aura pas de gardes ni de soldats; il n'aura pas de palais ni de trésors, il ne lèvera pas d'impôts, et il vivra comme le plus pauvre des pêcheurs du lac de Génésareth. Il sera le serviteur des humbles et 230 des petits. Il guérira les malades, il consolera les affligés. Il enseignera la vérité et la justice, et c'est sur les coeurs et non sur les corps qu'il régnera. Il souffrira pour nous apprendre le prix de la souffrance. Il sera le roi des pleurs, de la charité et du pardon. Il sera le roi de l'amour. Car il aimera les hommes; et, à ceux qui 235 sont tourmentés d'un désir d'aimer auquel la terre ne suffit point, il dira comment leur pauvre coeur trouvera son contentement et sa joie. Il aura d'inépuisables miséricordes pour tous ceux qui, même coupables, auront conservé ce don d'aimer et cette vertu de se sentir frères des autres hommes et de ne pas se préférer à eux. Et 240 sans doute il aura un trône . . .

—Ah! vous voyez bien! dit Lilith, résistant encore.

—. . . Mais, reprit Miryem, ce trône sera une croix. C'est sur une croix qu'il mourra, pour expier les péchés des hommes et afin que Dieu son père les prenne en pitié.

245 Lilith écoutait avec étonnement. Lentement elle tourna la tête vers la crèche; elle vit que l'enfant la regardait, et, sous la caresse

[17] **Miryem,** *Miriam,* Hebrew form of the name Mary.

[18] **crie,** *yells*—note that this never means to weep, unlike English "cry."

de ses yeux profonds, vaincue, elle glissa sur ses genoux en murmurant:

—On ne m'avait jamais dit ces choses.

250 Et elle adora.

Et depuis longtemps Noun, la bonne négresse, était agenouillée et pleurait.

—Je sais, dit Lilith en se relevant, que le roi Hérode cherche l'enfant pour le faire mourir. Prenez l'âne (je le payerai à son 255 maître),[19] et fuyez!

Par les chemins étroits serpentant autour des collines rondes, Jésus et sa mère, et Joseph, et Lilith, et la négresse, et l'âne arrivèrent dans la plaine.

—C'est ici, dit la princesse, qu'il faut que je vous quitte. Je suis la 260 princesse Lilith, fille du roi Hérode. Souvenez-vous de moi.

Et, pendant que Miryem, montée sur l'âne que conduisait Joseph, et tenant Jésus dans ses bras, s'éloignait par le chemin de droite, Lilith suivait des yeux, dans la nuit, l'auréole qui entourait le front divin du petit enfant.

265 Et juste au moment où, derrière un bois de sycomores, la pâle lumière mystérieuse disparaissait, voici que,[20] par le chemin de gauche, apparut, avec un bruit de chevaux, des froissements de fer et des lueurs rapides de casques sous la lune, l'escadron des soldats romains marchant vers Bethléem.

EXPRESSIONS FOR STUDY

1. Il s'informa d'eux où devait naître le Christ. **2.** Quand vous l'aurez trouvé, faites-le-moi savoir. **3.** Hérode, voyant que les mages s'étaient moqués de lui, était fort en colère. **4.** C'est qu'il croyait revoir ceux qu'il avait fait mourir. **5.** L'attrait lointain de cet événement la détournait de chercher comment il pourrait s'accomplir. **6.** C'est que j'ai su par un centurion . . . **7.** On ne sait à quoi le reconnaître. **8.** Comment voulez-vous qu'il soit le Messie? **9.** Voilà trop longtemps que je n'ai vu Hozaël. **10.** Son menton était agité d'un tremblement dont sa barbe tressée frissonnait toute. **11.** Dieu

[19] **je le payerai à son maître,** *I will pay the owner for it.*

[20] **voici que,** *suddenly.*

veut qu'on l'aide. **12.** Dois-je sauver celui par qui je serai peut-être un jour une mendiante des rues? **13.** Je ne voudrais pas que le Messie enlevât la couronne à mon père. **14.** Je ne veux pas non plus qu'on fasse mourir ce petit enfant nouveau-né. **15.** Il nous associera sa puissance. **16.** Elle s'était attendue à quelque chose d'extraordinaire. **17.** Il a l'air bien sage. **18.** Elle s'aperçut que l'étable n'était éclairée que par la lumière qui émanait de lui. **19.** Cette vertu de se sentir frères des autres hommes et de ne pas se préférer à eux. **20.** Prenez l'âne—je le payerai à son maître.

QUESTIONNAIRE

1. Quel âge avait la princesse Lilith? **2.** Que veut dire "Lilith" en langue hébraïque? **3.** Quelle est la forme hébraïque du nom Marie? **4.** A quoi songeait Lilith? **5.** Comment sa mère est-elle morte? **6.** A quoi songeait Hérode? **7.** Qui était Hozaël? **8.** Où demeurait-il? **9.** Quel était l'emploi du vieux Zabulon? **10.** Pourquoi est-il triste? **11.** Comment cacha-t-on Hozaël? **12.** Pourquoi Lilith demande-t-elle à son chat de se taire? **13.** Pourquoi Hérode s'enfuit-il comme pris d'épouvante? **14.** Pourquoi Lilith ressemblait-elle à la Nuit? **15.** Quel était le caractère de Méthouel? **16.** Pourquoi Lilith fut-elle si étonnée en arrivant? **17.** Qu'est-ce qu'elle vit? **18.** Qu'est-ce qu'elle aperçut? **19.** Pourquoi Miryem fut-elle un peu fâchée? **20.** Qu'est-ce que Lilith dit à Miryem de faire? **21.** Comment l'aidera-t-elle? **22.** Qu'est-ce qui apparut par le chemin de gauche?

ANDRÉ MAUROIS

LA MACHINE A LIRE LES PENSÉES

INTRODUCTION

THE FOLLOWING excerpt from André Maurois' short novel by the same name may at first seem, by the lightness of its tone, an intruder in Part I. However, placed here, it may supply some brief comic relief, and should reveal in the turn it takes at the end, a certain idealistic kinship with its companions.

Maurois is the principal interpreter of England and America to present-day France, in works ranging from amusing tales derived from his service as an interpreter in the first world war (*Les Silences du colonel Bramble, Les Discours du docteur O'Grady*), to the brilliant *Histoire des États-Unis*, lives of Byron and Shelley, and many others. He can also serve as a pleasant and reliable interpreter of France—more particularly of the France of light and airy wit—to the English-speaking world.

LA MACHINE A LIRE LES PENSÉES

The narrator, M. Denis Dumoulin, professor of French literature at the University of Caen (Normandy), and a specialist in the life and works of the novelist Balzac, accepts a one-year appointment as visiting professor of French at the imaginary American University of Westmouth. His wife Suzanne accompanies him rather unwillingly, since she must leave behind her parents, her married sisters and her two young children. Once in Westmouth her homesickness and her ignorance of English make her quite unhappy, and petty quarrels with her husband become increasingly frequent. Dumoulin's neighbor is Professor Hickey, a physicist who has invented as a curiosity a "psychographe," a portable, easily concealed device which reads and records thoughts. Dumoulin yields to the ignoble temptation of borrowing one of the machines to read his wife's thoughts. The play-back, done in Hickey's basement laboratory by his young assistant Darnley, reveals Suzanne thinking nostalgically of her family and children, of her husband's selfishness, and of a girlhood friend (and cousin) named Adrien Lequeux, who used to put his arm around her waist on their strolls together, and the thought of whom reminds her of a blue sofa ("divan bleu"). This is enough to inflame the jealousy of Denis.

I. L'Attaque

Bien que la nuit fût très noire et l'heure fort avancée au moment où je sortis de chez mes voisins, je n'eus pas le courage de rentrer chez moi tout de suite. Mes sentiments étaient trop violents, ma colère trop fraîche. J'avais besoin, avant de revoir Suzanne, de
5 réfléchir à ce que je venais d'entendre. D'un pas rapide, je tournai autour de notre «bloc»[1] de maisons par les avenues jonchées de

[1] **bloc,** to render the American term *block* which does not correspond to the usually less symmetrical arrangement of streets and houses in France.

feuilles mortes et bientôt, la marche,[2] l'air frais de la nuit, me calmèrent un peu. Mon premier mouvement[3] avait été de faire à ma femme, dès mon retour, une scène méritée; le second fut, au con-
10 traire, un serment à moi-même de garder le silence.

«A quoi servirait, pensai-je, une confrontation brutale de Suzanne avec ses pensées? Elle me reprocherait, non sans justice, ce cambriolage spirituel[4] et je commencerais la discussion dans une position défavorable. En outre, je donnerais plus de force, en les
15 exposant devant elle clairement, aux griefs[5] qu'elle peut avoir contre moi. La sagesse serait, au contraire, si j'en ai le courage, de profiter secrètement de cette leçon et de reconquérir ma femme qu'après tout j'aime et qui, si je n'y prends garde, s'éloignera[6] complètement de moi. Pour cette manoeuvre, je me servirai du
20 prodigieux instrument qui me permettra d'épier des pensées que Suzanne continuera de croire muettes et je pourrai . . .»

A ce moment, je reconnus soudain que j'avais oublié dans le laboratoire souterrain le psychographe donné par Hickey. C'était ennuyeux,[7] mais pas très grave; il serait facile d'aller dès le lende-
25 main matin le réclamer. A Hickey lui-même, que dirais-je? Peu de choses. Il suffirait de le remercier et d'ajouter négligemment que l'appareil avait confirmé des faits qui m'étaient déjà connus. Ayant ainsi arrêté une ligne de conduite qui me parut raisonnable, je revins vers Lincoln Avenue et rentrai chez moi.

30 Hélas! Il en est d'[8]un ménage dans lequel fermentent des éléments de discorde comme d'un peuple mécontent: en vain ceux qui gouvernent celui-ci espèrent-ils, par de sages réformes, lui faire traverser sans accident la zone dangereuse; il demeure, malgré leur bonne volonté et leur prudence, à la merci du plus léger incident,
35 et le coup de feu tiré par une sentinelle ivre déclenchera, contre le gré de tous, l'inévitable révolution. C'est là peut-être une comparaison bien grandiloquente pour amener la description d'une médiocre

[2] **bientôt, la marche,** etc., English punctuation would omit the commas and put an *and* after **marche.**

[3] **mouvement,** *impulse* or *thought,* as often in French.

[4] **cambriolage spirituel,** *"brain-picking"* (lit., *mental burglary*).

[5] **griefs,** *grievances.*

[6] **si je n'y prends garde, s'éloignera,** *if I don't watch out, will be alienated.*

[7] **C'était ennuyeux,** *This (oversight) was annoying.*

[8] **Il en est d',** *The same is true for.*

querelle de ménage; je voulais seulement indiquer que nous ne sommes pas plus les maîtres du tour que prend[9] une conversation 40 que de celui que prend[9] une émeute et qu'entre deux êtres aux[10] nerfs trops sensibles le plus léger incident verbal peut déclencher un conflit qu'aucun[11] des deux ne souhaite.

Alors que j'arrivais plein de mansuétude, Suzanne me reçut avec aigreur. Une fois de plus, elle me reprocha mon retard qui, je 45 l'avoue, était ce soir-là d'un ordre de grandeur suprenant.[12] Elle haussa les épaules quand je dis que j'avais passé deux heures chez nos voisins et insinua que Muriel Wilton n'était pas étrangère à mon dérèglement.[13] Là-dessus, je pris feu avec la violence de la bonne foi[14] méconnue, et, au bout de cinq minutes, sans que je 50 puisse aujourd hui me souvenir de ce qu'avait été la transition, je me trouvai en train de lui dire exactement tout ce que j'avais voulu lui cacher.

—Avant de parler de Muriel Wilton, dis-je, il serait peut-être plus conforme à l'ordre chronologique[15] de parler d'abord d'Adrien 55 Lequeux.

—Adrien? dit-elle avec une indifférence admirablement jouée . . . Adrien! Qui s'occupe d'Adrien?

—Toi! . . . Et tu t'en occupes même fort tendrement.

—Es-tu fou? cria Suzanne, si fort que la négresse Rosita, croyant 60 qu'on l'appelait, entr'ouvrit la porte . . . Es-tu fou? Je me moque bien d'[16]Adrien! Je ne lui ai même pas envoyé une carte postale depuis que nous avons quitté la France.

—Tu ne lui as peut-être pas envoyé une carte postale, mais tu n'en as pas moins pensé, hier soir, qu'Adrien te conseillerait beau- 65 coup mieux que moi sur tes affaires . . . Tu t'es souvenue avec complaisance de promenades avec lui à la foire Saint-Romain . . .[17]

[9] **que prend,** in both cases the subject follows.

[10] **aux,** *with.*

[11] **aucun,** *neither.*

[12] **d'un ordre de grandeur surprenant,** *of amazing magnitude.*

[13] **Muriel Wilton n'était pas étrangère à mon dérèglement.** *Muriel Wilton was involved in my "disorderly conduct."* Mrs. Wilton, a young divorcée, was one of Denis' student worshippers.

[14] **bonne foi,** the reader may suspect that Denis is not quite sincere here.

[15] **l'ordre chronologique,** note the professorial tone of this touch of jealousy.

[16] **Je me moque bien d',** *A lot I care about!*

[17] **Saint-Romain,** a village near le Havre.

et aussi de certains gestes qui, à l'égard d'une jeune fille, étaient au moins déplacés!

Ma femme, stupéfaite, me regarda pendant une seconde avec un 70 mélange de haine et de terreur qui m'inspira à la fois de la honte et un surprenant sentiment de puissance.

—Moi? . . . Hier soir? . . . balbutia-t-elle.

—Oui, hier soir, pendant que tu lisais . . . ou feignais de lire . . . Pourrais-tu jurer que tu ne pensais pas alors à tes promenades avec 75 Adrien, à des manèges forains,[18] à je ne sais quel divan bleu? . . . N'allais-tu pas jusqu'à te dire qu'Adrien est tendre, câlin, tandis que je suis, moi, brutal et maladroit? . . . Ne nie pas, Suzanne; ton visage lui-même te trahit . . .

Elle semblait en effet atterrée, confondue. D'une voix effrayée, 80 elle demanda:

—Mais, Denis, comment sais-tu cela? Ai-je rêvé tout haut?

Peut-être aurais-je dû confirmer cette invraisemblable explication, mais je n'étais plus en état de manoeuvrer prudemment. Je lui dis tout: Elle m'écouta en silence, d'abord avec incrédulité, puis avec 85 passion, puis avec fureur, et ce dernier sentiment fut celui qu'elle exprima quand j'eus terminé mon récit.

—C'est honteux! dit-elle . . . Ignoble! . . .

—Mais, Suzanne . . .

—Ignoble! . . . Tu m'as fait l'autre soir un cours[19] d'une heure 90 sur ce qu'est un gentleman anglo-saxon . . . Est-ce que tu t'es, toi, hier soir, conduit comme un honnête homme? . . .[20] Non seulement tu m'as volé mes pensées et la seule pauvre liberté qui me restait en ce pays de malheur, celle de rêver, mais tu es allé communiquer mes secrets à deux étrangers qui sans doute en font des gorges 95 chaudes![21]

—Suzanne, c'est absurde; Darnley ne sait pas le français, et Hickey n'était pas là . . .

—Comment sais-tu qu'il n'était pas caché?

—Enfin, Suzanne, Hickey est un gentleman . . .

[18] **manèges forains,** *"side-show antics,"* (lit., *county-fair merry-go-rounds*).
[19] **un cours,** *a lecture* (*course*).
[20] **honnête homme,** the French equivalent of *gentleman.*
[21] **en font des gorges chaudes,** *are gloating over them.*

100 —Ah! non. Je t'en prie . . . N'emploie plus ce mot absurde! . . . Et où est cette pellicule? Tu l'as rapportée?

—La pellicule? . . . Ah! Bon Dieu!

Je venais de me rappeler[22] que j'avais laissé la pellicule à côté du psychographe sur la table du laboratoire. Me trouvant dans mon 105 tort, j'attaquai:

—Suzanne, dis-je, tu es d'une inconscience qui passe l'imagination! Par une méthode qui n'est peut-être pas louable, mais incroyablement précise et certainement véridique, j'ai découvert des faits que tu me cachais, que tu n'avais pas le droit de me cacher . . . Et 110 c'est toi qui me fais une scène! . . . C'est un peu raide!

—Mais je n'ai rien à cacher, dit-elle. Qu'y a-t-il de condamnable à . . . ?

—A penser aux caresses d'Adrien Lequeux, dis-je sèchement.

Elle éclata de rire.

115 —Vraiment les hommes sont trop bêtes! J'ai flirté avec Adrien quand j'avais quinze ou seize ans; il y a de cela quatorze ans;[23] j'ai deux enfants; lui trois: je ne pense jamais à lui et je ne vois vraiment pas ce qu'il y eut là de criminel . . .

—Comment peux-tu dire que tu ne penses jamais à lui quand je 120 te prouve . . . ?

—Tu ne prouves rien du tout . . . Car malgré cette expérience invraisemblable, je te répète que je ne pense *jamais* à Adrien . . . Il se trouve qu'hier soir son nom a traversé mon esprit parce qu'en effet, sur une question de vente de terrain, il serait de bon conseil 125 . . .[24] Encore une fois, ce n'est pas un crime . . .

—Ce ne serait en effet pas un crime si tu n'avais pensé à lui que comme un conseiller . . . mais au besoin[25] de conseils techniques se mêlaient des souvenirs d'une intimité bien singulière.

—Singulière? dit-elle . . . Pourquoi singulière? . . . Adrien était 130 mon cousin . . . le seul jeune homme avec lequel ma mère me permettait de sortir seule . . . Il me faisait un peu la cour, comme tous les jeunes hommes à toutes les jeunes filles . . . Et après? . . .[26]

[22] **Je venais de me rappeler,** *I had just remembered.*
[23] **il y a de cela quatorze ans,** *that was fourteen years ago.*
[24] **il serait de bon conseil,** *his advice would be useful.*
[25] **au besoin,** to be construed with **se mêlaient,** subject **souvenirs.**
[26] **Et après?** *And what of it?*

Étais-tu un saint, toi, Denis? Souviens-toi de ta propre adolescence. Oserais-tu jurer que tu n'as pas des souvenirs à peu près identiques 135 associés à l'image de jeunes filles que tu n'as jamais revues et que tu n'as pas le moindre désir de revoir?

—Peut-être, mais . . .

Je restai court. Suzanne venait d'obtenir un avantage tactique en m'obligeant à me mettre à mon tour sur la défensive. Le ton 140 de notre conversation s'adoucit et, par cette curieuse réaction que l'on observe si souvent dans les ménages et qui ont conduit certains d'entre eux à considérer les «scènes» commes des orages utiles pour éclairer l'atmosphère, la querelle se transforma bientôt en attendrissement.

145 —Ma chérie, dis-je, je suis tellement de ton avis et si loin de te faire grief de rêveries involontaires . . . et rétrospectives . . . que j'étais, en entrant ici, résolu à ne jamais te parler de tout cela . . . Il s'est trouvé que tu m'as assez mal accueilli et que ta mauvaise humeur a excité la mienne . . . C'est fini . . . Je reconnais volontiers 150 que l'incident n'est pas grave . . . Je sais qu'Adrien n'est plus pour toi qu'un vieux cousin assez ridicule, avec lequel peut-être tu aimes à évoquer des souvenirs d'enfance . . .

—Même pas,[27] dit Suzanne.

—Je te crois, chérie . . . Le seul reproche que je te ferai, et très 155 affectueusement . . . c'est peut-être d'avoir manqué de confiance en moi . . . Cette longue méditation, que je ne prends plus au sérieux, m'a au moins révélé un fait: c'est que tu as de grands soucis, des inquiétudes de toute nature . . . Pourquoi ne m'en parles-tu pas? . . . Pourquoi ne fais-tu pas de moi ton confident? . . .

160 Elle avait maintenant les yeux pleins de larmes.

—Mais parce que tu es si distant, Denis . . . Quand on te parle de choses vraiment intéressantes, tu n'écoutes jamais, tu penses à ton cours, à tes élèves, à la politique . . . Je sens que je t'ennuie . . . Alors, je me tais et je remâche toute seule mes pauvres pensées de femme.

165 —Suzanne, dis-je, viens t'asseoir sur mes genoux comme autrefois, et dis-moi tout ce que tu peux avoir à me dire.

—Non, ce serait comique, dit-elle. Une femme de trente ans! . . . Et puis, je suis trop lourde . . .

[27] **Même pas,** *Not even that.*

Sentant fondre cette artificielle muraille qui nous avait séparés,
170 je bénissais le psychographe. Je ne devais pas[28] le bénir longtemps.

II. La Contre-attaque

The Dumoulins attend a party given by the Clintons, young faculty members. Muriel Wilton is also one of the guests. Denis pays considerable attention to her. When he and his wife walk home around four in the morning, he senses Suzanne's irritation at his conduct during the party. The story resumes with the next morning's events.

Bien que je me fusse endormi tard, je me réveillai le lendemain de cette «débauche» à mon heure habituelle et ne me sentis pas fatigué. Bien au contraire, j'éprouvai cette curieuse allégresse intellectuelle du mâle qui croit avoir fait une conquête, et tout de
175 suite je sus que mon cours, ce matin-là, serait plus brillant qu'à l'ordinaire. Je dus partir à dix heures, sans avoir dit au revoir à Suzanne qui dormait encore; je laissai sur la table du bureau une note pour lui rappeler que ce mercredi, comme chaque semaine, je devais déjeuner au club avec mes collègues des langues romanes.
180 Ainsi que je l'avais espéré, je ne parlai pas trop mal ce jour-là. J'avais pris pour thème la politique de Balzac. Il fallait, pour y intéresser de jeunes Américains, brosser d'abord un large tableau de la France telle que l'avaient modelée les vieilles monarchies, la Révolution et l'Empire,[29] puis, dans ce tableau, placer Balzac lui-
185 même et montrer la nature particulière de son royalisme comme de son catholicisme. Je me servis des *Chouans,* d'*Une Ténébreuse Affaire,* du *Curé de village,* du *Médecin de campagne,* des *Employés.* M'étant efforcé de transposer ces problèmes français en termes que pussent comprendre et en émotions que pussent ressentir
190 mes étudiants, j'eus cette joie, si vive pour un professeur, de ne voir pendant une heure que des visages ardents et attentifs. Je terminai dans le murmure heureux que produisent cinquante voix chuchotant: «Comme c'était bien!» En de tels jours je pense que

[28] **ne devais pas,** *was not destined to.*

[29] **la Révolution** ended formally in 1804 with the establishment of **l'Empire** (1804-1814). **Balzac** (1799-1850) wrote principally of the Empire and Restoration (1814-1830) and professed to find little to admire in the political or religious tendencies of France after the fall of the Bourbons in 1830. The novels mentioned present differing aspects of the writer's highly personal sort of conservatism.

mon métier est le plus beau de tous; en d'autres jours, je le maudis
195 mais cela est rare.

Ce matin-là, mon seul regret fut de ne pas voir, à sa place habituelle, Muriel Wilton. Comment eût-il pu[30] en être autrement? Elle se trouvait encore, à quatre heures, chez les Clinton et ne montrait alors aucun désir de partir. Sans doute s'était-elle couchée
200 à l'aube et dormait-elle à l'heure du cours, comme Suzanne. Je pris part à une réunion de professeurs, puis allai déjeuner avec mes collègues. Après le lunch, je fis une assez longue promenade à pied et je revins vers Lincoln Avenue, tout heureux d'annoncer le succès de ma leçon.

205 A ma grande surprise, je ne trouvai pas ma femme à la maison. Rosita, notre négresse, me dit que «Mrs. Dumoulin» était sortie depuis une heure.[31] Or, il était rare, à Westmouth, que Suzanne sortît sans moi; si elle voulait faire des achats, l'imperfection de son anglais rendait ma présence nécessaire; si elle souhaitait rendre
210 quelque visite, les usages locaux exigeaient que je l'accompagnasse. En tout cas, son absence n'avait rien d'inquiétant, cette ville et ce milieu étant de ceux[32] où rien n'arrive. J'avais à préparer une série de conférences que l'on m'avait demandé de faire à Chicago, le mois suivant, sur les moralistes français et me mis au travail.

215 Suzanne revint à cinq heures et dès les premières phrases que nous échangeâmes, je vis qu'elle était de détestable humeur. J'attribuai ce phénomène à nos excès de la veille et lui dit gaiement:

—Vois-tu, chérie, nous sommes de vieux bourgeois français, casaniers, couche-tôt et chargés de famille;[33] nous ne sommes pas
220 faits pour nous mêler à cette jeunesse étrangère . . . Tout en souffre, notre caractère et notre travail . . . Pourtant, ce matin, je dois dire que ma politique de Balzac n'a pas trop mal marché . . . Les étudiants semblaient très contents . . .

—Et Muriel Wilton? Était-*elle* contente de toi? dit Suzanne avec
225 ironie.

—Muriel Wilton n'était pas là, Suzanne. Je suppose qu'elle aussi avait mal supporté cette nuit sans sommeil. Au fond ce type de

[30] **eût-il pu=aurait-il pu.**

[31] **était sortie depuis une heure,** can mean either *had gone out an hour ago,* or *had been out since one o'clock.*

[32] **de ceux,** *the sort of place(s).*

[33] **chargés de famille,** *weighed down with family cares.*

plaisirs est malsain pour tout le monde. L'homme n'est pas un animal nocturne. Plus je vis et[34] plus je suis persuadé que se lever
230 tôt et se coucher tôt sont deux des secrets du bonheur.

—Est-ce que tu me prends pour ton auditoire de Chicago? dit Suzanne avec une étrange amertume. Je t'assure que tu es dispensé d'énoncer des platitudes et de commenter les moralistes dans cette maison.

235 Il m'était arrivé, je l'ai dit, d'avoir avec ma femme d'inoffensives querelles, mais rarement elle m'avait parlé sur ce ton hostile et méprisant. Je la regardai avec stupeur.

—C'est vrai, dit-elle en ôtant son chapeau. Je trouve vraiment trop ridicule que tu sois chargé d'un cours de morale, où tu te
240 donneras des airs de sage et où tu parleras, comme tu le fais si bien, de la modération dans les passions, alors que tu ne penseras, en fait, qu'à Mrs Muriel Wilton et aux moyens de la rencontrer à Chicago.

—Moi? dis-je. Es-tu folle?

245 Mais à ce moment une idée redoutable et trop vraisemblable traversa mon esprit.

—Suzanne! . . . Tu n'as pas emprunté cette stupide machine à Hickey?

—Pourquoi pas? dit-elle. Tu l'avais bien fait . . .[35] J'ai été[36] la
250 réclamer, puisque tu l'avais oubliée. J'ai demandé au professeur Hickey de m'en montrer le fonctionnement, de me donner une nouvelle pellicule . . .

—Et il l'a fait? Eh bien! En voilà un à qui je dirai ce que je pense de lui!

255 Suzanne eut un petit rire strident et dur:

—Les hommes sont vraiment admirables, dit-elle. Tant qu'il s'agissait de surprendre *mes* secrets, d'épier *mes* pensées, de violer *mon* intimité, c'était l'acte le plus naturel, l'expérience la plus curieuse. Et vous vous conduisiez, Hickey et toi, en[37] «parfaits
260 gentlemen» . . . Mais qu'[38]une femme pénètre dans la pensée

[34] **Plus je vis et,** *The longer I live, the.*
[35] **Tu l'avais bien fait,** *You did, didn't you?*
[36] **J'ai été=Je suis allée;** this substitution has become almost the rule in present-day French.
[37] **en,** *like.*
[38] **qu',** *let.*

sacrée—et d'ailleurs bestiale—d'un homme, c'est le crime le plus abominable. Ne vois-tu pas à quel point tu es comique? A quel point vous êtes tous comiques? . . .

Ma position devenait si évidemment impossible à défendre que
265 moi-même je m'en rendis compte et que j'essayais d'être calme.

—Suzanne, dis-je, il est vain de crier . . . Commence par me dire clairement ce qui s'est passé, ce que tu as entendu, ce que tu me reproches; je te répondrai de mon mieux.

—Je ne te demande aucune réponse, dit-elle. J'ai eu ta réponse, et
270 beaucoup plus sincère. Ce qui s'est passé? C'est très simple. Comme je te l'ai dit, j'ai, hier après-midi, rendu visite à Mr Hickey et je lui ai demandé de ta part . . . comment appelles-tu ça? . . . ce psychographe. Je l'ai rapporté ici. Naturellement je ne me suis pas servi du rouleau de magazines[39] que tu aurais sans doute reconnu.
275 Mais je sais combien tu es distrait et combien tu prêtes peu d'attention aux objets qui ne sont pas des livres. J'ai donc tout simplement enveloppé cet appareil dans un de mes jupons et l'ai placé sur la table près de ton lit. En revenant de cette maudite soirée, je suis montée très vite pendant que tu accrochais, dans le vestibule, ton
280 pardessus et ton chapeau, et j'ai appuyé sur le bouton de mise en marche.[40] Sur quoi, tu m'as suivie, tu t'es couché, tu t'es étendu et tu as pensé.

—Et à quoi ai-je pensé? Je te jure que je ne m'en souviens pas.

—Je te jure, moi, que je m'en souviendrai toute ma vie. Tu as
285 pensé à cette femme. Tu t'es dit: «Évidemment je lui plais.» Cet orgueil! Ce n'est pas toi qui lui plais; c'est ton petit succès d'orateur. Tu as murmuré: «Ce baiser! . . .» Et sur un ton! . . .[41] Puis tu as fait des plans pour ton voyage à Chicago; tu as projeté de lui demander d'y aller en même temps que toi, et même de me
290 renvoyer en France: «Au fond, t'es-tu dit, Suzanne s'acclimate très mal ici. Il serait beaucoup plus sain pour elle de rentrer à Rouen. Je la rejoindrais dans trois mois». Car tu es hypocrite et moral jusque dans les moments où tu es seul avec toi-même. Le plus comique, ou le plus tragique, comme tu voudras, c'est que

[39] **rouleau de magazines,** *roll of magazines* in which Denis had hidden the machine when he had directed it at his wife.
[40] **bouton de mise en marche,** *starting button.*
[41] **sur un ton!** *with what a tone!*

295 tout cela était mêlé à la préparation de ton cours de Chicago et à des réfléxions hautement vertueuses sur Vauvenargues et sur Pascal . . .[42] Ah! Que c'est ridicule, la pensée d'un homme! . . .

J'étais atterré, et d'autant plus embarrassé que[43] je me rappelais maintenant la méditation qu'évoquait Suzanne. J'étais rentré dans 300 un état de grande fatigue et j'avais eu l'impression de m'être endormi tout de suite. Mais il n'en avait pas été ainsi et, dans un brouillard confus d'images, je retrouvais le souvenir d'une rêverie où peut-être avaient passé de vagues désirs et un plan chimérique de voyage où j'aurais rencontré Muriel. A aucun moment, je n'avais 305 pris ce songe au sérieux. Comme le rêve est parfois la réalisation imaginaire d'un désir inconscient, cette hallucination avait donné pour moi, aux émotions de la nuit, une conclusion flatteuse et irréelle. Il n'en fût rien resté[44] et même pas la volonté de réaliser ces fantaisies, si la damnée pellicule n'avait enregistré mes divagations.

310 —Mais, Suzanne, dis-je, qui t'a «lu» ce rouleau?

—Ton ami Hickey lui-même m'a accompagnée dans son laboratoire et a fait marcher pour moi le haut-parleur.

—Et il a écouté?

—Chaque mot. J'en rougissais, mais c'était ta faute et non la 315 mienne.

—Suzanne! Ceci passe les bornes . . . Que peut penser de moi maintenant cet Anglais?

—Tu es tout entier dans cette phrase![45] Tu te demandes ce que peut penser cet Anglais avant de te demander ce que je peux 320 penser, moi. Mais je vais te le dire tout de même. Je pense que tu ne m'aimes plus, que tu désires te débarrasser de moi et qu'il vaut mieux dans ces conditions que nous cessions de vivre ensemble. Tu souhaites me voir retourner en France? C'est ce que je vais faire. Seulement, ce sera pour y préparer notre séparation.

325 —Suzanne, dis-je avec une émotion sincère et qui la toucha, ne dis pas de choses folles et[46] que tu regretteras. Tu sais très bien que je t'aime et tu sais très bien que *tu* m'aimes. Ce que tu as surpris

[42] Vauvenargues, Pascal are great French moralists of the 18th and 17th centuries respectively.
[43] que, *since.*
[44] Il n'en fût rien resté=Rien de tout cela ne serait resté.
[45] Tu es tout entier dans cette phrase! *If that (sentence) isn't just like you!*
[46] et, omit in English.

chez moi, comme ce que j'avais surpris chez toi l'autre jour, ce sont des pensées fugitives, sans vigueur, sans réalité. Je pourrais 330 demain quitter avec toi ce pays et ne jamais revoir Muriel Wilton que cela me serait[47] complètement indifférent.

—Je suppose que ce n'est pas ce que tu lui dis lorsque tu l'embrasses, dit ma femme,

—Mais je ne l'embrasse pas, Suzanne! . . . Nous rêvons, et peut- 335 être rêvons-nous d'autant plus que[48] nous sommes, dans la vie, sages et fidèles . . .

—C'est vrai? dit-elle avec une passion ardente que je n'avais pas observée chez elle depuis le temps de nos fiançailles . . .

—Si tu savais comme je t'aime uniquement, même quand je 340 te déteste . . .

Elle ne répondit pas. J'allai vers elle, m'assis à ses pieds et posai ma tête sur ses genoux: elle me laissa faire.

—From the novel *La Machine à lire les pensées.* Reproduced by permission of the author. Copyright André Maurois.

EXPRESSIONS FOR STUDY

1. Bien que l'heure fût fort avancée je n'eus pas le courage de rentrer chez moi tout de suite. **2.** J'avais besoin, avant de revoir Suzanne, de réfléchir à ce que je venais d'entendre. **3.** Mon premier mouvement avait été de faire à ma femme, dès mon retour, une scène méritée. **4.** Je donnerais plus de force, en les exposant devant elle clairement, aux griefs qu'elle peut avoir contre moi. **5.** Si je n'y prends garde elle s'éloignera complètement de moi. **6.** Je reconnus soudain que j'avais oublié le psychographe; c'était ennuyeux, mais pas très grave. **7.** Il en est d'un ménage dans lequel fermentent des éléments de discorde comme d'un peuple mécontent. **8.** Nous ne sommes pas plus les maîtres du tour que prend une conversation que de celui que prend une émeute. **9.** Elle haussa les épaules et insinua que Muriel Wilton n'était pas étrangère à mon dérèglement. **10.** Je restai court. Suzanne venait d'obtenir un avantage tactique en m'obligeant à me mettre à mon tour sur la défensive. **11.** Je sens que je t'ennuie . . . Alors, je me tais et je remâche toute seule mes pauvres pensées de femme. **12.** Je dus partir à dix heures. **13.** Ce mercredi je devais déjeuner au club. **14.** Je m'étais

[47] **Je pourrais . . .** etc., this construction is equivalent to a conditional construction, "*If I left, . . . it would be.*"

[48] **que,** freely *when* (lit., *in proportion as*).

efforcé de transposer ces problèmes français en termes que pussent comprendre et en émotions que pussent ressentir mes étudiants. **15.** Sans doute s'était-elle couchée à l'aube et dormait-elle à l'heure du cours. **16.** Il était rare, à Westmouth, que Suzanne sortît sans moi. **17.** Si elle souhaitait rendre quelque visite, les usages locaux exigeaient que je l'accompagnasse. **18.** En tout cas, son absence n'avait rien d'inquiétant, ce milieu étant de ceux où rien n'arrive. **19.** Vois-tu, chérie, nous sommes de vieux bourgeois français, casaniers, couche-tôt et chargés de famille. **20.** Pourquoi pas? Tu l'avais bien fait. **21.** J'avais eu l'impression de m'être endormi tout de suite, mais il n'en avait pas été ainsi. **22.** Il n'en fût rien resté et même pas la volonté de réaliser ces fantaisies, si la damnée pellicule n'avait enregistré mes divagations. **23.** Je pourrais demain quitter avec toi ce pays et ne jamais revoir Muriel Wilton que cela me serait complètement indifférent. **24.** Nous rêvons, et peut-être rêvons-nous d'autant plus que nous sommes, dans la vie, sages et fidèles. . . .

QUESTIONNAIRE

1. Pourquoi Denis n'avait-il pas le courage de rentrer chez lui tout de suite? **2.** Quelle avait été sa première pensée? **3.** Où avait-il laissé le psychographe? **4.** Comment fut-il reçu par Suzanne? **5.** A quoi pensait Suzanne pendant qu'elle feignait de lire? **6.** Où est-ce que Denis avait laissé la pellicule? **7.** Pourquoi le souvenir d'Adrien Lequeux a-t-il traversé l'esprit de Suzanne? **8.** Comment se transforme bientôt la querelle? **9.** Qu'est-ce que Denis avait résolu avant d'entrer? **10.** Qu'est-ce qui l'a fait changer d'avis? **11.** Quel est le seul reproche qu'il fait à sa femme? **12.** Pourquoi n'a-t-elle pas parlé de ces choses à son mari? **13.** Quel âge a Suzanne? **14.** Que faisait Denis tous les mercredis? **15.** Quel était le thème de sa conférence mercredi matin? **16.** Quel était son seul regret ce matin-là? **17.** Pourquoi Suzanne sortait-elle peu sans son mari? **18.** Quelles conférences Denis prépare-t-il? **19.** Où est-ce que Suzanne était allée mardi après-midi? **20.** Comment avait-elle caché le psychographe? **21.** Qu'est-ce qu'elle a découvert dans les pensées de Denis? **22.** Est-ce que c'étaient là des pensées sérieuses? **23.** Qu'en pense Suzanne?

HONORÉ DE BALZAC

EL VERDUGO

Introduction

A POLL of distinguished men of letters from all the principal countries of our civilization surveyed their opinion as to who are the greatest writers of that civilization. The results showed no change, among the first four, from what might have been expected at any time during the past two centuries: Homer, Virgil, Dante and Shakespeare. It is interesting to note that of writers in English and French, after the first four, Dickens and Balzac hold the highest rank. The novel is now the vehicle to which young writers instinctively turn to express their views of the world and their conceptions of society. This is probably due as much to Balzac as to any other single writer.

After writing for nearly a decade the most sensational kind of potboilers, which he wrote under various pen names and never acknowledged during his lifetime, Balzac suddenly achieved artistic maturity and went on to produce some hundred novels and tales from 1829 to 1848. The following story belongs to the period in which he was just emerging from sensationalism toward greatness, and has a generous share of both. Whether strictly true to life and history or not, it gives an amazingly vivid picture of the Napoleonic wars in Spain, and pays an equally amazing tribute to that Spanish sense of honor which, ever since Corneille founded classic drama with *Le Cid* in 1636, has always been a favorite theme with the French.

EL VERDUGO[1]

Le clocher de la petite ville de Menda[2] venait de sonner minuit.

En ce moment, un jeune officier français, appuyé sur le parapet

[1] **El Verdugo,** Spanish for *The Executioner.* The story, which may be based on incidents reported as historical, is supposed to take place during the Peninsular War, in

d'une longue terrasse qui bordait les jardins du château de Menda, paraissait abîmé dans une contemplation plus profonde que ne le
5 comportait[3] l'insouciance de la vie militaire; mais il faut dire aussi que jamais heure, site et nuit ne furent plus propices à la méditation. Le beau ciel d'Espagne étendait un dôme d'azur au-dessus de sa tête. Le scintillement des étoiles et la douce lumière de la lune éclairaient une vallée délicieuse qui se déroulait coquettement
10 à ses pieds. Appuyé sur un oranger en fleur, le chef de bataillon[4] pouvait voir, à cent pieds au-dessous de lui, la ville de Menda, qui semblait s'être mise à l'abri des vents du nord, au pied du rocher sur lequel était bâti le château. En tournant la tête, il apercevait la mer, dont les eaux brillantes encadraient le paysage d'une large lame
15 d'argent. Le château était illuminé. Le joyeux tumulte d'un bal, les accents de l'orchestre, les rires de quelques officiers et de leurs danseuses arrivaient jusqu'à lui, mêlés au lointain murmure des flots. La fraîcheur de la nuit imprimait une sorte d'énergie à son corps fatigué par la chaleur du jour. Enfin, les jardins étaient
20 plantés d'arbres si odoriférants et de fleurs si suaves, que le jeune homme se trouvait comme plongé dans un bain de parfums.

Le château de Menda appartenait à un grand[5] d'Espagne, qui l'habitait en ce moment avec sa famille. Pendant toute cette soirée, l'aînée des filles avait regardé l'officier avec un intérêt empreint
25 d'une telle tristesse, que le sentiment de compassion exprimé par l'Espagnole pouvait bien causer la rêverie du Français. Clara était belle, et, quoiqu'elle eût trois frères et une sœur, les biens du marquis de Légañès paraissaient assez considérables pour faire croire à Victor Marchand que la jeune personne aurait une riche dot.
30 Mais comment oser croire que la fille du vieillard le plus entiché

---

which Napoleon attempted to conquer Spain and keep it subjugated under the rule of his brother, Joseph, from 1808 to 1813.

[2] **Menda,** pronounce minda (first syllable as in exa*men*). The name of the town is imaginary, though Balzac, using a device common to fiction, claims to have changed it to assure secrecy; the same claim is made for the other names in the story. Menda must be imagined as on the Atlantic coast, probably near Cadiz, west of Gibraltar. The date is July 25, feast day of Santiago (Saint James the Apostle), patron saint of Spain.

[3] **que ne le comportait,** *than called for by;* **ne,** not translated, used after **plus.**

[4] **chef de bataillon=commandant,** *battalion commander* or *major.* He is obviously young and inexperienced for the responsibilities incumbent upon him, but men rose rapidly from ranks in the Napoleonic wars; their superiors died fast.

[5] **grand,** *grandee,* generic title for the upper aristocracy of Spain, among whom the king was *primus inter pares* (first among his peers).

de sa grandesse qui fût en Espagne pourrait être donnée au fils d'un épicier de Paris! D'ailleurs, les Français étaient haïs. Le marquis ayant été soupçonné par le général Gauthier, qui gouvernait la province, de préparer un soulèvement en faveur de Ferdinand VII,[6]
35 le bataillon commandé par Victor Marchand avait été cantonné dans la petite ville de Menda pour contenir les campagnes voisines, qui obéissaient au marquis de Légañès. Une récente dépêche du maréchal Ney[7] faisait craindre que les Anglais ne débarquassent[8] prochainement sur la côte, et signalait le marquis comme un homme
40 qui entretenait des intelligences[9] avec le cabinet de Londres. Aussi, malgré le bon accueil que cet Espagnol avait fait à Victor Marchand et à ses soldats, le jeune officier se tenait-il constamment sur ses gardes. En se dirigeant vers cette terrasse où il venait[10] examiner l'état de la ville et des campagnes confiées à sa surveillance, il se
45 demandait comment il devait interpréter l'amitié que le marquis n'avait cessé de lui témoigner, et comment la tranquillité du pays pouvait se concilier avec les inquiétudes de son général; mais, depuis un moment, ces pensées avaient été chassées de l'esprit du jeune commandant par un sentiment de prudence et par une
50 curiosité bien légitime. Il venait d'apercevoir[11] dans la ville une assez grande quantité de lumières. Malgré la fête de saint Jacques, il avait ordonné, le matin même, que les feux fussent éteints à l'heure prescrite par son règlement. Le château seul avait été excepté[12] de cette mesure. Il vit bien briller çà et là les baïonnettes de
55 ses soldats aux postes accoutumés; mais le silence était solennel, et rien n'annonçait que les Espagnols fussent en proie à l'ivresse d'une fête. Après avoir cherché à s'expliquer l'infraction dont se rendaient coupables les habitants, il trouva dans ce délit un mystère d'autant plus incompréhensible, qu'il avait laissé des officiers chargés de la

[6] **Ferdinand VII** (1784–1833), a descendant of Louis XIV of France, became legitimate King of Spain in 1808 but was deposed soon after by Napoleon. He was again ruling Spain when Balzac wrote the story in 1829.

[7] **Maréchal Ney**, 1769–1815, was Napoleon's favorite officer.

[8] **ne débarquassent,** *might land;* **ne,** not translated, used after **craindre.**

[9] **entretenait des intelligences,** *was in communication.*

[10] **il venait=il était venu pour.**

[11] **Il venait d'apercevoir,** *He suddenly* (*He had just*) *noticed.*

[12] **avait été excepté,** the critical reader might note that the chateau, perched on top of the cliff, would when lit up be much more visible from the sea than anything else at Menda; compare note 4.

60 police nocturne et des rondes. Avec l'impétuosité de la jeunesse, il
allait s'élancer par une brèche pour descendre rapidement les rochers
et parvenir ainsi plus tôt que par le chemin ordinaire à un petit
poste placé à l'entrée de la ville du côté du château, quand un faible
bruit l'arrêta dans sa course. Il crut entendre le sable des allées
65 criant sous le pas léger d'une femme. Il retourna la tête et ne vit
rien; mais ses yeux furent saisis par l'éclat extraordinaire de l'Océan.
Il y aperçut tout à coup un spectacle si funeste, qu'il demeura immobile de surprise, en accusant ses sens d'erreur. Les rayons
blanchissants de la lune lui permirent de distinguer des voiles à
70 une assez grande distance. Il tressaillit, et tâcha de se convaincre
que cette vision était un piège d'optique offert par les fantaisies des
ondes et de la lune. En ce moment, une voix enrouée prononça le
nom de l'officier, qui regarda vers la brèche, et vit s'y élever lentement la tête du soldat par lequel il s'était fait accompagner au
75 château.

—Est-ce vous, mon commandant?

—Oui. Eh bien? lui dit à voix basse le jeune homme, qu'une sorte
de pressentiment avertit d'agir avec mystère.

—Ces gredins-là se remuent comme des vers, et je me hâte, si
80 vous le permettez, de vous communiquer mes petites observations.

—Parle, répondit Victor Marchand.

—Je viens de suivre un homme du château qui s'est dirigé par
ici une lanterne à la main. Une lanterne est furieusement suspecte!
je ne crois pas que ce chrétien-là ait besoin d'allumer des cierges à
85 cette heure-ci . . . «Ils veulent nous manger!» que je me suis dit,[13]
et je me suis mis à lui examiner les talons. Aussi, mon commandant,
ai-je découvert à trois pas d'ici, sur un quartier de roche, un certain
amas de fagots.

Un cri terrible,[14] qui tout à coup retentit dans la ville, interrompit
90 le soldat. Une lueur soudaine éclaira le commandant. Le pauvre
grenadier reçut une balle dans la tête et tomba. Un feu de paille et
de bois sec brillait comme un incendie à dix pas du jeune homme.
Les instruments et les rires cessaient de se faire entendre dans la

[13] **nous manger, que je me suis dit,** *get us, says I to myself.*

[14] **Un cri terrible,** either from the first French as they were massacred, or else a cry given as the signal for each Spaniard to get his man at the same moment, profiting by the surprise attack.

salle du bal. Un silence de mort, interrompu par des gémissements,
95 avait soudain remplacé les rumeurs et la musique de la fête. Un coup de canon retentit sur la plaine blanche de l'Océan. Une sueur froide coula sur le front du jeune officier. Il était sans épée. Il comprenait que ses soldats avaient péri et que les Anglais allaient débarquer. Il se vit déshonoré s'il vivait, il se vit traduit devant un
100 conseil de guerre; alors, il mesura des yeux la profondeur de la vallée, et s'y élançait[15] au moment où la main de Clara saisit la sienne.

—Fuyez! dit-elle; mes frères me suivent pour vous tuer. Au bas du rocher, par là,[16] vous trouverez l'andalou de Juanito. Allez!

105 Elle le poussa; le jeune homme stupéfait la regarda pendant un moment; mais, obéissant bientôt à l'instinct de conservation qui n'abandonne jamais l'homme, même le plus fort,[17] il s'élança dans le parc en prenant la direction indiquée, et courut à travers des rochers que les chèvres avaient seules pratiqués jusqu'alors. Il entendit
110 Clara crier à ses frères de le poursuivre; il entendit les pas de ses assassins; il entendit siffler à ses oreilles les balles de plusieurs décharges; mais il atteignit la vallée, trouva le cheval, monta dessus et disparut avec la rapidité de l'éclair.

En peu d'heures, le jeune officier parvint au quartier du général
115 Gauthier, qu'il trouva dînant avec son état-major.

—Je vous apporte ma tête! s'écria le chef de bataillon en apparaissant pâle et défait.

Il s'assit, et raconta l'horrible aventure. Un silence effrayant accueillit son récit.

120 —Je vous trouve plus malheureux que criminel, répondit enfin le terrible général. Vous n'êtes pas comptable du forfait des Espagnols; et, à moins que le maréchal n'en décide autrement, je vous absous.

Ces paroles ne donnèrent qu'une bien faible consolation au
125 malheureux officier.

[15] **s'y élançait,** may mean *was about to leap (down)*; the preceding context, and the death of the mother described in the last pages of the story, suggest suicide here, but Victor's intentions are not clear, as the verb **s'élancer** is used elsewhere in the story with the usual sense of *to rush (forward)*.

[16] **par là,** *that way;* she points to a more dangerous path which would make him cross the park before rushing down hill.

[17] **le plus fort,** though the commanding officer, who should be **fort** (*valiant*), he is in a sense abandoning his men in time of peril.

—Quand l'empereur saura cela! s'écria-t-il.

—Il voudra vous faire fusiller, dit le général, mais nous verrons. Enfin, ne parlons plus de ceci, ajouta-t-il d'un ton sévère, que pour en tirer une vengeance qui imprime une terreur salutaire[18] à ce
130 pays, où l'on fait la guerre à la façon des sauvages.

Une heure après, un régiment entier, un détachement de cavalerie et un convoi d'artillerie étaient en route. Le général et Victor marchaient à la tête de cette colonne. Les soldats, instruits du massacre de leurs camarades, étaient possédés d'une fureur sans
135 exemple. La distance qui séparait la ville de Menda du quartier général fut franchie avec une rapidité miraculeuse. Sur la route, le général trouva des villages entiers sous les armes. Chacune de ces misérables bourgades fut cernée et leurs habitants décimés.[19]

Par une de ces fatalités inexplicables,[20] les vaisseaux anglais
140 étaient restés en panne sans avancer; mais on sut plus tard que ces vaisseaux ne portaient que de l'artillerie et qu'ils avaient mieux marché que le reste des transports. Ainsi la ville de Menda, privée des défenseurs qu'elle attendait, et que l'apparition des voiles anglaises semblait lui promettre fut entourée par les troupes fran-
145 çaises presque sans coup férir.[21] Les habitants, saisis de terreur, offrirent de se rendre à discrétion.[22] Par un de ces dévouements qui n'ont pas été rares dans la Péninsule, les assassins des Français, prévoyant, d'après la cruauté connue du général, que Menda serait peut-être livrée aux flammes et la population entière passée au fil
150 de l'épée,[23] proposèrent de se dénoncer eux-mêmes[24] au général. Il accepta cette offre, en y mettant pour condition que les habitants du château, depuis le dernier valet jusqu'au marquis, seraient mis entre ses mains. Cette capitulation consentie, le général promit de

[18] **qui imprime une terreur salutaire,** *which may (will) give a healthy fright.*

[19] **décimés,** the word *decimated* is sometimes loosely used for *massacred,* but properly means a punishment by which every tenth man is executed.

[20] **fatalités inexplicables,** Balzac could have blamed it more simply on lack of wind, unavailable rather than inexplicable.

[21] **sans coup férir,** *without striking a blow.*

[22] **de se rendre à discrétion,** *unconditional surrender.*

[23] **passée au fil de l'épée,** *put to the sword.*

[24] **se dénoncer eux-mêmes,** these are presumably the **deux cents Espagnols que les habitants avaient livrés** mentioned in the next paragraph. By agreement with their fellow-citizens they were thus turned over as being those personally responsible for the murder of the approximately 500 victims.

faire grâce au reste de la population et d'empêcher ses soldats de
155 piller la ville ou d'y mettre le feu. Une contribution énorme fut frappée, et les plus riches habitants se constituèrent prisonniers pour en garantir le payement, qui devait être effectué dans les[25] vingt-quatre heures.

Le général prit toutes les précautions nécessaires à la sûreté de
160 ses troupes, pourvut à la défense du pays, et refusa de loger ses soldats dans les maisons. Après les avoir fait camper, il monta au château et s'en empara militairement. Les membres de la famille de Légañès et les domestiques furent soigneusement gardés à vue, garrottés, et enfermés dans la salle où le bal avait eu lieu. Des
165 fenêtres de cette pièce, on pouvait facilement embrasser la terrasse[26] qui dominait la ville. L'état-major s'établit dans une galerie voisine, où le général tint d'abord conseil sur les mesures à prendre pour s'opposer au débarquement. Après avoir expédié un aide de camp au maréchal Ney, ordonné d'[27]établir des batteries sur la côte, le
170 général et son état-major s'occupèrent des prisonniers. Deux cents Espagnols que les habitants avaient livrés furent immédiatement fusillés sur la terrasse. Après cette exécution militaire, le général commanda de planter sur la terrasse autant de potences qu'il y avait de gens dans la salle du château et de faire venir le bourreau
175 de la ville. Victor Marchand profita du temps qui allait s'écouler avant le dîner pour aller voir les prisonniers. Il revint bientôt vers le général.

—J'accours, lui dit-il d'une voix émue, vous demander des grâces.

—Vous! répliqua le général avec un ton d'ironie amère.

180 —Hélas! répondit Victor, je demande de tristes grâces. Le marquis, en voyant planter les potences, a espéré que vous changeriez ce genre de supplice[28] pour sa famille, et vous supplie de faire décapiter les nobles.

—Soit,[29] dit le général.

185 —Ils demandent encore qu'on leur accorde les secours de la

[25] **dans les,** *within.*

[26] **embrasser la terrasse=voir toute la terrasse.**

[27] **ordonné d',** *charged with* (applies to the **aide de camp**).

[28] **ce genre de supplice,** a reference to hanging, with the body remaining on the gibbet as a deterrent to further crime. This was the lot of common criminals. Even the murderers of the French were granted **exécution militaire** by the firing squad.

[29] **Soit,** *All right* (*So be it.*)

religion, et qu'on les délivre de leurs liens; ils promettent de ne pas chercher à fuir.

—J'y consens, dit le général; mais vous m'en répondez.[30]

—Le vieillard vous offre encore toute sa fortune si vous voulez
190 pardonner à son jeune fils.

—Vraiment! répondit le chef. Ses biens appartiennent déjà au roi Joseph. Il s'arrêta. Une pensée de mépris rida son front, et il ajouta:—Je vais surpasser leur désir. Je devine l'importance de sa dernière demande. Eh bien, qu'il achète[31] l'éternité de son nom,
195 mais que l'Espagne se souvienne à jamais de sa trahison et de son supplice! Je laisse sa fortune et la vie à celui de ses fils qui remplira l'office du bourreau . . . Allez, et ne m'en parlez plus.

Le dîner était servi. Les officiers attablés satisfaisaient un appétit que la fatigue avait aiguillonné. Un seul d'entre eux, Victor
200 Marchand, manquait au festin. Après avoir hésité longtemps, il entra dans le salon où gémissait l'orgueilleuse famille de Légañès, et jeta des regards tristes sur le spectacle que présentait alors cette salle, où, la surveille, il avait vu tournoyer, emportées par la valse, les têtes des deux jeunes filles et des trois jeunes gens: il frémit en
205 pensant que, dans peu,[32] elles devaient rouler tranchées par le sabre du bourreau. Attachés sur leurs fauteuils dorés, le père et la mère, les trois enfants et les deux filles restaient dans un état d'immobilité complète. Huit serviteurs étaient debout, les mains liées derrière le dos. Ces quinze personnes se regardaient gravement, et leurs yeux
210 trahissaient à peine les sentiments qui les animaient. Une résignation profonde et le regret d'avoir échoué dans leur entreprise se lisaient sur quelques fronts. Des soldats immobiles les gardaient en respectant la douleur de ces cruels ennemis. Un mouvement de curiosité anima les visages quand Victor parut. Il donna l'ordre de
215 délier les condamnés, et alla lui-même détacher les cordes qui retenaient Clara prisonnière sur sa chaise. Elle sourit tristement. L'officier ne put s'empêcher d'effleurer les bras de la jeune fille, en admirant sa chevelure noire, sa taille souple. C'était une véritable Espagnole: elle avait le teint espagnol, les yeux espagnols, de longs cils
220 recourbés, et une prunelle plus noire que ne l'est l'aile d'un corbeau.

[30] **vous m'en répondez,** *you're responsible for them* (*to me*).
[31] **qu'il achète,** *let him purchase.*
[32] **dans peu,** *in a short time*

—Avez-vous réussi? dit-elle en lui adressant un de ces sourires funèbres où il y a encore de la jeune fille.[33]

Victor ne put s'empêcher de gémir. Il regarda tour à tour les trois frères et Clara. L'un, et c'était l'aîné, avait trente ans. Petit,
225 assez mal fait, l'air fier et dédaigneux, il ne manquait pas d'une certaine noblesse dans les manières, et ne paraissait pas étranger à cette délicatesse de sentiment qui rendit autrefois la galanterie espagnole si célèbre. Il se nommait Juanito. Le second, Philippe, était âgé de vingt ans environ. Il ressemblait à Clara. Le dernier
230 avait huit ans. Un peintre aurait trouvé dans les traits de Manuel un peu de cette constance romaine que David[34] a prêtée aux enfants dans ses pages[35] républicaines. Le vieux marquis avait une tête couverte de cheveux blancs qui semblait échappée d'un tableau de Murillo.[36] A cet aspect,[37] le jeune officier hocha la tête, en déses-
235 pérant de voir accepter par un de ces personnages le marché du général; néanmoins, il osa le confier à Clara. L'Espagnole frissonna d'abord, mais elle reprit tout à coup un air calme et alla s'agenouiller devant son père.

—Oh! lui dit-elle, faites jurer à Juanito[38] qu'il obéira fidèlement
240 aux ordres que vous lui donnerez, et nous serons contents.

La marquise tressaillit d'espérance; mais, quand, se penchant vers son mari, elle eut entendu l'horrible confidence de Clara, cette mère s'évanouit. Juanito comprit tout, il bondit comme un lion en cage. Victor prit sur lui[39] de renvoyer les soldats, après avoir obtenu du
245 marquis l'assurance d'une soumission parfaite. Les domestiques furent emmenés et livrés au bourreau, qui les pendit. Quand la famille n'eut plus que Victor pour surveillant, le vieux père se leva.

—Juanito! dit-il.

Juanito ne répondit que par une inclination de tête qui équivalait à
250 un refus, retomba sur sa chaise et regarda ses parents d'un œil sec et terrible. Clara vint s'asseoir sur ses genoux, et, d'un air gai:

[33] **de la jeune fille,** *something girlish.*

[34] **Louis David,** (1748–1825), neo-classic painter and dictator of the arts under Napoleon; in addition to paintings of Napoleon and his court, he painted Roman subjects such as his well-known OATH OF THE HORATII.

[35] **pages = peintures.**

[36] **Murillo** (1617–1682), Spanish painter.

[37] **A cet aspect,** *At the sight of all this.*

[38] **faites jurer à Juanito,** *make Juanito promise.*

[39] **prit sur lui,** *took it upon himself.*

—Mon cher Juanito, dit-elle en lui passant le bras autour du cou et l'embrassant sur les paupières, si tu savais combien, donnée par toi, la mort me sera douce! Je n'aurai pas à subir l'odieux con-
255 tact des mains d'un bourreau. Tu me guériras des maux qui m'attendaient, et. . . , mon bon Juanito, tu ne me voulais voir à personne,[40] eh bien . . .

Ses yeux veloutés jetèrent un regard de feu sur Victor, comme pour réveiller dans le cœur de Juanito son horreur des Français.

260 —Aie du courage, lui dit son frère Philippe, autrement, notre race, presque royale, est éteinte.

Tout à coup Clara se leva, le groupe qui s'était formé autour de Juanito se sépara; et cet enfant, rebelle à bon droit, vit devant lui, debout, son vieux père, qui d'un ton solennel s'écria:—Juanito, je
265 te l'ordonne!

Le jeune comte restant immobile, son père tomba à ses genoux. Involontairement, Clara, Manuel et Philippe l'imitèrent. Tous tendirent les mains vers celui qui devait sauver la famille de l'oubli, et semblèrent répéter ces paroles paternelles:—Mon fils, manquerais-
270 tu d'énergie espagnole et de vraie sensibilité? Veux-tu me laisser longtemps à genoux, et dois-tu considérer ta vie et tes souffrances? Est-ce mon fils, madame? ajouta le vieillard en se retournant vers la marquise.

—Il y consent! s'écria la mère avec désespoir en voyant Juanito
275 faire un mouvement des sourcils dont la signification n'était connue que d'elle.

Mariquita, la seconde fille, se tenait à genoux en serrant sa mère dans ses faibles bras; et, comme elle pleurait à chaudes larmes, son petit frère Manuel vint la gronder. En ce moment, l'aumônier du
280 château entra; il fut aussitôt entouré de toute la famille; on l'amena à Juanito. Victor, ne pouvant supporter plus longtemps cette scène, fit un signe à Clara, et se hâta d'aller tenter un dernier effort auprès du général; il le trouva en belle humeur, au milieu du festin, et buvant avec ses officiers, qui commençaient à tenir de
285 joyeux propos.[41]

Une heure après, cent des plus notables habitants de Menda

[40] **tu ne me voulais voir à personne,** *you didn't want me to belong to (to marry) anyone.*

[41] **tenir de joyeux propos,** *to joke rather coarsely.*

vinrent sur la terrasse pour être, suivant les ordres du général, témoins de l'exécution de la famille de Légañès. Un détachement de soldats fut placé pour contenir les Espagnols, que l'on rangea
290 sous les potences auxquelles les domestiques du marquis avaient été pendus. Les têtes de ces bourgeois touchaient presque les pieds de ces martyrs. A trente pas d'eux s'élevait un billot et brillait un cimeterre. Le bourreau était là, en cas de refus de la part de Juanito. Bientôt les Espagnols entendirent, au milieu du plus profond
295 silence, les pas de plusieurs personnes, le son mesuré de la marche d'un piquet de soldats et le léger retentissement de leurs fusils. Ces différents bruits étaient mêlés aux accents joyeux du festin des officiers, comme naguère les danses d'un bal avaient déguisé les apprêts de la sanglante trahison. Tous les regards se tournèrent vers
300 le château, et l'on vit la noble famille qui s'avançait avec une incroyable assurance. Tous les fronts étaient calmes et sereins. Un seul homme, pâle et défait, s'appuyait sur le prêtre,[42] qui prodiguait toutes les consolations de la religion à cet homme, le seul qui dût vivre. Le bourreau comprit, comme tout le monde, que Juanito
305 avait accepté sa place pour un jour. Le vieux marquis et sa femme, Clara, Mariquita et leurs deux frères vinrent s'agenouiller à quelques pas du lieu fatal. Juanito fut conduit par le prêtre. Quand il arriva au billot, l'exécuteur, le tirant par la manche, le prit à part[43] et lui donna probablement quelques instructions. Le confesseur
310 plaça les victimes de manière qu'elles ne pussent pas voir le supplice. Mais c'étaient de vrais Espagnols qui se tinrent debout et sans faiblesse.

Clara s'élança la premiere vers son frère.—Juanito, lui dit-elle, aie pitié de mon peu de courage! commence par moi!

315 En ce moment, les pas précipités d'un homme retentirent. Victor arriva sur le lieu de cette scène. Clara était agenouillée déjà, son cou blanc appelait le cimeterre. L'officier pâlit, mais il trouva la force d'accourir.

—Le général t'accorde la vie si tu veux[44] m'épouser, lui dit-il à
320 voix basse.

[42] **le prêtre = l'aumônier = le confesseur.**
[43] **à part,** *aside, out of hearing.*
[44] **veux,** *consent to.*

L'Espagnole lança sur l'officier un regard de mépris et de fierté.

—Allons,[45] Juanito! dit-elle d'un son de voix profond.

Sa tête roula aux pieds de Victor. La marquise de Légañès laissa échapper un mouvement convulsif en entendant le bruit; ce fut la 325 seule marque de sa douleur.

—Suis-je bien comme ça,[46] mon bon Juanito? fut la demande que fit le petit Manuel à son frère.

—Ah! tu pleures, Mariquita! dit Juanito à sa sœur.

—Oh! oui, répliqua la jeune fille. Je pense à toi, mon pauvre 330 Juanito, tu seras bien malheureux sans nous.

Bientôt la grande figure du marquis apparut. Il regarda le sang de ses enfants, se tourna vers les spectateurs muets et immobiles, étendit les mains vers Juanito, et dit d'une voix forte:—Espagnols, je donne à mon fils ma bénédiction paternelle! Maintenant, 335 *marquis,*[47] frappe sans peur, tu es sans reproche.[48]

Mais, quand Juanito vit approcher sa mère, soutenue par le confesseur:—Elle m'a nourri! s'écria-t-il.

Sa voix arracha un cri d'horreur à l'assemblée. Le bruit du festin et les rires joyeux des officiers s'apaisèrent à cette terrible 340 clameur. La marquise comprit que le courage de Juanito était épuisé, elle s'élança d'un bond par-dessus la balustrade et alla se fendre la tête sur les rochers. Un cri d'admiration s'éleva. Juanito était tombé évanoui.

—Mon général, dit un officier à moitié ivre, Marchand vient de 345 me raconter quelque chose de cette exécution, je parie que vous ne l'avez pas ordonnée . . .

—Oubliez-vous, messieurs, s'écria le général Gauthier, que, dans un mois,[49] cinq cents familles françaises seront en larmes, et que nous sommes en Espagne? Voulez-vous laisser nos os ici?

[45] **Allons,** *Come!*

[46] **Suis-je bien comme ça,** *Am I all right this way* (*in the right position*)?

[47] **marquis,** he stresses the title which **le jeune comte** is about to inherit.

[48] **sans peur** and **sans reproche,** were the traditional attributes of the perfect knight of whom the exemplar was the French fighter Bayard, 1473–1524, known as **le chevalier sans peur et sans reproche.**

[49] **dans un mois,** when the news of their death would reach the families of the 500 men slaughtered at Menda.

350 Après cette allocution, il ne se trouva personne,[50] pas même un sous-lieutenant, qui osât vider son verre.

Malgré les respects dont il est entouré, malgré le titre d'*el verdugo* (le bourreau) que le roi d'Espagne a donné comme titre de noblesse au marquis de Légañès, il est dévoré par le chagrin, il vit solitaire 355 et se montre rarement. Accablé sous le fardeau de son admirable forfait, il semble attendre avec impatience que la naissance d'un second fils lui donne le droit de rejoindre les ombres qui l'accompagnent incessamment.

EXPRESSIONS FOR STUDY

1. Le jeune officier paraissait abîmé dans une contemplation plus profonde que ne le comportait l'insouciance de la vie militaire. **2.** La ville de Menda semblait s'être mise à l'abri des vents du nord, au pied du rocher sur lequel était bâti le château. **3.** Comment oser croire que la fille du vieillard le plus entiché de sa grandesse qui fût en Espagne pourrait être donnée au fils d'un épicier de Paris! **4.** Il se demandait comment il devait interpréter l'amitié que le marquis n'avait cessé de lui témoigner. **5.** Il trouva dans ce délit un mystère d'autant plus incompréhensible, qu'il avait laissé des officiers chargés de la police nocturne et des rondes. **6.** Il mesura des yeux la profondeur de la vallée, et s'y élançait au moment où la main de Clara saisit la sienne. **7.** Ne parlons plus de ceci que pour en tirer une vengeance qui imprime une terreur salutaire à ce pays. **8.** Cette capitulation consentie, le général promit de faire grâce au reste de la population. **9.** Des fenêtres de cette pièce, on pouvait facilement embrasser la terrasse qui dominait la ville. **10.** J'y consens, mais vous m'en répondez. **11.** Petit, assez mal fait, l'air fier et dédaigneux, il ne paraissait pas étranger à cette délicatesse de sentiment qui rendit autrefois la galanterie espagnole si célèbre. **12.** L'Espagnole frissonna d'abord, mais elle reprit tout à coup un air calme et alla s'agenouiller devant son père. **13.** Mon bon Juanito, tu ne me voulais voir à personne, eh bien . . . **14.** Cet enfant, rebelle à bon droit, vit devant lui, debout, son vieux père, qui d'un ton solennel s'écria:—Juanito, je te l'ordonne! **15.** Après cette allocution, il ne se trouva personne, pas même un sous-lieutenant, qui osât vider son verre. **16.** Il semble attendre que la naissance d'un second fils lui donne le droit de rejoindre les ombres qui l'accompagnent incessamment.

[50] **il ne se trouva personne,** *there was no one.*

QUESTIONNAIRE

1. Comment s'appelle le jeune officier? **2.** Quel est son rang? **3.** Qu'est-ce qui se passe au château? **4.** Où est située la ville de Menda? **5.** A qui appartenait le château de Menda? **6.** Combien d'enfants a le marquis? **7.** Qui gouvernait la province? **8.** Qui alors roi d'Espagne? **9.** De quoi le marquis a-t-il été soupçonné? **10.** Que craignait le maréchal Ney? **11.** Qu'est-ce que le jeune officier se demandait? **12.** Qu'est-ce qu'il venait d'apercevoir? **13.** Qu'est-ce qu'il avait ordonné? **14.** Qui est le saint patron de l'Espagne? **15.** Par où Marchand allait-il s'élancer? **16.** Qu'est-ce qui l'arrêta dans sa course? **17.** Qu'est-ce qu'il aperçut tout à coup? **18.** Qu'est-ce que le grenadier a découvert? **19.** Qu'est-ce qui lui arrive? **20.** Qu'est-ce que Marchand trouvera au bas du rocher? **21.** Qui lui a fait cet effort pour lui sauver la vie? **22.** Où parvint-il en quelques heures? **23.** Comment le général traitait-il les villages qu'il trouvait sous les armes? **24.** Quelle condition mit-il à la capitulation de la ville? **25.** Quel genre de supplice le marquis demande-t-il pour les nobles? **26.** Qu'est-ce qu'il offre au général? **27.** Qu'est-ce que le général offre en revanche? **28.** Qui est le fils qui doit servir de bourreau? **29.** Décrivez-le. **30.** Comment s'appellent ses frères et ses soeurs? **31.** Qu'est-ce qui le fait à la fin consentir à ce sacrifice? **32.** Qui l'accompagne sur la terrasse? **33.** Qui est sa première victime? **34.** Quand Juanito tombe-t-il évanoui? **35.** Qu'est-ce que Juanito attend pour pouvoir mourir en paix?

PART II

LA CONQUETE DE LA NATURE

LA CONQUETE DE LA NATURE

INTRODUCTION

IN *Naufragé volontaire (Castaway by Choice),* one of the four selections under this general heading, there is a scene in which Dr. Alain Bombard, after some fifty days alone in a rubber raft on the open Atlantic, climbs aboard an English freighter. When the English officers learn that Bombard's adventuresome enterprise is in the nature of an experiment to discover man's chances of survival under shipwreck conditions, one of them remarks *"Tout de même, avec les Français il y a de la ressource!"*

This colloquial expression, freely translated as "These Frenchmen will try anything!" might well serve as a subtitle for this whole section. It would help to point out what is generally omitted in books of this kind, namely that French curiosity and achievement are evidenced in many other fields than the purely literary and artistic. It is hoped that the stories that follow will do something to broaden the American student's appreciation of the lesser known but nonetheless significant activities of Frenchmen; they should also reveal the vitality and constancy of endeavor of these Frenchmen in helping to shrink the realm of the unknown.

One title, *La Rage (Rabies),* takes us right into the laboratory. The editors have been mindful that the world of pure science is on the whole incomprehensible to most readers, and so have chosen stories that intermingle the human with the creative side of science. *Naufragé volontaire* tells of events on, and *Gros Plans de requins (Shark Close-ups)* of events under the seas. *Annapurna* recounts one of the heroic feats of recent decades, the scaling of the Nepalese mountain of the same name.

MAURICE HERZOG

ANNAPURNA

INTRODUCTION

IN MAY 1953, a New Zealander named Edmund Hillary and a Nepalese guide named Tenzing climbed the world's highest mountain, Mount Everest in the Himalayas (29,002 feet). In a book recounting the exploits of this team one can find the mountaineer's answer to the layman's question "Why do men climb mountains?" in the simple terms "Because the mountains are there."

Three years before the scaling of Everest the French mountain team of Maurice Herzog and Louis Lachenal scaled Annapurna, a slightly lower mountain (26,493 feet) in Nepal. This was the first time that men had scaled a peak as high as 8,000 meters. In Herzog's account of the ascent he answers the question asked above in a more philosophical manner, calling the exploit an *acte gratuit*. This phrase, coined by the twentieth century novelist, André Gide, implies an act whose motivation is not obvious and for which there is none of the usual hope of fame, glory or financial reward; in short, an act for its own sake and for the sense of individual satisfaction and accomplishment it confers.

In the long history of mountain-climbing this ascent was the first to be fully recorded both in word and on film. The author is not a professional mountaineer, but was born in the region of the Alps of a family of mountaineers. An executive in an important French industrial firm, he finds time to do a great deal of mountain-climbing, and recently edited a handsome documentary volume, *La Montagne,* for a major French publishing house. The trials of the ascent cost him all his fingers and toes, but within two years of this painful surgery he had once more made unaided the ascent of the Matterhorn in the Swiss Alps. His companion in the ascent to the summit, Louis Lachenal, a professional mountaineer, lost his life in a fall in the Alps in 1955.

ANNAPURNA

Cet ouvrage nous sera, à tous les neuf de l'équipe,[1] cher à plus d'un titre.[2]

Nous avons été égaux dans la peine, dans la joie et dans la douleur. Mon voeu le plus ardent est que ces neuf compagnons unis
5 devant la mort[3] restent des frères pour la vie.

En dépassant la mesure de nos moyens, en touchant les limites de l'univers de l'homme, nous avons pris conscience de sa véritable grandeur.

Au temps de l'agonie, il m'a semblé découvrir le sens profond de
10 l'existence, qui jusque-là m'avait échappé; j'ai vu qu'il était plus digne d'être vrai que d'être fort. Les souvenirs de cette épreuve sont marqués dans ma chair.[4] Sauvé,[5] j'ai conquis ma liberté, une liberté dont désormais je garde le sens aigu.[6] Elle provoque en moi cet état frais et serein d'un homme qui s'est
15 accompli.[7] Elle m'emplit de la joie immense d'aimer ce que je méprisais. Une vie nouvelle et très belle commence pour moi.

Ce récit est plus que la relation d'une aventure, c'est un témoignage.[8] Ce qui n'a pas de sens a parfois une signification.[9] C'est la seule justification d'un acte gratuit.[10]

3 JUIN 1950[11]

20 **3 juin.** Les premières lueurs de l'aube nous trouvent cramponnés, aux mâts du camp V.[12]

[1] **équipe,** as will be seen, this word has to the author all the emotional connotations that the most enthusiastic sportsman would put into the English equivalent *team*.

[2] **à plus d'un titre,** *for more than one reason.*

[3] **devant la mort=devant la menace constante de la mort.**

[4] **ma chair,** see introduction.

[5] **sauvé,** from death.

[6] **le sens aigu,** *a keen realization.*

[7] **s'est accompli,** *has fulfilled himself, achieved his goal.*

[8] **un témoignage,** *an act of faith.*

[9] **Ce que . . . signification,** *What may seem to have no sense may sometimes have a deeper meaning.*

[10] **acte gratuit,** best left untranslated; a term popularized in an entirely different connotation by the writer André Gide, and currently used to indicate any act undertaken purely for its own sake without any thought of the consequences; what an earlier period might have called a *beau geste*.

[11] **3 juin 1950,** date of the final assault on the summit, achieved by the leader, Maurice Herzog, and his companion Louis Lachenal (see Introduction), known familiarly as **Biscante,** an Alpine term for *cider*.

[12] **camp V,** the *fifth* and highest of the supply camps.

Le vent faiblit peu à peu. Avec le jour, il cesse complètement. Chaque mouvement demande un véritable héroïsme. J'essaie désespérément de repousser la masse molle et glacée qui m'étouffe. 25 Ma pensée est engourdie. La réflexion me coûte.[13] Nous n'échangeons pas une parole.

Quel lieu inhospitalier! Il laissera à ceux qui y sont venus un des plus mauvais souvenirs de leur existence.

Nous n'avons qu'une hâte: le quitter. Mais ce n'est pas une heure 30 pour partir, il faudrait attendre les premiers rayon du soleil.

5 h. 30. Impossible de rester plus longtemps dans cet enfer.

«Allons-y, Biscante! Pourrai pas[14] rester ici une minute de plus!

—Oui. Allons-y.»

Lequel de nous deux aura le courage de préparer le thé? Quoique 35 travaillant au ralenti, la pensée imagine les gestes qu'il faudrait faire. Ni lui, ni moi.[15] Tant pis![16] Nous nous en passerons.

Nous avons déjà bien du mal à sortir des sacs de couchage et à en retirer nos chaussures: elles sont complètement durcies par le gel. A grand-peine,[17] nous les enfilons. Les mouvements nous essoufflent 40 terriblement. Nous suffoquons. Les guêtres sont raides. J'arrive à les lacer. Lachenal n'y arrive pas. Aux sacs maintenant.[18]

«Biscante, pas de corde,[19] hein?

—Pas besoin», répond Lachenal, laconique.

Un kilo[20] d'économisé.

45 Dans mon sac, je glisse un tube de lait concentré, quelques nougats, une paire de chaussettes . . . on ne sait jamais! Elles pourraient au besoin servir comme passe-montagne.[21] Pour l'instant,[22] j'y ai enfoui la pharmacie. Le Foca est «chargé en noir»,[23] mais j'ai un rouleau de couleur en réserve. Du fond du

[13] **me coûte (un effort).**

[14] **(Je ne) pourrai pas.**

[15] **Ni lui ni moi (ne le pourra).**

[16] **Tant pis!** *What of it! Who cares!*

[17] **A grand-peine,** *With great difficulty.*

[18] **Aux sacs maintenant,** *Now to fill the knapsacks.*

[19] **pas de corde, hein,** *we don't need to take any rope, eh?*

[20] **kilo(gramme),** 2.2 *lbs.*

[21] **passe-montagne,** *woolen helmet.*

[22] **Pour l'instant,** *For the moment* (*Provisionally*).

[23] **Foca . . . noir,** make of camera, *loaded with black-and-white film.*

50 sac de couchage, j'extirpe la camera.[24] Je la remonte[25] et j'essaie de la faire tourner à vide.[26] Un petit déclic, puis elle s'arrête, bloquée.

«Pas de veine . . .[27] Après l'avoir montée jusqu'ici!» dit Lachenal.

Le froid trop intense cette nuit, même dans le sac de couchage, a 55 gelé l'appareil, malgré toutes les précautions prises par Ichac[28] pour le lubrifier avec des graisses spéciales. Le coeur serré,[29] car je m'étais bien promis de l'emmener jusqu'en haut, je le laisse au camp. J'aurai tourné jusqu'à 7.500.[30]

Nous sortons de la tente et chaussons les crampons. Nous les 60 garderons toute la journée. Couverts au maximum,[31] nous n'avons tous les deux que des sacs très légers.

A 6 heures, nous nous mettons en route, heureux de laisser derrière nous ce cauchemar. Il fait très beau, mais aussi très froid. Les crampons ultra-légers mordent profondément dans les plaques 65 de glace et de neige durcie, très inclinées, que nous devons gravir au départ.

La pente, par la suite,[32] devient un peu moins raide, et plus régulière. Parfois la neige dure porte,[33] mais parfois aussi nous «gaufrons»[34] et enfonçons dans une neige poudreuse, molle, qui 70 rend la progression très fatigante. Souvent, nous nous arrêtons, sans même qu'il y ait échange de paroles entre nous. A tour de rôle, nous faisons la trace.[35] Chacun de nous vit dans un monde intérieur fermé. Je me méfie de ma pensée dont l'activité est très ralentie; je me rends parfaitement compte de l'état déficient de mon 75 intellect. L'idée fixe est commode, plus sûre aussi. La température est très basse. Le froid pénètre. Les vêtements spéciaux de duvet semblent nous laisser nus. Pendant les arrêts, nous tapons des pieds

[24] **camera,** *movie camera.*
[25] **la remonte,** *wind it (up).*
[26] **de la faire tourner à vide,** *to see if it works.*
[27] **veine=chance,** *luck.*
[28] **Ichac,** *Marcel Ichac,* the expedition's camera-man, with world-wide experience.
[29] **Le coeur serré,** *With sinking heart.*
[30] **J'aurai,** future of probability: *I must have, I suppose I had "shot" pictures up to 7.500 m. (24,600 ft.)*
[31] **Couverts au maximum,** *As heavily dressed as possible.*
[32] **par la suite,** *later.*
[33] **porte (notre poids).**
[34] **«gaufrons»,** *break through.*
[35] **A tour . . . trace,** *By turns, we break a path.*

avec vigueur. Lachenal va jusqu'à enlever une chaussure qui le serre[36] un peu; il est angoissé par la perspective du gel.

80 «Je ne veux pas faire comme Lambert!»[37] me dit-il.

Pendant qu'il se frictionne vigoureusement, je regarde les montagnes qui nous entourent. Le relief complexe, tourmenté,[38] de ces montagnes que de nombreuses et laborieuses reconnaissances nous ont rendu familières s'inscrit en clair à nos pieds.[39]

85 La marche[40] est épuisante. Chaque pas est une victoire de la volonté. Le soleil nous rattrape. Pour saluer son arrivée, nous faisons un arrêt, parmi tant d'autres. Lachenal se plaint de plus en plus de ses pieds.

«Je ne sens plus rien . . . gémit-il. Ça commence à geler.»

90 Il défait à nouveau sa chaussure.

Je finis par être inquiet: je me rends très bien compte du danger que nous courons et je sais par expérience combien le gel arrive sournoisement et vite si on ne se surveille de très près. Mon camarade ne s'y trompe pas non plus:

95 «On risque de se geler les pieds! . . . Crois-tu que cela vaille le coup?»[41]

Je suis anxieux. Responsable,[42] je dois penser et prévoir pour les autres. Sans doute le danger est réel. L'Annapurna justifie-t-elle de tels risques? Telle est la question que je me pose et qui me 100 trouble.

Lachenal a relacé ses souliers. A nouveau nous «traçons»[43] dans cette neige exténuante. Le glacier de la Faucille, baigné de lumière, est entièrement découvert à nos yeux.

La traversée est encore bien longue . . . et cette falaise . . . 105 trouverons-nous une brèche?

J'ai froid aux pieds comme Lachenal. Sans arrêt, je fais fonction-

[36] **serre,** *pinches, is tight.*

[37] **Lambert,** world-famous Swiss guide and mountaineer; he had earlier suffered exactly the same sort of amputations that Lachenal and Herzog were to undergo after their ascent of Annapurna.

[38] **tourmenté,** *chaotic.*

[39] **s'inscrit en clair à nos pieds,** *is spread out clearly beneath us.*

[40] **La marche,** *The "going."*

[41] **vaille le coup?** *is worth the effort?*

[42] **Responsable,** *As head of the team*—all members had taken a solemn vow to obey him in everything concerning the expedition.

[43] **traçons,** *break a path.*

ner mes orteils, même en marchant. Ils sont insensibles, mais souvent en montagne cela m'est arrivé: il suffit de persévérer pour maintenir la circulation.

110 Lachenal m'apparaît comme un fantôme, il vit pour lui seul. Moi, pour moi. Les efforts—effet bizarre—nous coûtent moins qu'en bas. Est-ce l'espoir qui nous donne des ailes? Même à travers les lunettes, la neige est aveuglante, le soleil tape directement sur la glace. Nous dominons les arêtes vertigineuses qui filent[44]
115 vers l'abîme.

En bas, tout là-bas, les glaciers sont minuscules. Les sommets qui nous étaient familiers jaillissent, hauts dans le ciel, comme des flèches.

Brusquement Lachenal me saisit:

120 «Si je retourne, qu'est-ce que tu fais?»

En un éclair, un monde d'images défile dans ma tête: les journées de marche sous la chaleur torride, les rudes escalades, les efforts exceptionnels déployés par tous pour assiéger la montagne, l'héroïsme quotidien de mes camarades pour installer, aménager
125 les camps . . . A présent, nous touchons au[45] but! Dans une heure, deux peut-être . . . tout sera gagné! Et il faudrait renoncer?

C'est impossible.

Mon être tout entier refuse. Je suis décidé, absolument décidé!

Aujourd'hui nous consacrons un idéal. Rien n'est assez grand.

130 La voix sonne clair:

«Je continuerai seul!»

J'irai seul.

S'il veut redescendre, je ne peux pas le retenir. Il doit choisir en pleine liberté.

135 Mon camarade avait besoin que cette volonté s'affirmât. Il n'est pas le moins du monde découragé; la prudence seule, la présence du risque lui ont dicté ces paroles. Sans hésiter, il choisit:

«Alors, je te suis!»

Les dés sont jetés.[46]

140 L'angoisse est dissipée. Mes responsabilités sont prises. Rien ne nous empêchera plus d'aller jusqu'en haut.

[44] **filent,** *plunge.*
[45] **touchons au,** *are drawing near to.*
[46] **Les dés sont jetés,** *The die is cast.*

Ces quelques mots échangés avec Lachenal modifient la situation psychologique.

Cette fois, nous sommes frères.

145 Je me sens précipité dans quelque chose de neuf, d'insolite. J'ai des impressions très vives, étranges, que jamais je n'ai ressenties auparavant en montagne.

Il y a quelque chose d'irréel dans la perception que j'ai de mon compagnon et de ce qui m'entoure . . . Intérieurement, je souris 150 de la misère de nos efforts. Je me contemple de l'extérieur faisant ces mêmes mouvements. Mais l'effort est aboli comme s'il n'y avait plus de pesanteur. Ce paysage diaphane, cette offrande de pureté n'est pas ma montagne.

C'est celle de mes rêves.

155 Avec la neige qui brille au soleil et saupoudre le moindre rocher, le décor est d'une radieuse beauté qui me touche infiniment. La transparence absolue est inhabituelle. Je suis dans un univers de cristal. Les sons s'entendent mal. L'atmosphère est ouatée.

Une joie m'étreint; je ne peux pas la définir. Tout ceci est 160 tellement nouveau et tellement extraordinaire!

Ce n'est pas une course comme j'en ai fait dans les Alpes, où l'on sent une volonté derrière soi, des hommes dont on a obscure conscience, des maisons qu'on peut voir en se retournant.

Ce n'est pas cela.

165 Une coupure immense me sépare du monde. J'évolue dans un domaine différent: désertique, sans vie, desséché. Un domaine fantastique où la présence de l'homme n'est pas prévue, ni peut-être souhaitée. Nous bravons un interdit, nous passons outre à un refus,[47] et pourtant c'est sans aucune crainte que nous nous élevons.

170 Lachenal partage-t-il toutes ces émotions? L'arête sommitale se rapproche. Nous arrivons en contre-bas[48] de la grande falaise terminale. La pente en est très raide. La neige y est entrecoupée de rochers.

«Couloir! . . .»[49]

175 Un geste du doigt.

[47] **nous passons outre à un refus,** *we are defying a ban.*

[48] **en contre-bas,** *at the base.*

[49] **Couloir,** *Couloir* or *Passageway* (many mountaineering terms are French).

L'un d'entre nous souffle à l'autre la clé de la muraille. La dernière défense!

«Ah! . . . quelle chance!»

Le couloir dans la falaise est raide, mais praticable.

180 «Allons-y!»

Lachenal, d'un geste, signifie son accord. Il est tard, plus de midi sans doute. J'ai perdu conscience de l'heure: il me semble être parti il y a quelques minutes.

Le ciel est toujours d'un bleu de saphir. A grand-peine, nous 185 tirons[50] vers la droite et évitons les rochers, préférant, à cause de nos crampons, utiliser les parties neigeuses. Nous ne tardons pas à prendre pied dans le couloir terminal. Il est très incliné . . . nous marquons un temps[51] d'hésitation.

Nous restera-t-il assez de force pour surmonter ce dernier 190 obstacle?

Heureusement la neige est dure. En frappant avec les pieds et grâce aux crampons, nous nous maintenons suffisamment. Un[52] faux mouvement serait fatal. Il n'est pas besoin de tailler des prises pour les mains: le piolet enfoncé aussi loin que possible sert 195 d'ancre.

Lachenal marche[53] merveilleusement. Il peine, mais il avance. En relevant le nez de temps à autre, nous voyons le couloir qui débouche sur nous ne savons trop quoi, une arête probablement.

Mais où est le sommet? A gauche ou à droite?

200 Nous allons l'un derrière l'autre, nous arrêtant à chaque pas. Couchés sur nos piolets, nous essayons de rétablir notre respiration et de calmer les coups de notre coeur qui bat à tout rompre.[54]

Maintenant, nous sentons que nous y sommes. Nulle difficulté ne peut nous arrêter. Inutile de nous consulter du regard: chacun ne 205 lirait dans les yeux de l'autre qu'une ferme détermination. Un petit détour sur la gauche, encore quelques pas . . . L'arête sommitale se rapproche insensiblement. Quelques blocs rocheux[55]

[50] **tirons,** *edge over.*
[51] **marquons un temps=avons un moment.**
[52] **Un,** *A single.*
[53] **marche=avance.**
[54] **à tout rompre,** *to the bursting point,* because of the rarefied mountain air which forces rapid breathing to maintain a minimal supply of oxygen.
[55] **blocs rocheux,** *rocky outcroppings.*

à éviter. Nous nous hissons comme nous pouvons. Est-ce possible? . . .

210 Mais oui! Un vent brutal nous gifle.

Nous sommes . . . sur l'Annapurna.

8.075 mètres.[56]

Notre coeur déborde d'une joie immense.

«Ah, les autres! . . . s'ils savaient!»

215 Si tous savaient!

Le sommet est une crête de glace en corniche.[57] Les précipices de l'autre côté sont insondables, terrifiants. Ils plongent verticalement sous nos pieds. Il n'en existe guère d'équivalents dans aucune autre montagne du monde.

220 Des nuages flottent à mi-hauteur. Ils cachent la douce et fertile vallée de Pokhara à 7.000 mètres[58] en dessous. Plus haut: rien!

La mission est remplie. Mais quelque chose de beaucoup plus grand est accompli. Que la vie sera belle maintenant!

Il est inconcevable, brusquement, de réaliser son idéal et de 225 se réaliser soi-même.

Je suis étreint par l'émotion. Jamais je n'ai éprouvé joie aussi grande ni aussi pure.

Cette pierre brune, la plus haute; cette arête de glace . . . sont-ce là des buts de toute une vie? S'agit-il de[59] la limite d'un orgueil?

230 «Alors, on redescend?»

Lachenal me secoue. Quelles sont ses impressions, à lui? Je ne sais. Pense-t-il qu'il vient de réaliser une course comme dans les Alpes? Croit-il qu'il faille redescendre comme cela simplement?

«Une seconde, j'ai des photos à prendre.

235 —Active.»[60]

Je fouille fébrilement dans mon sac, en tire l'appareil photographique, prends le petit drapeau français qui est enfoui au fond, les fanions. Gestes vains sans doute, mais plus que des symboles: ils témoignent de pensées très affectueuses. Je noue les 240 morceaux de toile, salis dans les sacs par la sueur ou les aliments,

[56] **8,075 m.,** *26,493 ft.*

[57] **glace en corniche,** *ledge of projecting ice.*

[58] **7.000 m.,** *23,000 ft.*—straight down!

[59] **S'agit-il de,** *Are these (an instance of) . . .*

[60] **Active,** *Make it quick.*

au manche de mon piolet, la seule hampe à ma disposition. Puis, je règle mon appareil sur[61] Lachenal:

«Tiens,[62] tu veux me prendre?

—Passe . . .[63] fais vite!» me dit Lachenal.

245 Il prend plusieurs photos, puis me rend l'appareil. Je charge en couleurs et nous recommençons l'opération pour être certains de ramener des souvenirs qui un jour nous seront chers.

«Tu n'es pas fou? me dit Lachenal. On n'a pas de temps à perdre! . . . faut redescendre tout de suite!»

250 De fait, un coup d'oeil autour de moi m'indique que le temps n'est plus souverainement beau comme il l'était ce matin. Mon camarade s'impatiente:

«Il faut redescendre!»

Il a raison. C'est la réaction du montagnard qui connaît son 255 royaume.

Pourtant, je ne peux m'habituer à cette idée que nous avons gagné. Il me semble incroyable de fouler cette neige.

Impossible de construire un cairn ici: il n'y a pas de pierres, tout est glacé.

260 Lachenal tape des pieds: il sent que ça gèle. Moi aussi! Mais je n'y fais guère attention. Le plus haut sommet qui ait été conquis! Il est sous nos pieds!

Nos prédecesseurs dans ces hautes montagnes défilent dans ma pensée. Combien sont morts, combien ont trouvé sur ces montagnes 265 une fin qui était pour eux la plus belle?

Ma joie se teinte d'humilité. Ce n'est pas seulement une cordée[64] qui a gravi aujourd'hui l'Annapurna, c'est aussi une équipe. Je pense à tous mes camarades accrochés[65] dans les camps, dans les pentes à nos pieds et je sais que c'est grâce à leurs efforts, grâce à leurs sacri-270 fices que nous réussissons aujourd'hui. Il est[66] des minutes où les actions les plus complexes se résument, se condensent et vous

[61] **règle mon appareil sur,** *adjust the camera by focusing it on.*

[62] **Tiens,** *Here.*

[63] **Passe,** *Hand it over.*

[64] **cordée,** *"rope,"* group connected by the same rope during a climb—the relationship is more organic, they are a team.

[65] **accrochés,** *hanging on* (*to the bare mountain-side*).

[66] **Il est=Il y a.**

apparaissent avec une clarté lumineuse: ainsi cette irrésistible poussée qui a mené notre équipe ici.

Des images se succèdent dans ma tête . . .

275 La vallée de Chamonix où j'ai passé les plus belles heures de ma jeunesse, le Mont Blanc qui m'impressionnait tant! Enfant, lorsque je voyais rentrer «ceux du Mont Blanc», je leur trouvais un air bizarre, dans leurs yeux brillait une flamme étrange.

«Allez, droit en bas!» crie Lachenal.

280 Déjà il a bouclé son sac et amorce la descente. Je sors mon altimètre de poche: 8.500.[67] J'ai un sourire . . . J'avale un peu de lait concentré, puis j'abandonne le tube qui sera le seul vestige de notre passage . . . Je ferme mon sac, remets mes gants, mes lunettes, saisis mon piolet; un coup d'oeil circulaire . . .[68] et à mon tour

285 je me précipite dans la pente. Avant de disparaître dans le couloir, j'ai un dernier regard vers ce sommet qui désormais sera pour nous toute notre joie et toute notre consolation.

Lachenal est déjà très bas; il a atteint maintenant le pied du couloir.

290 Je fonce dans ses traces.

Je me hâte autant qu'il m'est possible, mais le terrain est très dangereux. Il faut craindre à chaque marche que la neige ne s'écroule sous le poids du corps. Voici Lachenal sur la grande diagonale. Il marche avec une rapidité dont je ne l'aurais pas cru

295 capable. A mon tour de traverser la zone mixte de rochers et de neige. Enfin, le bas de la falaise! Je me suis pressé et suis tout essoufflé. Je défais mon sac. Quelle intention ai-je? Je ne sais. Soudain . . .

«Ah! les gants!»

300 Avant d'avoir eu le temps de me baisser, je les vois glisser, rouler. . . Ils s'éloignent, droit dans la pente . . . Je reste là, interdit, je les regarde qui filent lentement sans faire mine de s'arrêter. Le mouvement de ces gants s'inscrit dans mon oeil comme quelque chose d'inéluctable, de définitif, contre lequel je ne puis rien! Les

305 conséquences peuvent être graves. Que vais-je faire?

[67] **8.500,** one may smile, with Herzog, at the apparent error of his pocket altimeter—or the layman, ignorant of how scientists achieve these measurements, may wonder if it wasn't right after all!

[68] **circulaire,** *round about.*

«Vite, au camp V!»

Rébuffat et Terray[69] doivent s'y trouver. Mon inquiétude disparaît comme par miracle. Je reviens à mon idée fixe: gagner le camp. Je ne pense pas une seconde à prendre dans mon sac les chaussettes que je mets toujours en réserve pour parer à un accident de cette nature: je me précipite et essaie de rattraper Lachenal. Il était 2 heures lorsque nous avons atteint le sommet; nous étions partis à 6 heures. Il faut me rendre à l'évidence, je n'ai plus la notion du temps. Il me semble courir, en fait je marche normalement, lentement peut-être. Je suis sans cesse obligé de m'arrêter pour reprendre mon souffle. Les nuages encombrent maintenant le ciel. Tout est devenu gris, presque sale. Un vent glacial se lève qui ne présage rien de bon. Allons-y! Mais où est Lachenal? Et moi qui le croyais médiocrement en forme![70] Je le distingue au moins à deux cents mètres. Jamais il ne s'arrêtera.

Les nuages s'épaississent, descendent sur nous; le vent souffle plus fort, le froid ne me fait pas souffrir. Est-ce cette descente qui active ma circulation?

Retrouverai-je les tentes dans la brume?

Je surveille l'arête de la pointe en[71] bec d'oiseau qui domine le camp. Peu à peu, elle disparaît dans les nuages, mais heureusement je distingue en contre-bas[72] la nervure en fer de lance.[73] Si le brouillard devient plus dense, j'irai droit sur l'arête. Je la longerai et tomberai obligatoirement sur la tente.

Lachenal disparaît par moments, puis la brume devient si épaisse que je ne le vois plus du tout. Je marche toujours aussi vite, jusqu'à la limite de l'essoufflement.

La pente devient plus raide; quelques plaques de glace vive[74] succèdent à la neige uniforme. Bon signe! Je me rapproche du camp. Qu'il est difficile de se diriger en plein brouillard! Je conserve le cap[75] que je règle d'après la ligne de la plus grande pente. Le

[69] **Rébuffat et Terray,** two members of the **équipe** who were to follow the leaders up to Camp V and meet them there on the descent.

[70] **médiocrement en forme,** *in indifferent (physical) condition.*

[71] **en**=**en forme d'un.**

[72] **en contre-bas,** *lower down.*

[73] **la nervure en fer de lance,** *the rib shaped like a lance-tip.*

[74] **vive,** *bare, without snow.*

[75] **conserve le cap,** *keep the course.*

relief est tourmenté;[76] avec mes crampons je descends droit des murs de glace vive.

Des taches ...[77] Encore quelques pas ... C'est bien le camp, mais 340 il y a deux tentes!

Rébuffat et Terray sont donc arrivés. Quel bonheur! Je vais leur dire que nous avons vaincu, que nous revenons du sommet. Quelle joie va être la leur!

J'y suis![78] J'arrive par le haut.[79] Les deux tentes «se regardent». 345 La plate-forme a été prolongée, les portes sont situées en quinconce[80] l'une par rapport à l'autre. Je heurte un tendeur de la première. On se secoue[81] à l'intérieur, on m'a entendu. Voilà Rébuffat. La tête de Terray apparaît aussi.

«Ça y est! On[82] revient de l'Annapurna!»

[Rébuffat and Terray, after recovering from their shock at the sight of Maurice's hands, set out to find Lachenal. He has suffered a slight concussion from a fall off a cliff, has lost his gloves and equipment and is in a bad state of shock. As a heavy storm is coming up, the descent is made with greatest peril, but first aid is administered by Dr. Oudot at the base camp. Later, on the long trip back, as gangrene sets in he has to amputate under primitive conditions, without the aid of anesthetic, Herzog's fingers and toes. Just before the closing lines of the book, quoted below, Maurice gives his impressions at arriving with the entire *équipe* at Orly airfield in Paris.]

350 L'Annapurna, pour chacun de nous, est un idéal accompli: dans notre jeunesse nous n'étions pas égarés dans ces récits imaginaires[83] ou dans les sanglants combats[84] que les guerres modernes offrent en pâture à l'imagination des enfants. La montagne a été pour nous une arène naturelle, où, jouant aux frontières de la vie et de la mort, 355 nous avons trouvé notre liberté qu'obscurément nous recherchions et dont nous avions besoin comme de pain.

[76] **tourmenté,** *irregular (and difficult).*
[77] **taches,** *dark spots* which he takes to be the camp.
[78] **J'y suis!** *I've made it!*
[79] **par le haut,** *from straight above (the camp).*
[80] **en quinconce,** *opposite,* (according to the ground-plan of a **quincunx** or **lozenge**).
[81] **On se secoue,** *They are stirring.*
[82] **Ça y est! On...,** *We did it! We ...*
[83] **récits imaginaires,** *romantic fiction.*
[84] **combats,** *war stories.*

La montagne nous a dispensé ses beautés que nous admirons comme des enfants naïfs et que nous respectons comme un moine l'idée divine.

360 L'Annapurna, vers laquelle nous serions tous allés sans un sou vaillant, est un trésor sur lequel nous vivrons. Avec cette réalisation c'est une page qui tourne . . . C'est une nouvelle vie qui commence . . .

Il y a d'autres Annapurna dans la vie des hommes . . .

—From *Annapurna premier 8.000* Reproduced by permission of Fédération française de la montagne.

EXPRESSIONS FOR STUDY

1. Mon voeu le plus ardent est que ces neuf compagnons unis devant la mort restent des frères pour la vie. **2.** Sauvé, j'ai conquis ma liberté, une liberté dont je garde le sens aigu. **3.** Ce qui n'a pas de sens a parfois une signification. **4.** Quel lieu inhospitalier! Nous n'avons qu'une hâte: le quitter. **5.** Tant pis! nous nous en passerons. **6.** A tour de rôle, nous faisons la trace. **7.** Le relief complexe, tourmenté, de ces montages que de nombreuses et laborieuses reconnaissances nous ont rendu familières s'inscrit en clair à nos pieds. **8.** Lachenal se plaint de plus en plus de ses pieds. **9.** Je finis par être inquiet: je me rends très bien compte du danger que nous courons. **10.** Mon camarade ne s'y trompe pas non plus. **11.** On risque de se geler les pieds! Crois-tu que ça vaille le coup? **12.** Nous dominons les arêtes vertigineuses qui filent vers l'abîme. **13.** Ce n'est pas une course comme j'en ai fait dans les Alpes, où l'on sent une volonté derrière soi, des hommes dont on a obscure conscience, des maisons qu'on peut voir en se retournant. **14.** Une coupure immense me sépare du monde; nous bravons un interdit, nous passons outre à un refus. **15.** J'ai perdu conscience de l'heure: il me semble être parti il y a quelques minutes. **16.** Enfant, lorsque je voyais rentrer «ceux du Mont Blanc,» je leur trouvais un air bizarre. **17.** Je reste là, interdit, je les regarde qui filent lentement sans faire mine de s'arrêter. **18.** Ça y est! on revient de l'Annapurna!

QUESTIONNAIRE

1. Combien d'hommes formaient l'équipe de Herzog? **2.** Où, et dans quelles circonstances, a-t-il composé son livre? **3.** Qui l'accompagne dans l'assaut du sommet? **4.** A quelle heure se mettent-ils en route? **5.** Quel temps fait-il? **6.** Qu'est-ce qui fait peur à Lachenal? **7.** De quoi se plaint-il? **8.** Quelle est la question qui trouble Herzog? **9.** Que demande Lachenal? **10.** Que répond Herzog? **11.** Qu'est-ce qu'on sent dans les Alpes qu'on ne retrouve pas sur l'Annapurna? **12.** Quelle est l'altitude de l'Annapurna? **13.** En quoi l'exploit de Herzog était-il unique? **14.** Qu'est-ce qu'on voit de l'autre côté? **15.** Quelle est la différence d'altitude qu'on remarque à ce point entre Lachenal et Herzog? **16.** Où est-ce que Herzog a passé sa jeunesse? **17.** Qu'est-ce qu'il lit à son altimètre de poche? **18.** Pourquoi a-t-il un sourire? **19.** Qu'est-ce qu'il laisse comme seul vestige de leur passage au sommet? **20.** Quel accident arrive à la descente? **21.** Qu'est-ce qu'il aurait pu faire pour protéger ses mains? **22.** Pourquoi n'y pense-t-il pas? **23.** Quel temps fait-il maintenant? **24.** Qui retrouve-t-il au camp? **25.** Lachenal est-il arrivé avant lui? **26.** Quelle est la conclusion de l'auteur? **27.** Qu'en pensez-vous?

JACQUES-YVES COUSTEAU AND FRÉDÉRIC DUMAS

GROS PLANS DE REQUINS

Introduction

LE MONDE du silence is the title of a book published in 1950 by two French naval officers, Jacques-Yves Cousteau and Frédéric Dumas. It is the story of under-water exploration by means of free-diving, as compared with the older and more cumbersome method of helmet-diving. Thus free-diving, usually regarded as a sport, has become another method for scientific investigation. For example the Cousteau-Dumas team has carried out extensive exploration of ships wrecked near the beginning of the Christian era, making available fresh information of archeological value. Cousteau was co-inventor of the aqualung, the necessary piece of apparatus for prolonged under-water stay. The two men have collaborated also in making color films of submarine life, constituting valuable additions to an expanding list of significant documentary films.

Our selection has been chosen for its telling of a dramatic encounter with sharks and for what seems to be interesting new information on their psychology and habits.

GROS PLANS DE REQUINS[1]

C'est au cours d'une plongée libre,[2] sans appareil respiratoire, à l'île de Djerba, dans le sud Tunisien,[3] en 1939, que j'ai rencontré mes premiers requins. Ceux de Djerba prirent place en tête d'une liste de requins que je tins religieusement à jour[4] jusqu'à notre voyage
5 en mer Rouge,[5] en 1951, mais là il y en avait tant que mes recensements perdirent tout intérêt. Des observations réunies sur mes rencontres avec près de deux cents squales appartenant à de nombreuses espèces, j'ai pu tirer deux conclusions: plus on voit de requins et moins on les connaît. Et, surtout, il est impossible de
10 prévoir ce que fera un requin.

Un abîme de temps sépare le requin de l'homme. Un tel animal vivait déjà à la fin du Mésozoïque,[6] à l'époque où se constituèrent les roches. Il n'a que très peu changé en peut-être trois cent millions d'années. Pendant que l'évolution transformait tant d'autres cré-
15 atures marines, lui, l'implacable, l'indestructible requin, traversait tous les âges sans presque se modifier, restant le plus vieux des tueurs, armé dès les origines en vue de la lutte pour la vie.

En pleine mer, à mi-distance entre les îles de Boavista et de Maio, qui font partie de l'archipel du cap Vert,[7] une longue houle enfle
20 sur un récif à fleur d'eau, projetant des gerbes d'écume dans les airs. Un tel spectacle est la hantise des hydrographes, qui conseillent aux

[1] **Gros Plans de requins,** *Shark Close-ups.* N.B. As Capt. Cousteau published this work originally in English, his English text is of special interest even when it does not strictly correspond (as here) to the French. All citations from the English work—THE SILENT WORLD, Harper 1953—are in the same boldface type as the French; when they are not found in the French text they are followed by the indication S.W.

[2] **plongée libre,** *goggle dive, skin-dive.*

[3] **dans le sud Tunisien,** *off the south coast of Tunisia,* near the Libyan border.

[4] **je tins . . . jour,** *I kept scrupulously up to date.*

[5] **mer Rouge,** *the Red Sea,* between Africa and Asia Minor.

[6] **Mésozoïque,** *Mesozoic period,* a geological era perhaps identifiable to the average reader as that of dinosaurs.

[7] **archipel du cap Vert,** *the Cape Verde Islands,* a Portuguese possession west of Dakar off the westernmost coast of Africa.

navigateurs, dans les instructions nautiques, d'éviter avec soin les parages malsains. L'*Élie-Monnier,*[8] au contraire, est invariablement attiré par les écueils. Là où se trouve un récif, il y a abondance 25 de vie.

Dès que l'ancre est jetée, de petits squales s'approchent. L'équipage sort[9] les lignes à thons et prend une dizaine de requins en autant de minutes. Quand nous plongeons avec la camera,[10] il n'en reste plus que deux autour du bateau. Autour du récif, nous faisons irruption 30 dans[11] l'ambiance la plus sauvage que l'Atlantique tropical puisse créer. De très grands requins nourrices, notoirement inoffensifs, dorment dans des cryptes rocheuses; pour la camera il faut animer ces requins paresseux; Dumas et Tailliez s'engagent dans[12] l'ombre de leurs cavernes et leur tirent la queue jusqu'à ce qu'ils s'éveillent 35 en sursaut. Les requins sortent et disparaissent dans la nature, jouant leur petit rôle[13] avec bonne grâce. Plus loin, j'aperçois un de ces squales indolents, plaqué sur le sable. Il mesure plus de quatre mètres. J'appelle Didi,[14] mon garde du corps, et je lui fais comprendre par gestes qu'il peut essayer en vraie grandeur[15] 40 l'efficacité de ses armes: le harpon géant, long de deux mètres, pesant sept livres, est projeté par des caoutchoucs bandés sous cent quarante kilos.[16] La pointe est surmontée de la fameuse tête explosive. Dumas tire de haut en bas, à quatre mètres de distance. La flèche frappe derrière le crâne et, deux secondes plus tard, la charge 45 explose. Nous sommes sévèrement secoués. Quant au requin, arraché à sa torpeur, il se met en route et nage, imperturbable, le harpon fiché dans sa tête comme un mât de pavillon. Nous le suivons de toute notre vitesse pour voir ce qui arrivera. Notre victime, ne paraissant nullement gênée dans ses mouvements 50 habituels, accélère peu à peu et disparaît. Un peu plus loin nous

[8] **L'Élie-Monnier,** Capt. Cousteau's boat from which his underwater research is conducted.

[9] **sort,** *puts out.*

[10] **camera,** *movie camera.*

[11] **faisons irruption dans,** *burst into.*

[12] **s'engagent dans,** *swim into.*

[13] **petit rôle,** bit part.

[14] **Didi**=**Dumas.**

[15] **en vraie grandeur,** *on a grand scale* (take a crack at this one with his super-harpoon gun, S.W.)

[16] **projeté . . . kilos,** *it had . . . three hundred pounds of force in its elastic bands.*

retrouvons la flèche dont il a su se débarrasser.[17] Comment a-t-il pu survivre? Il est probable que le harpon a dû traverser la tête de part en part pour éclater à l'extérieur, car aucun organe interne n'aurait pu résister à une explosion qui faillit nous mettre hors de 55 combat[18] à six longueurs de harpon. Même dans ces circonstances. les squales doivent disposer d'une extraordinaire vitalité pour supporter un tel choc à quelques centimètres de la tête.

Un autre jour, Dumas et moi nous finissions une séquence sur les balistes, quand un frisson me serre la nuque. J'appelle Dumas, 60 qui se fige[19] en se retournant. Ce que nous avons devant les yeux nous soulève le coeur: décidément, l'homme nu n'est vraiment pas à sa place sous la mer. A une douzaine de mètres de nous apparaît, dans une brume grise, une masse blanchâtre aux reflets de plomb, un véritable *carcharodon carcharias* de huit mètres de long: le 65 requin mangeur d'hommes. Instinctivement, Dumas et moi serrons les rangs. La brute avance paresseusement. Une pensée baroque émerge de mon angoisse: la sale bête aura tout de même de fameuses crampes d'estomac avant de digérer nos tri-bouteilles.[20]

Alors, le requin nous aperçoit. Sa réaction est la dernière que nous 70 aurions jamais imaginée: saisi de terreur, le monstre s'immobilise, et s'enfuit à une incroyable vitesse.

Nous nous regardons, Dumas et moi, et nous sommes pris d'un rire nerveux. La confiance, qui nous est venue ce jour-là, nous a poussés à une folle négligence. Nous abandonnons bientôt notre 75 système de garde du corps et nous renonçons à la plupart des précautions. Nos rencontres ultérieures avec des requins de plusieurs espèces, dont[21] le fameux requin-tigre, exaltent encore notre complexe de supériorité: ils nous fuient tous. Au bout de quelques semaines passées dans les îles du cap Vert, nous nous sentons prêts 80 à affirmer sans réplique[22] que tous les requins sont des lâches, si

[17] **dont il a su se débarrasser,** *which he managed to shake out.*
[18] **faillit nous mettre hors de combat,** *almost knocked us out.*
[19] **se fige,** *"freezes."*
[20] **aura tout de même . . . tri-bouteilles, at least he would have a bellyache on our three-cylinder lungs** (aqualungs with oxygen supply).
[21] **dont,** *including.*
[22] **sans réplique,** *without fear of contradiction.*

pusillanimes qu'ils ne peuvent même pas rester tranquilles pendant qu'on les filme.

Je me tenais un jour sur la passerelle, observant mon écho-sondeur,[23] quand j'entendis la fameuse clameur des baleiniers:
85 «*Elles soufflent*!»[24] Un troupeau de baleines globicéphales[25] cernait *l'Élie-Monnier*. L'équipage entre en transes.[26] Sur l'eau calme et transparente, une trentaine de grandes formes noires se vautrent paresseusement. Leur front s'enfle en une énorme boule luisante qui leur vaut[27] leur nom. Les globicéphales se laissent aujourd'hui
90 approcher à[28] quelques mètres. Puis elles sondent en groupe. Dumas descend sur la plate-forme de harponnage, devant l'étrave, pendant que je charge la camera sous-marine. Au bout de dix minutes, les baleines remontent de leur mystérieuse excursion. L'une d'elles émerge à quatre mètres de Dumas, qui lui plante son harpon de
95 toutes ses forces dans le flanc, près d'un battoir. Une tache rouge apparaît sur l'eau. D'un mouvement souple, l'animal plonge et nous filons une ligne de deux cents mètres, terminées par une grosse bouée jaune, une autre bouée grise étant fixée au milieu. Les deux bouées sont emportées et disparaissent dans la mer. La baleine est
100 bien accrochée.

Peu après nous revoyons le harpon de Dumas dressé hors de l'eau. Puis, harpon, baleine et bouées disparaissent. Dumas grimpe au mât avec des jumelles. Je manœuvre pour maintenir mon bateau à petite distance du troupeau, pensant que les globicéphales n'abandon-
105 neront pas un camarade blessé. L'attente est longue. C'est Libera, notre radio,[29] qui repère la bouée jaune et, enfin, voici notre baleine apparemment indemne. Planté dans ses chairs, le harpon est aussi dérisoire qu'un cure-dents. Alors, Dumas saisit son mauser et frappe la baleine de deux balles dum-dum . . . L'eau rougie asperge
110 les dos des globicéphales, qui sont venus fidèlement se grouper autour du compagnon malheureux. Ce n'est qu'après une heure

[23] **écho-sondeur, echo-sound tape,** with a principle similar to radar.
[24] **«Elles soufflent,»** *"Tha'r she blows."*
[25] **globicéphales, bottle-nosed** (lit., globe-headed).
[26] **entre en transes,** *shivered in its boots.*
[27] **vaut,** *earns.*
[28] **à,** *within.*
[29] **radio** (m.), *radio man.*

d'efforts que nous arrivons à reprendre la bouée et à amarrer la forte ligne à bord de l'*Élie-Monnier*.

Ainsi, un globicéphale de dimensions modérées, grièvement 115 blessé, se trouve pris en laisse par notre bateau. La terre s'estompe à l'horizon, il y a quinze cents brasses d'eau sous la quille et le troupeau de baleines tourne et souffle autour de nous. Tailliez et moi nous nous mettons à l'eau pour suivre la ligne du harpon jusqu'à l'animal moribond.

120 L'eau bleu turquoise est exceptionellement transparente. Nous nous halons, main sur main, sur la corde tendue horizontalement à quelques pieds de profondeur, et nous parvenons à la baleine. Des filets de sang coulent encore des trous faits par les deux balles. Je nage vers trois autres globicéphales, mais à mon approche ils se 125 plient en deux vers le bas et piquent droit dans le bleu. C'est la première fois que je me trouve dans l'eau avec de grands cétacés et que j'observe leur technique de plongée. Le vieux mot des baleiniers: «sonder» prend dans mon esprit une signification plus concrète. Les baleines ne plongent pas obliquement, comme font 130 les marsouins et les dauphins, mais se précipitent vers le fond à la verticale.[30] Je tente d'en suivre une, mais quand j'arrive à trente mètres, elle a déjà disparu loin en dessous de moi. J'aperçois dans le bleu sans limite un requin de cinq mètres qui passe, indifférent, probablement attiré par le sang de la baleine. Bien plus bas, hors de 135 ma vue, s'étend la couche diffusante profonde[31] où, peut-être, broute le troupeau des léviathans; d'autres requins errent dans les parages. A regret, je rentre à bord.

Sur la plage arrière, je prends juste le temps de changer d'appareil respiratoire et de me fixer une tablette d'acétate de cuivre[32] à la 140 cheville, une autre à la ceinture. Ce produit chimique, en se dissolvant dans l'eau, est censé éloigner les requins. C'est Dumas, cette fois, qui m'accompagne. Il est convenu qu'il passera un noeud coulant autour de la queue du globicéphale pendant que je filmerai. Dès que Didi entre dans l'eau, il voit un grand requin, mais celui-ci

[30] **à la verticale,** *perpendicularly*.

[31] **couche diffusante profonde, deep scattering layer,** a term used with reference to the soundings of the **écho-sondeur.**

[32] **acétate de cuivre,** *copper acetate* which like all copper salts is poisonous; it dissolves slowly in water.

145 s'en va avant que je l'aie même aperçu. Nous passons sous la quille du bateau et, de l'autre bord, nous repérons la ligne du harpon.

A peine avons-nous fait quelques mètres le long de la corde que nous tombons sur un autre requin de deux mètres cinquante à trois mètres de longeur, d'une espèce que nous n'avons encore jamais 150 rencontrée. Il est d'une netteté impressionante, gris clair, bien propre, un vrai bibelot.[33] Nous lâchons la corde et nous nageons hardiment vers lui, persuadés qu'il va se sauver comme tous les autres; mais il ne bat pas en retraite. Au-dessus de son dos nage un poisson de vingt centimètres, rayé de blanc et de noir, sans doute le 155 fameux poisson pilote. Nous approchons encore, jusqu'à nous trouver à trois mètres de lui. C'est ahurissant! Autour du requin, rangés comme par un étalagiste, sont une dizaine de ces poissons pilotes. Il y en a de tout petits, d'autres longs comme le doigt; ils sont là comme une parure de fête, ils épousent[34] le rythme de 160 l'animal, restant à quelques centimètres de lui. Ils ne donnent pas l'impression de le suivre, ils font partie de lui comme des appendices. Le plus petit de tous, un pilote grand comme l'ongle du pouce, frétille juste devant le museau du requin, et reste miraculeusement en place pendant que la bête avance, probablement poussé et 165 maintenu par une onde de pression.

Les légendes de la mer veulent que le requin y voit mal[35] et que le pilote le guide vers sa proie, afin de pouvoir ramasser les miettes de sa table. Les savants d'aujourd'hui ont tendance à faire fi de l'idée que le pilote soit un chien d'aveugle, bien que la dissection ait 170 confirmé que le requin a la vue basse. Notre expérience nous porte à croire que le requin y voit pratiquement aussi bien que nous.

Le beau requin gris ne marque aucune appréhension. Je me réjouis d'avoir enfin l'occasion de filmer un requin dans d'excellentes conditions. Je me mets presque dans la peau d'un metteur en scène, 175 donnant mes indications par signes à Dumas, qui partage la vedette avec le squale gris. Je filme le requin avec Didi devant, puis avec Didi derrière. Mon camarade suit l'animal, l'approche, le prend par la queue, partagé entre le désir de tirer fort pour déranger le bel

[33] **bien propre, un vrai bibelot,** sleek, a real collector's item.
[34] **épousent,** *follow exactly.*
[35] **veulent que le requin y voit mal,** hold that sharks have poor eyesight. **Y voir** here and elsewhere=*see* in the sense of *having visual power.*

équilibre d'une vitrine,[36] et la crainte qu'il ne se retourne pour
180 mordre. Il lâche donc prise et calque ses évolutions sur celles du requin. Il lui faut nager aussi vite qu'il en est capable pour ne pas se laisser distancer par l'animal qui, lui, avance presque sans bouger. Moi, je pivote au centre du jeu et, passée la première admiration, je commence à sentir le danger. La bête n'a pas l'air de s'intéresser
185 beaucoup à nous, mais son petit oeil immobile nous fixe.

Notre requin gris nous a peu à peu entraînées à vingt mètres de profondeur. Alors Dumas pointe son doigt vers le bas. Apparaissant dans le bleu sombre, à la limite de la visibilité, deux autres requins montent lentement vers nous. Ils sont beaucoup plus grands, ils
190 dépassent quatre mètres. Ils sont plus effilés, plus bleus, plus sauvages d'apparence. Ils s'installent au-dessous de nous: ils n'ont pas de poissons pilotes.

Notre vieil ami, le requin gris, se rapproche de nous, réduisant le rayon des cercles qu'il décrit. Mais il paraît toujours maniable. Le
195 mécanisme, qui le faisait tourner autour de nous comme les aiguilles d'une montre, semblait au point,[37] et ses pilotes restaient en place. Nous étions parvenus, jusqu'ici, à maîtriser notre peur, nous n'y pensions plus. L'apparition des deux grands bleus nous rappelle durement à la réalité.

200 Nous nous creusons désespérément la mémoire, Dumas et moi, pour y retrouver des conseils sur la manière d'effrayer les requins. «*Gesticulez*» *dit un sauveteur;* et nous faisons de grands gestes désordonnés. Nous avons un peu honte: le gris n'a pas daigné sourire. «*Envoyez-leur un jet de bulles*», *dit un scaphandrier à*
205 *casque*. Dumas attend que le requin ait atteint le point le plus proche de sa trajectoire et souffle de toutes ses forces: le requin ne réagit pas. «*Criez aussi fort que possible*», *dit Hans Hass*. Nous poussons des hurlements jusqu'à perdre la voix. Le requin paraît sourd. «*Des tablettes d'acétate de cuivre fixées à la ceinture empêcheront les*
210 *requins d'approcher*», *dit un officier instructeur de l'aviation américaine*. Nous en avons mis deux, et notre ami nage à travers le bouillon[38] de cuivre sans sourciller. Son oeil glacé nous jauge comme

[36] **équilibre d'une vitrine,** *window-dressing symmetry.* **(That would break the dreamy rhythm and make a good shot, S.W.)**

[37] **au point,** *to be working fine.* **(He turned reliably in his clockwise prowl, S.W.)**

[38] **bouillon, lit.,** *broth.*

une conscience. Il a l'air de savoir ce qu'il veut: le temps travaille pour lui.

215 Il se produit alors un petit incident affreux. Le minuscule poisson pilote, qui nage devant le museau du requin, s'envole de son perchoir et frétille vers Dumas. Il papillonne tout contre son masque et mon ami secoue la tête comme pour se débarrasser d'un moustique.[39] Mais en vain. Dumas se sent marqué.

220 Je sens mon camarade se rapprocher instinctivement de moi. Je vois sa main chercher son poignard de ceinture et dégainer. Au-delà du couteau et de la camera, le requin gris s'éloigne un peu, comme pour prendre son élan,[40] se retourne, et vient droit sur nous.

Nous battre au couteau avec un requin, c'est dérisoire, mais le 225 moment est venu où couteau et camera sont notre dernier moyen de défense. Sans réfléchir, je brandis la camera comme un bouclier, j'appuie sur le levier de déclenchment, et je me trouve[41] en train de filmer la bête qui fonce sur moi. Le museau plat ne cesse de grandir; bientôt il n'y a plus au monde qu'une gueule. La colère m'envahit. 230 De toutes mes forces, je pousse la camera en avant et frappe en plein sur le museau. Je sens le déplacement d'eau d'un grand coup de queue, un corps lourd passe près de moi en un éclair, et le requin se retrouve à quatre mètres, indemne, inexpressif, décrivant lentement autour de nous la ronde obstinée.[42]

235 Les deux requins bleus montent sans cesse et entrent dans la danse. Il est grand temps de rentrer. Nous faisons surface et sortons nos têtes de l'eau. Horreur! l'*Élie-Monnier* est à trois cents mètres sous le vent. Il a perdu notre trace. Nous agitons frénétiquement les bras, mais le bateau ne répond pas. Nous flottons en surface, avec la 240 tête en dehors;[43] c'est la meilleure méthode pour se faire dévorer. Des jambes qui pendent peuvent être cueillies comme des saucissons. Je regarde vers le bas: les trois requins se dirigent vers nous en une attaque concertée. Nous plongeons et nous leur faisons front; ils reprennent leur manoeuvre d'encerclement. Tant que nous sommes

[39] The little pilot fluttered happily, moving with the mask, inside which Dumas focused in cross-eyed agony. (S.W.)

[40] prendre son élan, *get set.*

[41] je me trouve, lit., *I find myself.* (. . . it was running without my knowledge, S.W.)

[42] I thought, Why in hell doesn't he go to the whale? The nice juicy whale. What did we ever do to him? (S.W.)

[43] en dehors, *out of water.*

245 à deux ou trois mètres de profondeur, ils hésitent à s'approcher de nous. Nous esquissons une retraite vers le bateau. Malheureusement, sans point de repère, ni boussole de poignet, il est impossible de faire dix mètres en ligne droite.

Nous pensons avant tout à nos jambes, et nous improvisons une 250 formation défensive, en restant côte à côte, mais tête-bêche,[44] afin que chacun de nous puisse surveiller les pieds de l'autre. A tour de rôle, l'un de nous monte en flèche[45] vers la surface et agite les bras pendant quelques secondes, tandis que l'autre le protège en adoptant une attitude aussi aggressive que possible. Tandis que Dumas lance 255 un nouvel appel désespéré, un des requins bleus s'approche tout près de ses pieds. Je crie. Dumas se retourne et plonge, résolument, face à la bête, qui s'écarte et revient à son carrousel. Quand nous montons pour regarder, nous sommes étourdis par toutes ces girations sous l'eau, et il nous faut tourner la tête comme une lanterne 260 de phare pour tâcher de retrouver l'*Élie-Monnier.*

Nous sommes presque à bout de force; le froid nous gagne.[46] J'estime qu'il y a plus d'une demi-heure que nous sommes sous l'eau. Bientôt notre provision d'air sera épuisée. Après ce sursis, nous abandonnerons nos embouts, nous nous débarrasserons de nos 265 scaphandres et nous remonterons en surface, nous acharnant à nous protéger tant bien que mal par des plongées libres. Notre fatigue sera décuplée, tandis que nos formidables adversaires resteront à leur aise, inlassables, indestructibles. Mais l'attitude des requins change. Ils s'agitent, font un dernier tour de piste et disparaissent. 270 Nous n'y pouvons croire. Nous nous regardons. Une ombre passe sur nous: c'est le canot[47] de l'*Élie-Monnier*. Les requins se sont enfuis à leur approche.

Nous nous laissons tomber dans le bateau. Notre équipage est presque aussi ému que nous. L'embarcation avait perdu la trace de 275 nos bulles et elle était partie à la dérive. Nous avons peine à croire que nous avons seulement passé vingt minutes dans l'eau.

A peine sommes-nous remontés à bord de *l'Élie-Monnier,* que Dumas prend un fusil et saute dans le canot pour aller voir ce qu'est

[44] **tête-bêche,** *head to foot.*
[45] **en flèche,** *like an arrow.*
[46] **le froid nous gagne, cold was claiming the outer layers of our bodies.**
[47] **canot,** *dinghy* or *lifeboat.*

devenu[48] notre globicéphale. Il vit encore. Nous voyons un corps
280 gris se séparer de la baleine et filer, c'est un requin, peut-être le notre.
Dumas donne le coup de grâce à bout portant avec une balle dum-dum. La tête retombe, la bouche ouverte: un filet de bulles s'échappe de l'évent. Des requins se tordent dans l'eau rouge, s'attaquant furieusement à la carcasse. Dumas plonge les mains dans l'écume
285 rouge et passe un noeud coulant autour de la queue, achevant enfin ce qu'il aurait dû faire si notre ami gris ne nous avait pas dérangés.

Nous hissons le globicéphale à bord. Il en manque de beaux morceaux. A la vue des morsures faites par les requins, rondes comme des lunes, profondes comme des chaudrons, nous avons
290 froid dans le dos. Le cuir, de l'épaisseur du pouce, est tranché net, sans déchirure; chaque bouchée représente bien[49] dix kilos de graisse et de chair. Les requins ont attendu, avant de s'en prendre à cette proie facile, que nous leur ayons été soustraits.[50]

En route vers Dakar,[51] nous sommes tombés sur un immense banc
295 de dauphins. Dumas en piqua[52] un dans le dos. Le dauphin était dans la situation d'une chèvre que le chasseur de lion a attachée à un piquet pour servir d'appât. Les requins ne furent pas longs à venir. Ils se mirent à décrire autour du dauphin les mêmes cercles tranquilles qu'autour de nous. Ces brutes puissantes et rapides,
300 magnifiquement équipées pour tuer, attendaient timidement l'heure d'attaquer. Et quand nous disons attaquer, nous leur faisons beaucoup d'honneur: le dauphin, désarmé, était en train de mourir au centre d'une ronde de matamores.[53] Parfois l'un d'eux, rompant le rythme, se dirigeait sur le dauphin, comme le requin gris était
305 venu sur ma camera. Le voyant venir, le dauphin s'agitait[54] encore; le requin n'insistait pas et reprenait sa valse menaçante. Une fois, à l'approche d'un des monstres, le dauphin ne réagit plus: le requin nagea jusqu'à lui et s'éloigna comme d'habitude, mais il avait arraché au passage un énorme morceau de viande. Indigné, Didi
310 saisit son mauser et tira sur la brute.

[48] **ce qu'est devenu,** *what has happened to.*
[49] **représente bien,** *represents all of.*
[50] **soustraits, cheated away from them.**
[51] **Dakar,** French port on most westerly point of Africa, in Senegal.
[52] **piqua=harponna.**
[53] **désarmé . . . matamores, had no weapons and he was dying in a circle of bullies.**
[54] **s'agitait,** *thrashed around.*

Il nous faut donc réviser complètement nos idées sur le comportement des requins en présence de l'homme-poisson.[55] Même au large de[56] Boavista, nous n'avons jamais été attaqués avec décision. Mais nous avons vu que, sans foncer sur leur proie, sans ralentir
315 non plus, sans frapper, sans même paraître mordre, les requins enlèvent des paquets de chair comme des cuillerées de beurre tiède.

Il est assez probable que les requins sont moins circonspects en ce qui concerne les objets, les animaux ou les hommes qui flottent à la surface. C'est d'ailleurs en surface que les requins du large
320 trouvent souvent leur repas, poissons malades ou blessés, oiseaux de mer ou marsouins endormis, détritus jetés par les navires. Les naufragés sont peut-être classés dans cette dernière catégorie par les squales irrévérencieux. Les scaphandriers, pieds-lourds[57] ou hommes-poissons, peuvent leur en imposer davantage avec leurs
325 attitudes étranges et leurs panaches de bulles. Mais pour combien de temps?

Lorsqu'on a vu les requins en action, on doute fort qu'un poignard puisse avoir la moindre valeur défensive. Ce que nous avons trouvé de mieux, c'est un gros manche à balai d'un mètre de
330 long, hérissé de petites pointes à l'une de ses extrémités. Nous avons baptisé cet instrument barbare *débordoir à requins*.[58] On doit s'en servir comme un dompteur emploie la chaise avec ses lions, pour écarter le requin qui s'approche en le repoussant vigoureusement. Les petits clous empêchent le *débordoir* de déraper sur le cuir,[59]
335 sans pour cela blesser ou irriter le fauve. On peut espérer ainsi le maintenir à distance convenable. Nous étions toujours munis de *débordoirs* fixés au poignet par une dragonne de cuir au cours de centaines de plongées parmi les requins de la mer Rouge. Nous n'avons jamais été obligés de nous en servir. Peut être n'est-ce
340 qu'une arme théorique de plus contre la créature qui a échappé jusqu'ici à la compréhension de l'homme.

—From *Le Monde du silence* by permission of Editions de Paris.

[55] **l'homme-poisson,** *skin divers (with aqualung).*
[56] **au large de,** *in the open sea off.*
[57] **pieds-lourds,** *under the regulation diving-bell.*
[58] **débordoir à requins, shark billy.**
[59] **le cuir=la peau.**

EXPRESSIONS FOR STUDY

1. Ceux de Djerba prirent place en tête d'une liste de requins que je tins religieusement à jour jusqu'à notre voyage en mer Rouge, en 1951. **2.** Plus on voit de requins et moins on les connaît. **3.** En pleine mer, une longue houle enfle sur un récif à fleur d'eau, projetant des gerbes d'écume dans les airs. **4.** Quand nous plongeons avec la camera, il n'en reste plus que deux autour du bateau. **5.** Dumas et Tailliez s'engagent dans l'ombre de leurs cavernes et leur tirent la queue jusqu'à ce qu'ils s'éveillent en sursaut. **6.** Quant au requin, arraché à sa torpeur, il se met en route et nage, imperturbable. **7.** Un peu plus loin nous retrouvons la flèche dont il a su se débarrasser. **8.** Il est probable que le harpon a dû traverser la tête de part en part pour éclater à l'extérieur. **9.** Leur front s'enfle en une énorme boule luisante qui leur vaut leur nom. **10.** Planté dans ses chairs, le harpon est aussi dérisoire qu'un cure-dents. **11.** Ce produit chimique, en se dissolvant dans l'eau, est censé éloigner les requins. **12.** Les légendes de la mer veulent que le requin y voit mal et que le pilote le guide vers sa proie. **13.** Son oeil glacé nous jauge comme une conscience. **14.** Le requin gris s'éloigne un peu, comme pour prendre son élan, se retourne, et vient droit sur nous. **15.** Horreur! L'Élie-Monnier est à trois cents mètres sous le vent. **16.** A la vue des morsures faites par les requins nous avons froid dans le dos. **17.** Les requins ont attendu, avant de s'en prendre à cette proie facile, que nous leur ayons été soustraits. **18.** Ce que nous avons trouvé de mieux, c'est un gros manche à balai d'un mètre de long, hérissé de petites pointes à l'une de ses extrémités.

QUESTIONNAIRE

1. Dans quelles circonstances l'auteur a-t-il recontré ses premiers requins? **2.** Quand et pourquoi a-t-il cessé de tenir à jour sa liste de requins? **3.** Quelles sont ses deux conclusions générales? **4.** Depuis combien d'années existe-t-il des requins? **5.** Où se trouve l'archipel du cap Vert? **6.** Où est-ce que l'Élie-Monnier jette l'ancre? **7.** Pourquoi les autres bateaux éviteraient-ils cette région? **8.** Qui est Didi? **9.** Qu'est-ce qu'il a essayé en vraie grandeur? **10.** A-t-il réussi à tuer le requin? **11.** De quelle longueur est le requin mangeur d'hommes? **12.** Que fait-il en voyant les hommes-poissons? **13.** Qu'est-ce qui a fait grand'peur un jour à l'équipage? **14.** Combien de baleines y avait-il dans le troupeau? **15.** Qu'est-ce que le bateau a pris en laisse? **16.** Comment plongent les baleines? **17.** Qu'est-ce que l'auteur prend pour éloigner les requins? **18.** Qu'est-ce qu'on voit tout autour du petit requin gris? **19.** Est-ce que le requin y voit bien? **20.** Que fait l'auteur quand le requin vient droit sur lui? **21.** Quand ils font surface, où voient-ils l'Élie-Monnier? **22.** Quelle est la meilleure méthode pour se faire dévorer par un requin? **23.** Qu'est-ce qui a fait fuir les requins? **24.** Qu'est-ce que c'est qu'un «débordoir à requins?» **25.** Est-ce que les hommes de l'équipe ont été obligés de s'en servir? **26.** Avez-vous jamais vu un requin? **27.** Avez-vous envie d'en voir un?

ALAIN BOMBARD

NAUFRAGÉ VOLONTAIRE

INTRODUCTION

I*N THE* French seaport of Boulogne-sur-Mer, on the English Channel, the young medical doctor, Alain Bombard, frequently saw the victims and survivors of sea disasters. The high toll exacted through these catastrophes, estimated by Dr. Bombard at 200,000 annually, and his belief that perhaps 50,000 of the shipwrecked might have lived had they possessed more knowledge of the sea, inspired him to attempt a daring experiment. He decided to cross the Atlantic in a rubber raft, carrying with him provisions to be used only in case of dire necessity, and living as long as possible off the sea itself.

The preparations for the adventure were meticulous, and were carried out for the most part in the Museum of Oceanography in the Principality of Monaco. There Dr. Bombard studied the chemical composition of sea-weed, the amount of sea water that could be drunk each day, how to extract water from fish, and other matters related to survival. The Mediterranean part of the trip was made with a companion who, however, left him at Tangiers in Spanish Morocco. Two other initial legs of the voyage took him to Casablanca on the west coast of Africa and then to the Canary Islands in the Atlantic. From here on, he confronted the open sea by himself, in his boat *L'Hérétique*.

After sixty-five days, days of physical suffering and pure *ennui,* broken by episodes such as are related in our selection, he arrived in the British island of Barbados in the West Indies. He was in a very weakened physical state, but he had proved the possibility of keeping alive through proper knowledge of the sea and its resources. *Naufragé volontaire* from which the following extract is taken, was written for the general reader. A scientific report on his findings was published in 1954.

NAUFRAGÉ VOLONTAIRE[1]

Vendredi 5 décembre—Petit problème: étant donné que je fais 100 mètres à l'heure environ, dans combien de temps aurai-je parcouru les 150 km.[2] qui me séparent de la terre, s'il y en a encore une.[3]

5 Je serai mort auparavant, cuit, assoiffé, affamé,[4] vraiment tout est ligué contre moi; depuis ce matin je bous dans mon jus avec un soleil terrible, et pas un nuage, et à peine à 800 mètres[5] de moi le ciel est couvert de nuages épais. Il est frappant de constater à quel point l'impression de persécution vous suit[6] lorsqu'on est à la surface 10 de la mer; on a l'impression que tout se ligue contre vous, que rien ne va[7] plus. Les petits nuages avançaient lentement, poussés par un vent léger, et j'avais l'impression qu'ils préféraient contourner le soleil plutôt que de passer devant lui pour me protéger.

Je suis épuisé. Si j'échoue, c'est vraiment parce que tout s'est mis 15 contre moi: pas de vent, un soleil torride. Hier il a plu à torrents tout autour de moi, pas une goutte sur moi, c'est atroce. Ma voile bat de droite à gauche, c'est sans doute[8] l'alizé. Définition de la zone des alizés: zone où il n'y a pratiquement jamais de vent. Je n'ai même pas la ressource de me savoir dans le «pot au noir»;[9] à

[1] **Naufragé volontaire,** *Castaway by choice.* The year is 1952.

[2] **150 km.,** *93 mi.*

[3] **de la terre, s'il y a encore une,** *from land* (=*earth*), *if earth still exists . . .*

[4] **affamé,** throughout this passage the student will note that the punctuation does not, as in English, have a grammatical function, but indicates the extent to which the voice pauses in speaking. This is common in many of the best French writers. An English version would require radically different punctuation.

[5] **800 m.,** *half a mile.*

[6] **vous suit,** *follows one.*

[7] **va,** *works, goes right.*

[8] **sans doute,** ironic; sails flap thus when there is *no* wind.

[9] **pot au noir,** the *doldrums,* zone of equatorial calms, about ten degrees of latitude to the south of his position; if he had been that far south he feels that he should have touched the eastern coast of South America, but, as we learn later, he was several hundred miles off in his reckoning.

20 cette époque de l'année, il est à 5° nord et, à cette latitude, j'aurais déjà touché terre. Cette horrible diarrhée en plus . . . J'ai compris maintenant: s'il y avait une tempête, je ne jetterais certainement pas l'ancre flottante,[10] à Dieu vat![11] Qu'est-ce que j'ai fait?[12] Comme si je n'aurais pas pu m'arrêter aux Canaries![13]

25 Jean Luc,[14] si je suis mort en arrivant, publie un livre avec ces notes qui constitueront un témoignage à Ginette.[15] J'avais bien dit qu'il est de mauvais présage que les marins croient la chose possible. La Méditerranée, Casa, les Canaries, je les ai réussies: ils disaient que c'était impossible, et, là,[16] j'échoue lamentablement. Combien 30 vont triompher! Le bruit de cette voile qui bat devant vous . . . pas de pire journée depuis le début, je préfère la tempête, j'ai jeté derrière moi un sachet de fluorescéine pour voir combien de temps je le verrais. On ne sait jamais! Ce qui m'inquiète, c'est que, jusqu'à présent, quand je n'avais pas de vent il en restait tout de 35 même en hauteur,[17] aujourd'hui rien. Pourvu que ça ne dure pas 8 jours! Ça fait maintenant 32 jours que je n'ai pas vu de bateau, et 21 jours un avion; je suis absolument désespéré, d'autant que Jack[18] disait: nous échouerons parce qu'il y aura trop de vent, des tempêtes et des typhons; j'échoue en réalité parce qu'il y a un calme plat. 40 Ah! si seulement je pouvais faire un S.O.S. Hélas! c'est une gageure.[19] Pas un nuage ne passe devant le soleil, et il y en a pourtant! Je n'y comprends rien: maintenant il y a de très petits

[10] **ancre flottante,** *sea-anchor* which keeps one headed into the wind, sacrificing headway to safety; he laments having done this earlier.

[11] **à Dieu vat,** by courtesy of Dr. Bombard we quote his own explanation of this phrase from a letter to the editors: "**à Dieu vat** est une expression que tous les philologues peuvent expliquer et qui veut dire dans une forme archaïsante mais pleine de saveur 'à la grâce de Dieu.' (A la grâce de Dieu tu vas. . . . à la grâce du Dieu *va-t*-en)." An approximate English rendering would be *so help me God.*

[12] **fait,** supply *to deserve this.*

[13] **Canaries,** Spanish islands just off the northwest coast of Africa, his first stop after leaving *Casablanca,* **(Casa)** in Morocco.

[14] **Jean Luc de Carbuccia,** who had offered Bombard a contract for the book he would write on his voyage, and thus made it possible to undertake it without too great financial risk to his family.

[15] **Ginette=Mme Bombard.**

[16] **là,** *here now* (*when they said it could be done*). The same use of **là** for *here* occurs twice later in this story.

[17] **en hauteur,** *aloft.*

[18] **Jack,** Herbert Muir-Palmer who set out from Monaco with Dr. Bombard but left him at Tangiers in Spanish Morocco.

[19] **c'est une gageure,** *I decided to gamble* (*and lost*).

nuages très bas qui filent à toute vitesse, et moi j'ai un calme plat comme rarement j'en ai vu, même en Méditerranée. Si seulement je 45 pouvais prendre un bain!

Samedi 6 décembre—Le vent s'est levé au nord assez fort, c'est mieux que rien. Ce matin, vu encore trois *Queues blanches des tropiques*[20] ensemble; on dit[21] la côte à 60 à 80 milles. Il n'est tout de même pas possible que l'auteur d'un livre pour naufragés se 50 trompe à tous les coups; alors demain ou après-demain, peut-être verrai-je la terre? Néanmoins, je voudrais écrire ici mes dernières volontés, car peut-être n'arriverai-je pas vivant!

1° Je désire que ces notes servent à composer un livre dont les droits seront versés à Ginette Bombard, ma femme. Pour la genèse 55 du voyage il serait bon d'interroger . . . (quelques noms . . .)

2° Dispositions pour la vie de ma femme et de ma fille.

3° Je tiens à dire qu'il ne faut absolument pas que d'autres naufragés meurent assassinés moralement par les auteurs de livres pour naufragés où les signes d'approche de la terre sont tous faux et 60 abattent le moral, tuant ainsi les gens. De plus, j'estime responsables de ma mort ceux à cause de qui, actuellement,[22] je n'ai pas de poste émetteur.

Enfin je finis en disant: mon expérience est valable pour cinquante jours: ce n'est pas parce que j'arrive mort que les naufragés doivent 65 désespérer. Après, elle dépasse les forces humaines; il serait souhaitable qu'aux cours de cosmographie dans les lycées et écoles soit adjoint un cours de navigation pratique.

Dimanche 7 décembre—Toujours rien en vue, mais je ne peux pas être loin (Là mon écriture a repris de la force). Il faut, pour 70 Ginette, Nathalie, Renaud et Anne[23] que j'arrive vivant, mais c'est terrible.

Le soleil est implacable, j'ai soif. Mon eau commence à être épuisée, il ne me reste que 5 litres[24] peut-être; quand je pense que j'ai jeté tant d'eau par dessus bord! Des litres et des litres! Je pêche 75 peu, mais suffisamment, et ce serait terrible si je devais recommencer

[20] **Queues blanches des tropiques,** *Tropical whitetails;* presumably a type of petrel.

[21] **on dit,** *that is supposed to mean,* (unless his written authority *is wrong on every count,* **se trompe à tous les coups**).

[22] **actuellement=à présent.**

[23] **Nathalie, Renaud et Anne,** members of the author's family.

[24] **litres,** approximately the same as a *quart* (1.0567 qt. liquid measurement).

à boire de l'eau de mer et du jus de poisson avec, en plus, cette horrible diarrhée. Ça me fait vraiment très mal. Le vent du nord d'hier m'a fait dériver 18 milles au sud, m'éloignant ainsi de la Désirade,[25] terre la plus proche; maintenant il est de nouveau très 80 faible, c'est désespérant. Les Instructions Nautiques disent pourtant (*Antilles,* tome 2, page 8, lignes 9 à 14): «L'Alizé est le plus fort et le plus régulier de décembre à mars ou avril. Il a alors sa direction la plus nord et souffle de est-nord-est à nord-est.» Ce que l'on peut imprimer d'erreurs tout de même! Si je n'ai pas vu la terre demain 85 ou après-demain au plus tôt, je n'y comprends plus rien et j'abandonne. J'en ai assez, et je pense à cette pauvre Ginette, qui doit être en train de mourir à petit feu.[26]

16 h. 30—On peut dire que j'ai tout contre moi; le vent a repris mais il me colle[27] au sud. Je n'ai vraiment pas de chance. Alors, 90 tant pis, je vais au sud, j'ai de la marge jusqu'à Grenada,[28] 240 milles; la dérive me ralentit trop.

Les présages sont en faveur de la proximité de la terre, sauf la présence de la terre elle-même; de petits bouts de bois qui flottent çà et là, un banc de poissons qui ressemblent à des mulets, me suit, 95 toutes choses qu'on ne voit pas en haute mer. Mais moi, c'est la terre que je voudrais voir!

Lundi 8 décembre—Encore rien en vue, et de nouveau plus de vent. Enfin, j'ai du mal à croire que des types commes les auteurs de livres pour naufragés écrivent un bouquin à l'usage de la marine 100 américaine et se trompent à tous les coups. L'auteur déclare qu'un oiseau-frégate[29] a été vu à 300 milles; admettant que, seul, le dernier en ait été un, je l'ai vu mercredi, 300 milles au plus.[30]

Samedi matin je vois de nouveau ensemble trois oiseaux des

[25] **Désirade,** one of the French West Indies, just west of the point where Bombard imagined himself to be (c. 60° west longtitude by 16° latitude north.) He was actually 600 miles farther east.

[26] **à petit feu,** *by inches.*

[27] **colle = pousse.**

[28] **Grenada,** one of the British West Indies, farthest southwest of the islands toward which he was drifting in a predominantly westerly direction. He still has *a chance for safety* **(de la marge)** if he continues to be blown south while the drift **(la dérive)** of the predominantly westerly ocean current, pushes him toward the island.

[29] **oiseau-frégate,** *frigate-bird,* so called because their powerful wings are said to enable them to cross the Atlantic.

[30] **admettant . . . au plus,** *if only the last I saw was really one, that was on Wednesday, when I was closer than 300 miles.*

tropiques, et là il est formel:[31] trois oiseaux ensemble,[32] 60 à 80
105 milles, mettons 100 milles, et admettons, ce qui est un minimum, que j'en aie fait 40 de samedi à dimanche et 40 ensuite, je devrais être à 20 milles. Or, rien en vue, et de nouveau une journée atrocement ensoleillee se prépare. Je suis au 50e jour, cela me ferait 54 milles par jour de moyenne, or au départ j'ai fait bien plus, et
110 depuis je me suis maintenu à 30 milles de moyenne, sauf un jour. Alors, plus un souffle de nouveau.[33]

Pour aller aux Canaries (550 milles), j'ai mis[34] onze jours. Là,[35] j'ai à parcourir cinq fois le même parcours, je devrais mettre cinquante-cinq jours, ce qui me ferait arriver samedi.

115 Il me reste peu d'eau et je ne supporte plus l'eau de mer, car j'ai une diarrhée très forte; je pêche très peu, le poisson se méfie. Mais je m'en fiche, car j'ai toujours suffisamment de poissons volants. En cas de besoin, il me resterait encore tous mes vivres, je les mangerais et je mourrais. Celui qui écrira d'après mon expérience
120 un bouquin pour naufragés, devra bien spécifier que les oiseaux qui changent indiquent l'approche de la terre, mais peut-être à des centaines de milles encore. Je suis assez désespéré; pourtant il faut que je tienne, et c'est terrible. Oh! pouvoir faire une longitude exacte. J'ai l'impression que si je savais où je suis, même si je suis
125 loin, ce ne serait pas la même chose. Je crois que tous les bateaux et avions passent à l'ouest des îles, dans la mer des Antilles,[36] je n'ai donc aucune chance d'en voir un. Quand je pense qu'un jour de grand vent j'ai jeté l'ancre flottante; maintenant, la voile en haut[37] jusqu'à la mort. Mais voilà,[38] plus de vent! Que faire, mon
130 Dieu, que faire pour sortir de cette horrible incertitude?

Une journée atrocement chaude se prépare. Pas un nuage ne va atténuer le soleil. J'ai vraiment toute la malchance possible. Il pleut autour de moi, mais pas une goutte sur moi; des nuages tout autour, sur moi un soleil implacable; c'est l'époque de l'alizé

[31] **là il est formel,** *this time it is definite.* See line 100.
[32] **ensemble,** supply, *that proves that land is at a distance of . . .*
[33] **Alors, . . . de nouveau,** *Now, the wind has fallen again.*
[34] **J ai mis,** *I took.*
[35] **Là,** *This leg of the trip.*
[36] **mer des Antilles,** *Caribbean.*
[37] **la voile en haut,** *the sail will hang idly.*
[38] **voilà=que voulez-vous!**

135 régulier, et j'ai périodiquement un jour de vent, un jour de brise, deux ou trois jours de calme plat. Je suis pratiquement immobile, ça fait trois jours que je vois la tache verte de fluorescéine derrière moi; c'est comme ça depuis le samedi 22, voilà vingt jours de quasi-immobilité. Ah! je les retiens,[39] j'ai été assez idiot pour me fier à 140 un livre écrit par des spécialistes! Malheureusement, je ne serai pas vivant pour leur dire leurs vérités.[40] Vingt jours de calme, quand «l'alizé est le plus régulier et le plus fort»! Avec ce temps là, il est impossible que j'arrive vivant et pourtant je ne devrais pas être loin.

145 *14 h. 30*—Et voilà! ça recommence comme vendredi: calme plat et voile battante. Vive l'alizé. On me dira: c'est signe que vous êtes près de la terre. Alors, montrez-la-moi! Aucun espoir encore pour demain car je n'aurai pas bougé.

16 heures—Je voudrais bien prendre un bain et inspecter le dessous 150 du bateau. Lui, arrivera entier à terre, même si cela dure encore un mois, à moins d'un espadon![41]

16 h. 30—La mer s'est levée, preuve qu'il y a du vent quelque part, mais ici il y a à peine un petit souffle. J'ai chaud et soif.

17 heures—Je ne suis pas à 40 milles de la Dominique,[42] mais 155 je ne l'atteindrai jamais, puisque je n'ai pas de vent (et, dans une écriture absolument désordonnée, comme je n'en ai jamais eu, je note): quelle journée atroce encore!

C'est dans le calme absolu où rien ne m'arrivait qu'il faillit m'arriver le pire.[43] Assis à l'arrière de *l'Hérétique,* et suivant des 160 yeux son faible sillage, je vis apparaître, encore lointaine, une sorte de masse noire, oscillante et plate. Plus elle s'approchait, plus je pouvais discerner dans cette espèce de table mouvante, des reflets, des taches blanchâtres. Lorsqu'elle fut à quinze mètres de moi, je compris que ce monstre était une raie géante.[44] Rassuré, contre toute 165 logique, par le nom de cet animal «comestible», je me mis calmement à le photographier, sans penser que c'était moi, en l'occurrence,

[39] **je les retiens,** *I'll remember them!*

[40] **leur dire leurs vérités,** *tell them off, tell them where to get off.*

[41] **à moins d'un espadon,** *unless a swordfish* (*rips it.*)

[42] **Dominique,** *Dominica,* an island north of Martinique.

[43] **il faillit m'arriver le pire,** *the worst accident just missed* (*happening to*) *me.*

[44] **raie géante,** probably a type of ray known in English as sea devil, which can grow to enormous dimensions (20 by 30 feet) and has a flattened body; a fish this size is capable of swallowing a man, whereas the smaller varieties, known also as skates, are a table delicacy.

qui risquait d'être mangé. La raie n'approchait pas, mais gardait sa distance.

L'animal me suivit pendant deux heures environ, puis s'effaça
170 comme une plaque de métal, aspiré[45] par les profondeurs. Ce n'est que plus tard qu'un pêcheur de Dakar[46] me révéla:

«C'est là que vous avez couru votre plus grand risque: la raie pouvait vous retourner d'un seul coup d'aileron ou faire un bond pour vous recouvrir!»[47]

175 **Mardi 9 décembre, 15 heures**—Un peu de vent depuis sept heures hier soir; pourvu que ça dure! Le soleil est toujours aussi implacable; toute la nuit j'ai fait des cauchemars; toujours rien en vue, et ce serait miracle avec le peu de route que j'ai fait hier. Revu ce matin encore trois oiseaux des tropiques et qui[48] crient, et il paraît que
180 les oiseaux ne crient pas quand ils sont loin de la terre. J'ai préparé le menu du dîner que je voudrais m'offrir aux frais d'une personne de ma connaissance, qui a parié que je n'arriverais pas. J'ai prévu deux menus;[49] soit foie gras truffé, soufflé aux crevettes, canard au sang, pommes paille, fromages variés, omelette flambée à la confiture,
185 fruits rafraîchis au champagne; soit homard Thermidor, perdreau truffé sur canapé, haricots verts, fromages variés, crêpe Suzette (une douzaine), fruits rafraîchis au champagne. Les vins sont: Muscadet, Pommard 28, Vosne-Romanée 1930, Mouton-Rothschild 1947, Château-Yquem 1929, Vieille Cure et cigare.

190 C'est encore un mercredi qu'eut lieu le miracle!

Il me fallait alors faire de gros efforts pour me lever le matin;

[45] **aspiré,** *as if sucked down.*

[46] **Dakar,** French port on West coast of Africa—see GROS PLANS DE REQUINS.

[47] **retourner . . . recouvrir,** *capsize you with a single flip of his fin or leap clear out of the water to engulf you.*

[48] **et qui,** the **et** must be omitted in English. (French permits any two modifiers to be so connected, English only if both are clauses or both adjectives, etc.)

[49] **menus,** it is interesting to note that the English version does not venture to translate these, contributing to the myth that "everybody" is supposed to understand "restaurant French." Allowing for French terms always left untranslated in English, an approximate rendering follows: Menu no. 1: *goose-liver paste with truffles, soufflé* [a type of omelette] *with little crayfish, roast duck rare, shoe-string potatoes, assorted cheeses, omelet flambée* [by burning rum or brandy over it] *with jam, chilled fruits with champagne.* Menu no. 2: *lobster Thermidor, partridge with truffles on toast, green beans, assorted cheese, crêpes Suzette* [a kind of pancake, rolled and heated in a sauce containing cognac or rum and set ablaze] (*a dozen of 'em*) *chilled fruits with champagne. Wines*—an assortment of the best with a final cordial (liqueur) and *a cigar* [No coffee—perhaps he wanted to sleep afterward!]

je me réveillais en général à peu près au moment du lever du soleil, mais je n'étais pas pressé de jeter un regard sur l'horizon, puisque je savais que, irrémédiablement, celui-ci serait toujours vide.
195 J'attendais donc couché comme pendant la nuit, jusqu'au moment où, le soleil montant sur l'horizon, venait me brûler de ses rayons. Ce matin-là, vers dix heures, je jetai un coup d'oeil autour de moi, et je sursautai, comme touché par une pile électrique. Tout haut,[50] je dis: «Un bateau!» En effet, par tribord arrière,[51] à environ 2
200 milles et demi de moi, un navire se dirigeait exactement de façon à couper ma route. C'était un gros cargo d'environ 7.000 tonnes, qui avançait à petite vitesse;[52] personne ne semblait m'avoir vu et je bondis sur mon héliographe[53] pour essayer d'envoyer le soleil dans l'oeil de quelqu'un, comme un enfant qui essaie de déranger
205 les passants. Au bout d'un temps qui me parut extrêmement long, on m'aperçut enfin et changeant de cap, le cargo se dirigeait sur mon arrière.

Mon moral était remonté d'un seul bond, et j'étais persuadé que ce cargo était un bateau qui s'apprêtait à faire son entrée dans un
210 des ports des Antilles; ceci venait confirmer la proximité de la terre. Je hisse au bout d'un aviron mon petit pavillon tricolore.[54] Quelle n'est pas ma fierté lorsque, le bateau approchant, je vois monter à sa corne «l'union Jack», qui s'élève et s'abaisse trois fois: salut que l'on doit aux vaisseaux de guerre rencontrés en mer. Je
215 réponds en agitant mon pavillon. Le cargo arrive à ma hauteur[55] et le capitaine prenant un porte-voix, me crie:

—Will you[56] any assistance? Et je réponds:

—Just the time, please, and my exact longitude?

—49° 50′.

220 J'étais exactementà 10°, c'est-à-dire 600 milles de plus que[57] l'endroit où je croyais me trouver. Assommé comme quelqu'un

[50] **Tout haut,** *Right out loud.*

[51] **par tribord arrière,** *on the starboard quarter* (*diagonally behind to the right*).

[52] **à petite vitesse,** *at a crawl.*

[53] **héliographe,** *signaling mirror.*

[54] **pavillon tricolore,** *French flag* which he had been authorized to use by way of giving official status to his life raft.

[55] **à ma hauteur,** *even with me.*

[56] **Will you=Will you need;** Dr. Bombard's English is not as infallible as that of Capt. Cousteau—see GROS PLANS DE REQUINS.

[57] **de plus que,** *farther to go than, farther east than,* cf. note 25.

qui aurait reçu un coup de marteau sur la tête, touchant maintenant le fond du désespoir, je saisis ma godille pour m'approcher du bateau, en répétant fébrilement: «Tant pis, cela fait cinquante-trois 225 jours,[58] j'abandonne.» Le capitaine crie:

—Will you come on board?

Et je pensais: «Tant pis, je me fais hisser, l'expérience est terminée. Après tout, cinquante-trois jours, c'est déjà une belle épreuve.»

230 J'accoste le bateau, *l'Arakaka,* un gros cargo-passagers, venant de Liverpool, et monte à bord. Là, un petit homme, assez fort, d'environ une cinquantaine d'années, très agité, m'attendait; c'était le capitaine Carter, de Liverpool. Il me demanda[59] tout de suite:

—Nous vous chargeons, avec votre matériel, nous allons à George-235 town, en Guyane britannique,[60] nous vous emmenons.

Tout d'abord, je lui réponds «oui», mais aussitôt l'exemple du *Sidi Ferruch*[61] me revient à l'esprit. Je vis mes amis, les marins de Boulogne,[62] me dire:

«Eh bien! Tu ne l'as pas traversé l'Atlantique.»

240 Les cinquante-trois jours de l'épreuve n'auraient servi à rien. Alors que la théorie était suffisamment prouvée, l'homme de la rue ou plutôt l'homme de la mer, verrait dans l'interruption de la traversée l'échec complet de la démonstration. Il fallait, pour que mon expérience serve à sauver des vies humaines, que ce soit une 245 réussite parfaite. Quel immense espoir allait s'élever alors dans les milieux maritimes. Aussi me repris-je[63] aussitôt et demandai au capitaine un moment pour réfléchir. En attendant, il m'offre une douche,[64] que j'accepte avec reconnaissance. Tandis que je la prends, j'entends dans la coursive deux officiers dire:

250 «Tout de même, avec les Français, il y a de la ressource!»[65]

[58] **jours,** supply *that I stuck it out.*

[59] **demanda=proposa.**

[60] **Guyane britannique,** *British Guiana* in South America.

[61] **Sidi Ferruch,** when crossing the Mediterranean Dr. Bombard and Palmer had met and accepted from this boat a small stock of water and rations, for which they were later branded by some as impostors who had not "gone it alone" as publicized.

[62] **Boulogne,** port on the English Channel where Dr. Bombard resided at the time.

[63] **Aussi me repris-je,** *So I thought better of it* (the *"yes"*).

[64] **douche,** *shower bath.*

[65] **Tout de même . . . ressource,** freely, *You have to admit that those Frenchmen are game, will try anything.*

Alors ma résolution est prise: je continuerai. Je fais mentalement un léger calcul et je m'aperçois qu'à la même vitesse, il me fallait encore une vingtaine de jours pour arriver à terre. A partir du 10 décembre, cela me fera arriver aux environs du 3 janvier; j'ai donc
255 besoin, pour faire les points,[66] d'un livre d' «Ephémérides nautiques»[67] pour l'année 1953.

Le capitaine vient me voir pendant que je prends ma douche et me dit:

—Vous allez accepter un repas?

260 D'abord je refuse énergiquement, mais il insiste:

—Vous ne pouvez pas refuser un repas chaud.

Ce repas, je m'en souviens bien, le premier après cinquante-trois jours, était composé d'un oeuf sur le plat,[68] un petit morceau de foie de veau, une cuillerée de choux et deux ou trois fruits; ce
265 repas que, plus tard, certains allaient me reprocher, me fit courir le plus grand danger[69] intestinal de tout mon voyage. J'envoyai ensuite un télégramme à ma femme et l'on me fit visiter[70] le bateau. Je me souviendrai toujours de ce luxueux carré d'officiers, avec ses fauteuils en cuir. La table était mise[71] pour le déjeuner. Les
270 passagers jouissaient d'un confort bien britannique. Ce faisant, je me répétais: «Encore vingt jours, encore vingt jours!» Le capitaine me conduisit dans la chambre des cartes, pour me montrer exactement l'endroit où je me trouvais et les déclinaisons[72] que j'allais avoir à traverser lorsque j'approcherais de la terre. Il me donna un
275 almanach nautique, qui me fournirait les chiffres de 1953, et me fit don de la magnifique publication de l'Amirauté britannique, qu'il me dédicaça.

Alors, traversant le bateau d'un pas plutôt vacillant, mais tout de même encore solide sur mes jambes, je me dirigeai vers la lisse,
280 où l'on avait jeté une échelle pour que je puisse redescendre sur *l'Hérétique*. Le capitaine était ému, tout l'équipage m'encourageait

[66] **faire les points,** *take my bearings.*

[67] **Ephémérides nautiques,** *Nautical tables* (tides, etc.)

[68] **sur le plat,** *fried.*

[69] **plus grand danger,** because he found that psychology was the most important element in a castaway's hunger—having tasted regular food his stomach rejected the diet of raw fish.

[70] **me fit visiter,** *showed me around.*

[71] **mise,** *set.*

[72] **déclinaisons,** *astronomical positions.*

et me donnait rendez-vous à terre. Au moment où je descendais l'échelle de corde, le capitaine me cria:

—Que puis-je pour vous, il faut absolument que je fasse quelque
285 chose? Qu'est-ce qui pourrait vous faire plaisir, que me demandez-vous?

Je me souvins ne pas avoir entendu de Bach depuis le début de la traversée et lui répondis alors que j'aimerais bien, pour la nuit de Noël écouter le 6e concerto brandebourgeois.[73]

290 —S'il le faut, je dérangerais le monde entier. Je vous donne ma parole que vous aurez votre concerto pour la nuit de Noël.

La remorque est lâchée, *L'Arakaka* attend avant de se remettre en marche que j'aie pu me dégager du terrible remous de son hélice, qui risquerait de m'entraîner. Un petit vent s'est levé dans
295 l'intervalle, et je voulais en profiter. Je hisse ma voile et m'éloigne vers l'ouest. Tout cela a duré environ une heure et demie. *L'Arakaka* remet ses moteurs en marche et, dans le fracas assourdissant de ses sirènes, il me salue trois fois de son pavillon et s'éloigne lentement.

300 Cher *Arakaka*, je sais que je te regretterai, je sais qu'à certains moments je penserai: «Pourquoi n'ai-je pas profité de ce moment, qui était problement ma dernière chance?» Mais, pour le succès de mon expérience, il était absolument nécessaire que je marche, que j'aille de l'avant, que je continue, et au fond, c'est la seule
305 chose dont plus tard j'aurai à être fier.

EXPRESSIONS FOR STUDY

1. On a l'impression que tout se ligue contre vous, que rien ne va plus. **2.** Jusqu'à présent, quand je n'avais pas de vent il en restait tout de même en hauteur, aujourd'hui rien. **3.** Il n'est tout de même pas possible que l'auteur d'un livre pour naufragés se trompe à tous les coups. **4.** Je tiens à dire qu'il ne faut absolument pas que d'autres naufragés meurent assassinés

[73] **6e concerto brandebourgeois,** *Bach's sixth Brandenburg concerto,* in B flat, is remarkable as being written only for the lower strings—violas, cellos and contrabass. Dr. Bombard is a cellist and composer by avocation, and his favorite musician is Bach. He heard the concerto on Christmas night at Barbados where he landed on Dec. 24 after 65 days on the open sea, with his provisions still unopened.

moralement par les auteurs de livres pour naufragés. **5.** Ce que l'on peut imprimer d'erreurs quand même! **6.** Encore rien en vue, et de nouveau plus de vent. **7.** C'est dans le calme absolu où rien ne m'arrivait qu'il faillit m'arriver le pire. **8.** Revu ce matin encore trois oiseaux des tropiques et qui crient. **9.** En effet, par tribord arrière, un navire se dirigeait exactement de façon à couper ma route. **10.** On m'aperçut enfin et changeant de cap, le cargo se dirigeait sur mon arrière. **11.** Je pensais, «Tant pis, je me fais hisser, l'expérience est terminée.» **12.** Alors que la théorie était suffisamment prouvée, l'homme de la rue ou plutôt l'homme de la mer, verrait dans l'interruption de la traversée l'échec complet de la démonstration. **13.** Aussi me repris-je aussitôt et demandai au capitaine un moment pour réfléchir. **14.** *L'Arakaka* attend avant de se remettre en marche que j'aie pu me dégager du terrible remous de son hélice, qui risquerait de m'entraîner. **15.** Pour le succès de mon expérience, il était absolument nécessaire que je marche, que j'aille de l'avant, **16.** et au fond, c'est la seule chose dont plus tard j'aurai à être fier.

QUESTIONNAIRE

1. Quel temps faisait-il dans les premiers jours de décembre? **2.** Qu'est-ce qui est de mauvais présage? **3.** Depuis combien de jours n'a-t-il pas vu de bateau? **4.** Qu'est-ce qu'on devrait ajouter aux cours de cosmographie dans les lycées et écoles? **5.** Combien d'eau lui reste-t-il le 7 décembre? **6.** Qu'est ce qui lui fait penser que la terre est proche? **7.** Combien de jours a-t-il mis pour aller de Casablanca aux Canaries? **8.** Quelle est la distance de ce parcours? **9.** Pourquoi n'a-t-il aucune chance de voir un bateau? **10.** Quel est le plus grand danger qu'il a couru? **11.** S'en rendait-il compte alors? **12.** Lequel des deux menus du docteur choisissez-vous, et pourquoi? **13.** Pourquoi sursauta-t-il comme touché par une pile électrique? **14.** Quel salut *l'Arakaka* lui fit-il? **15.** Pourquoi n'accepta-t-il pas l'offre que lui fit le capitaine? **16.** Qu'est-ce qu'il accepta du capitaine? **17.** Qu'est-ce qu'il entendit dire à deux officiers? **18.** Quel est le dernier service qu'il demande au capitaine Carter? **19.** Jouez-vous du violoncelle? du violon? d'un autre instrument? **20.** Pourquoi le docteur a-t-il demandé le sixième concerto brandebourgeois?

RENÉ VALLERY-RADOT

LA RAGE

INTRODUCTION

MANY OF the great names in science owe their fame to the impact of a single important discovery. Few indeed are those whose renown is as many-sided as that of Louis Pasteur (1822-1895), so that it is difficult to say which of his findings is the most far-reaching. His work in bacteriology is such that it has been said that the history of medicine can be divided into two periods, before and after Pasteur. Pasteur studied the microorganisms which caused disease; he discovered or made possible the discovery of the curative vaccines. Because of its dramatic setting, the story of his cure for rabies (which we give below) presents him in his best known role. The word pasteurization refers to another phase of his war against microbes. To the initiate, his research in ferments ranks high. His remedy for the diseases threatening silk worms made him a savior of an important part of the French economy.

His interests went far beyond science. He proposed better methods of teaching in the French schools. Above all, he was a patriot. "If science is international and knows no country, at least every scientist should have a country," he once said. Partially paralyzed by the time of the Franco-Prussian war, he showed his patriotism in the only way he could, by refusing to accept more remunerative posts outside France.

The selection given here is from *La Vie de Pasteur,* by the scientist's son-in-law, René Vallery-Radot.

LA RAGE

Un lundi matin, le 6 juillet, Pasteur vit arriver à son laboratoire un petit Alsacien, âgé de neuf ans, Joseph Meister,[1] mordu l'avant-veille par un chien enragé. Sa mère l'accompagnait.

[1] The later, and little known, history of Joseph Meister has been brought to our attention by Professor O. N. Allen of the Department of Bacteriology of the University of

Elle raconta que son enfant se rendait seul par un petit chemin
5 de traverse à l'école de Meissengott, près de Schlestadt,[2] lorsqu'un chien s'était jeté sur lui. Terrassé, incapable de se défendre, l'enfant n'avait songé qu'à couvrir son visage de ses mains. Un maçon, qui avait vu de loin ce qui se passait, arriva, armé d'une barre de fer. Il frappa à coups redoublés ce chien furieux et l'obligea
10 à lâcher prise. Il releva l'enfant couvert de bave et de sang. Le chien revint chez son maître, Théodore Vone, épicier à Meissengott, qu'il mordit au bras. Théodore Vone saisit son fusil et tua l'animal. A l'autopsie, on trouva l'estomac rempli de foin, de paille, de fragments de bois.[3] Lorsque les parents du petit Meister
15 apprirent tous ces détails, ils allèrent, pleins d'inquiétude, le soir même, jusqu'à Villé, consulter le docteur Weber. Après avoir cautérisé les plaies à l'acide phénique, le docteur Weber conseilla à Mme Meister de partir dès le lendemain pour Paris. Elle dirait tous ces faits à quelqu'un qui n'était pas médecin, mais qui pouvait,
20 mieux qu'un médecin, juger ce qu'il fallait faire dans un cas aussi grave. Quant à Théodore Vone, inquiet à la fois pour l'enfant et pour lui-même, il se déclara prêt à partir.

Pasteur le rassura. Les vêtements avaient essuyé la bave du chien. La manche de la chemise n'avait pas même été traversée. Il pouvait
25 reprendre le premier train pour l'Alsace. Il ne se le fit pas dire deux fois.[4]

A la vue des quatorze blessures du petit Meister, qui marchait difficilement tant il souffrait, l'émotion de Pasteur fut profonde. Qu'allait-il faire pour cet enfant? Pouvait-il risquer le traitement
30 préventif qui avait réussi constamment sur les chiens? Pasteur était partagé entre ses espérances et ses scrupules qui touchaient à

Wisconsin during discussion of bacteriological background for this selection. Many years after his recovery from rabies, Meister, motivated by deep gratitude for Pasteur, returned to the Pasteur Institute as *concierge*. Pasteur had died in 1895 and was buried in a crypt in the Institute. After the fall of France in 1940 Hitler and his entourage wished to view the crypt. Rather than admit them Meister committed suicide, either through hero-worship or patriotism, or perhaps both.

[2] **Schlestadt,** a city in Alsace now known as Sélestat. At that time (1885) Alsace was a German possession; it was returned to France in 1919.

[3] **fragments de bois,** it was concluded from this that the animal was mad (rabid); but modern science requires that the animal be kept alive under observation for two weeks after it has bitten someone.

[4] **Il ne . . . fois,** *He didn't have to be told twice.*

l'angoisse. En attendant il prit une résolution, il songea à tout ce qui pouvait être nécessaire à cette mère et à ce fils perdus dans Paris. Puis il leur donna rendez-vous à cinq heures de l'après-midi,
35 après la séance de l'Institut.[5] Il ne voulait rien tenter avant d'avoir vu Vulpian[6] et causé avec lui. Depuis que la commission de la rage[7] avait été constitutée, Pasteur estimait toujours davantage le jugement si sûr de Vulpian qui, dans ses leçons sur la physiologie générale et comparée du système nerveux, avait déjà signalé le
40 profit que peut retirer la clinique humaine[8] de l'expérimentation sur les animaux. En outre, c'était un esprit d'une prudence extrême. Il voyait toujours tous les côtés d'un problème. L'homme valait[9] en lui le savant. Il était d'une droiture absolue, d'une bonté active et discrète. Quelque chose de doux et de fier éclairait son
45 regard voilé de tristesse. Il aimait passionnément le travail. Au lendemain d'un grand deuil, il disait: «Heureusement que nous avons ce remède-là!»

Vulpian exprima l'avis que les expériences de Pasteur sur les chiens étaient suffisamment concluantes pour que l'on fût autorisé
50 à prévoir les mêmes succès dans la pathologie humaine. Pourquoi, ajoutait ce professeur d'ordinaire si réservé, ne pas essayer ce traitement? Existait-il contre la rage un autre moyen efficace? Si encore[10] la cautérisation avait été faite au fer rouge![11] Mais que valait la cautérisation à l'acide phénique douze heures après l'accident?
55 En pesant d'une part les dangers presque certains que courait l'enfant de mourir enragé, et d'autre part les chances de l'arracher à la mort, c'était plus qu'un droit, c'était un devoir pour Pasteur d'appliquer au petit Meister l'inoculation antirabique.

Ce fut aussi l'avis du Dr Grancher que Pasteur voulut également

[5] **Institut,** probably refers here to the **Académie des Sciences,** one of the five branches of the **Institut de France,** as the separate academies meet together only on specially solemn occasions. In ordinary usage, the **Académie Française** is called the *Academy,* and the scientific academies (or any one of them) the *Institute.*

[6] **Vulpian,** *A. Vulpian* (1826–1887), doctor and physiologist, author of works on the nervous system.

[7] **commission de la rage,** *the Commission on Rabies,* working under the Institute, had been established by the Minister of Public Instruction in May, 1884.

[8] **que peut retirer la clinique humaine,** *which human clinical medicine can derive.*

[9] **valait,** *was the equal of.*

[10] **Si encore,** *If only.*

[11] **au fer rouge,** *with a red-hot iron.*

60 consulter. M. Grancher travaillait au laboratoire. Lui et le Dr Strauss pouvaient se dire les deux premiers médecins français étudiant la bactériologie. Doctrine,[12] études nouvelles, admiration et affection, tout portait M. Grancher vers Pasteur qui, de son côté, l'appréciait et l'aimait.

65 Quand, à la fin de cette journée du 6 juillet, Vulpian et M. Grancher vinrent voir le petit Meister et examiner le nombre, l'intensité et le siège des morsures,—quelques-unes particulièrement graves, surtout celles de la main,—ils décidèrent qu'il fallait, le soir même, faire la première inoculation. On prendrait la 70 moelle la plus reculée,[13] la moelle de quatorze jours, sans nulle virulence, et l'on remonterait ainsi jusqu'aux moelles fraîches. Bien que l'inoculation fût très facile, car il ne s'agissait que d'injecter au flanc, à l'aide de la seringue de Pravaz,[14] quelques gouttes du liquide préparé avec un des fragments de moelle, le petit Meister 75 pleurait d'avance comme s'il se fût agi d'une grande opération. Ce fut bien vite fait[15] de le consoler tant la piqûre était légère. Pasteur avait organisé dans le vieux collège Rollin une chambre pour la mère et l'enfant. Il voulait que rien ne leur manquât. Le lendemain matin, Joseph Meister ne tarda pas à s'amuser comme 80 s'il revenait sans devoirs et sans leçons de son école de Meissengott. Il régnait sur les poules, les lapins et les cochons d'Inde. Il les apprivoisa bientôt. Les tout petits cochons d'Inde qui, avec leur dos tacheté, ressemblent à des marrons d'Inde à peine mûrs, et les petites souris blanches qui dans les bocaux se confondent avec 85 l'ouate, il les prenait sous sa protection. Il sollicita même et obtint facilement de Pasteur le droit de grâce[16] pour les plus jeunes. Il

[12] **Doctrine,** *Theoretical ideas.*

[13] **la moelle la plus reculée,** *the oldest spinal tissue.* Pasteur's antirabic preparation was produced by inoculating the spinal column of rabbits with the virus which he obtained from dogs afflicted with rabies. The virulent tissue was later dried, losing some of its disease-inducing force with each passing day. Pasteur had previously discovered and applied to animals the principle of giving such a weakened virus to building up resistance, and this he now felt he should do with Joseph, although he was not a licensed physician and risked his own career, as well as Joseph's life, if the experiment failed. His success revolutionized medical theory and practice.

[14] **seringue de Pravaz,** (a type of) *hypodermic needle.*

[15] **Ce fut bien vite fait,** *It didn't take long.*

[16] **le droit de grâce,** *the right of pardon,* i.e., that they would not be used for experiments.

était dans ce monde des bêtes comme un petit envoyé sauveur[17] qui changeait le cours des destinées.

«Tout va bien, écrivait Pasteur à son gendre le 11 juillet, l'enfant 90 dort bien, a bon appétit, et du jour au lendemain[18] la matière des inoculations est resorbée sans la moindre trace. Il est vrai que je ne suis pas encore aux inoculations de contrôle[19] qui auront lieu mardi, mercredi et jeudi. Si, dans les trois semaines qui suivront, l'enfant va bien, le succès de l'expérience me paraîtra assuré. Je 95 renverrai dans tous les cas cet enfant et sa mère à Meissengott, près de Schlestadt, le 1er août, en établissant un système d'observation par l'intermédiaire de ces braves gens. Vous voyez d'après cela que je ne communiquerai rien avant le retour des vacances.»

Mais à mesure que les inoculations devenaient plus virulentes 100 l'inquiétude l'envahissait. «Mes chers enfants, encore une mauvaise nuit pour votre père, écrivait Mme Pasteur. Il ne s'accoutume pas du tout à l'idée d'opérer en dernier ressort[20] sur cet enfant. Et cependant il faut bien maintenant s'exécuter.[21] Le petit continue à se porter très bien.»

105 La reprise d'espoir se traduisait par une nouvelle lettre de Pasteur:

«Mon cher René, je crois qu'il se prépare de grandes choses. Joseph Meister sort du laboratoire. Les trois dernières inoculations ont laissé sous la peau des traces rosées diffuses, de plus en plus larges, indolentes.[22] Il y a une action qui s'accentue à mesure qu'on 110 approche de l'inoculation finale qui aura lieu jeudi 16 juillet. L'enfant va très bien ce matin, a bien dormi, quoique avec agitation: il a bon appétit, pas du tout de fièvre. Hier soir, à table, chez son oncle, petit accès nerveux, raconté par sa mère ce matin au laboratoire, en présence de M. Grancher au moment de son inoculation 115 quotidienne.»

La lettre se terminait par cet appel affectueux: «Il se prépare peut-être un des grands faits médicaux du siècle et vous regretteriez de n'y avoir pas assisté.»

[17] **envoyé sauveur,** *messenger of salvation.*
[18] **du jour au lendemain,** *overnight.*
[19] **je ne suis pas encore aux inoculations de contrôle,** *I haven't yet come to the scientifically checked inoculations.*
[20] **opérer en dernier ressort,** *function as a court of last resort.*
[21] **s'exécuter,** *go ahead with it.*
[22] **indolentes,** *painless.*

Espérances infinies, transes, angoisses, idée et sentiment fixes
120 d'arracher à la mort cet enfant, Pasteur passait par une série d'émotions diverses, contraires, aussi intenses les unes que les autres. Il ne pouvait plus travailler. Toutes les nuits il avait la fièvre. Ce petit Meister qu'il avait vu jouer dans le jardin, une brusque vision, dans des insomnies invincibles, le lui représentait malade,
125 étouffant de rage.

Vraiment son génie expérimental l'assurait que le virus de la plus terrible maladie allait être vaincu, que l'humanité serait délivrée de cet effroi; le fond de sa tendresse humaine l'emportait sur tout le reste. Si toute souffrance, toute inquiétude des autres devenait
130 sa propre souffrance et sa propre inquiétude, qu'était-ce[23] devant «ce pauvre petit»!

Le traitement dura dix jours; Meister fut inoculé douze fois. L'état de virulence des moelles était contrôlé par des trépanations[24] faites à des lapins. La virulence apparut de plus en plus forte.
135 Jugeant que la gravité des morsures exigeait de consolider l'état réfractaire, Pasteur alla jusqu'à[25] faire inoculer, le 16 juillet à onze heures du matin, la moelle d'un jour,[26] celle qui donnait la rage à coup sûr[27] aux lapins après sept jours d'incubation seulement. C'était le contrôle le plus certain de l'immunité et de la préservation
140 dues au traitement.

Guéri de ses plaies, amusé par tout ce qu'il voyait, courant comme s'il eût été[28] libre dans une grande ferme d'Alsace, le petit Meister, dont le regard bleu n'exprimait plus ni crainte ni timidité, reçut gaiement ces dernières inoculations. Le soir de cette épreuve
145 redoutable, après avoir embrassé son «cher monsieur Pasteur», comme il l'appelait, il alla dormir paisiblement. Pasteur passa une nuit cruelle. L'insomnie, qui épargne d'ordinaire l'homme d'action, ne ménage pas les hommes de pensée. Ce mal les étreint. A ces heures lentes et sombres de la nuit où tout est déformé, où la
150 sagesse est en proie aux fantômes, Pasteur, hors de son laboratoire,

[23] **qu'était-ce,** *imagine how great it was.*
[24] **trépanations,** *trepanning*—observations through an opening made in the skull.
[25] **exigeait, . . . jusqu'à,** *required that resistance* (antibody production) *be built up to the maximum, Pasteur went so far as to. . . .*
[26] **d'un jour,** *one day old.*
[27] **à coup sûr,** *without fail.*
[28] **eût été=était.**

perdant de vue l'accumulation d'expériences qui lui donnait la certitude du succès, s'imaginait que cet enfant allait mourir.

Une fois le traitement achevé, Pasteur confia au Dr Grancher le petit Meister, qui ne devait retourner en Alsace que le 27 juillet, 155 et consentit à prendre quelques jours de repos. Il alla rejoindre sa fille dans un coin de Bourgogne,[29] à quelques kilomètres d'Avallon. La solitude était complète. La vue s'arrête au loin sur les collines de ce pays «bosillé».[30] Les bois de chênes s'étendent sur tout l'horizon. Çà et là, leur masse est largement déchirée par des 160 champs et des prés que bordent et séparent les haies vives. Parfois, entre deux mouvements[31] de terrain, apparaît un étang qui donne au paysage une douceur mélancolique. Rien n'est plus apaisant.

Mais la nature ne verse son calme que dans l'esprit des contemplatifs et des rêveurs. Tout en consentant à se promener sur cette terre 165 de granit dont les routes au soleil étincellent de mica, Pasteur était dans l'attente d'une lettre, d'un télégramme lui donnant des nouvelles du petit Meister. Le Dr Grancher n'y manquait pas; il envoyait tous les jours un bulletin de santé.

A son arrivée dans le Jura, Pasteur commençait d'être pleine- 170 ment rassuré. «Hier soir, écrivait-il d'Arbois à son fils le 3 août 1885, très bonnes nouvelles toujours du petit mordu. J'attends donc avec espoir l'instant de conclure. Il y aura, demain 4 août, trente et un jours qu'il a été mordu.»

Le 20 août, six semaines avant les nouvelles élections législatives, 175 son confrère de l'Académie française, Léon Say,[32] lui écrivit que beaucoup d'agriculteurs de la Beauce[33] souhaitaient de mettre sur la liste des candidats le nom de Pasteur. Ce serait reconnaître les services rendus par la science. Quelques mois auparavant, Jules Simon[34] avait eu la pensée que Pasteur pourrait être nommé 180 sénateur inamovible.[35] Pasteur ne s'était pas laissé convaincre. Il répondit à Léon Say:

[29] **Bourgogne,** *Burgundy,* province in Eastern France, south of Pasteur's native region the *Jura.*

[30] **bosillé,** archaic and dialectical for *wooded.*

[31] **mouvements,** *slopes.*

[32] **Léon Say** (1826-1896), economist, then Minister of Finance.

[33] **Beauce,** a prosperous agricultural region just southwest of Paris, where Pasteur had won fame by demonstrating his diagnosis and cure of anthrax.

[34] **Jules Simon** (1814–1896), philosopher, then Minister of Public Instruction.

[35] **inamovible,** *for life.*

«Je suis bien touché de votre démarche. Il me serait fort agréable de devoir un mandat de député[36] à des électeurs dont un certain nombre ont eu à appliquer les résultats de mes études. Mais la
185 politique me fait peur et j'ai déjà décliné toute candidature dans le Jura, et refusé de me laisser porter[37] au Sénat dans le courant[38] de cette année.

«Je me laisserais tenter peut-être, si je ne me sentais plus assez d'activité pour le travail du laboratoire. J'espère pouvoir suffire
190 encore à quelques recherches et, dès mon retour à Paris, j'aurai à organiser un service contre la rage, service qui, pour un temps, m'absorbera tout entier. Je suis en possession d'une méthode très perfectionnée de prophylaxie de ce terrible mal, méthode aussi sûre pour les personnes que pour les chiens et dont votre département[39]
195 assez éprouvé chaque année sera le premier à profiter.

«Avant mon départ pour le Jura, j'ai osé traiter un pauvre petit garçon de neuf ans que sa mère m'a amené d'Alsace où il avait été, le 4 juillet dernier, terrassé et mordu aux deux jambes et à la main dans de telles conditions que la rage eût été[40] inévitable. Sa
200 santé est toujours parfaite.»

—From *La Vie de Pasteur*. Reproduced by permission of Librairie Flammarion. Copyright Librairie Flammarion.

EXPRESSIONS FOR STUDY

1. Elle raconta que son enfant se rendait seul par un petit chemin de traverse à l'école, lorsqu'un chien s'était jeté sur lui. **2.** Il ne se le fit pas dire deux fois. **3.** Le petit Meister marchait difficilement tant il souffrait. **4.** Vulpian, dans ses leçons sur la physiologie, avait déjà signalé le profit que peut retirer la clinique humaine de l'expérimentation sur les animaux. **5.** L'homme valait en lui le savant. **6.** Les expériences de Pasteur sur les chiens étaient suffisamment concluantes pour que l'on fût autorisé à prévoir les mêmes succès dans la pathologie humaine. **7.** Ce fut bien vite fait de le consoler tant la piqûre était légère. **8.** Le fond de sa tendresse

[36] **député,** *elected member of the lower house of parliament.*
[37] **me laisser porter,** *permit myself to be named.*
[38] **dans le courant,** *in the course.*
[39] **départment=la Beauce** which *knows from experience* (is **assez éprouvé**) the damage cause by rabies.
[40] **eût été=aurait été.**

humaine l'emportait sur tout le reste. **9.** Je crois qu'il se prépare de grandes choses. **10.** Jugeant que la gravité des morsures exigeait de consolider l'état réfractaire, il alla jusqu'à faire inoculer la moelle d'un jour. **11.** Çà et là, leur masse est largement déchirée par des champs et des prés que bordent et séparent les haies vives. **12.** Pasteur ne s'était pas laissé convaincre. **13.** Je me laisserais tenter peut-être, si je ne me sentais plus assez d'activité pour le travail du laboratoire.

QUESTIONNAIRE

1. Qu'est-ce qui arriva le 4 juillet 1885? **2.** Quel âge avait Joseph Meister? **3.** Qui est Théodore Vone? **4.** Qu'a-t-il fait à son chien? **5.** A-t-on examiné le chien pour savoir s'il était enragé? **6.** Que fit le docteur Weber pour Joseph? **7.** Qu'est-ce qu'il conseilla à sa mère? **8.** Combien de blessures avait Joseph? **9.** Quel était le caractère du docteur Vulpian? **10.** Quels autres docteurs Pasteur a-t-il consultés? **11.** Que fit Pasteur pour le comfort de Joseph et de sa mère? **12.** Combien d'inoculations a-t-il données à Joseph? **13.** Quelle est la date de la dernière inoculation? **14.** Quelle était l'attitude de Pasteur pendant le traitement, et surtout vers la fin? **15.** Où alla-t-il après pour prendre des vacances?

PART III

HORIZONS

HORIZONS

INTRODUCTION

T*HE ADVENTUROUS* spirits represented in Part II sought to eliminate distance in space and, in the realm of the mind, to make mystery intelligible. The following selections show rather a taste for distance in itself, though little of that kind of escapism which loves the exotic because of its difference from the commonplace. Rather we see the French imagination entering new realms.

In the first two selections these new realms are created by the writer's imagination, and serve to give him a greater freedom for expressing his own ideas: intimately whimsical poetry for Supervielle, a worldly-wise philosophy in the tale by Voltaire.

The final two selections are realistic and, to one who reads the entire book in sequence, may serve as an introduction to the more realistic type of writing which predominates in the remainder of the volume. The reality here is not that of France, but it remains that of the French spirit seeking to establish itself—as an aviator founding an air-mail service at the southernmost tip of South America, or as the descendants of French peasants trying to live the good life in Canada. It may be noted also that both the Americas are represented among the authors, Supervielle being a native of Uruguay and Madame Roy of Canada.

JULES SUPERVIELLE

L'ARCHE DE NOÉ

Introduction

AFTER four modern figures from the world of science, it is only fair to introduce a poet, Jules Supervielle, native of Uruguay, who for some decades has enjoyed a high position in French letters among discriminating readers. While his major achievement has been in verse, he is also highly esteemed for a small but distinguished body of fiction, and has written for the stage. His poetic qualities can be clearly seen in the following tale which by its subject, from the book of Genesis, is related to his poetic masterpiece *La Fable du monde*. Despite his relatively small production in prose, he attains an outstanding rank by the charm and novelty of his style and by his ever-present originality of treatment. Some of the freshness of his manner may be derived from his foreign origin, but his mind is naturally inclined toward the poetically whimsical, and everything that he writes bears his personal stamp.

To Supervielle the sublime may be expressed in terms of disconcerting triviality. The Flood as a vast torrent of rain is a grandiose but commonplace concept; Supervielle's Deluge begins when a little schoolgirl's blotting paper will not dry, but he soon has us persuaded of a cosmic miracle by which water takes over the universe. At the other extreme, when he uses more serious images it may be to startle or to arouse laughter, as in Noah's solemn gesture to the gnats at the close of the story. Supervielle has a sly but penetrating sense for satirizing human foibles under the disguise of animal life which in this story may remind some readers of one of the greatest of La Fontaine's fables, *Les Animaux malades de la peste*.

L'ARCHE DE NOÉ

Au moment de sécher ses devoirs, une petite fille d'avant le déluge avait trouvé son buvard tout mouillé. Cette feuille qui donnait de l'eau, elle[1] dont la nature était d'être toujours assoiffée! L'enfant se dit (c'était de beaucoup[2] la meilleure élève) que le 5 buvard souffrait peut-être de quelque maladie merveilleuse. Parce qu'elle était trop pauvre pour s'acheter un autre buvard, elle mit la feuille rose à sécher au soleil; mais celle-ci ne parvenait pas à se défaire de cette humidité chagrine. Et de son côté, voilà que l'encre du devoir refusait aussi de sécher!

10 Alors, honteuse d'être l'objet d'un miracle qui paraissait sans aucune signification, l'enfant se présenta, le coeur gros,[3] devant la chaire de sa maîtresse, tenant le buvard d'une main, et de l'autre, le cahier grand ouvert sur la page désobéissante. Elle ne put s'expliquer davantage. Et force fut à la maîtresse de voir[4] son 15 élève inconsolable disparaître, devant elle, tout son être changé en larmes.

D'autres malheurs attristèrent la petite ville de Judée et ses environs. Le feu des hommes,[5] qui jusqu'alors s'était montré le plus gaillard ennemi de l'eau, se mit visiblement à flancher. Dé-20 pourvu de crête et de son ardente humeur,[6] il ne séchait pas ce qu'on en approchait.[7] Des gens commençaient à mourir çà et là parce qu'ils avaient de l'eau dans la tête ou le ventre. La moindre petite ampoule au doigt était le signe d'une suprême inondation du corps humain par une eau pernicieuse qui prenait peu à peu la 25 place attribuée au sang jusqu'alors.

Cette sorte de délire aquatique gagna rapidement le règne végétal. Herbes, feuilles, branches et troncs donnaient plusieurs

[1] **elle=cette feuille.**

[2] **de beaucoup,** *by far.*

[3] **le coeur gros,** *with* (*a*) *heavy heart.*

[4] **force fut à la maîtresse de voir,** lit., *the teacher was forced to see;* but more accurately, *what was her horror upon seeing*—since the words **tout son être changé en larmes** are to be taken literally—the girl *melted into tears,* the first sign of the approaching miracle of the flood.

[5] **le feu des hommes,** *fire* (conceived as God's special gift to man).

[6] **Dépourvu . . . humeur,** *Without its crest* (the peak of its flame) *or its fiery spirit.*

[7] **en approchait,** *brought near it.*

fois leur poids d'eau en une journée. Tout le monde s'y mettait,[8] même les grains de sable du désert. Il n'y avait plus aucun rapport 30 entre le contenant et le contenu, tant la colère de Dieu était grande.[9]

Les notables de la ville, dont on ne parvenait pas à arrêter la transpiration, finirent par se demander si ce n'était pas là un ensemble de phénomènes se rapportant au déluge, prédit depuis si longtemps. Mais la sagesse populaire ne se lassait pas de répéter: 35 «Tant qu'il ne pleuvra pas, il y a de l'espoir.» Enfin, une goutte d'eau tomba sur la tête du maire de l'endroit, qui était chauve à force d'interroger le ciel,[10] et il fallut bien comprendre que c'était la fin de tout. Non pas qu'il plût très fort ce jour-là, mais la pluie en plusieurs endroits eut un tel pouvoir mouillant que quelques 40 gouttes de pluie suffirent à noyer sur la route un paysan, sa charrette et son cheval.

Noé n'avait pas attendu le déluge pour construire son arche; il l'établit avec tant de soins et de ruses que la pluie évitait son voisinage[11] comme si contre elle il n'y avait absolument rien à 45 faire ni même à tenter.

Les bêtes désignées pour figurer dans le vaisseau de Noé arrivaient deux à deux et parfois de très loin. Et les couples heureux d'avoir évité la grande mouillure, se disaient en montant les degrés de l'Arche: «Et maintenant, vive l'Inconnu!»[12]

50 Ça sentait assez fort là-haut le poil mouillé;[13] on était entassé sur le pont et c'était à qui se ferait le plus petit.[14] On se demandait par quel prodige l'éléphant pouvait tenir dans ce coin où en un temps ordinaire il y aurait eu à peine place pour un chien de Terre-

[8] **Tout le monde s'y mettait,** *Everybody* (=*everything*) *got into the game.*

[9] **Il n'y avait plus . . . grande,** the poet Supervielle sees in the Deluge not so much an enormous quantity of water, as a violation of the laws of nature indicative of the immensity of God's wrath.

[10] **qui était chauve . . . le ciel** *who* (or *which*) *had turned bald from staring so much into the sky.*

[11] **La pluie évitait son voisinage,** lit., *the rain avoided its neighborhood;* as can be inferred from the story, the Ark is miraculous, first in keeping off rain so that it cannot founder; then in endowing the animals with benevolence and with immunity to death while aboard.

[12] **vive l'Inconnu,** *now for the Great Adventure!* (lit., *long live the Unknown*).

[13] **Ça sentait assez fort là-haut le poil mouillé,** *It smelled rather strongly of wet fur on deck.*

[14] **c'était à qui se ferait le plus petit,** *it was a question of who could make himself the smallest, take up the least room.*

Neuve. Et de quelque côté[15] qu'on se retournât, on assistait à des
55 scènes édifiantes: un crocodile berçait dans sa gueule affectueuse la tête d'un porcelet profondément endormi, le poil fauve et la laine blanche sympathisaient négligemment comme des amis d'enfance qui n'ont plus rien à se dire mais se réjouissent quand même du voisinage. Et s'il arrivait au lion de lécher l'agneau, nul
60 n'y voyait une intention apéritive.[16] Quant à l'agneau, ne pouvant mieux faire, il tenait à la bouche une petite touffe d'herbes qu'il traitait avec toute sorte de ménagements. Alors que la joie chez les animaux reste d'habitude opaque[17] à cause de tout le poil, la plume, l'écaille qui la retiennent,[18] toutes les bêtes, avec aisance,
65 rayonnaient de la tête à la queue.

Sur le quai beaucoup de non-partants essayaient d'attendrir Noé. «Laisse-nous monter! Nous jurons de n'occuper la place de personne.» Et Noé de répondre:[19] «Et si l'arche coulait!—Elle ne coulera pas! Nous le jurons sur notre tête!» criaient des milliers
70 de condamnés à mort. «Portez-vous bien!»[20] fut la réponse de Noé.

Certains s'y prenaient avec plus de délicatesse pour tâcher de se faire admettre à bord. Témoin cette famille d'acrobates en maillots roses, décolorés par le mauvais temps. Illustres dans toute la région—mais que devient la célébrité en pays inondé!—ils ne
75 comptaient plus que sur leurs tours dangereux, pour toucher le coeur des heureux de ce monde qui allaient s'éloigner dans l'Arche. Devant les têtes si diverses des passagers au-dessus de la lisse, ils formaient et défaisaient pour la former encore, une pyramide humaine que couronnait[21] une fillette de trois ans, déjà aussi habile
80 que son grand-père, lequel servait de support à tout l'édifice.

Et c'était au commandement de «Hop»,[22] «Vivement», ou bien «Au ralenti», des sauts à se casser les reins,[23] des culbutes invraisemblables mais parfaites. Et que dire du mouchoir mouillé

[15] **de quelque côté,** *in whatever direction.*

[16] **nul n'y voyait une intention apéritive,** *no one thought he was doing it to work up an appetite.*

[17] **opaque,** *invisible.*

[18] **retiennent,** *conceal, hold* (*it*) *back.*

[19] **de répondre = répondit,** a "historical infinitive."

[20] **Portez-vous bien!,** *Keep healthy!*

[21] **que couronnait,** *crowned by* (subject follows verb).

[22] **Hop = Allez!**

[23] **à se casser les reins,** *back-breaking.*

qu'ils se lançaient et où ils faisaient mine de sécher leurs mains
85 ruisselantes, mais sûres.

Et toujours sur les lèvres de ces athlètes de toutes les tailles, un sourire de parfaite courtoisie, nullement quémandeur, strictement professionnel.

«Qu'ils montent![24] Qu'ils montent! Ça nous distraira pendant
90 le voyage», criait-on. «Voyez la petite, comme elle est mignonne!» Noé sentit les poutres mêmes de son Arche, choisies pour leur inflexibilité, qui commençaient à s'attendrir dangereusement sous ses pieds, mais à bord il n'y avait plus place que pour le regret et son poids incontrôlable. Alors, le coeur en larmes et les[25] yeux secs,
95 il donna l'ordre de larguer les amarres, abandonnant les inlassables membres de la famille bien musclée que la vitesse acquise faisait encore bondir les uns par-dessus les autres. L'eau du ciel ne devait pas tarder à leur faire grâce:[26] elle les effaça du moins d'un seul coup de la liste des vivants. Mais très longtemps tous ceux qui se
100 penchèrent sur la lisse crurent les voir faire et défaire leurs tours au fond de l'eau.

Certains animaux ne devant pas figurer dans l'Arche, Noé n'avait pas hésité à les tromper sur l'heure du départ. La passerelle était déjà levée qu'[27]un mégathérium se présenta:

105 —Quand on s'appelle Noé on n'oublie personne! cria-t-il, conscient de son énorme force.

—Ce n'est pas un oubli, dit le père de l'Arche, avec tristesse. Votre destin est d'être un antédiluvien. Or, le déluge est commencé: qui oserait affirmer le contraire?

110 —Que[28] je ne figure pas, moi, parmi les animaux de l'Arche, moi, le plus important! C'est scandaleux. Par ta faute, Noé on ne saura même pas un jour que j'ai vécu!

—Rassurez-vous, mon grand ami, on vous reconnaîtra à vos vertèbres.

115 L'Arche, portes closes, s'éloignait gagnant de vitesse le mé-

[24] **Qu'ils montent!** *Let them come aboard!*
[25] **et les,** *but with.*
[26] **leur faire grâce,** *take them out of their misery.*
[27] **qu'=quand.**
[28] **Que=Penser que.**

gathérium élancé à sa poursuite[29] et que sa colère, plus encore que son immense gaucherie, envoya rapidement au fond de l'eau.

Un groupe d'antédiluviens se réunirent alors pour faire un 120 mauvais parti au[30] vaisseau de Noé qu'en vain ils voulurent faire chavirer. Ils demandèrent à la baleine de se joindre à eux, mais celle-ci, orthodoxe et sûre de survivre, s'éloigna vivement avec ses baleineaux, tout en leur disant: «Ne vous retournez pas,[31] ce sont des anarchistes».

125 Il[32] restait encore un grand nombre d'êtres vivants et bons nageurs à entourer de leurs appels l'Arche navigante. Dans la fraternité des condamnés à mort, on voyait pêle-mêle des animaux et des humains verdâtres. Une femme d'une soixantaine d'années nageait—pour la première fois de sa vie—non loin d'un cerf dix-cors.[33] Des 130 barques chaviraient sans raison apparente.

—Place, place. Je suis un père de douze enfants, disait sur son radeau un homme qui croyait encore à la justice.

—Allons, il faut être raisonnable, criait Noé penché sur la lisse.

—Raisonnable, qu'est-ce que ça veut dire? ripostèrent plus de 135 mille voix.

Comme il n'y eut pas de réponse, les bêtes flottantes réclamèrent le lion au balcon. Celui-ci montra sa tête par-dessus la lisse.

—Parle, donne-nous des raisons, lui criait-on de toutes parts. Pourquoi vous et pas nous?

140 Le roi de tous les animaux qui se noyaient ou non,[34] dit avec tristesse mais fermeté: «Quand il faut, il faut.

—Il faut quoi? Viens nous le dire dans l'eau si tu as un peu de courage.

—Est-ce que je ne vaux pas mieux que le serpent qui est à 145 bord, dit une colombe que la colère faisait ressembler à un tigre dans la force de l'âge.[35]

[29] **gagnant de vitesse . . . poursuite,** *gaining on the megatherium (which came after) in hot pursuit.*

[30] **faire un mauvais parti au,** *make it hard for the.*

[31] **Ne vous retournez pas,** *Don't look back.*

[32] **Il,** *There.*

[33] **dix-cors,** *ten-point, with ten horns.*

[34] **qui se noyaient ou non,** *whether or not they were drowning.*

[35] **dans la force de l'âge,** *in his prime.*

—Quand il faut, il faut», répéta le lion honteux de ne pas disposer d'un autre argument.

La misère même[36] de cette dialectique finit par décourager les 150 questionneurs. C'était une fatalité. Il fallait consentir à boire de cette eau sombre qui, de toutes parts,[37] offrait cruellement ses services.

Longtemps la mer resta infestée de suppliants et Noé rougissait de penser qu'il ne pourrait retrouver le sommeil que lorsque plus 155 rien ne vivrait autour de l'Arche.

Le dernier des survivants, ce fut sans doute ce nageur, géant de la tête aux pieds, qui rattrapa l'Arche au large.[38] Noé allait se boucher les oreilles quand l'homme cria: «Ne vous inquiétez pas pour moi, je me tirerai toujours d'affaire. Vous savez, je resterais 160 des semaines dans l'eau. Tout m'a toujours réussi jusqu'à présent et ce n'est pas un peu de pluie qui me fera croire que je ne suis pas né sous une bonne étoile. Et toujours de bonne humeur, vous savez. Ah! je vous plains d'être dans votre cage. Et je vous dis: «Vive la liberté!» Et il donnait de grands coups de pied dans 165 l'eau pour montrer que ce n'était pas la place qui lui manquait.

«Après tout, commençait-on à murmurer dans l'Arche, pourquoi ne survivrait-il pas? Il l'a bien mérité. Aucun membre de la famille Noé ne lui est comparable pour ses ressources physiques et intellectuelles. Cham ne sait même pas nager et quant à Japhet,[39] 170 la seule chose qui l'intéresse à bord, c'est de mettre les animaux par rang de taille[40] sur le pont, ce qui vexe inutilement tout le monde, ou presque.»

Un énorme requin qui manifestement appartenait à la silencieuse police diluvienne s'approcha du nageur et se retourna complète-175 ment pour bien examiner avec ses yeux de dessous la tête.[41] Il s'éloigna sans lui faire de reproche, mais fit signe à un ange qui, d'une baguette, frappa doucement la tête du nageur. Sous le coup,

[36] **La misère même,** *The very poverty.*
[37] **de toutes parts,** *on all sides.*
[38] **au large,** *in the open sea.*
[39] **Cham,** Ham, second son of Noah and ancestor of the Negro race; **Japhet,** third son and father of the white race.
[40] **rang de taille,** *order of size.*
[41] **de dessous la tête,** *placed low on his head* (so that to look up he had to roll over).

l'homme divisé en deux parties égales et indolores[42] devint un couple de marsouins. Ce fut l'origine de ces poissons toujours de
180 bonne humeur[43] qui, ne pouvant se résoudre à vivre entièrement dans la mer, viennent de temps en temps voir ce qui se passe dans le monde des barques et des hommes.

Les terres s'évanouissant une à une sous l'eau du ciel, Noé à l'horizon recherchait pour s'y diriger ce que les marins évitent de
185 coutume: les montagnes. Mais la pluie faisait si vite son oeuvre que l'on n'arrivait jamais avant le Déluge au sommet des monts.[44]

L'Arche, du moins, avançait comme un vaisseau bien caréné:[45] ils avaient lâché prise depuis longtemps, tous ceux qui s'étaient accrochés à ses flancs. Il ne flottait plus autour du vaisseau qu'une
190 angoisse sans tête,[46] et on commençait à parler à bord des poissons tous si favorisés . . .[47]

Quelques heures à peine après le départ, Noé, voyant un singe se gratter, comprit qu'il y avait dans l'Arche des passagers clandestins.

195 —Les bêtes, si petites soient-elles,[48] dit-il, doivent voyager séparément. Je ne veux pas de parasites à bord, vous m'entendez?

—Pas même, demande un chien, deux malheureuses petites puces qui ne font qu'un avec moi?[49]

Noé faisait passer un à un les animaux de l'Arche dans un
200 cabinet noir. Là, tout ce qui était de trop jetait une vive lumière et mourait à l'instant même, avec propreté.[50]

Les premières heures de la traversée, on regarda beaucoup les insectes éphémères.[51] Curiosité un peu perverse, il faut bien le dire; on s'attendait toujours à les voir mourir devant tout le monde.

[42] **indolores,** *without pain* (from the metamorphosis).

[43] **de bonne humeur,** porpoises give the impression of being engaged in *cheerful* play.

[44] **l'on n'arrivait jamais avant le Déluge au sommet des monts,** freely, *they didn't strike any mountain tops because the Deluge "got there first"*, covering them with water and removing them as a danger to navigation.

[45] **bien caréné,** *with a well-made keel.*

[46] **angoisse sans tête,** *formless anguish* (logical subject of **flottait**).

[47] **tous si favorisés,** *all so well fed.*

[48] **si petites soient-elles,** *however small they may be.*

[49] **qui ne font qu'un avec moi,** *who are like a part of me.*

[50] **avec propreté,** *neatly, cleanly.*

[51] **insectes éphémères,** *gnats*—lit., *ephemeral insects,* ephemeral meaning "living one day only."

205 Mais on fut bien obligé de les féliciter le lendemain: ils étaient encore en vie.

Noé expliqua ce miracle du haut de sa passerelle: l'Arche était si judicieusement construite qu'elle conférait la santé à tous ceux qui s'y trouvaient.

210 «Il n'y a pas de quoi être si fier! lui dit sa femme en aparté. Tu aurais pu la faire plus grande, ton Arche! Quand on veut se retourner sur le pont, il faut demander la permission à vingt animaux différents!»

Cependant chacun se sentait si bien dans sa peau qu'il voulait 215 s'en donner des preuves. Japhet sautait toute la journée sur un pied sans en éprouver nulle fatigue et engageait chacun, même les quadrupèdes, à faire comme lui. Quant aux filles de Noé, elles se pinçaient jusqu'au sang[52] sans en éprouver la moindre douleur.

Les bêtes, n'ayant rien à faire à bord, ne pensaient plus qu'à 220 manger. Une extraordinaire fringale nerveuse excitait tous les animaux, chacun jugeant sa ration tout à fait insuffisante. Il faut reconnaître que Noé, craignant de manquer de place, avait compté trop juste.[53]

Et d'abord il y avait les omnivores qui n'étaient pas contents. 225 Ils prétendaient avoir un peu de tout à manger. Et comment Noé aurait-il pu songer à tout, même s'il n'en fallait qu'un peu.[54] C'était là un problème de métaphysique plutôt que d'alimentation.

Tant de voisinages affamés[55] sur le pont! Cela n'allait-il pas se terminer par la plus horrible des tueries, un massacre en espace 230 réduit? Les grosses bêtes commençaient à considérer les autres d'un regard qui manquait de franchise. Cette trouble tendresse signifiait bien plus que de l'amour, d'horribles préférences[56] pour telle ou telle partie du prochain: gigot, filet ou rognonnade.[57]

Déjà le lion s'écrasait le nez contre le plancher de l'Arche pour

[52] **jusqu'au sang,** *until blood flowed.*

[53] **trop juste,** *too closely* (just enough to eat and no more).

[54] **songer à tout, . . . qu'un peu,** *think of everything, even if only a little* (*of everything*) *had been needed.*

[55] **voisinages affamés,** *hungry ones in close proximity.*

[56] **d'horribles préférences=elle signifiait d'horribles préférences.**

[57] **gigot, filet ou rognonnade,** are terms applied to meat in cooking and make a grimly humorous contrast with **prochain,** the word for *neighbor* in the Biblical command to **aimer son prochain.** [Lit., *leg of lamb, fillet* (*steak*), *a dish of kidney.*]

235 ne pas sentir l'exquise odeur de l'agneau cru, son voisin. Déjà un saint Bernard, connu pour sa grande pureté qui lui venait de la fréquentation des neiges, demandait une muselière qu'un ange de passage[58] lui attacha tout de suite devant tout le monde, pour le donner en exemple. Mais le loup trouvait ces scènes ridicules.

240 —La faim, dit-il, ne passe qu'avec la viande, et de préférence vivante!

—Allons, allons, nul besoin qu'elle soit vivante, dit le lion dont les bons sentiments étaient encore de ce monde.[59]

—La faim c'est la faim, reprit le loup, c'est elle qui fait les 245 révolutions.

—Il y a un excellent moyen d'oublier sa faim, dit le chameau qui mange rarement. Il suffit de mâchonner un petit bout de bois.

Le lion, qui n'eut pas de peine à rassembler tout le monde, prit la parole: «Mes amis, sachons tirer des exemples de nous-mêmes 250 et garder notre sang-froid. Que fait le lézard dans la bataille? Il abandonne sa queue pour sauver le gros de ses forces. Grande leçon! N'y en a-t-il pas beaucoup parmi nous dont le corps offre des parties condamnées d'avance parce qu'elles n'ont pas pour eux un intérêt vital? Pourquoi l'écureuil a-t-il une queue presque aussi 255 grosse que lui et qui le suit comme un reproche?

Et chacun songeait à part soi:[60] «Moi, je n'ai absolument rien de trop. Je tiens à tout ce qui me concerne.»

—Nous trouverions aussi chez certains d'entre nos frères bien-aimés, poursuivit le lion, une ou deux livres de viande qui ne leur 260 sont pas indispensables.

—Et toi, pourquoi as-tu la tête si grosse? dit brusquement un ours énorme qui avait gardé le silence jusqu'alors.

—Il faut bien que j'aie assez de place pour penser à chacun de vous, riposta le lion. Mais voulant vous montrer mon esprit de 265 sacrifice, je mets à la disposition de tous, grands et petits, en commençant par les petits, ma royale crinière.

Ce fut[61] un large[62] éclat de rire qui laissa le lion déconfit: «Vous

[58] **de passage,** *passing (by).*
[59] **encore de ce monde,** *still alive.*
[60] **à part soi,** *to himself.*
[61] **Ce fut=Il y eut.**
[62] **large,** *general.*

me faites beaucoup de peine», reprit-il, retenant mal des larmes qui lui venaient on ne sait par quel canal[63] de son voisin le crocodile.

270 Mais son discours fut interrompu par les hourras qui accueillirent les anges et leurs paniers de provisions. Oui, tout serait allé pour le mieux sans cette pluie qui ne cessait point. Pas une seconde de sèche pendant les vingt-quatre heures de la journée. C'est que la Terre et ses hommes avaient fait au Ciel une peine si grande!

275 Parfois les ténèbres s'éclaircissaient un peu et on pensait que le ciel allait éprouver quelque apaisement. Mais les pleurs reprenaient de plus belle[64] sans s'inquiéter des conséquences.

Un jour enfin, il sembla que le firmament faisait un effort désespéré pour sourire à travers ses larmes. Une lumière, d'abord 280 grisâtre, se précisa et soudain toutes les couleurs du beau temps y furent rassemblées: l'Arc-en-Ciel!

Mais on n'était pas plus avancé[65] qu'avant, les eaux continuant de monter, comme si elles s'étaient proposé d'atteindre le ciel et de lui rendre sa politesse.

285 Et Noé, en[66] bon capitaine, s'inquiétait de voir se rétrécir l'espace qui le séparait de l'universel plafond.

Chacun pensait dans l'Arche: «Il faut faire quelque chose! Il faut absolument faire quelque chose! Mais quoi?»

—Confiance! hurlait Noé du haut de sa passerelle.

290 Mais il n'en menait pas large[67] et pour montrer au bon Dieu la profondeur de son angoisse il lui dépêcha secrètement ce qu'il y avait de plus noir à bord: un corbeau.[68]

L'oiseau partit et ne revint point.

—Aussi,[69] quelle idée d'envoyer un corbeau! La partie était 295 perdue d'avance, dit la femme de Noé qui l'avait vu lâcher l'oiseau.

Et tous deux tendirent en même temps les mains vers une colombe dont la blancheur et la confiance en l'avenir étaient si grandes qu'elles devaient traverser les siècles jusqu'à nous.

[63] **qui lui venaient . . . canal,** *which somehow or other came to him*—"crocodile tears" are false tears.

[64] **les pleurs (=la pluie) reprenaient de plus belle,** *the raindrops fell again harder than ever.*

[65] **plus avancé,** *further ahead, better off.*

[66] **en=comme un.**

[67] **il n'en menait pas large,** *he was in a tight fix.*

[68] **corbeau,** see Genesis 8, verses 6 to 11 for this and the dove.

[69] **Aussi,** *Anyhow, Besides.*

Noé saisit l'oiseau et lui murmura tout près de l'oreille: «Terre!
300 Terre! Terre!», dans l'espoir d'en faire un pigeon voyageur.

La colombe s'élança droit devant elle et ne revint que le lendemain se poser sur les larges épaules du capitaine. On sait qu'elle tenait dans son bec une branchette d'olivier.

Les eaux avaient commencé à baisser et Noé dirigeait son vaisseau
305 du côté de l'arc-en-ciel[70] espérant bien que quelque chose comme de la terre finirait par en sortir.

Un jour enfin, à l'aube, l'arc auréolait le Mont Ararat.[71] Et à mesure que l'on approchait, l'on voyait une sorte de gaîté sur toute la face de la montagne, sauvage et repoussante en temps ordinaire.
310 Elle criait aux animaux de l'Arche, de sa voix rauque et pierreuse:

«C'est par ici, regardez-moi, je suis une montagne de bonne volonté! Et vous, les bêtes, qu'est-ce que vous avez fait tout ce temps-là! On pensait[72] qu'on allait être obligé de se passer des animaux.»

315 L'Arche arrêtée, Noé fit avancer ses passagers, par couples, sur la passerelle, en commençant par les plus fragiles. Sur la planche, d'où ils devaient s'élancer vers la Terre, deux éphémères ne bougeaient pas.

—Allons, envolez-vous, leur criait le capitaine. Vous ne voyez
320 donc pas que nous sommes arrivés! Qui est-ce qui m'a fichu[73] des insectes aussi empotés![74]

Mais ils demeuraient absolument immobiles. Et déjà le père de l'Arche retirait son chapeau, chacun comprenant[75] qu'il était redevenu mortel.

325 —Faites avancer notre réserve d'éphémères, dit Noé d'une voix sans larmes, de chef.[76]

Encore étourdis par l'odeur de la Terre qui montait à la tête, comme un vin nouveau, les insectes hésitèrent un instant, puis,

[70] **du côté de l'arc-en-ciel,** *toward the rainbow.*

[71] **Mont Ararat,** located in present-day Iran (Persia).

[72] **On pensait,** *We were beginning to think.*

[73] **m'a fichu,** *has stuck me with.*

[74] **empotés,** *bungling, clumsy.*

[75] **retirait son chapeau, chacun comprenant,** *took off his hat,* (*he and*) *everyone* (*else suddenly*) *realizing.* As soon as they leave the boat, the ephemerae are doomed to die.

[76] **d'une voix sans larmes, de chef,** *with the unemotional voice of a general* (calling up his reserves to replace those dead or about to die).

soudain, bondirent droit devant eux et se posèrent sans encombre[77]
330 sur le Mont Ararat aux acclamations de l'assistance.

—Allons, allons, un peu de silence, cria Noé, nous ne sommes pas au spectacle.[78] Faites tout de suite descendre les suivants.[79] Nous n'avons pas une minute à perdre.

—From *L'Arche de Noé*. Reproduced by permission of Librairie Gallimard.

EXPRESSIONS FOR STUDY

1. L'enfant se dit (c'était de beaucoup la meilleure élève) que le buvard souffrait peut-être de quelque maladie merveilleuse. **2.** L'enfant se présenta, le coeur gros, devant la chaire de sa maîtresse, tenant le buvard d'une main, et de l'autre, le cahier grand ouvert sur la page désobéissante. **3.** Le feu des hommes se mit visiblement à flancher. **4.** Dépourvu de crête et de son ardente humeur, il ne séchait pas ce qu'on en approchait. **5.** Cette sorte de délire aquatique gagna rapidement le règne végétal. **6.** Tout le monde s'y mettait. **7.** Les notables de la ville finirent par se demander si ce n'était pas là un ensemble de phénomènes se rapportant au déluge, prédit depuis si longtemps. **8.** Tant qu'il ne pleuvra pas, il y a de l'espoir. **9.** Il fallut bien comprendre que c'était la fin de tout. **10.** La pluie en plusieurs endroits eut un tel pouvoir mouillant que quelques gouttes de pluie suffirent à noyer sur la route un paysan, sa charrette et son cheval. **11.** La pluie évitait son voisinage comme si contre elle il n'y avait absolument rien à faire ni même à tenter. **12.** Les couples heureux d'avoir évité la grande mouillure, se disaient en montant les degrés de l'Arche: «Et maintenant, vive l'inconnu!» **13.** Ça sentait assez fort là-haut le poil mouillé. **14.** C'était à qui se ferait le plus petit. **15.** De quelque côté qu'on se retournât, on assistait à des scènes édifiantes. **16.** . . . comme des amis d'enfance qui n'ont plus rien à se dire mais se réjouissent quand même du voisinage. **17.** S'il arrivait au lion de lécher l'agneau, nul n'y voyait une intention apéritive. **18.** Et Noé de répondre: "Et si l'arche coulait!" **19.** Certains s'y prenaient avec plus de délicatesse pour tâcher de se faire admettre à bord. **20.** Ils formaient et défaisaient pour la former encore, une pyramide humaine que couronnait une fillette de trois ans. **21.** Noé sentit les poutres mêmes de son Arche qui commençaient à s'attendrir sous ses pieds, **22.** mais à bord il n'y avait plus place que pour le regret et son poids incontrôlable.

[77] **sans encombre,** *without accident.*
[78] **au spectacle,** *at the theater.*
[79] **les suivants,** *the next in line.*

23. L'eau ne devait pas tarder à leur faire grâce. **24.** Certains animaux ne devant pas figurer dans l'Arche, Noé n'avait pas hésité à les tromper sur l'heure du départ. **25.** Par ta faute, Noé on ne saura même pas un jour que j'ai vécu! **26.** Il restait encore un grand nombre d'êtres vivants et bons nageurs à entourer de leurs appels l'Arche navigante. **27.** Le roi de tous les animaux qui se noyaient ou non, dit «Quand il faut, il faut.» **28.** Il faut quoi? Viens nous le dire dans l'eau. **29.** Il ne flottait plus autour du vaisseau qu'une angoisse sans tête. **30.** Là, tout ce qui était de trop jetait une vive lumière et mourait à l'instant même, avec propreté. **31.** Il n'y a pas de quoi être si fier! lui dit sa femme en aparté. **32.** Il faut reconnaître que Noé, craignant de manquer de place, avait compté trop juste. **33.** Cette trouble tendresse signifiait bien plus que de l'amour. **34.** Un ange de passage lui attacha tout de suite une muselière devant tout le monde, pour le donner en exemple. **35.** La faim ne passe qu'avec la viande, et de préférence vivante! **36.** Chacun songeait à part soi: «Moi, je n'ai absolument rien de trop.» **37.** «Vous me faites beaucoup de peine,» reprit-il, retenant mal des larmes qui lui venaient on ne sait par quel canal de son voisin le crocodile. **38.** Noé dirigeait son vaisseau du côté de l'arc-en-ciel espérant bien que quelque chose comme de la terre finirait par en sortir.

QUESTIONNAIRE

1. Quelle est la nature du buvard? **2.** La petite fille était-elle riche? intelligente? **3.** De quoi était-elle honteuse? **4.** Qu'est-ce que le feu ne faisait plus? **5.** Qu'est-ce qui prenait peu à peu la place du sang? **6.** Qu'est-ce qui montrait la grandeur de la colère de Dieu? **7.** Qu'est-ce que les notables finirent par faire? **8.** Qu'est-ce qui arriva au maire? **9.** Plut-il fort ce jour-là? **10.** Qu'est-ce qui suffit à noyer un paysan et sa charrette? **11.** L'Arche de Noé pouvait-elle être inondée par la pluie? **12.** De quoi les bêtes désignées étaient-elles heureuses? **13.** Qui essayait d'attendrir Noé? **14.** Quelle famille l'a attendri un peu? **15.** Tous les animaux devaient-ils figurer dans l'Arche? **16.** Quel est le destin du mégathérium? **17.** Que disait la baleine à ses petits? **18.** Qui fut réclamé au balcon? **19.** Quel fut l'argument du lion? **20.** Qui fut le dernier des survivants? **21.** Qu'est-il devenu? **22.** Qu'est-ce que Noé ne veut pas à bord? **23.** Qu'est-ce que l'Arche conférait à tous ceux qui s'y trouvaient? **24.** Qu'est-ce que la femme de Noé pense de son arche? **25.** Noé avait-il apporté assez à manger? **26.** Qu'est-ce qui tentait horriblement le lion? **27.** Qui se donna en exemple? et comment? **28.** Que fit le lion pour montrer son esprit de sacrifice? **29.** Qui porta de nouvelles provisions? **30.** Quel fut le premier messager que Noé envoya? **31.** Que fit la colombe? **32.** Qu'est-ce que le mont Ararat criait aux animaux? **33.** Pourquoi Noé retira-t-il son chapeau? **34.** Qui furent les premiers à toucher terre?

FRANÇOIS-MARIE AROUET (VOLTAIRE)

LE MONDE COMME IL VA

Introduction

IF *SUPERVIELLE* in the preceding story treats Noah and the Flood in a spirit that may arouse laughter or suggest caricature, this is with no purpose of satire or reform, but simply to interpret life as the poet sees it. The *philosophes* or liberal thinkers of the eighteenth century tended to look on literature primarily as a means of propaganda, and in writing of Persepolis or Babylon were really attacking the social evils which they saw in contemporary Paris. The best known writer of the century, Voltaire, wrote most of his *romans philosophiques* in this vein. Of these *La Vision de Babouc, ou Le Monde comme il va,* carries out most consistently this program of reforming society by ridicule.

In sixty-five years of almost continual writing, Voltaire expressed many points of view toward life, of which the one embodied in this tale is among the wisest and most mature. Examples and conclusions are presented with such pithy common sense that most of his criticisms remain intelligible even in the changed conditions of present-day society. Voltaire is thus really seeking a larger *horizon* in this tale of France disguised as Persia. He is not merely dodging the censor by saying things of Persepolis or the *mages* (priests) which might get him into trouble if he said them outright of Paris or the priesthood, he is considering the life and customs of his time against a larger perspective, that of the ages.

LE MONDE COMME IL VA

Parmi les génies qui président aux empires du monde, Ituriel tient un des premiers rangs, et il a le département de la haute Asie.[1] Il descendit un matin dans la demeure du Scythe[2] Babouc, sur le rivage de l'Oxus,[3] et lui dit:—Babouc, les folies et les excès
5 des Perses[4] ont attiré notre colère: il s'est tenu hier une assemblée[5] des génies de la haute Asie pour savoir si on châtierait Persépolis, ou si on la détruirait. Va dans cette ville, examine tout; tu reviendras m'en rendre un compte fidèle, et je me déterminerai sur ton rapport à corriger la ville, ou à l'exterminer.

10 —Mais, seigneur, dit humblement Babouc, je n'ai jamais été en Perse; je n'y connais personne.

—Tant mieux, dit l'ange, tu ne seras point partial; tu as reçu du ciel le discernement, et j'y ajoute le don d'inspirer la confiance; marche, regarde, écoute, observe, et ne crains rien; tu seras partout
15 bien reçu.

Babouc monta sur son chameau, et partit avec ses serviteurs. Au bout de quelques journées, il rencontra vers les plaines de Sennaar[6] l'armée persane, qui allait combattre l'armée indienne. Il s'adressa d'abord à un soldat qu'il trouva écarté. Il lui parla, et lui demanda
20 quel était le sujet de la guerre.

—Par tous les dieux, dit le soldat, je n'en sais rien; ce n'est pas mon affaire; mon métier est de tuer et d'être tué pour gagner ma vie; il n'importe qui je serve. Je pourrais bien même dès demain passer dans le camp des Indiens; car on dit qu'ils donnent près d'une
25 demi-drachme[7] de cuivre par jour à leurs soldats de plus que nous

[1] **haute Asie,** *upper Asia,* which in this story should be understood as referring to a region of which the Caspian Sea is the approximate center; the term is used in contradistinction to Asia Minor, to the south and west.

[2] **Scythe,** *Scythian,* a term used in antiquity for a nomadic race indigenous to "upper Asia."

[3] **Oxus,** the modern Amou-Daria River flowing into the sea of Aral.

[4] **Perses,** the *Persians* living in a luxury-loving absolute monarchy of advanced civilization, stand here for 18th century France, as their capital Persépolis stands for Paris.

[5] **il s'est tenu hier une assemblée,** *a meeting was held yesterday.*

[6] **Sennaar,** modern *Shinar* between the Tigris and Euphrates rivers.

[7] **demi-drachme,** the Greek *drachm,* was a small coin; the sum here is from 10 to 25 cents, and the reference is to the system of mercenary armies, used all over Europe until the French Revolution instituted universal conscription.

n'en avons dans ce maudit service de Perse. Si vous voulez savoir pourquoi on se bat, parlez à mon capitaine.

Babouc, ayant fait un petit présent au soldat, entra dans le camp. Il fit bientôt connaissance avec le capitaine, et lui demanda le sujet
30 de la guerre.

—Comment voulez-vous[8] que je le sache? dit le capitaine; et que m'importe ce beau sujet? J'habite à deux cents lieues de Persépolis; j'entends dire que la guerre est déclarée; j'abandonne aussitôt ma famille, et je vais chercher, selon notre coutume, la fortune ou la
35 mort, attendu que je n'ai rien à faire.

—Mais vos camarades, dit Babouc, ne sont-ils pas un peu plus instruits que vous?

—Non, dit l'officier; il n'y a guère que nos principaux satrapes qui savent bien précisément pourquoi on s'égorge.[9]

40 Babouc étonné s'introduisit chez les généraux; il entra dans leur familiarité. L'un d'eux lui dit enfin:—La cause de cette guerre, qui désole depuis vingt ans l'Asie, vient originairement d'une querelle entre un eunuque d'une femme du grand roi de Perse, et un commis du bureau du grand roi des Indes. Il s'agissait d'un droit[10] qui
45 revenait à peu près à la trentième partie d'une darique. Le premier ministre des Indes et le nôtre soutinrent dignement les droits de leurs maîtres. La querelle s'échauffa. On mit de part et d'autre en campagne[11] une armée d'un million de soldats. Il faut recruter cette armée tous les ans de plus de quatre cent mille hommes. Les
50 meurtres, les incendies, les ruines, les dévastations se multiplient, l'univers souffre, et l'acharnement continue. Notre premier ministre et celui des Indes protestent souvent qu'ils n'agissent que pour le bonheur du genre humain; et à chaque protestation il y a toujours quelques villes détruites et quelque province ravagée.

55 Le lendemain, sur un bruit[12] qui se répandit que la paix allait être conclue, le général persan et le général indien s'empressèrent de donner bataille; elle fut sanglante. Babouc en vit toutes les fautes et toutes les abominations; il fut témoin des manœuvres des

[8] **Comment voulez-vous,** *How can you expect.*

[9] **on s'égorge,** *we are killing one another* (**égorger,** lit., *to cut the throat*).

[10] **droit,** here means *tax* but in the next sentence has the usual meaning of *rights.* The sum involved amounts to a few cents, presumably levied on some article of trade.

[11] **en campagne,** *in the field.*

[12] **sur un bruit,** *upon hearing a rumor.*

principaux satrapes, qui firent ce qu'ils purent pour faire battre[13]
60 leur chef. Il vit des officiers tués par leurs propres troupes; il vit des soldats qui achevaient d'égorger leurs camarades expirants, pour leur arracher quelques lambeaux sanglants, déchirés et couverts de fange. Il entra dans les hôpitaux où l'on transportait les blessés, dont la plupart expiraient par la négligence inhumaine de ceux
65 mêmes que le roi de Perse payait chèrement pour les secourir.

—Sont-ce là des hommes, s'écria Babouc, ou des bêtes féroces? Ah! je vois bien que Persépolis sera détruite.

Occupé de cette pensée, il passa dans le camp des Indiens; il y fut aussi bien reçu que dans celui des Perses, selon ce qui lui avait
70 été prédit,[14] mais il y vit tous les mêmes excès qui l'avaient saisi d'horreur.

—Oh, oh! dit-il en lui-même, si l'ange Ituriel veut exterminer les Persans, il faut donc que l'ange des Indes détruise aussi les Indiens.

S'étant ensuite informé plus en détail de ce qui s'était passé dans
75 l'une et l'autre armée, il apprit des actions de générosité, de grandeur d'âme, d'humanité qui l'étonnèrent et le ravirent.

—Inexplicables humains, s'écria-t-il, comment pouvez-vous réunir tant de bassesse et de grandeur, tant de vertus et de crimes?

Cependant la paix fut déclarée. Les chefs des deux armées, dont
80 aucun n'avait remporté la victoire, mais qui, pour leur seul intérêt, avaient fait verser le sang de tant d'hommes, leurs semblables, allèrent briguer dans leurs cours des récompenses. On célébra la paix dans des écrits publics, qui n'annonçaient que le retour de la vertu et de la félicité sur la terre.

85 —Dieu soit loué! dit Babouc; Persépolis sera le séjour de l'innocence épurée; elle ne sera point détruite, comme le voulaient ces vilains génies: courons sans tarder dans cette capitale de l'Asie.

Il arriva dans cette ville immense par l'ancienne entrée,[15] qui était toute barbare, et dont la rusticité dégoûtante offensait les yeux.
90 Toute cette partie de la ville se ressentait du temps où elle avait

[13] **faire battre,** *cause the defeat of.*
[14] **selon ce qui lui avait été prédit,** as in the third paragraph of the story.
[15] **ancienne entrée,** this description is obviously directed against the ill-famed quarter to the northern limits of Voltaire's Paris, around the *Gates* (**Portes**) of Saint-Denis and Saint-Martin. Note Voltaire's contempt for old (Gothic) architecture and for the **pourriture** of the common people gathered in a church.

été bâtie; car, malgré l'opiniâtreté des hommes à louer l'antique aux dépens du moderne, il faut avouer qu'en tout genre les premiers essais sont toujours grossiers.

Babouc se mêla dans la foule d'un peuple composé de ce qu'il y 95 avait de plus sale et de plus laid dans les deux sexes. Cette foule se précipitait d'un air hébété dans un enclos vaste et sombre. Au bourdonnement continuel, au mouvement qu'il remarqua, à l'argent que quelques personnes donnaient à d'autres pour avoir droit de s'asseoir,[16] il crut être dans un marché où l'on vendait des chaises de 100 paille; mais bientôt, voyant que plusieurs femmes se mettaient à genoux, en faisant semblant de regarder fixement devant elles, et en regardant les hommes de côté[17] il s'aperçut qu'il était dans un temple. Des voix aigres, rauques, sauvages, discordantes, faisaient retentir la voûte de[18] sons mal articulés, qui faisaient le même effet 105 que les voix des onagres quand elles répondent, dans les plaines des Pictaves,[19] au cornet à bouquin qui les appelle. Il se bouchait les oreilles; mais il fut près de se boucher encore les yeux et le nez, quand il vit entrer dans ce temple des ouvriers avec des pinces et des pelles. Ils remuèrent une large pierre, et jetèrent à droite et à 110 gauche une terre dont s'exhalait une odeur empestée; ensuite on vint poser un mort[20] dans cette ouverture, et on remit la pierre par-dessus.

—Quoi! s'écria Babouc, ces peuples enterrent leurs morts dans les mêmes lieux où ils adorent la Divinité! Quoi! leurs temples sont 115 pavés de cadavres! Je ne m'étonne plus de ces maladies pestilentielles qui désolent souvent Persépolis. La pourriture des morts, et celle de tant de vivants rassemblés et pressés dans le même lieu, est capable d'empoisonner le globe terrestre. Ah! la vilaine ville que[21] Per-

[16] **pour avoir le droit de s'asseoir,** European churches commonly have no fixed pews, but a collection may be taken *for the use of chairs,* or these may be rented from an old woman given charge of them.

[17] **de côté,** *with a sidelong glance.*

[18] **de,** *with.* Voltaire is referring to the plain chant of the Catholic service.

[19] **Pictaves,** a Celtic tribe which once inhabited the Poitou region of central Western France.

[20] **un mort,** *a dead body.* Consecrated ground adjacent to the church proper was commonly used for burial, but the church itself was sometimes so used. Famous examples are Westminster Abbey in England, and St. Étienne du Mont in Paris, which contains the bodies of the two greatest followers of Jansenism (**demi-mages**) in French literature, Racine and Pascal—referred to in note 48 below.

[21] **que,** this and the following **que** are expletives that need not be translated.

sépolis! Apparemment que les anges veulent la détruire pour en
120 rebâtir une plus belle, et pour la peupler d'habitants moins mal-
propres, et qui chantent mieux. La Providence peut avoir ses
raisons; laissons-la faire.

Cependant le soleil approchait du haut de sa carrière. Babouc
devait aller dîner à l'autre bout de la ville, chez une dame pour
125 laquelle son mari, officier de l'armée, lui avait donné des lettres. Il
fit d'abord plusieurs tours dans Persépolis: il remarqua des fontaines
publiques, lesquelles, quoique mal placées, frappaient les yeux par
leur beauté; des places où semblaient respirer en bronze les meilleurs
rois qui avaient gouverné la Perse; d'autres places où il entendait le
130 peuple s'écrier: «Quand verrons-nous ici le maître que nous chérissons?»[22] Il admira les ponts magnifiques[23] élevés sur le fleuve, les
quais superbes et commodes, les palais bâtis à droite et à gauche, une
maison immense, où des milliers de vieux soldats blessés et vainqueurs rendaient chaque jour grâces au Dieu des armées. Il entra
135 enfin chez la dame, qui l'attendait à dîner avec une compagnie
d'honnêtes gens. La maison était propre et ornée, le repas délicieux,
la dame jeune, belle, spirituelle, engageante, la compagnie digne
d'elle; et Babouc disait en lui-même à tout moment:—L'ange Ituriel
se moque du monde de vouloir détruire une ville si charmante.

140 Il se présenta[24] à la porte un homme grave, en manteau noir, qui
demanda humblement à parler à un jeune magistrat. Celui-ci, sans
se lever, sans le regarder, lui donna fièrement, et d'un air distrait,
quelques papiers, et le congédia. Babouc demanda quel était cet
homme. La maîtresse de la maison lui dit tout bas:

145 —C'est un des meilleurs avocats de la ville; il y a cinquante ans
qu'il étudie les lois. Monsieur, qui n'a que vingt-cinq ans, et qui est
satrape de la loi depuis deux jours, lui donne à faire l'extrait d'un
procès qu'il doit juger demain, et qu'il n'a pas encore examiné.

—Ce jeune étourdi fait sagement, dit Babouc, de demander conseil
150 à un vieillard; mais pourquoi n'est-ce pas ce vieillard qui est juge?

[22] **que nous chérissons,** refers to Louis XV, **«le bien-aimé,»** who resided outside of Paris at the court of Versailles established by his great-grandfather Louis XIV.

[23] **les ponts magnifiques,** all this sentence is a transparent reference to Paris, ending with mention of the **Invalides,** the first hospital and refuge for war victims (built by Louis XIV in 1671 to 1685).

[24] **Il se présenta,** *There came.*

—Vous vous moquez, lui dit-on; jamais ceux qui ont vieilli dans les emplois laborieux et subalternes ne parviennent aux dignités.[25] Ce jeune homme a une grande charge, parce que son père est riche, et qu'ici le droit de rendre la justice s'achète comme une métairie.
155 —O mœurs! ô malheureuse ville! s'écria Babouc; voilà le comble du désordre; sans doute, ceux qui ont acheté le droit de juger vendent leurs jugements: je ne vois ici que des abîmes d'iniquité.

Comme il marquait ainsi sa douleur et sa surprise, un jeune guerrier qui était revenu ce jour même de l'armée lui dit:
160 —Pourquoi ne voulez-vous pas qu'on achète les emplois de la robe? j'ai bien acheté, moi, le droit d'affronter la mort à la tête de deux mille hommes que je commande; il m'en a coûté quarante mille dariques d'or cette année, pour coucher sur la terre trente nuits de suite en habit rouge, et pour recevoir deux bons coups de
165 flèche dont je me sens encore.[26] Si je me ruine pour servir l'empereur persan que je n'ai jamais vu, M. le satrape de robe peut bien payer quelque chose pour avoir le plaisir de donner audience à des plaideurs.

Babouc indigné ne put s'empêcher de condamner dans son cœur
170 un pays où l'on mettait à l'encan les dignités de la paix et de la guerre; il conclut précipitamment que l'on y devait ignorer absolument[27] la guerre et les lois, et que, quand même Ituriel n'exterminerait pas ces peuples, ils périraient par leur détestable administration. Sa mauvaise opinion augmenta encore à l'arrivée d'un gros
175 homme, qui, ayant salué très familièrement toute la compagnie, s'approcha du jeune officier, et lui dit:—Je ne peux vous prêter que cinquante mille dariques d'or; car, en vérité, les douanes de l'empire ne m'en ont rapporté que trois cent mille cette année.

Babouc s'informa quel était cet homme qui se plaignait de gagner
180 si peu; il apprit qu'il y avait dans Persépolis quarante rois

[25] **dignités,** certain *important public offices* with a lifetime tenure were regularly sold by the Crown as a means of raising revenue: those who acquired these posts in the judicial service were the **noblesse de robe,** and often passed on the position to their descendants. Like the army officers who might also purchase their rank, they were of the class of **privilégiés** attacked by the **bourgeois** at the onset of the Revolution in 1789.

[26] **je me sens encore,** *I still feel the effects.*

[27] **on y devait ignorer absolument,** *people there must be absolutely ignorant of.*

plébéiens[28] qui tenaient à bail l'empire de Perse, et qui en rendaient quelque chose au monarque.

Après dîner, il alla dans un des plus superbes temples de la ville; il s'assit au milieu d'une troupe de femmes et d'hommes qui étaient
185 venus là pour passer le temps. Un mage[29] parut dans une machine élevée,[30] qui parla longtemps du vice et de la vertu. Ce mage divisa en plusieurs parties ce qui n'avait pas besoin d'être divisé; il prouva méthodiquement tout ce qui était clair; il enseigna tout ce qu'on savait. Il se passionna froidement, et sortit suant et hors
190 d'haleine. Toute l'assemblée alors se réveilla, et crut avoir assisté à une instruction. Babouc dit:—Voilà un homme qui a fait de son mieux pour ennuyer deux ou trois cents de ses concitoyens; mais son intention était bonne: il n'y a pas là de quoi[31] détruire Persépolis.

Au sortir de cette assemblée, on le mena voir une fête publique
195 qu'on donnait tous les jours de l'année; c'était dans une espèce de basilique, au fond de laquelle on voyait un palais.[32] Les plus belles citoyennes de Persépolis, les plus considérables satrapes rangés avec ordre formaient un spectacle si beau, que Babouc crut d'abord que c'était là toute la fête. Deux ou trois personnes,[33] qui parais-
200 saient des rois et des reines, parurent bientôt dans le vestibule de ce palais; leur langage était très différent de celui du peuple; il était mesuré, harmonieux, et sublime. Personne ne dormait: on écoutait dans un profond silence, qui n'était interrompu que par les témoignages de la sensibilité et de l'admiration publique. Le devoir
205 des rois, l'amour de la vertu, les dangers des passions étaient ex-

[28] **rois plébéiens,** the **fermiers généraux,** bankers who by a discount operation paid the government in advance a certain percentage on sums due in taxes, and then collected them at a handsome profit.

[29] **mage,** used in this story for any *clergyman*; here a *priest.* The scathing description of a dull sermon which follows, like the sarcastic references to plain chant above, contrast with the beauty of classic tragedy as described in the next paragraph. Voltaire was considered by his contemporaries the supreme exponent of classic tragedy.

[30] **machine élevée,** while this is obviously sarcastic for *pulpit,* Voltaire is probably thinking of the similar machines used to introduce a divinity in a classic tragedy—the **deus ex machina.**

[31] **il n'y a pas là de quoi,** *that isn't enough to justify*

[32] **une espèce de basilique . . . palais,** the term *basilica* would have meant in classic times a large public building, but in modern times is used of certain large *churches* such as St. Peter's at the Vatican. The *palace* in the background is, of course, the stage, with conventional classic scenery.

[33] **deux ou trois personnes,** the French emulated the Greeks in keeping to a small cast of characters.

primés par des traits si vifs et si touchants que Babouc versa des larmes. Il ne douta pas que ces héros et ces héroïnes, ces rois et ces reines qu'il venait d'entendre, ne fussent[34] les prédicateurs de l'empire. Il se proposa même d'engager Ituriel à les venir entendre, bien
210 sûr qu'un tel spectacle le réconcilierait pour jamais avec la ville.

Dès que cette fête fut finie, il voulut voir la principale reine qui avait débité dans ce beau palais une morale si noble et si pure; il se fit introduire chez Sa Majesté; on le mena par un petit escalier, au second étage, dans un appartement mal meublé, où il trouva une
215 femme mal vêtue,[35] qui lui dit d'un air noble et pathétique:—Ce métier-ci ne me donne pas de quoi vivre;[36] je manque d'argent. . . . Babouc lui donna cent dariques d'or, en disant:—S'il n'y avait que ce mal-là dans la ville, Ituriel aurait tort de tant se fâcher.

De là il alla passer sa soirée chez des marchands de magnificences
220 inutiles. Un homme intelligent, avec lequel il avait fait connaissance, l'y mena; il acheta ce qui lui plut, et on le lui vendit avec politesse beaucoup plus qu'il ne valait.[37] Son ami, de retour chez lui, lui fit voir combien on le trompait. Babouc mit sur ses tablettes le nom du marchand, pour le faire distinguer par Ituriel au jour de la
225 punition de la ville. Comme il écrivait, on frappa à sa porte; c'était le marchand lui-même qui venait lui rapporter sa bourse que Babouc avait laissée par mégarde sur son comptoir.

—Comment se fait-il, s'écria Babouc, que vous soyez si fidèle et si généreux, après n'avoir pas eu honte de me vendre des colifichets
230 quatre fois au-dessus de leur valeur?

—Il n'y a aucun négociant un peu connu dans cette ville, lui répondit le marchand, qui ne fût[38] venu vous rapporter votre bourse; mais on vous a trompé quand on vous a dit que je vous avais vendu ce que vous avez pris chez moi quatre fois plus qu'il ne vaut, je
235 vous l'ai vendu dix fois davantage: et cela est si vrai, que si dans un mois vous voulez le revendre, vous n'en aurez pas même ce dixième. Mais rien n'est plus juste; c'est la fantaisie passagère des

[34] **ne fussent=fussent (étaient).**

[35] **mal vêtue,** actors were still social pariahs, although Voltaire did much to enhance the dignity and status of the profession.

[36] **de quoi vivre,** *a livelihood.*

[37] **beaucoup plus qu'il ne valait=à un prix très exorbitant.**

[38] **ne fût=ne serait pas.**

hommes qui met le prix à ces choses frivoles; c'est cette fantaisie qui fait vivre cent ouvriers que j'emploie; c'est elle qui me donne
240 une belle maison, un char commode, des chevaux; c'est elle qui excite l'industrie, qui entretient le goût, la circulation, et l'abondance. Je vends aux nations voisines les mêmes bagatelles plus chèrement qu'à vous, et par là je suis utile à l'empire.[39]

Babouc, après avoir un peu rêvé, le raya de ses tablettes: «Car
245 enfin, disait-il, les arts du luxe ne sont en grand nombre dans un empire que quand tous les arts nécessaires sont exercés, et que[40] la nation est nombreuse et opulente. Ituriel me paraît un peu sévère.»

Babouc, fort incertain sur ce qu'il devait penser de Persépolis, résolut de voir les mages et les lettrés; car les uns[41] étudient la
250 sagesse, et les autres la religion; et il se flatta que ceux-là[42] obtiendraient grâce pour le reste du peuple. Dès le lendemain matin il se transporta dans un collège de mages.[43] L'archimandrite[44] lui avoua qu'il avait cent mille écus de rente pour avoir fait vœu de pauvreté, et qu'il exerçait un empire assez étendu en vertu de son
255 vœu d'humilité; après quoi il laissa Babouc entre les mains d'un petit frère qui lui fit les honneurs.

Tandis que ce frère lui montrait les magnificences de cette maison de pénitence, un bruit se répandit qu'il était venu pour réformer toutes ces maisons. Aussitôt il reçut des mémoires de chacune d'elles;
260 et les mémoires disaient tous en substance: «Conservez-nous, et détruisez toutes les autres.» A entendre leurs apologies,[45] ces sociétés étaient toutes nécessaires; à entendre leurs accusations réciproques, elles méritaient toutes d'être anéanties. Il admirait

[39] **utile à l'empire,** it was and remains an economic fact that France can import many essential raw materials with the money brought into the country by purchase of luxury items such as fine wines, fashions, etc., of which the cost in raw materials is slight. Voltaire's position on luxury was the opposite of the one taken by his contemporary, Jean-Jacques Rousseau, who attacked it as immoral.

[40] **que=quand.**

[41] **les uns=les lettrés.**

[42] **ceux-là=les mages et les lettrés.**

[43] **collège de mages=monastère,** presumably of Franciscans or Dominicans, known as *friars* (**frères**) and traditionally very jealous of one another.

[44] **archimandrite,** sarcastic for *abbott*; property was necessary for the corporate body (**corps**) but theoretically forbidden to its members, at least in certain orders such as the Franciscans.

[45] **apologies,** *defensive arguments.*

comme il n'y avait aucune d'elles qui, pour édifier[46] l'univers, ne
265 voulût en avoir l'empire.[47] Alors il se présenta un petit homme
qui était un demi-mage,[48] et qui lui dit:

—Je vois bien que l'œuvre va s'accomplir; car Zerdust[49] est revenu
sur la terre; les petites filles prophétisent. . . . Il est évident que le
monde va finir: ne pourriez-vous point, avant cette belle époque,
270 nous protéger contre le grand lama?

—Quel galimatias! dit Babouc; contre le grand lama? contre ce
pontife-roi qui réside au Tibet?

—Oui, dit le petit demi-mage avec un air opiniâtre, contre lui-
même.

275 —Vous lui faites donc la guerre, vous avez donc des armées? dit
Babouc.

—Non, dit l'autre, mais il dit que l'homme est libre et nous n'en
croyons rien.[50] Nous avons écrit contre lui trois ou quatre mille
gros livres qu'on ne lit point et autant de brochures, que nous faisons
280 lire par des femmes: à peine a-t-il entendu parler de nous, il nous a
seulement fait condamner, comme un maître ordonne qu'on
échenille les arbres de ses jardins.

Babouc frémit de la folie de ces hommes qui faisaient profession
de sagesse, des intrigues de ceux qui avaient renoncé au monde, de
285 l'ambition et de la convoitise orgueilleuse de ceux qui enseignaient
l'humilité et le désintéressement; il conclut qu'Ituriel avait de
bonnes raisons pour détruire toute cette engeance.

Retiré chez lui, il envoya chercher des livres nouveaux pour
adoucir son chagrin, et il pria quelques lettrés à dîner pour se

[46] **édifier,** *edify* (not *construct*).

[47] **ne voulût en avoir l'empire,** *didn't want to rule it;* the **pas** is omitted as is usual in the second of two successive negative clauses.

[48] **demi-mage,** the reference here is obviously to the austere sect of *Jansenists,* who did not take holy orders and were therefore not **mages,** but who professed a very severe concept of morality and were condemned for intolerance by the pope at Rome **(le grand lama).** Of all forms of Catholicism, Voltaire detested Jansenism the most.

[49] **Zerdust,** *Zoroaster,* founder of the first great religion of Persia; mention of his return is an obvious reference to the tendency of some sects of Christianity to preach a Second Coming of Christ.

[50] **nous n'en croyons rien,** *we deny it absolutely.* The Jansenists tended to deny the efficacy of free will, believing man was totally helpless without a special act of divine Grace. The quarrel between Jansenists and Jesuits was of very great importance in the 17th century, but had become largely academic by Voltaire's time.

290 réjouir. Il[51] en vint deux fois plus qu'il n'en avait demandé,[52] comme les guêpes que le miel attire. Ces parasites se pressaient de manger et de parler; ils louaient deux sortes de personnes, les morts et eux-mêmes, et jamais leurs contemporains, excepté le maître de la maison. Si quelqu'un d'eux disait un bon mot,[53] les autres 295 baissaient les yeux et se mordaient les lèvres de douleur de ne l'avoir pas dit. Ils avaient moins de dissimulation que les mages, parce qu'ils n'avaient pas de si grands objets d'ambition. Chacun d'eux briguait une place de valet et une réputation de grand homme; ils se disaient en face[54] des choses insultantes, qu'ils 300 croyaient des traits d'esprit. Ils avaient eu quelque connaissance de la mission de Babouc. L'un d'eux le pria tout bas d'exterminer un auteur qui ne l'avait pas assez loué il y avait cinq ans; un autre demanda la perte[55] d'un citoyen qui n'avait jamais ri à ses comédies; un troisième demanda l'extinction de l'Académie,[56] parce qu'il 305 n'avait jamais pu parvenir à y être admis. Le repas fini, chacun d'eux s'en alla seul, car il n'y avait pas dans toute la troupe deux hommes qui pussent se souffrir, ni même se parler ailleurs que chez les riches qui les invitaient à leur table. Babouc jugea qu'il n'y aurait pas grand mal quand cette vermine périrait dans la destruc- 310 tion générale.

Dès qu'il se fut défait d'eux, il se mit à lire quelques livres nouveaux. Il y reconnut l'esprit de ses convives. Il vit surtout avec indignation ces gazettes de la médisance, ces archives du mauvais goût, que l'envie, la bassesse et la faim ont dictées; ces lâches satires 315 où l'on ménage le vautour, et où l'on déchire la colombe; ces romans dénués d'imagination, où l'on voit tant de portraits de femmes que l'auteur ne connaît pas.[57]

Il jeta au feu tous ces détestables écrits, et sortit pour aller le soir à la promenade. On le présenta à un vieux lettré qui n'était point 320 venu grossir le nombre de ses parasites. Ce lettré fuyait toujours la

[51] **Il,** *There.*

[52] **n'en avait demandé=avait invité.**

[53] **bon mot,** *witticism.*

[54] **en face,** *point blank.*

[55] **perte,** *perdition* (condemnation by Ituriel).

[56] **Académie,** obviously means the **Académie Française,** founded by Richelieu in 1635; Voltaire had been elected to it in 1746.

[57] **ne connaît pas,** presumably those which have refused him hospitality and are therefore unfavorably portrayed.

foule, connaissait les hommes, en faisait usage,[58] et se communiquait avec discrétion.[59] Babouc lui parla avec douleur de ce qu'il avait lu et de ce qu'il avait vu.

—Vous avez lu des choses bien méprisables, lui dit le sage lettré;
325 mais dans tous les temps, dans tous les pays et dans tous les genres, le mauvais fourmille, et le bon est rare. Vous avez reçu chez vous le rebut de la pédanterie, parce que, dans toutes les professions, ce qu'il y a de plus indigne de paraître est toujours ce qui se présente avec le plus d'impudence. Les véritables sages vivent entre eux[60]
330 retirés et tranquilles; il y a encore parmi nous des hommes et des livres dignes de votre attention.

Dans le temps qu'il parlait ainsi, un autre lettré les joignit; leurs discours furent si agréables et si instructifs, si élevés au-dessus des préjugés et si conformes à la vertu, que Babouc avoua n'avoir
335 jamais rien entendu de pareil. «Voilà des hommes, disait-il tout bas, à qui l'ange Ituriel n'osera toucher, ou il sera bien impitoyable.»

Raccommodé avec les lettrés, il était toujours en colère contre le reste de la nation.

—Vous êtes étranger, lui dit l'homme judicieux qui lui parlait;
340 les abus se présentent à vos yeux en foule, et le bien qui est caché, et qui résulte quelquefois de ces abus mêmes, vous échappe.

Alors il apprit que parmi les lettrés il y en avait quelques-uns qui n'étaient pas envieux, et que parmi les mages mêmes il y en avait de vertueux. Il conçut à la fin que ces grands corps,[61] qui
345 semblaient en se choquant préparer leurs communes ruines, étaient au fond des institutions salutaires; que chaque société de mages était un frein à ses rivales; que si ces émules différaient dans quelques opinions, ils enseignaient tous la même morale, qu'ils instruisaient le peuple, et qu'ils vivaient soumis aux lois; semblables
350 aux précepteurs qui veillent sur le fils de la maison, tandis que le maître veille sur eux-mêmes. Il en pratiqua[62] plusieurs, et vit des âmes célestes. Il apprit même que parmi les fous qui prétendaient

[58] **en faisait usage,** *knew how to treat them* (for his own advantage).
[59] **se communiquait avec discrétion,** *was reserved in his discourse.*
[60] **entre eux,** *to themselves.*
[61] **corps,** *religious orders.*
[62] **pratiqua,** *frequented.*

faire la guerre au grand lama il y avait eu de très grands hommes. Il soupçonna enfin qu'il pourrait bien en être des[63] mœurs de 355 Persépolis comme des édifices, dont les uns lui avaient paru dignes de pitié, et les autres l'avaient ravi en admiration.

Il dit à son lettré:—Je conçois très bien que ces mages, que j'avais crus si dangereux, sont en effet très utiles, surtout quand un gouvernement sage les empêche de se rendre trop nécessaires; mais 360 vous m'avouerez au moins que vos jeunes magistrats, qui achètent une charge de juge dès qu'ils ont appris à monter à cheval, doivent étaler dans les tribunaux tout ce que l'impertinence a de plus ridicule, et tout ce que l'iniquité a de plus pervers; il vaudrait mieux sans doute donner ces places gratuitement à ces vieux 365 jurisconsultes qui ont passé toute leur vie à peser le pour et le contre.

Le lettré lui répliqua:—Vous avez vu notre armée avant d'arriver à Persépolis; vous savez que nos jeunes officiers se battent très bien, quoiqu'ils aient acheté leurs charges: peut-être verrez-vous que nos 370 jeunes magistrats ne jugent pas mal, quoiqu'ils aient payé pour juger.

Il le mena le lendemain au grand tribunal, où l'on devait rendre un arrêt important. La cause était connue de tout le monde. Tous ces vieux avocats qui en parlaient étaient flottants dans leurs 375 opinions; ils alléguaient cent lois, dont aucune n'était applicable au fond de la question; ils regardaient l'affaire par cent côtés, dont aucun n'était dans son vrai jour:[64] les juges décidèrent plus vite que les avocats ne doutèrent.[65] Leur jugement fut presque unanime; ils jugèrent bien, parce qu'ils suivaient les lumières de la raison; et les 380 autres avaient opiné mal, parce qu'ils n'avaient consulté que leurs livres.

Babouc conclut qu'il y avait souvent de très bonnes choses dans les abus. Il vit dès le jour même[66] que les richesses des financiers, qui l'avaient tant révolté, pouvaient produire un effet excellent, car 385 l'empereur ayant eu besoin d'argent, il trouva en une heure, par leur moyen, ce qu'il n'aurait pas eu en six mois par les voies ordinaires;

[63] **en être des,** *be the same way with the.*
[64] **jour,** *light.*
[65] **ne doutèrent,** (*had*) *suspected, thought possible.*
[66] **dès le jour même,** *right that very day.*

il vit que ces gros nuages, enflés de la rosée de la terre, lui rendaient en pluie ce qu'ils en recevaient. D'ailleurs les enfants de ces hommes nouveaux,[67] souvent mieux élevés que ceux des familles
390 plus anciennes, valaient quelquefois beaucoup mieux; car rien n'empêche qu'on ne soit un bon juge, un brave guerrier, un homme d'état habile, quand on a eu un père bon calculateur.

Insensiblement Babouc faisait grâce à l'avidité du financier, qui n'est pas au fond plus avide que les autres hommes, et qui est
395 nécessaire. Il excusait la folie de se ruiner pour juger et pour se battre, folie qui produit de grands magistrats et des héros. Il pardonnait à l'envie des lettrés, parmi lesquels il se trouvait des hommes qui éclairaient le monde; il se réconciliait avec les mages ambitieux et intrigants, chez lesquels il y avait plus de grandes vertus que de
400 petits vices; mais il lui restait bien des griefs.

Comme il voulait pénétrer dans toutes les conditions humaines, il se fit mener chez un ministre. Arrivé chez l'homme d'état, il resta deux heures dans l'antichambre sans être annoncé, et deux heures encore après l'avoir été. Il se promettait bien dans cet intervalle de
405 recommander à l'ange Ituriel et le ministre et ses insolents huissiers. L'antichambre était remplie de dames de tout étage, de mages de toutes couleurs, de juges, de marchands, d'officiers, de pédants; tous se plaignaient du ministre. L'avare et l'usurier disaient: «Sans doute, cet homme-là pille les provinces»; le capricieux lui reprochait d'être
410 bizarre; le voluptueux disait: «Il ne songe qu'à ses plaisirs»; l'intrigant se flattait de le voir bientôt perdu par une cabale;[68] les femmes espéraient qu'on leur donnerait bientôt un ministre plus jeune.

Babouc entendait leurs discours; il ne put s'empêcher de dire:—
415 Voilà un homme bien heureux, il a tous ses ennemis dans son antichambre; il écrase de son pouvoir ceux qui l'envient; il voit à ses pieds ceux qui le détestent.

Il entra enfin; il vit un petit vieillard courbé sous le poids des années et des affaires, mais encore vif et plein d'esprit.
420 Babouc lui plut, et il parut à Babouc un homme estimable. La

[67] **hommes nouveaux,** the *newly rich,* a class to which Voltaire belonged both by his own efforts and by birth.

[68] **perdu par une cabale,** *ruined by a clique*—a trick especially common in the theatrical world so dear to Voltaire, but used also in politics and society.

conversation devint intéressante. Le ministre lui avoua qu'il était un homme très malheureux, qu'il passait pour riche, et qu'il était pauvre; qu'on le croyait tout-puissant, et qu'il était toujours contredit; qu'il n'avait guère obligé que des ingrats, et que dans
425 un travail continuel de quarante années il avait eu à peine un moment de consolation. Babouc en fut touché, et pensa que, si cet homme avait fait des fautes, et si l'ange Ituriel voulait le punir, il ne fallait pas l'exterminer, mais seulement lui laisser sa place.

Babouc, tout[69] Scythe et tout envoyé qu'il était d'un génie,
430 s'aperçut qu'il s'affectionnait à la ville, dont le peuple était poli, doux et bienfaisant, quoique léger, médisant, et plein de vanité. Il craignait que Persépolis ne fût[70] condamnée; il craignait même le compte qu'il allait rendre.

Voici comme il s'y prit pour rendre ce compte. Il fit faire par le
435 meilleur fondeur de la ville une petite statue composée de tous les métaux, des terres et des pierres les plus précieuses et les plus viles; il la porta à Ituriel.—Casserez-vous, dit-il, cette jolie statue, parce que tout n'y est pas or et diamants?

Ituriel entendit à demi-mot;[71] il résolut de ne pas même songer
440 à corriger Persépolis, et de laisser aller *le monde comme il va;* car, dit-il, *si tout n'est pas bien, tout est passable.* On laissa donc subsister Persépolis, et Babouc fut bien loin de se plaindre.

EXPRESSIONS FOR STUDY

1. Il s'est tenu hier une assemblée des génies de la haute Asie pour savoir si on châtierait Persépolis. **2.** Tu reviendras m'en rendre un compte fidèle. **3.** Mon métier est de tuer et d'être tué pour gagner ma vie; il n'importe qui je serve. **4.** On mit de part et d'autre en campagne une armée d'un million de soldats. **5.** Toute cette partie de la ville se ressentait du temps où elle avait été bâtie. **6.** Ah! la vilaine ville que Persépolis! **7.** L'ange Ituriel se moque du monde de vouloir détruire une ville si charmante. **8.** Vous vous moquez; jamais ceux qui ont vieilli dans les emplois laborieux et subalternes ne parviennent aux dignités. **9.** Toute l'assemblée alors se réveilla, et crut avoir assisté à une instruction. **10.** Il n'y a pas là de quoi

[69] **tout,** has here a concessive force equivalent to *although.*
[70] **ne fût,** *might be.*
[71] **entendit à demi-mot,** *understood the allusion.*

détruire Persépolis. **11.** Il n'y a aucun négociant un peu connu dans cette ville qui ne fût venu vous rapporter votre bourse. **12.** Il admirait comme il n'y avait aucune d'elles qui, pour édifier l'univers, ne voulût en avoir l'empire. **13.** Il dit que l'homme est libre et nous n'en croyons rien. **14.** Il en vint deux fois plus qu'il n'en avait demandé. **15.** Ils se disaient en face des choses insultantes, qu'ils croyaient des traits d'esprit. **16.** Il n'y avait pas dans toute la troupe deux hommes qui pussent se souffrir. **17.** Il conçut à la fin que ces grands corps, qui semblaient en se choquant préparer leurs communes ruines, étaient au fond des institutions salutaires. **18.** Il pourrait bien en être des moeurs de Persépolis comme des édifices. **19.** Vos jeunes magistrats doivent étaler dans les tribunaux tout ce que l'impertinence a de plus ridicule. **20.** Ils regardaient l'affaire par cent côtés, dont aucun n'était dans son vrai jour. **21.** Les juges décidèrent plus vite que les avocats ne doutèrent. **22.** Il lui restait bien des griefs. **23.** Il n'avait guère obligé que des ingrats. **24.** Si l'ange Ituriel voulait le punir, il ne fallait pas l'exterminer, mais seulement lui laisser sa place. **25.** Voici comme il s'y prit pour rendre ce compte. **26.** Ituriel entendit à demi-mot.

QUESTIONNAIRE

1. Qui est Ituriel? **2.** Pourquoi les génies de la haute Asie ont-ils tenu une assemblée? **3.** Quelle est la mission confiée à Babouc? **4.** Quelle ville est représentée vraiment sous le nom de Persépolis? **5.** Quel est le don que fait Ituriel à Babouc? **6.** Qu'est-ce que Babouc rencontra vers Sennaar? **7.** Qu'est-ce que ni les soldats ni les officiers savaient? **8.** Combien d'hommes faut-il recruter chaque année? **9.** Pourquoi les généraux s'empressèrent-ils de donner bataille le lendemain? **10.** Les Indiens étaient-ils plus humains que les Perses? **11.** Qu'apprit Babouc en se faisant mieux informer? **12.** Quel est le premier édifice visité par Babouc à Persépolis? **13.** Que pense Voltaire de la musique d'église? **14.** Préfère-t-il les vieux édifices ou les nouveaux? **15.** Pourquoi Babouc fut-il près de se boucher le nez? **16.** Qu'est-ce qu'il remarqua au cours de sa première promenade dans Persépolis? **17.** Comment lui plut son dîner? **18.** Quels emplois achetait-on alors? **19.** Quels sont les défauts que Babouc observe dans le sermon du mage? **20.** Où va-t-il ensuite? **21.** Les acteurs étaient-ils bien rémunérés à cette époque? **22.** Qu'est-ce qui met le prix aux objets frivoles? **23.** Comment le marchand de ces objets est-il utile à son pays? **24.** Qu'étudient les lettrés? les mages? **25.** De quoi le demi-mage a-t-il peur? **26.** Quelle est la différence d'opinion entre les demi-mages et le grand lama? **27.** Qui est-ce que Babouc invita à dîner? **28.** Qu'est-ce qui est rare dans tous les temps? **29.** Qu'est-ce qui se présente avec le plus d'impudence? **30.** Quels étaient les avantages des grands corps religieux? **31.** Des jeunes magistrats? **32.** Pourquoi les vieux avocats avaient-ils mal opiné? **33.** Quelle est l'utilité du grand financier? **34.** Comment faudrait-il punir le ministre? **35.** Que craignait Babouc? **36.** Comment s'y prit-il pour rendre son compte? **37.** Pourquoi Ituriel ne songea-t-il pas à corriger Persépolis?

ANTOINE DE SAINT EXUPÉRY

LE PILOTE ET SA FEMME

Introduction

SAINT Exupéry, the poet of aviation, took his first flight at the age of eleven but probably would have become a naval officer if he had not failed French on his entrance examination. He settled definitely on aviation as a career at the age of 25, and was soon directing an airport on the coast of West Africa. He then flew as a pilot on the mail service in South America, was put in charge of the line from the Straits of Magellan to Commodoro-Rivadavia (mentioned in the following story), and established a base at the southern tip of Chile, Punta Arenas. His first two books were based on this experience, *Vol de Nuit* in 1931 bringing him a sudden fame which has not diminished since.

In his later work "Saint-Ex" speaks with increasing intimacy of his own life and of the reflections that his career inspires in him. He saw in this career an opportunity for heroism and sacrifice; but in *Vol de Nuit* he confronts the problem of how one can justly impose this sacrifice on another. The following extracts from the novel may be compared to a portion of a Greek tragedy which would present the catastrophe together with the reflections of the chorus—except that the reflections are made by a character who in the full novel is its real protagonist, the director Rivière.

LE PILOTE ET SA FEMME

I

Cependant, le courrier de Patagonie[1] abordait l'orage, et Fabien renonçait à le contourner. Il l'estimait trop étendu, car la ligne d'éclairs s'enfonçait vers l'intérieur du pays et révélait des forteresses de nuages. Il tenterait de passer par-dessous,[2] et, si l'affaire se
5 présentait mal,[3] se résoudrait au demi-tour.[4]

Il lut son altitude: mille sept cents mètres.[5] Il pesa des paumes sur les commandes pour commencer à la réduire. Le moteur vibra très fort et l'avion trembla. Fabien, corrigea, au jugé,[6] l'angle de descente, puis, sur la carte, vérifia la hauteur des collines: cinq cents
10 mètres. Pour se conserver une marge, il naviguerait vers sept cents.[7]

Il sacrifiait son altitude comme on joue une fortune.

Un remou fit plonger l'avion, qui trembla plus fort. Fabien se sentit menacé par d'invisibles éboulements. Il rêva qu'il faisait
15 demi-tour et retrouvait cent mille étoiles, mais il ne vira pas d'un degré.

Fabien calculait ses chances: il s'agissait d'un orage local, probablement, puisque Trelew, la prochaine escale, signalait un ciel trois quarts couvert. Il s'agissait de vivre vingt minutes à peine dans
20 ce béton noir. Et pourtant le pilote s'inquiétait. Penché à gauche contre la masse du vent, il essayait d'interpréter les lueurs confuses qui, par les nuits les plus épaisses, circulent encore. Mais ce n'était même plus des lueurs. A peine des changements de densité, dans l'épaisseur des ombres, ou une fatigue des yeux.

25 Il déplia un papier du radio:[8]

[1] **courrier de Patagonie,** *the mailplane from Patagonia,* the vast southern expanses of South Ameria in Argentina and Chili. The pilot, Fabien, has just left Commodoro Rivadavia, about 900 miles southwest of Buenos Aires, his destination. The next stop (**escale**) is to be Trelew, about 200 miles to the north. The date is 1928. For Saint Exupéry's own career at Commodoro, see Introduction above.

[2] **par-dessous,** *under the clouds*—with grave risk of crashing against mountains.

[3] **se présentait mal,** *should turn out badly, offered difficulties.*

[4] **se résoudrait au demi-tour,** *would resign himself to turning back.*

[5] **1700 m.,** *5,578 ft.*

[6] **au jugé,** *at a guess* (i.e., not by his instruments).

[7] **500 m.,** *1640 ft.,* **700 m.,** *2297 ft.*

[8] **du radio=du radio-mécanicien, radiotélégraphiste.**

«Où sommes-nous?»

Fabien eût[9] donné cher pour le savoir. Il répondit: «Je ne sais pas. Nous traversons, à la boussole, un orage.»

Il se pencha encore. Il était gêné par la flamme de l'échappement,
30 accrochée au moteur comme un bouquet de feu, si pâle que le clair de lune l'eût éteinte, mais qui, dans ce néant, absorbait[10] le monde visible. Il la regarda. Elle était tressée drue[11] par le vent, comme la flamme d'une torche.

Chaque trente secondes, pour vérifier le gyroscope et le compas,
35 Fabien plongeait sa tête dans la carlingue. Il n'osait plus allumer les faibles lampes rouges, qui l'éblouissaient pour longtemps, mais tous les instruments aux[12] chiffres de radium versaient une clarté pâle d'astres. Là, au milieu d'aiguilles et de chiffres, le pilote éprouvait une sécurité trompeuse: celle de la cabine du navire sur
40 laquelle passe le flot. La nuit, et tout ce qu'elle portait de rocs, d'épaves, de collines, coulait aussi contre l'avion avec la même étonnante fatalité.

«Où sommes-nous?» lui répétait l'opérateur.

Fabien émergeait[13] de nouveau, et reprenait, appuyé à gauche,
45 sa veille terrible. Il ne savait plus combien de temps, combien d'efforts le délivreraient de ses liens sombres. Il doutait presque d'en être jamais délivré, car il jouait[14] sa vie sur ce petit papier, sale et chiffonné, qu'il avait déplié et lu mille fois, pour bien nourrir son espérance: «Trelew: ciel trois quarts couvert, vent Ouest faible.»
50 Si Trelew était trois quarts couvert, on apercevrait ses lumières dans la déchirure des nuages. A moins que . . .[15]

La pâle clarté promise plus loin[16] l'engageait à poursuivre; pourtant, comme il doutait, il griffonna pour le radio: «J'ignore si je pourrai passer.[17] Sachez-moi[18] s'il fait toujours beau en arrière.»
55 La réponse le consterna:

[9] **eût**=**aurait**, as also in the next paragraph.
[10] **absorbait**, a forceful verb here =*absorbed the eye as being all . . .*
[11] **tressée drue**, lit., *woven thick, stretched out in a thick mass.*
[12] **aux**, *with.*
[13] **émergeait**, i.e., from the cock-pit—imperfect of repeated action.
[14] **jouait**, *was risking.*
[15] **A moins que**, *Unless . . .* (*he had lost his way*).
[16] **plus loin**, *farther on.*
[17] **passer**, *get through.*
[18] **Sachez-moi**, *Find out for me.*

«Commodoro signale: Retour ici impossible. Tempête.»

Il commençait à deviner l'offensive insolite qui, de la Cordillère des Andes,[19] se rabattait vers la mer. Avant qu'il eût pu les atteindre, le cyclone râflerait les villes.

«—Demandez le temps de San Antonio.»[20]

«—San Antonio a répondu: vent Ouest se lève et tempête à l'Ouest. Ciel quatre quarts couvert. San Antonio entend très mal à cause des parasites. J'entends mal aussi. Je crois être obligé de remonter bientôt l'antenne à cause des décharges.[21] Ferez-vous demi-tour? Quels sont vos projets?»

«—Foutez-moi la paix.[22] Demandez le temps de Bahia Blanca.»

«—Bahia Blanca a répondu: prevoyons avant vingt minutes violent orage Ouest sur Bahia Blanca.»

«—Demandez le temps de Trelew.»

«—Trelew a répondu: ouragan trente mètres seconde Ouest[23] et rafales de pluie.»

«—Communiquez à Buenos-Ayres: Sommes bouchés de tous les côtés, tempête se développe sur mille kilomètres, ne voyons plus rien. Que devons-nous faire?»

Pour le pilote, cette nuit était sans rivage puisqu'elle ne conduisait ni vers un port, (ils semblaient tous inaccessibles), ni vers l'aube: l'essence manquerait dans une heure quarante. Puisque[24] l'on serait obligé, tôt ou tard, de couler en aveugle,[25] dans cette épaisseur.[26]

S'il avait pu gagner le jour . . .[27]

[19] **Cordillère des Andes,** *chain of the Andes mountains,* westward to his left.

[20] **San Antonio** and **Bahia Blanca** are farther north than Trelew—as he is already overdue at the latter, Fabien thinks he may have overflown it.

[21] **décharges,** the antenna must be drawn up from under the plane because it is creating static by *discharge* of electricity from the storm.

[22] **Foutez-moi la paix,** a very vulgar way of saying *Shut up.*

[23] **(nous avons un) ouragan (d'une vitesse de) trente mètres (la) seconde (de l') Ouest,** —the speed is about 67 m.p.h., i.e., of hurricane force.

[24] **Puisque,** continues the same thought as the **puisqu'** above.

[25] **couler en aveugle,** *dive down blindly.*

[26] **épaisseur,** *thickness, "soup."*

[27] **gagner le jour,** *hold out until daylight.*

Fabien pensait à l'aube comme à une plage de sable doré où l'on se serait échoué après cette nuit dure. Sous l'avion menacé serait né le rivage des plaines. La terre tranquille aurait porté ses fermes endormies et ses troupeaux et ses collines. Toutes les épaves qui 85 roulaient dans l'ombre seraient devenues inoffensives. S'il pouvait, comme[28] il nagerait vers le jour!

Il pensa qu'il était cerné. Tout se résoudrait, bien ou mal, dans cette épaisseur.

C'est vrai.[29] Il a cru quelquefois, quand montait le jour, entrer en 90 convalescence.

Mais à quoi bon fixer les yeux sur l'Est, où vivait le soleil: il y avait entre eux une telle profondeur de nuit qu'on ne la remonterait pas.[30]

II

La femme de Fabien téléphona.

95 La nuit de chaque retour elle calculait[31] la marche du courrier de Patagonie: «Il décolle de Trelew . . .» Puis se rendormait. Un peu plus tard: «Il doit approcher[32] de San Antonio, il doit voir ses lumières . . .» Alors elle se levait, écartait les rideaux, et jugeait le ciel: «Tous ces nuages le gênent . . .» Parfois la lune se 100 promenait comme un berger.[33] Alors la jeune femme se recouchait, rassurée par cette lune et ces étoiles, ces milliers de présences autour de son mari. Vers une heure, elle le sentait proche: «Il ne doit plus être bien loin, il doit voir Buenos-Ayres . . .» Alors elle se levait encore, et lui préparait un repas, un café bien chaud: «Il 105 fait si froid, là-haut . . .» Elle le recevait toujours, comme s'il descendait d'un sommet de neige: «Tu n'as pas froid?—Mais non!

[28] **S'il pouvait, comme,** *If only he could, how gladly.*

[29] **C'est vrai.** To follow the pilot's train of thought, one should imagine him saying to himself at this point, "And how I hate this blackness!", and remembering how glad he was, on past occasions, to see day breaking in the east.

[30] **on ne la remonterait pas,** *one could not fly through it* (i.e., upward toward the light, the sun).

[31] **calculait,** this and following verbs are imperfect of habitual action, unlike the preceding **téléphona (ce soir-là)**.

[32] **Il doit approcher,** *He must be approaching,* and so for similar verbs here.

[33] **se promenait comme un berger,** *moved like a shepherd* (tending his flock), i.e., in a calm, clear sky.

—Réchauffe-toi quand même . . .» Vers une heure et quart tout était prêt. Alors elle téléphonait.

Cette nuit, comme les autres, elle s'informa:

110 —Fabien a-t-il atterri?

Le secrétaire qui l'écoutait se troubla un peu:

—Qui parle?

—Simone Fabien.

—Ah! une minute . . .

115 Le secrétaire, n'osant rien dire, passa l'écouteur au chef de bureau.

—Qui est là?

—Simone Fabien.

—Ah! . . . que désirez-vous, Madame?

120 —Mon mari a-t-il atterri?

Il y eut un silence qui dut paraître inexplicable, puis on répondit simplement:

—Non.

—Il a du retard?

125 —Oui . . .

Il y eut un nouveau silence.

—Oui . . . du retard.

—Ah! . . .

C'était un «Ah!» de chair blessée. Un retard ce n'est rien . . . ce

130 n'est rien . . . mais quand il se prolonge . . .

—Ah! . . . Et à quelle heure sera-t-il ici?

—A quelle heure il sera ici? Nous . . . Nous ne savons pas.

Elle se heurtait maintenant à un mur. Elle n'obtenait que l'écho même de ses questions.

135 —Je vous en prie, répondez-moi! Où se trouve-t-il? . . .

—Où il se trouve? Attendez . . .

Cette inertie lui faisait mal. Il se passait quelque chose,[34] là, derrière ce mur.

On se décida:

140 —Il a décollé de Commodoro à dix-neuf heures trente.

—Et depuis?

[34] Il se passait . . . , . . . *was happening.*

—Depuis? . . . Très retardé . . . Très retardé par le mauvais temps . . .

—Ah! Le mauvais temps . . .

145 Quelle injustice, quelle fourberie dans cette lune étalée là, oisive, sur Buenos-Ayres! La jeune femme se rappela soudain qu'il fallait deux heures à peine pour se rendre de Commodoro à Trelew.

—Et il vole depuis six heures vers Trelew! Mais il vous envoie des messages! Mais que dit-il? . . .

150 —Ce qu'il nous dit? Naturellement par un temps pareil . . . vous comprenez bien . . . ses messages ne s'entendent pas.

—Un temps pareil!

—Alors, c'est convenu, Madame, nous vous téléphonons dès que nous savons quelque chose.

155 —Ah! vous ne savez rien . . .

—Au revoir, Madame . . .

—Non! non! Je veux parler au Directeur!

—M. le Directeur est très occupé, Madame, il est en conférence . . .

—Ah! ça m'est égal. Ça m'est bien égal! Je veux lui parler!

160 Le chef de bureau s'épongea:

Une minute . . .

Il poussa la porte de Rivière:[35]

—C'est Mme Fabien qui veut vous parler.

«Voilà, pensa Rivière, voilà ce que je craignais.» Les éléments 165 affectifs du drame commençaient à se montrer. Il pensa d'abord les récuser: les mères et les femmes n'entrent pas dans les salles d'opération.[36] On fait taire l'émotion aussi sur les navires en danger. Elle n'aide pas à sauver les hommes. Il accepta[37] pourtant:

—Branchez sur[38] mon bureau.

170 Il écouta cette petite voix lointaine, tremblante, et tout de suite il sut qu'il ne pourrait pas lui répondre. Ce serait stérile,[39] infiniment, pour tous les deux, de s'affronter.

[35] **Rivière,** the Director or General Manager of the airline pioneering in airmail service in South America, and the real protagonist of the novel. He is supposed to be drawn from the author's aviation instructor, Didier Daurat, in recent years an important official in the French aviation service; VOL DE NUIT is dedicated to him.

[36] **salles d'opération,** *control rooms.*

[37] **Il accepta,** *He consented* (to talk to her).

[38] **Branchez sur,** *Switch the call to.*

[39] **stérile=futile.**

—Madame, je vous en prie, calmez-vous! Il est si fréquent, dans notre métier, d'attendre longtemps des nouvelles.

175 Il était parvenu à cette frontière où se pose, non le problème d'une petite détresse particulière, mais celui-là même de l'action.[40] En face de Rivière se dressait, non la femme de Fabien, mais un autre sens de la vie. Rivière ne pouvait qu'écouter, que plaindre cette petite voix, ce chant tellement triste, mais ennemi. Car ni 180 l'action, ni le bonheur individuel n'admettent le partage: ils sont en conflit. Cette femme parlait elle aussi au nom d'un monde absolu et de ses[41] devoirs et de ses droits. Celui d'une clarté de lampe sur la table du soir, d'une patrie d'espoirs, de tendresses, de souvenirs. Elle exigeait son bien[42] et elle avait raison. Et lui aussi, 185 Rivière, avait raison, mais il ne pouvait rien opposer à la vérité de cette femme. Il découvrait[43] sa propre vérité, à la lumière d'une humble lampe domestique, inexprimable et inhumaine.

—Madame . . .

Elle n'écoutait plus. Elle était retombée, presque à ses pieds, 190 lui semblait-il, ayant usé ses faibles poings contre le mur.

Un ingénieur avait dit un jour à Rivière, comme ils se penchaient sur un blessé, auprès d'un pont en construction: «Ce pont vaut-il le prix d'un visage écrasé?» Pas un des paysans, à qui cette route était ouverte, n'eût[44] accepté, pour s'épargner un détour par le 195 pont suivant, de mutiler[45] ce visage effroyable. Et pourtant l'on bâtit des ponts. L'ingénieur avait ajouté: «L'intérêt général est formé des intérêts particuliers: il ne justifie rien de plus.»—«Et pourtant, lui avait répondu plus tard Rivière, si la vie humaine

[40] **action,** in the full philosophical sense of *human achievement* in the face of risks and obstacles. This paragraph gives the fundamental theme of the book.

[41] **ses,** *its,* i.e., of the absolute world of individual happiness, in conflict with that of action.

[42] **son bien,** *her due.*

[43] **Il découvrait,** supply **que** here and **était** before **inexprimable.**

[44] **n'eût=n'aurait.**

[45] **mutiler,** the thought is: *to cause deliberately the mutilation of*; great achievements are born of a hope that one does not have to make an entire achievement depend, at a given moment, on any such single sacrifice made deliberately. It appears rather as an accident in a larger pattern. Just now, the death of Fabien won't fit into Rivière's pattern. He can neither renounce the task **(l'action)** nor restrain his grief. In the following paragraphs he seeks an answer to the question at the end of this one—**"Mais quoi?"** *"What justifies this sacrifice?"*

n'a pas de prix,[46] nous agissons toujours comme si quelque chose
200 dépassait, en valeur, la vie humaine . . . Mais quoi?»

Et Rivière, songeant à l'équipage,[47] eut le cœur serré. L'action, même celle de construire un pont, brise des bonheurs; Rivière ne pouvait plus ne pas se demander[48] «au nom de quoi?»

«Ces hommes, pensait-il, qui vont peut-être disparaître, auraient
205 pu vivre heureux.» Il voyait des visages penchés dans le sanctuaire d'or des lampes du soir. «Au nom de quoi les en ai-je tirés?»[49] Au nom de quoi les a-t-il arrachés au bonheur individuel? La première loi n'est-elle pas de protéger ces bonheurs-là? Mais lui-même les brise. Et pourtant un jour, fatalement, s'évanouissent,
210 comme des mirages, les sanctuaires d'or. La vieillesse et la mort les détruisent, plus impitoyables que lui-même. Il existe peut-être quelque chose d'autre à sauver et de plus durable; peut-être est-ce à sauver cette part-là de l'homme que Rivière travaille? Sinon[50] l'action ne se justifie pas.

215 «Aimer, aimer seulement, quelle impasse!» Rivière eut l'obscur sentiment d'un devoir plus grand que celui d'aimer. Ou bien il s'agissait aussi d'une tendresse, mais si différente des autres. Une phrase lui revint: «Il s'agit de les rendre éternels . . .» Où avait-il lu cela? «Ce que vous poursuivez en vous-même meurt.» Il revit
220 un temple au dieu du soleil[51] des anciens Incas du Pérou. Ces pierres droites sur la montagne. Que resterait-il, sans elles, d'une civilisation puissante, qui pesait, du poids de ses pierres, sur l'homme d'aujourd'hui, comme un remords? «Au nom de quelle dureté, ou de quel étrange amour, le conducteur de peuples d'autrefois,
225 contraignant ses foules à tirer[52] ce temple sur la montagne, leur imposa-t-il donc de dresser leur éternité?» Rivière revit encore en songe les foules des petites villes, qui tournent le soir autour de leur kiosque à musique: «Cette sorte de bonheur, ce harnais . . .» pensa-t-il. Le conducteur de peuples d'autrefois, s'il n'eut peut-être
230 pas pitié de la souffrance de l'homme, eut pitié, immensément,

[46] **n'a pas de prix,** *is priceless* (*in itself*).
[47] **équipage,** (*plane*) *crew.*
[48] **ne pouvait plus ne pas se demander,** *could no longer help wondering.*
[49] **les en ai-je tirés,** *have I taken them away from this?*
[50] **Sinon,** *Otherwise.*
[51] **au dieu du soleil,** *erected to the sun-god,* worshipped by the Incas.
[52] **tirer,** *pull* (up the stones for).

de sa mort. Non de sa mort individuelle, mais pitié de l'espèce qu'effacera la mer de sable. Et il menait son peuple dresser au moins des pierres, que n'ensevelirait pas le désert.

III

Un des radiotélégraphistes de Commodoro Rivadavia, escale de Patagonie, fit un geste brusque, et tous ceux qui veillaient, impuissants, dans le poste, se ramassèrent autour de cet homme, et se penchèrent.

Ils se penchaient sur un papier vierge et durement éclairé. La main de l'opérateur hésitait encore, et le crayon se balançait. La main de l'opérateur tenait encore les lettres prisonnières, mais déjà les doigts tremblaient.

—Orages?

Le radio fit «oui» de la tête. Leur grésillement l'empêchait de comprendre.

Puis il nota quelques signes indéchiffrables. Puis des mots. Puis on put rétablir le texte:

«Bloqués à trois mille huit[53] au-dessus de la tempête. Naviguons plein Ouest vers l'intérieur, car étions dérivés en mer.[54] Au-dessous de nous tout est bouché. Nous ignorons si survolons toujours la mer. Communiquez si tempête s'étend à l'intérieur.»

On dut, à cause des orages, pour transmettre ce télégramme à Buenos-Ayres, faire la chaîne[55] de poste en poste. Le message avançait dans la nuit, comme un feu qu'on allume de tour en tour.[56]

Buenos-Ayres fit répondre:[57]

—Tempête générale à l'intérieur. Combien vous reste-t-il d'essence?

—Une demi-heure.

Et cette phrase, de veilleur en veilleur, remonta jusqu'à Buenos-Ayres.

[53] **à 3.800,** *at* $2\frac{1}{3}$ *miles* (*and*). (Altitude is, of course, measured as from sea level.)
[54] **étions dérivés en mer,** lit., *had drifted to sea.*
[55] **faire la chaîne,** *relay it.*
[56] **de tour en tour,** *from one tower to the next.*
[57] **fit répondre,** *sent word* (to be transmitted by Commodoro).

L'équipage était condamné à s'enfoncer, avant trente minutes, dans un cyclone qui le drosserait jusqu'au sol.

IV

La femme de Fabien se fit annoncer. Poussée par l'inquiétude, elle attendait, dans le bureau des secrétaires, que[58] Rivière la
265 reçût. Les secrétaires, à la dérobée, levaient les yeux vers son visage. Elle en éprouvait une sorte de honte et regardait avec crainte autour d'elle: tout ici la refusait.[59] Ces hommes qui continuaient leur travail, comme s'ils marchaient sur un corps, ces dossiers où la vie humaine, la souffrance humaine ne laissaient qu'un résidu de
270 chiffres durs. Elle cherchait des signes qui lui eussent parlé de Fabien; chez elle tout montrait cette absence: le lit entr'ouvert, le café servi, un bouquet de fleurs . . . Elle ne découvrait aucun signe. Tout s'opposait à la pitié, à l'amitié, au souvenir. La seule phrase qu'elle entendît, car personne n'élevait la voix devant elle, fut le
275 juron d'un employé, qui réclamait un bordereau. « . . . Le bordereau des dynamos, bon Dieu! que nous expédions à Santos.»[60] Elle leva les yeux sur cet homme, avec une expression d'étonnement infini. Puis sur le mur où s'étalait une carte. Ses lèvres tremblaient un peu, à peine.

280 Elle devinait, avec gêne, qu'elle exprimait ici une vérité ennemie, regrettait presque d'être venue, eût voulu se cacher, et se retenait,[61] de peur qu'on la remarquât trop, de tousser, de pleurer. Elle se découvrait insolite, inconvenante, comme nue. Mais sa vérité était si forte, que les regards fugitifs remontaient, à la dérobée, inlassable-
285 ment, la lire dans son visage. Cette femme était très belle. Elle révélait aux hommes le monde sacré du bonheur. Elle révélait à quelle matière auguste on touche, sans le savoir, en agissant.[62] Sous tant de regards elle ferma les yeux. Elle révélait quelle paix, sans le savoir, on peut détruire.

290 Rivière la reçut.

Elle venait plaider timidement pour ses fleurs, son café servi, sa

[58] **que,** *until.*
[59] **la refusait,** *was rejecting, hostile to her.*
[60] **Santos,** seaport in Brazil.
[61] **se retenait,** *avoided*—coughing or weeping.
[62] **en agissant,** *by acting*—returning to the theme of human achievement vs. individual happiness.

jeunesse. De nouveau, dans ce bureau plus froid encore, son faible tremblement de lèvres la reprit. Elle aussi découvrait sa propre vérité, dans cet autre monde, inexprimable. Tout ce qui se dressait
295 en elle d'amour presque sauvage, tant il était fervent, de dévouement, lui semblait prendre ici un visage importun, égoïste. Elle eût voulu fuir:

—Je vous dérange . . .

—Madame, lui dit Rivière, vous ne me dérangez pas. Malheureuse-
300 ment, Madame, vous et moi ne pouvons mieux faire que d'attendre.

Elle eut un faible haussement d'épaules, dont Rivière comprit le sens: «A quoi bon cette lampe, ce dîner servi, ces fleurs que je vais retrouver . . .» Une jeune mère avait confessé un jour à Rivière: «La mort de mon enfant, je ne l'ai pas encore comprise.
305 Ce sont les petites choses qui sont dures, ses vêtements que je retrouve, et, si je me réveille la nuit, cette tendresse, qui me monte quand même au cœur, désormais inutile,[63] comme mon lait . . .» Pour cette femme aussi la mort de Fabien commencerait demain à peine, dans chaque acte désormais vain, dans chaque objet. Fabien
310 quitterait lentement sa maison. Rivière taisait une pitié profonde.

—Madame . . .

La jeune femme se retirait, avec un sourire presque humble, ignorant sa propre puissance.

Rivière s'assit, un peu lourd.

315 Il entendit la voix de Robineau:[64]

—Monsieur le Directeur, ils étaient mariés depuis six semaines. . . .

—Allez travailler.

—From *Vol de Nuit*. Reproduced by permission of Librairie Gallimard. Copyright Librairie Gallimard.

EXPRESSIONS FOR STUDY

1. Cependant, le courrier de Patagonie abordait l'orage, et Fabien renonçait à le contourner. **2.** Il tenterait de passer par-dessous, et, si l'affaire se présentait mal, se résoudrait au demi-tour. **3.** Il s'agissait d'un

[63] **inutile,** modifies **tendresse** and **lait.**

[64] **Robineau,** a company inspector; his use of the past tense shows that he already assumes Fabien to be dead. In the novel, Fabien's plane vanishes in the storm. Saint Exupéry himself vanished on a flight for the Allies in the Mediterranean in 1944.

orage local, probablement, puisque la prochaine escale signalait un ciel trois quarts couvert. **4.** Mais ce n'était même plus des lueurs. **5.** Il était gêné par la flamme de l'échappement, si pâle que le clair de lune l'eût éteinte, mais qui, dans ce néant, absorbait le monde visible. **6.** Tous les instruments aux chiffres de radium versaient une clarté pâle d'astres. **7.** Sachez-moi s'il fait toujours beau en arrière. **8.** Fabien pensait à l'aube comme à une plage de sable doré où l'on serait échoué après cette nuit dure. **9.** Il ne doit plus être bien loin, il doit voir Buenos-Ayres. **10.** La jeune femme se rappela soudain qu'il fallait deux heures à peine pour se rendre de Commodoro à Trelew. **11.** Il pensa d'abord les récuser. Les mères et les femmes n'entrent pas dans les salles d'opération. **12.** Il était parvenu à cette frontière où se pose, non le problème d'une petite détresse particulière, mais celui-là même de l'action. **13.** En face de Rivière se dressait, non la femme de Fabien, mais un autre sens de la vie. **14.** Ni l'action, ni le bonheur individuel n'admettent le partage: ils sont en conflit. **15.** Cette femme parlait elle aussi au nom d'un monde absolu et de ses devoirs et de ses droits. **16.** Elle exigeait son bien et elle avait raison. **17.** Et pourtant, si la vie humaine n'a pas de prix, nous agissons toujours comme si quelque chose dépassait, en valeur, la vie humaine. Mais quoi? **18.** Il voyait des visages penchés dans le sanctuaire d'or des lampes du soir. «Au nom de quoi les en ai-je tirés?» **19.** Que resterait-il, sans elles, d'une civilisation puissante, qui pesait, du poids de ses pierres, sur l'homme d'aujourd'hui, comme un remords? **20.** Au nom de quelle dureté, ou de quel étrange amour, le conducteur de peuples d'autrefois leur imposa-t-il de dresser leur éternité? **21.** Il menait son peuple dresser au moins des pierres, que n'ensevelirait pas le désert. **22.** Poussée par l'inquiétude, elle attendait, dans le bureau des secrétaires, que Rivière la reçût. **23.** Tout ici la refusait. Ces hommes qui continuaient leur travail, comme s'ils marchaient sur un corps. **24.** Ces dossiers où la vie humaine, la souffrance humaine ne laissaient qu'un résidu de chiffres durs. **25.** Elle cherchait des signes qui lui eussent parlé de Fabien; chez elle tout montrait cette absence: le lit entr'ouvert, le café servi, un bouquet de fleurs. . . . **26.** Elle eût voulu se cacher, et se retenait, de peur qu'on la remarquât trop, de tousser, de pleurer. **27.** Elle révélait à quelle matière auguste on touche, sans le savoir, en agissant. Elle révélait quelle paix, sans le savoir, on peut détruire. **28.** Elle venait plaider timidement pour ses fleurs, son café servi, sa jeunesse. **29.** Tout ce qui se dressait en elle d'amour presque sauvage, tant il était fervent, de dévouement, lui semblait prendre ici un visage importun, égoïste. **30.** La mort de Fabien commencerait demain à peine, dans chaque acte désormais vain, dans chaque objet.

QUESTIONNAIRE

1. Où se trouve Fabien au début du récit? **2.** D'où venait l'orage? **3.** Qu'est-ce qu'il va tenter? **4.** A quelle altitude vole-t-il? **5.** Quel temps signalait-on à Trelew? **6.** Que demandait le radio? **7.** Pourquoi Fabien plongeait-il sa tête dans la carlingue? **8.** Que veut dire "faire demi-tour"? **9.** Pourquoi cela est-il devenu maintenant impossible? **10.** Pour combien de temps avait-on encore de l'essence? **11.** Qu'est-ce qu'on sera obligé tôt ou tard de faire? **12.** Que faisait la femme de Fabien chaque nuit de retour? **13.** A quelle heure devait-il atterrir à Buenos-Ayres? **14.** Quel temps faisait-il ce soir à Buenos Ayres? **15.** Avec qui Mme Fabien a-t-elle parlé au téléphone? **16.** Qu'est-ce qu'il lui a dit? **17.** Comment s'appelle le Directeur? **18.** Quel est l'idéal—la "vérite"—de Rivière? de Mme Fabien? **19.** Est-il possible de réconcilier ces deux vérités? **20.** Un pont a-t-il plus de prix qu'une vie humaine? **21.** Pourquoi donc continue-t-on à bâtir des ponts? **22.** Quelle information le radio de Fabien demande-t-il à Commodoro? **23.** Combien leur reste-t-il d'essence? **24.** Ont-ils la possibilité d'atterrir maintenant? **25.** A quoi sont-ils condamnés? **26.** Pourquoi Mme Fabien se sentait-elle gênée dans le bureau des secrétaires? **27.** Qu'est-ce que sa beauté révélait aux autres? **28.** Que lui dit Rivière? **29.** Quand commencera-t-elle à sentir la mort de son mari? **30.** Depuis quand étaient-ils mariés?

GABRIELLE ROY

RETOUR AU PAYS

INTRODUCTION

IT IS generally overlooked by the student of French that French Canada has had a long and rather vigorous literary tradition. Overshadowed by the prolific output of France itself, French Canadian literature is nonetheless the voice of nearly five million French-speaking descendants of the original sixteenth-century colonizers. *Maria Chapdelaine,* by Louis Hémon, was, until recent years, the best known novel on French Canada. But Hémon, whose stay in Canada was very short, was a Parisian, and since the First World War indigenous writing has been flourishing. This has apparently corresponded with a period of growing nationalism and the realization of French Canada that, bounded by an English speaking world, it is responsible for its own self-expression to maintain its cultural values. It is noteworthy that today French-Canadian literature often receives greater acclaim outside Canada than that from the pens of the English-speaking Canadians.

The selection *Retour au pays* is from *Bonheur d'occasion,* by Gabrielle Roy. The title means literally "Second-hand happiness," and has been most appropriately translated for an American edition as *The Tin Flute:* the kind of flute found in penny candy, used here to symbolize something worthless. The gist of the story is a girl's fruitless search for happiness and her final compromise with life in accepting a second-rate love. This selection concerns the visit of her family, country folk who have become poverty-stricken urban dwellers in Montreal, to their prospering country relatives.

Gabrielle Roy is the pen name of Gabrielle Carbotte, the wife of a physician. Born in 1909 in St. Boniface, a French suburb of Winnipeg, Manitoba, her writings have met with success in Canada, France (where her latest work has been published) and the United States. *Bonheur d'occasion* received in 1947 the Prix Fémina, one of the most coveted French literary awards; this same award went to Saint Exupéry in 1931 for *Vol de nuit.*

RETOUR AU PAYS

Aux yeux des enfants, la campagne[1] n'était qu'espaces enneigés, qu'espaces d'un blanc gris avec, de-ci de-là, des morceaux de terre pelée et de grands arbres bruns qui se levaient dans la solitude; mais Rose-Anna et Azarius,[2] qui se consultaient souvent du regard,
5 souriaient d'un air entendu.

—C'est ici, tu te souviens, disait l'un.

[1] **la campagne,** *the country;* the children have been raised in Montreal.

[2] **Rose-Anna** is returning to the village of **Saint-Denis,** northeast of Montreal, to visit her mother **Madame Laplante,** accompanied by her husband **Azarius Lacasse,** now a part-time trucker, and their younger children.

—Oui, ça[3] pas changé, disait l'autre.

A la portière, Rose-Anna aspirait l'air pur avec délice. Dès en quittant le pont Victoria,[4] elle avait baissé la vitre et a vait respiré
10 longuement.

—De la bonne air![5] avait-elle dit, les narines largement dilatées.

Ils filaient maintenant à vive allure sur la route nationale. Bien qu'elle eût passé la nuit à coudre, Rose-Anna ne montrait pas trop de fatigue. Les yeux étaient un peu lourds, mais les plis de la
15 bouche, soulagés, se détendaient.

Un à un, elle reconnaissait les villages de la vallée du Richelieu[6] et quelque chose comme son ancienne joie de jeune fille lui soufflait des remarques que seul Azarius comprenait.

Puis, soudain, elle se tut. Avec un grand élan muet de tout son
20 coeur, elle venait de saluer la rivière qui bouillonne au pied du fort de Chambly. Par la suite, elle se prit à guetter chaque courbe du chemin, chaque détour qui les rapprochaient du Richelieu. Non que les collines, les cours d'eau en eux-mêmes fussent propres à éveiller en elle un grand attrait. Elle ne les remarquait et ne s'en
25 souvenait souvent qu'en autant qu'ils étaient liés à sa vie. Ainsi, elle restait à peu près indifférente au fleuve Saint-Laurent; mais du Richelieu, elle connaissait tout, elle l'avait vu passer toute son enfance;[7] et, le connaissant si bien, elle n'hésitait pas à déclarer à ses enfants: «C'est la plus belle rivière du pays.» De même que
30 pour décrire un paysage, elle disait: «C'est pas aussi beau que le terrain en planche[8] de chez nous, au bord de la rivière.»

Dès que le Richelieu avait paru à leur gauche, elle s'était assise plus droite.[9] Les mains à la vitre, elle se penchait un peu au dehors. Elle jetait tout haut les noms des villages où ils passaient, cahotés

[3] **ça**=**ça a,** ungrammatical for **ça n'a (pas changé)**. While **pas** was freely omitted in older style and still is omitted with some verbs, the omission of **ne** is always a mark of uneducated speech, as here. The editors have clarified, in the notes, only the most obscure expressions from French-Canadian patois.

[4] **le pont Victoria,** *Victoria Bridge* in Montreal.

[5] **air,** used here in the feminine, no longer correct in modern French.

[6] **Richelieu,** a river that often attains considerable width, flowing just east of Montreal from Lake Champlain in Vermont, northward to the Saint Lawrence.

[7] **toute son enfance**=**pendant toute son enfance.**

[8] **terrain en planche,** *plotted ground.*

[9] **droite,** *erect;* the play on words with **gauche** is accidental.

35 à grande vitesse dans le camion à bestiaux:[10] Saint-Hilaire, Saint-Mathias, Saint-Charles.

Les berges se faisaient de plus en plus basses, de plus en plus espacées. La rivière coulait avec une telle tranquillité, une telle plénitude de force et de vie calme qu'on devinait à peine la grande 40 épaisseur de ses eaux sombres sous une mince croûte de glace.

Par instants, Azarius se retournait vers le fond du camion où les enfants étaient assis sur des couvertures et il criait haut par-dessus le grondement de leur course:

—Regardez ben,[11] les petits Lacasse! Vot' mère et moi, on est 45 venu icitte[12] dans le temps[13] en petites barques.

Alors le petit Daniel, qu'ils avaient installé entre eux sur la banquette afin qu'il n'eût pas trop froid, ouvrait des yeux ronds encore avivés de fièvre. «Où c'est qu'elle est[14] la rivière?» Il était trop petit pour voir au dehors par les vitres de la voiture. Et pour 50 lui le Richelieu pouvait être la bande de ciel bleu qui se déroulait à ses yeux dans le pare-brise, avec parfois, des tiges, des branches noires jetées là-dessus comme des arabesques.

—C'est quoi des petites barques? demanda-t-il une fois, fort sérieusement et en faisant pour réfléchir des efforts qui le mirent 55 presque en sueur.

De temps en temps, il tentait de se soulever sur la banquette pour mieux découvrir le paysage et situer toutes ces choses dont parlaient ses parents. Mais le Richelieu devait, dans son imagination, rester toujours un peu d'azur au-dessus de sa tête, du bleu 60 comme il n'en avait jamais vu, avec des bandes de nuages très blancs, très doux, qui étaient peut-être des barques.

Distraite un instant dans sa joie, Rose-Anna le couvrit jusqu'au cou, car, tassé près d'elle, il semblait frissonner.

Puis son village apparut au bout d'une allée d'arbres.

65 —Saint-Denis! lança Azarius.

[10] **camion à bestiaux,** later referred to as the "*truck*" on which Azarius makes his "*runs*"—when he can get them.

[11] **ben=bien,** pronounced **bin** (from Latin **bene**). This is common in colloquial speech.

[12] **on est venu icitte=nous sommes venus ici.** Uneducated speech avoids **nous** and its verb forms whenever possible, using **on** instead.

[13] **dans le temps,** *in the old days.*

[14] **Où c'est qu'elle est,** as in his next question, **le petit Daniel** has his troubles with the interrogative construction, but he makes his meaning clear. He had been very ill.

Et Rose-Anna se souleva, les yeux soudain mouillés. Aidée du souvenir, elle devançait le tournant de la route, là-bas, au bout du village, elle devançait un côteau. Enfin, le paysage lui livra la maison paternelle. Le toit à pignons se précisa entre les érables.
70 Puis se dessina nettement la galerie à balustrade avec ce qui restait de concombres grimpants, ratatinés par l'hiver. Rose-Anna, projetée[15] vers Azarius, murmura avec un tressaillement de douleur physique aussi bien que d'émoi:

—Eh ben, nous v'la! . . .[16] Quand même ça pas gros[17] changé!

75 Sa joie avait duré jusque là et dura encore un peu, car, dans l'embrasure de la porte brusquement ouverte, apparurent ses frères, sa belle-soeur; et des exclamations chaudes lui arrivèrent dans un grand bourdonnement: «Ben, regarde donc ça, qui est-ce qui nous arrive! Parle-moi d'une affaire! De la visite[18] de
80 Montréal!»

Mais alors qu'elle descendait du camion, vacillante,[19] étourdie par une soudaine bouffée d'air frais et cherchant à défriper son vieux manteau, une gouaillerie lourde[20] de son frère Ernest porta une première atteinte à sa joie.

85 —Ben, nom d'une pipe,[21] te v'la Rose-Anna! . . . dit le paysan en la détaillant d'un brusque coup d'oeil. Vieille pipe à son père, t'as envie d'en élever une quinzaine comme sa mère, je crois ben.

Rose-Anna chancela sous cet étrange accueil. Elle s'était corsetée tant qu'elle avait pu et elle avait espéré que sa grossesse passerait
90 inaperçue, non par fausse honte, mais parce qu'elle était toujours venue chez les siens dans cet état et puis, parce qu'au fond, cette fois, elle aurait voulu que cette journée en fût une de détente, de jeunesse retrouvée, d'illusion peut-être. Pourtant elle chercha à sourire et à tourner la chose en plaisanterie légère.

[15] **projetée,** *turned.*

[16] **nous v'la = nous voilà,** *we're there!*

[17] **ça pas gros = ça n'a pas beaucoup.**

[18] **Parle-moi d'une affaire! De la visite,** *If this isn't something! Visitors.* For the partitive use of **visite** compare English *company.*

[19] **vacillante,** *unsteady,* since she is expecting another child.

[20] **gouaillerie lourde,** *coarse jest.*

[21] **nom d'une pipe,** a harmless oath like *great guns.* In his next words, **vieille pipe à son père** = *you chip off the old block.* **Son père** and **sa mère** are used like the Irish *Himself* and *Herself* for the *Father* and *Mother* as heads of the family.

95 —Ben, c'est de la famille, Ernest. Qu'est-ce que tu veux![22]

Mais elle avait compris soudain comme sa joie était une chose frêle et vite menacée.

Un coup plus rude lui vint de sa belle-soeur, Réséda. En l'aidant à dévêtir les enfants, la jeune madame Laplante s'écria:

100 —Mais ils sont ben pâles tes enfants, Rose-Anna! Leur donnes-tu assez de quoi manger au moins?

Cette fois, Rose-Anna se sentit prise de colère. Réséda parlait par dépit, bien sûr, elle qui habillait si mal ses enfants. C'est qu'[23] ils avaient vraiment l'air fagotés, avec leurs gros bas de laine du pays[24] 105 et leurs petits pantalons[25] tout de travers et longs sur leurs jarrets. Rose-Anna appela la petite Gisèle pour refaire la grosse boucle dans ses cheveux et remonter sa robe au-dessus des genoux ainsi que le voulait la mode. Mais alors qu'elle mettait une main hâtive à la toilette de ses enfants, ses yeux tombèrent sur le groupe que 110 formaient Daniel et l'aîné de Réséda, le gros Gilbert joufflu et rosé. Un cri lui échappa. Le petit paysan avait empoigné son cousin de la ville et, comme un jeune chien robuste, cherchait à le faire rouler par terre avec lui. L'enfant maladif se débattait sans courage. Il espérait visiblement qu'on le laissât tranquille et tout seul.

115 Alors Rose-Anna se redressa un peu:

—Il est plus vieux que le mien aussi.

—Ben non, protesta la jeune femme. Ils sont nés la même année, tu sais ben.

—Non, maintint Rose-Anna. Ils ont six mois de différence.

120 Et vinrent de longues explications pour déterminer la date exacte des naissances.

—C'est plutôt Albert qui se trouve de l'âge du tien, insistait Rose-Anna.

—Pas d'affaires, voyons donc,[26] trancha Réséda. Tu sais ben 125 qu'ils sont de l'été[27] tous les deux.

Elle se promenait en parlant dans la pièce; et elle s'efforçait de tranquilliser son nourrisson qui réclamait son repas et de ses mains

[22] **c'est de la famille, qu'est-ce que tu veux,** *it runs in the family, after all.*
[23] **C'est qu'.** *The fact is* or *Because.*
[24] **du pays,** *local.*
[25] **pantalons,** *long knee-breeches* as can be seen from the following description.
[26] **Pas d'affaires, voyons donc,** *None of that, really now.*
[27] **de l'été,** (*born*) *in the* (*same*) *summer.*

déjà fortes cherchait à dégrafer le corsage rond et soulevé de sa mère. Et elle précisait:

130 —Ah, tu peux pas me faire changer d'idée. Je sais ben trop qu'ils sont du même mois.

Les deux femmes se regardèrent un court moment, presque hostiles; dans les yeux de la paysanne éclatait un orgueil insolent. Rose-Anna abaissa les siens. Sa colère tombait. Elle fit le tour[28] de 135 ses enfants, d'un regard craintif, effaré: et elle se demanda si elle les avait vraiment vus jusque là tels qu'ils étaient, avec leur petit visage maigre et leurs membres fluets.

L'avant-dernier de Réséda s'était traîné vers elle sur de grosses pattes courtes, à demi arquées, potelées aux genoux; et, tout à coup, 140 au-dessus du bébé, elle avait aperçu une rangée de petites jambes grêles. De ses enfants, assis contre le mur docilement, elle ne voyait plus que les jambes, des jambes pendantes, longues et presque décharnées.

Et maintenant une dernière blessure lui venait de sa mère. Après 145 l'énervement du dîner en deux tablées et où elle avait secondé sa belle-soeur autant qu'elle l'avait pu, Rose-Anna se retrouvait enfin seule avec la vieille madame Laplante. Elle avait attendu ce moment où, Réséda s'occupant de son nourrisson et les hommes se groupant pour parler d'affaires autour du poêle, elle serait assurée d'un 150 moment d'intimité avec sa mère. Mais voici que les premiers mots de la vieille femme étaient tout empreints de fatalisme:

—Pauv' Rose-Anna, j'ai ben pensé que t'avais eu de la misère, toi aussi. Je le savais ben, va.[29] Ça pouvait pas être plus drôle pour toi que pour les autres. Tu vois astheur[30] que la vie, ma fille, on 155 arrange pas ça comme on veut. Dans le temps, tu pensais avoir ton mot à dire . . . toi . . .

C'était dit d'une petite voix pointue, sans émotion comme sans rancoeur. La vieille madame Laplante, du fond de sa chaise geignante, semblait s'être muée en une négation obstinée de tout 160 espoir. Ce n'était pas qu'elle eût omis la charité au cours de sa vie. Au contraire, elle se plaisait à croire qu'elle s'acheminait vers son Créateur, les mains pleines de bonnes actions et richement

[28] **fit le tour,** *looked over* (*one by one*).
[29] **va,** *you know.*
[30] **astheur,** popular pronunciation of **à cette heure=maintenant.**

pourvue d'indulgences. C'est tout juste si elle ne se représentait pas[31] franchissant le Ciel à la manière d'une voyageuse prudente 165 qui, toute sa vie, eût pris[32] des précautions pour s'assurer un séjour confortable là-haut. Elle avait, selon son expression, "enduré son purgatoire sur terre." Elle n'était point dépourvue de réels mérites. Mais dans tous ses actes, il avait manqué[33] le doux éclat de l'espérance. Ainsi, elle avait fait le don de soi, avec une réserve 170 qui donnait au devoir, tel qu'elle l'entendait, son aspect le plus rebutant.

Elle était de ces personnes qui prêtent une oreille attentive aux récits des malheurs. Aux autres,[34] elle accordait un sourire méfiant. Rien ne la surprenait tant qu'un visage épanoui. Elle ne croyait 175 pas au bonheur; elle n'y avait jamais cru. Et on serait venu[35] lui dire que tout allait bien, qu'elle aurait froncé les sourcils et aurait déclaré d'un air assuré: "Ça se peut pas, vous devez pas être si heureux que ça. Vous pouvez pas m'en faire accroire, vous autres!" Ayant à part cela[36] une telle envie d'avoir toujours raison, qu'elle 180 semblait presque se réjouir lorsque ses prédictions les plus noires se réalisaient.

Au fond de la cuisine, les hommes parlaient entre eux, s'animant bientôt. Rose-Anna avait rapproché sa chaise tout près de celle de la vieille femme. Gauchement, mal à l'aise, elle tournait et re-185 tournait ses mains sur ses genoux. Elle se sentait presque honteuse, tout à coup, honteuse d'être venue vers[37] sa mère, non pas comme une femme mariée avec ses responsabilités, ses charges et la force que cela suppose, mais comme une enfant qui a besoin d'aide et de lumière. Et les conseils détachés, empreints d'un ton sermonneur, 190 froids comme le visage blanc et anguleux de la vieille femme, se frayaient un chemin à ses oreilles, mais dans son coeur n'éclairaient qu'une immense solitude.

[31] **C'est tout juste si elle ne se représentait pas,** *She almost pictured herself* (lit., *It's just barely that she didn't*).

[32] **eût pris=aurait pris.**

[33] **il avait manqué,** *she had lacked* (lit., *there had been lacking*).

[34] **Aux autres=Aux récits qui ne parlaient pas de malheurs.**

[35] **on serait venue,** equivalent to **si l'on était venue** (with omission of the **qu'** before **elle**).

[36] **Ayant à part cela,** *Besides, she had* (the construction with a participle instead of a main verb is permissible in French but makes incorrect English).

[37] **venue vers,** *come to.*

Qu'était-elle venue chercher exactement? Elle ne le savait plus; car, à mesure qu'elle causait à voix basse avec la vieille, elle oubliait 195 l'image qu'elle s'en était faite à la longue et à distance. Elle la découvrait telle qu'elle était, telle qu'elle avait toujours été, et se demandait comment elle avait pu se leurrer. Car de la vieille femme, il n'y avait à espérer aucun aveu de tendresse.

Mme Laplante avait élevé quinze enfants. Elle s'était levée la 200 nuit pour les soigner; elle leur avait enseigné leurs prières; elle leur avait fait répéter leur catéchisme; elle les avait vêtus en filant, tissant et cousant de ses fortes mains; elle les avait appelés à une bonne table,[38] mais jamais elle ne s'était penchée sur aucun d'eux avec une flamme claire et joyeuse au fond de ses durs yeux gris 205 fer.[39] Jamais elle ne les avait pris sur ses genoux, sauf lorsqu'ils étaient au maillot. Jamais elle ne les avait embrassés, sauf, du bout des lèvres,[40] après une longue absence; ou encore, au jour de l'an, et cela avec une sorte de gravité froide et en prononçant des souhaits usés et banals.

210 Elle avait eu quinze petites têtes rondes et lisses contre son sein; elle avait eu quinze petits corps accrochés à ses jupes; elle avait eu un mari bon, affectueux, attentif, mais toute sa vie elle avait parlé de supporter ses croix, ses épreuves, ses fardeaux. Elle avait parlé toute sa vie de résignation chrétienne et de douleurs à endurer.

215 Sur son lit de mort, le père Laplante avait murmuré d'une voix déjà engluée[41] du dernier sommeil:

«Enfin, tu vas être délivrée d'une de tes croix, ma pauv' femme!»

—Comment est-ce qu'il se débrouille, ton Azarius?

Rose-Anna sursauta. Elle revint de loin, le regard trouble.[42] 220 Puis elle se pencha de nouveau vers sa mère. Elle comprenait que la vieille, à sa manière distante et sèche, s'informait des siens.[43] Elle avait toujours dit: "Ton Azarius, ta famille, ta Florentine,[44] tes enfants, ta vie." Pour Azarius, un citadin, elle avait eu encore

[38] **bonne table,** *plentifully set table.*
[39] **gris fer,** *iron grey.*
[40] **du bout des lèvres,** *superficially.*
[41] **engluée,** *thickened* or *dulled.*
[42] **le regard trouble,** *with a confused look.* (Her thoughts had been far away.)
[43] **s'informait des siens,** *was asking about her* (Rose-Anna's) *family.*
[44] **Florentine,** the eldest daughter, whose love tragedy forms the central interest of the novel.

moins d'amitié[45] que pour ses autres beaux-fils, tous de la campagne.
225 Au mariage de Rose-Anna, elle avait déclaré: «Tu crois p'têtre[46] ben te sauver de la misère astheur que tu vas aller faire ta dame[47] dans les villes, mais marque ben ce que je te dis: la misère nous trouve. T'auras[48] tes peines, toi aussi. Enfin, c'est toi qui as choisi. Espérons que tu t'en repentiras pas.»

230 Le seul souhait de bonheur qu'elle eût jamais formulé, se rappelait Rose-Anna.

—Azarius, dit-elle, sortant de sa rêverie, ah! ben, il travaille de ce temps-ci.[49] Il est ben encouragé. Pis[50] Eugène s'est enrôlé comme je vous l'ai dit d'abord; il paraît pas mal dans son habit. Ça le
235 vieillit un peu. On se débrouille.[51] Florentine a ses payes régulières. . .

Elle égrenait le chapelet[52] des petits événements familiaux, mais ne choisissait d'instinct que ceux-là qui pouvaient la parer d'une espèce d'auréole de bonheur aux yeux de la vieille femme; et, toutes ces
240 raisons de bonheur, elle les déguisait, elle les enjolivait, elle les magnifiait pour les présenter à sa mère comme une bravade.

La vieille clignait des yeux.[53] Elle disait à tout instant:

—Eh ben! Tant mieux, tant mieux si ça marche comme tu dis!

Mais ses doigts secs, jaunis, frottaient le bord de la chaise, usé à
245 cet endroit par ce geste habituel des mains, et semblaient souligner un doute constant.

Et cependant Rose-Anna continuait à défendre son mari avec la même voix âpre qu'elle avait eue autrefois quand sa mère cherchait à le lui présenter sous un mauvais jour.[54]

250 —Il se tire d'affaire, disait-elle. Quand une chose va pas, eh ben, il en essaye une autre. Il reste pas longtemps à rien faire. Ça, c'est

[45] **amitié=affection** (as often).
[46] **p'têtre=peut-être.**
[47] **faire ta dame=faire la (grande) dame,** *play the lady.*
[48] **T'auras=tu auras** (tu is elided in uneducated speech).
[49] **il travaille de ce temps-ci,** *he's working now* (which was not strictly true).
[50] **Pis=Puis**
[51] **On se débrouille,** *We get along.*
[52] **égrenait le chapelet,** *recited the tale* (lit., *told the beads,* as of a rosary).
[53] **clignait des yeux,** *blinked her eyes* (*with surprise*).
[54] **sous un mauvais jour,** *in a bad light.*

rien qu'en attendant[55] qu'il a pris le truck. Il compte se remettre à travailler de son métier. La guerre va donner de la construction.

Elle se surprenait à employer le langage d'Azarius et, pour parler 255 de son métier, elle y mettait presque autant de passion que lui-même. Mais à d'autres instants, sa voix sonnait faux, lointaine;[56] elle s'écoutait parler, se demandant si c'était bien elle qui s'exprimait ainsi. Par la fenêtre donnant sur l'étendue de la ferme, elle apercevait les enfants qui, sous la conduite de l'oncle Octave, se 260 dirigeaient vers la cabane à sucre.[57] Le petit Daniel trébuchait dans la neige, loin derrière les autres qui gambadaient. Alors, elle s'arrêtait de causer; son regard s'échappait[58] complètement, inquiet, jusqu'au moment où elle voyait Yvonne revenir en arrière et aider son petit frère. Puis elle se prenait à écouter Azarius dont la voix 265 lui arrivait comme à travers un rêve, à cause du milieu étranger à leurs habitudes communes. Elle l'entendit qui disait à son jeune beau-frère:

—Cout' donc, si tu penses en avoir gros du sirop, t'aurais qu'à me le passer; je m'en vas te le vendre[59] moi, rien que pour une petite 270 commission. Su ma run,[60] rien de plus facile.

Il se rengorgeait et se donnait des airs d'importance, renversé[61] sur sa chaise dont le dos s'inclinait, les pieds contre la porte du fourneau. Dans son habit encore passable, soigneusement pressé la veille, il tranchait de[62] tout son prestige de citadin sur[63] ses 275 beaux-frères en bras de chemises, qui avaient dénoué leur cravate et relâché leurs bretelles. Rose-Anna remarqua qu'ils paraissaient considérer favorablement le projet d'Azarius, et elle fut inquiète.

[55] **Ça, c'est rien qu'en attendant,** *Really it's just while waiting (for a new job)*—her first admission that he does not now have steady employment. He takes any job that comes along, but **son métier** (*his trade*) is really construction work.

[56] **sonnait faux, lointaine, faux** is not inflected because it forms part of a fixed expression **sonner faux,** *to sound wrong* or *off pitch.*

[57] **cabane à sucre,** *sugar shed* for boiling down sap from the maple trees (**érables**) to make maple sugar.

[58] **son regard s'échappait,** *her glance wandered.*

[59] **Cout' donc, si tu penses en avoir gros du sirop, t'aurais qu'à me le passer; je m'en vas te le vendre=Écoute donc, si tu crois avoir beaucoup de sirop** (*maple syrup*), **tu n'aurais qu'à me le consigner; je le vendrai pour ton compte.**

[60] **Su ma run=Sur ma route,** the English word *run* being an excellent illustration of how popular Canadian French has been infiltrated with English.

[61] **renversé,** *leaning back.*

[62] **tranchait de,** *lorded it with.*

[63] **sur,** *over.*

Aussitôt qu'un événement heureux les favorisait, Azarius prenant de l'audace, se montrait de nouveau prêt à risquer quelque entre-
280 prise, à laquelle bien souvent il n'entendait presque rien. Ainsi, une part d'elle-même redoutait toute chance qui leur échéait.[64] Elle aurait voulu mettre Azarius en garde, ses frères également. L'attitude de Philippe la surprenait aussi de plus en plus, l'offensait. Voici qu'il se roulait des cigarettes sous les yeux désapprobateurs
285 de sa grand-mère, se mêlait aux hommes et, à tout instant, employait des mots grossiers. Mais au lieu de le reprendre, Rose-Anna ramena un regard gêné vers sa mère et continua à raconter leur vie d'une voix égale et monotone:

—Yvonne est la première de sa classe; les soeurs[65] sont bien
290 contentes d'elle. Et Philippe est à la veille[66] de se trouver de l'ouvrage. Il paraît qu'ils vont en prendre des tout jeunes comme lui dans les usines de munitions. . . Ça fait que tous ensemble, on va[67] finir par se tirer d'affaire, pas mal.[68]

Ses yeux se levaient par instants; et elle se haussait un peu sur
295 sa chaise pour suivre la marche[69] des enfants; elle les vit pénétrer dans l'érablière, une petite masse de couleurs se dénouant et se mettant à la file entre les arbres. Et elle regretta si vivement de n'être pas partie avec eux que ses yeux s'embuèrent de larmes. Elle n'avait point osé, lorsque sa mère, la morigénant comme si elle
300 était restée une enfant, avait déclaré: «Dans ton état, t'es pas[70] pour te mettre à courir les bois.[71]

«Courir les bois» . . . se répétait Rose-Anna, toute navrée. Mais ce n'était point ainsi pourtant que lui était apparue cette promenade. Sans doute aussi, avait-elle cessé quelque temps[72] de se voir elle-
305 même telle qu'elle était aux yeux des autres, et, éblouie par son

[64] **échéait,** *befell* or *happened to* (from **échoir**).
[65] **soeurs,** (*teaching*) *Sisters, nuns.*
[66] **à la veille,** *about* (*on the point*). Philippe is one of Rose-Anna's sons.
[67] **on va=nous allons.**
[68] **pas mal,** usual colloquial French for *quite well,* (lit., *not bad* or *not badly*).
[69] **marche,** *progress.*
[70] **t'es pas,** *you're in no condition.*
[71] **courir les bois,** *roam the woods;* although it is correct French, this expression is derived from the old Canadian **coureurs des bois** who made their living in the forests.
[72] **quelque temps=depuis quelque temps,** *for some time.*

désir,[73] entraînée par sa déception,[74] elle avait rêvé l'impossible.[75] Et elle craignait tant maintenant d'en arriver à trouver son rêve ridicule qu'elle se défendait d'y penser, le reniait et se disait: «Je savais bien aussi que j'irais pas. . . dans l'érablière.»

310 Mais elle fit une longue pause alors qu'une dernière petite tuque rouge s'agitait entre les branches; la fenêtre ne lui livrait plus qu'une grande étendue de prairie[76] où la neige fondait. Alors elle se secoua et reprit la conversation, cherchant à se rappeler d'autres choses bonnes et heureuses, mais à mesure qu'elle les énumérait, sa voix 315 faiblissait. Elle s'apercevait qu'il y avait toujours un détail qu'il fallait taire de peur d'entendre sa mère dire soudain: «Ah, me semblait aussi!»[77]

Lorsque la vieille madame Laplante envoya chercher à la cave un gros morceau de lard salé, des oeufs frais, de la crème et des 320 conserves, et qu'elle fit envelopper toutes ces choses, Rose-Anna fut émue de la générosité de sa mère. Sachant comme la pauvre vieille s'irritait des remerciements, elle n'osa pas en formuler. Et cela acheva de l'attrister. Elle regardait sa mère qui s'était levée péniblement pour ajouter encore un gros pain de ménage dans la boîte 325 de victuailles et qui, de ses mains fureteuses, déplaçait les objets, les remettait en place et grondait. «A[78] nous donne toujours gros chaque fois qu'on vient,» songeait Rose-Anna. «Peut-être qu'a croit pas un mot de ce que j'y dis.[79] Pauv' vieille, a veut nous aider à sa manière. Et ça la fâche de pas pouvoir faire plus. A toujours eu bon 330 coeur pour donner. Ben sûr, qu'a nous laisserait pas pâtir de la faim, si a savait qu'on a pas tout ce qu'il faut.[80] Toute notre vie, quand on a eu besoin d'elle, a nous a donné la nourriture, les vêtements et les bons conseils, c'est vrai.» Sa bouche se plissa. Et elle pensa: «Mais est-ce rien que ça qu'une mère doit donner à ses 335 enfants?»

Et, tout à coup, Rose-Anna s'affaissa à demi sur sa chaise, le front soucieux et le regard au loin. Elle se demandait: «Est-ce que

[73] **son désir,** *her longing* (to revisit childhood haunts like the maple grove).
[74] **entraînée par sa déception,** *led on by her disappointment* (with life in Montreal).
[75] **l'impossible,** *joys that could not possibly be realized.*
[76] **prairie,** *field.*
[77] **me semblait aussi,** *I thought so.*
[78] **A,** in the following speech, note that **a=elle, gros=beaucoup,** and **on=nous.**
[79] **j'y dis,** *I'm talking about.*
[80] **tout ce qu'il faut,** *all that we need.*

j'aurai, moi, quelque chose de plus à donner à Florentine quand elle sera une femme mariée et qu'elle aura peut-être ben besoin de
340 moi de la façon que j'ai moi-même aujourd'hui besoin de quelqu'un pour me parler?» Elle croyait comprendre soudain l'austérité de sa mère. N'était-ce pas avant tout la gêne terrible de ne pas savoir défendre les êtres[81] qui l'avait ainsi fait se raidir[82] toute sa vie?

Et parce qu'elle n'avait plus la certitude de pouvoir aider sa fille,
345 ni plus tard ni maintenant, parce qu'elle était traversée[83] du soupçon que Florentine ne chercherait pas cette aide et parce qu'elle comprenait[84] subitement qu'il est très difficile de secourir ses enfants dans les malheurs secrets qui les atteignent, Rose-Anna hocha la tête et se laissa aller au silence.[85] Sans effort, comme si l'habitude
350 fut déjà ancienne, elle esquissait sur le bord de sa chaise, le même geste futile[86] que sa vieille mère.

—From *Bonheur d'Occasion.* Reproduced by permission of the author. Copyright Editions Beauchemin, Montreal.

EXPRESSIONS FOR STUDY

1. Rose-Anna et Azarius, qui se consultaient souvent du regard, souriaient d'un air entendu. **2.** Avec un grand élan muet de tout son coeur, elle venait de saluer la rivière Richelieu. **3.** Non que les cours d'eau en eux-mêmes fussent propres à éveiller en elle un grand attrait. **4.** Elle ne s'en souvenait qu'en autant qu'ils étaient liés à sa vie. **5.** Du Richelieu, elle connaissait tout, elle l'avait vu passer toute son enfance. **6.** Dès que le Richelieu avait paru à leur gauche, elle s'était assise plus droite. **7.** Elle jetait tout haut les noms des villages où ils passaient. **8.** Enfin, le paysage lui livra la maison paternelle. **9.** Cette fois, elle aurait voulu que cette journée en fût une de détente. **10.** C'est qu'ils avaient vraiment l'air fagotés, avec leurs gros bas de laine du pays. **11.** C'est plutôt Albert qui se trouve de l'âge du tien. **12.** Pas d'affaires, trancha Réséda. Tu sais bien qu'ils sont de l'été tous les deux. **13.** Elle fit le tour de ses enfants d'un regard

[81] **la gêne terrible de ne pas savoir défendre les êtres,** *the frightful difficulty* (*she felt*) *in not knowing how* (*really*) *to protect people* (her children—from themselves, from the consequences of their own acts).

[82] **se raidir,** *stiffen, freeze up emotionally.*

[83] **traversée,** *pierced.*

[84] **elle comprenait=Rose-Anna comprenait.** (Florentine is upset because of an unhappy love affair.)

[85] **aller au silence,** *lapse into silence.*

[86] **le même geste futile,** i.e., rubbing the edge of the chair.

effaré. **14.** Elle avait fait le don de soi, avec une réserve qui donnait au devoir, tel qu'elle l'entendait, son aspect le plus rebutant.

15. On serait venu lui dire que tout allait bien, qu'elle aurait froncé les sourcils. **16.** Les conseils détachés, empreints d'un ton sermonneur, se frayaient un chemin à ses oreilles, mais dans son coeur n'éclairaient qu'une immense solitude. **17.** A mesure qu'elle causait avec la vieille, elle oubliait l'image qu'elle s'en était faite à la longue et à distance. **18.** Jamais elle ne les avait embrassés sauf du bout des lèvres. **19.** Elle revint de loin, le regard trouble. **20.** La vieille, à sa manière distante et sèche, s'informait des siens. **21.** Tant mieux si ça marche comme tu dis. **22.** Mais ses doigts secs frottaient le bord de la chaise, et semblaient souligner un doute constant. **23.** Dans son habit encore passable il tranchait de tout son prestige de citadin sur ses beaux-frères en bras de chemises. **24.** Philippe est à la veille de se trouver de l'ouvrage. **25.** On va finir par se tirer d'affaire pas mal. **26.** Elle craignait tant maintenant d'en arriver à trouver son rêve ridicule qu'elle se défendait d'y penser. **27.** Mais est-ce rien que ça qu'une mère doit donner à ses enfants? **28.** Elle comprenait subitement qu'il est très difficile de secourir ses enfants dans les malheurs secrets qui les atteignent. **29.** Elle esquissait sur le bord de sa chaise le même geste futile que sa vieille mère.

QUESTIONNAIRE

1. Comment s'appelle le mari de Rose-Anna? **2.** D'où viennent-ils et où vont-ils? **3.** Comment s'appellent les enfants qui les accompagnent? **4.** Comment va Daniel? **5.** Comment Rose-Anna avait-elle passé la nuit? **6.** Dans quelle vallée passent-ils maintenant? **7.** Pourquoi croit-elle que le Richelieu est la plus belle rivière du pays? **8.** Dans quelle sorte de voiture font-ils le voyage? **9.** Où sont les enfants? **10.** Quelle impression Daniel doit-il avoir du Richelieu, et pourquoi? **11.** Qu'est-ce qui porta une première atteinte à la joie du retour? **12.** Qui est Réséda? **13.** Comment habillait-elle ses enfants? **14.** Qu'avait fait Rose-Anna pendant le dîner?

15. Qu'est-ce qui avait manqué à la vieille madame Laplante? **16.** A quoi ne croyait-elle pas? **17.** De quoi se réjouissait-elle presque? **18.** Combien d'enfants avait-elle élevés? **19.** Qu'avait-elle fait pour eux? **20.** Qu'est-ce qu'elle n'avait jamais fait? **21.** De quoi avait-elle parlé toute sa vie? **22.** Azarius travaille-t-il régulièrement à présent? **23.** Qu'est-ce que Rose-Anna apercevait par la fenêtre? **24.** Comment Azarius tranchait-il sur ses beaux-frères? **25.** Comment se conduisait Philippe? **26.** Pourquoi les yeux de Rose-Anna se remplissent-ils de larmes? **27.** Qu'est-ce que madame Laplante a donné aux Lacasse? **28.** Expliquez comment Rose-Anna croit comprendre soudain l'austérité de sa mère. **29.** Quel était le geste de doute de la vieille, que Rose-Anna répète?

PART IV

LA CONDITION HUMAINE

LA CONDITION HUMAINE

INTRODUCTION

IT *WAS* the sixteenth century essayist Michel de Montaigne who wrote: "*Chaque homme porte la forme entière de l'humaine condition.*" "Each man has within him the characteristics of all men." In this manner did Montaigne justify, or perhaps excuse, the extensive self-analysis which is the central theme of his essays. In the analysis he attempted to avoid those traits of his own nature which were peculiar only to him, and thus believed that when he spoke of his own intellectual, moral, and emotional life he was speaking for all men.

The phrase "*L'humaine condition*," modernized to "*la condition humaine*," has assumed a new vitality in the twentieth century. Like all catch phrases it has developed special and limited meanings. Thus, for reasons not easy to analyze, the expression often signifies man's disappointments with his lot, his defeats, and his failures. Occasionally, as in one of our extracts (*La Phrase de Vinteuil* by Proust), it indicates a cold detachment on the part of the author, who seems to be studying man as a specimen under a microscope. More rarely, as in the *Maximes et Pensées* by Vauvenargues and Joubert, the author allows himself a degree of optimism. The prevalent tone of such literature inclines to seriousness, even to pessimism, suggesting that "*la condition humaine*" has come to be associated with what has always passed for realistic literature.

Our selections come from three centuries of French literature. The moralist Vauvenargues is from the eighteenth century; Joubert, another moralist, and the poet Baudelaire wrote in the nineteenth century; Colette and Marcel Proust are from the contemporary period.

COLETTE

LE BRACELET

Introduction

SIDONIE-Gabrielle Colette (1873-1954), known simply as Colette, the most prolific woman writer of the present century, is considered by many to be among the great prose authors of her time. During the last years of her life she enjoyed additional literary prestige as the reigning figure of the Académie Goncourt, which annually awards the most sought-after literary prize in France.

Colette brought to literature a deep knowledge of the psychology of her sex. Most of her novels express woman's need of escaping from male tyranny. Her works are all action and life, instincts and senses, violence and passion. She is also a moralist in that she has often shown love as a destroyer or a gigantic irony. The novel by which she is best known is *Chéri*.

Le Bracelet is a literary cameo piece, treating the simple episode of a woman who tries, and fails, to recapture a past happiness.

LE BRACELET

«. . . Vingt-sept, vingt-huit, vingt-neuf . . . Il y en a bien vingt-neuf . . .»

M^me^Angelier comptait et recomptait machinalement les petits pavés de diamants. Vingt-neuf brillants carrés, montés en bracelet, 5 qui glissaient en[1] mince serpent froid et souple entre ses doigts. Très blancs, pas très gros, admirablement pareils l'un à l'autre—un joli bijou de connaisseur. Elle l'agrafa sur son bras, fit jouer des bluettes[2] sous les bougies électriques; cent menus arcs-en-ciel, enflammés de couleurs, dansèrent sur la nappe blanche. Mais Mme

[1] **qui glissaient en,** *slipping like a.*
[2] **fit jouer des bluettes,** *made it sparkle* (lit., *made some sparks play*).

10 Angelier attachait son regard, surtout, à l'autre bracelet, trois rides finements gravées qui faisaient le tour du poignet, au-dessus du serpent de brillants.

«Pauvre[3] François... Si nous sommes encore là[4] tous deux, que me donnera-t-il l'année prochaine?»

15 François Angelier, industriel, voyageait pour l'heure en Algérie, mais, présent ou absent, son cadeau marquait[5] la fin de l'année et l'anniversaire du mariage. Vingt-huit boules de jade vert, l'an passé; l'année d'avant, vingt-sept plaques d'émail ancien, montées en ceinture...

20 «Et les vingt-six petites assiettes de Saxe royal... Et les vingt-cinq mètres de vieux point d'Alençon...»[6] Mme Angelier eût pu[7] remonter, avec un léger effort de mémoire, jusqu'aux quatre modestes couverts d'argent, jusqu'aux trois paires de bas de soie...

«Nous n'étions pas riches, à ce moment-là... Pauvre François, 25 comme il m'a toujours gâtée...» Elle l'appelait, dans le secret d'elle-même,[8] «pauvre François», parce qu'elle se croyait coupable de ne l'aimer pas assez, méconnaissant la force d'une[9] tendre habitude et d'une longue fidélité.

Mme Angelier leva la main, retroussa le petit doigt, tendit le 30 poignet pour effacer le bracelet de rides,[10] et répéta avec application: «Comme il est joli... Comme les brillants sont blancs... Comme je suis contente...» Puis elle laissa retomber sa main et s'avoua que le bijou tout neuf la lassait déjà.

«Je ne suis pourtant pas une ingrate», soupira-t-elle naïvement. 35 Son regard rassasié erra de la nappe fleurie à la vitrine étincelante. L'odeur des pommes de Calville,[11] dans une corbeille d'argent, lui donna une légère nausée, et elle quitta la salle à manger.

[3] **Pauvre,** *Poor dear.*

[4] **là=en vie.**

[5] **marquait=marquait toujours.**

[6] **vieux point d'Alençon,** *old lace from Alençon,* a town west of Paris. Such laces are usually characterized by French terms in English such as **point de Bruxelles, point de Paris,** etc.

[7] **eût pu=aurait pu.**

[8] **dans le secret d'elle-même,** *to herself.*

[9] **méconnaissant la force d'une,** *underestimating the strength of her.*

[10] **effacer le bracelet de rides,** *smooth the wrinkles out of her skin*—cf. the end of the second paragraph above.

[11] **Calville,** village in Normandy famous for a type of apple cultivated there.

Dans son boudoir, elle ouvrit le coffret d'acier qui contenait ses bijoux et para sa main gauche en l'honneur du nouveau bracelet.
40 L'annulaire eut[12] un anneau d'onyx noir, un brillant teinté de bleu; au petit doigt, délicat, pâle, un peu ridé, Mme Angelier glissa un cercle de saphirs sombres. Ses cheveux précocement blancs, et qu'elle ne teignait pas, parurent plus blancs lorsqu'elle ajusta dans leurs crépelures légères une bandelette étroite poudrée d'un sable de
45 diamants, qu'elle dénoua tout de suite.

«Je ne sais pas ce que j'ai.[13] Je ne suis pas en train.[14] C'est ennuyeux d'avoir cinquante ans, au fond. . .»

Elle se sentait inquiète, gourmande et dégoûtée,[15] comme une convalescente à qui l'air libre n'a pas encore rendu l'appétit.

50 «En somme, est-ce que c'est si joli que ça, un diamant?»

Mme Angelier aspirait à un plaisir optique qui se fût compliqué de sapidité;[16] la vue inopinée d'un citron, le crissement intolérable du couteau qui le divise en deux, appellent sur la langue, l'eau de la convoitise. . .

55 «Je n'ai pas envie d'un citron. Mais ce plaisir sans nom qui me fuit, il existe, je le connais, je me souviens de lui! Ainsi, le bracelet de verre bleu. . .»

Un frisson contracta les joues détendues de Mme Angelier. Un prodige, dont elle ne put mesurer la durée, lui consentit,[17] pour la
60 seconde fois, l'instant vécu quarante ans auparavant, l'instant incomparable où elle regardait, ravie, la couleur du jour,[18] l'image irisée et déformée des objets, à travers un jonc de verre bleu, tourné en cercle,[19] qu'on venait de lui donner. Cette verroterie, peut-être orientale, brisée quelques heures après, avait contenu un univers
65 nouveau, des formes que le rêve n'inventait pas,[20] de lents animaux serpentins qui se mouvaient par paires, des lampes, des rayons congelés dans une atmosphère d'un bleu indicible. . .

[12] **eut**=**reçut**; understand an **et** after **onyx noir.**
[13] **ce que j'ai,** *what's wrong with me.*
[14] **en train,** *in good spirits, "in the mood."*
[15] **gourmande et dégoûtée,** *possessed by an unsatisfied hunger.*
[16] **un plaisir optique qui se fût compliqué de sapidité,** *a pleasure that would satisfy the sense of taste as well as the eye,* (*as, for example*) . . .
[17] **lui consentit,** *granted her, permitted her to live over.*
[18] **la couleur du jour,** *the light of day.*
[19] **un jonc de verre bleu, tourné en cercle,** *a circlet of blue glass, hollow like a reed.*
[20] **des formes que le rêve n'inventait pas,** *shapes never dreamed.*

Le prodige cessa et Mme Angelier retomba, meurtrie, dans le présent et le réel.

70 Mais dès le lendemain elle cherchait, d'antiquaires en bazars, de bazars en cristalleries, un bracelet de verre d'un certain bleu. Elle y mit une passion de collectionneur, une précaution, une dissimulation de maniaque.[21] Elle s'aventura dans ce qu'elle nommait «les quartiers impossibles», laissa son automobile au coin de rues 75 étranges, et trouva enfin, pour quelques sous, un cercle de verre bleu qu'elle reconnut dans l'ombre, qu'elle acheta en balbutiant et qu'elle emporta.

Sous la lumière ménagée de sa lampe favorite, sur le champ sombre d'un velours ancien, elle posa le bracelet, se pencha, attendit 80 le choc. . . Mais elle ne vit qu'un jonc de verre bleuâtre, une parure d'enfant ou de sauvage, coulé à la hâte, troublé de bulles;[22] un objet dont sa mémoire et sa raison reconnaissaient la couleur et la matière; mais le puissant et sensuel génie qui crée et nourrit les visions enfantines, qui meurt mystérieusement en nous par défail- 85 lances progressives, ne tressaillit point.

Résignée, Mme Angelier connut[23] ainsi son âge véritable et mesura la plaine infinie par delà laquelle errait, inaccessible, un être[24] à jamais détaché d'elle, étranger, détourné d'elle, libre et rebelle même à l'injonction du souvenir: une petite fille de dix ans qui 90 portait au poignet un bracelet de verre bleu.

—From *La Femme Cachée.* Reproduced by permission of Librairie Flammarion.

EXPRESSIONS FOR STUDY

1. Vingt-neuf brillants carrés, montés en bracelet, qui glissaient en mince serpent froid et souple entre ses doigts. **2.** Elle eût pu remonter, avec un léger effort de mémoire, jusqu'aux quatre modestes couverts d'argent. **3.** Elle répéta avec application: «Comme il est joli. . . . Comme je suis contente . . .» **4.** Je ne sais pas ce que j'ai. Je ne suis pas en train. **5.** Elle aspirait

[21] **maniaque,** *monomaniac,* not insane but possessed by a fixed idea **(idée fixe)**.

[22] **troublé de bulles,** *clouded with air-bubbles.*

[23] **connut,** used here instead of **sut** because it implies a full, intuitive awareness, lying deeper than mere factual knowledge: she had known she was 50 but only now *realized* **(connut)** the full import of this fact.

[24] **être,** *person.*

à un plaisir optique qui se fût compliqué de sapidité. **6.** Un prodige, dont elle ne put mesurer la durée, lui consentit, pour la seconde fois, l'instant vécu quarante ans auparavant . . . **7.** où elle regardait, ravie, la couleur du jour à travers un jonc de verre bleu, tourné en cercle, qu'on venait de lui donner. **8.** Elle cherchait, d'antiquaires en bazars, un bracelet de verre d'un certain bleu. **9.** Résignée, elle connut ainsi son âge véritable et mesura la plaine infinie par delà laquelle errait, inaccessible, un être à jamais détaché d'elle: une petite fille de dix ans. . . .

QUESTIONNAIRE

1. Quel âge a Mme Angelier? **2.** Pourquoi y a-t-il vingt-neuf diamants dans son bracelet? **3.** Qu'est-ce qui forme un second bracelet autour de son poignet? **4.** Où est son mari actuellement? **5.** Que lui a-t-il donné l'année dernière? l'année d'avant? **6.** Pourquoi l'appelait-elle «pauvre François»? **7.** Quelles bagues met-elle à sa main gauche en l'honneur du nouveau bracelet? **8.** De quelle couleur sont ses cheveux? **9.** Qu'est-ce qu'on lui avait donné il y a quarante ans? **10.** Qu'est-ce qu'elle faisait pour trouver un bracelet semblable? **11.** Y trouva-t-elle le même plaisir qu'autrefois?

CHARLES BAUDELAIRE

POEMES EN PROSE

Introduction

THE QUALITIES that lift a simple narrative into the realm of the ideal, so that the writer in fully expressing himself makes his own experience universally intelligible, are those which we associate especially with poetry; they can be found in the *poèmes en prose* of the poet Baudelaire (1821-1867). These are written in perfectly classical prose which in no sense strives to imitate poetry by excessive use of imagery, color or sound effects. However, there is in most of them a close kinship of subject-matter and treatment with the poems of the author's masterpiece *Les Fleurs du mal* (1857)

Running through all the work of Baudelaire is the theme of *ennui,* a dissatisfaction not only with modern society, which he found depressingly bourgeois and uninspired, but with his own inability to lead a full and virile life. The criticism of bourgeois values in the following prose-poems is easy enough to recognize and evaluate; what the reader may miss unless he reads them closely, is the deeper element of self-criticism. This is particularly clear in the last selection *A une heure du matin,* but the reader will miss the whole point of the preceding one, *Le Joueur généreux,* unless he finds the same self-criticism present there. By this ability to face the facts of his own weakness, and to analyze the weaknesses typical of modern man in general, the lyric poet Baudelaire persuades us of the realism with which he can feel and express the Human Condition.

POEMES EN PROSE

I. Les Yeux des Pauvres

Ah! vous voulez savoir pourquoi je vous hais aujourd'hui. Il vous sera sans doute moins facile de le comprendre qu'à moi de vous l'expliquer; car vous êtes, je crois, le plus bel exemple d'imperméabilité féminine qui se puisse rencontrer.

5 Nous avions passé ensemble une longue journée qui m'avait paru courte. Nous nous étions bien promis que toutes nos pensées nous seraient communes à l'un et à l'autre, et que nos deux âmes désormais n'en feraient plus qu'une;—un rêve qui n'a rien d'original, après tout, si ce n'est que, rêvé par tous les hommes, il n'a été 10 réalisé par aucun.

Le soir, un peu fatigué, vous voulûtes vous asseoir devant un café neuf qui formait le coin d'un boulevard neuf, encore tout plein de gravois et montrant déjà glorieusement ses splendeurs inachevées. Le café étincelait. Le gaz lui-même y déployait toute 15 l'ardeur d'un début,[1] et éclairait de toutes ses forces les murs

[1] **l'ardeur d'un début,** *the ardor of a first night* (note that ardor is derived from a Latin verb meaning *to burn*).

aveuglants de blancheur, les nappes éblouissantes des miroirs,[2] les ors des baguettes et des corniches, les pages[3] aux joues rebondies traînés par les chiens en laisse, les dames riant au faucon perché sur leur poing, les nymphes et les déesses portant sur leur tête des
20 fruits, des pâtés et du gibier, les Hébés et les Ganymèdes présentant à bras tendu la petite amphore à bavaroises ou l'obélisque bicolore des glaces panachées; toute l'histoire et toute la mythologie mises au service de la goinfrerie.

Droit devant nous, sur la chaussée, était planté un brave homme
25 d'une quarantaine d'années, au visage fatigué, à la barbe grisonnante, tenant d'une main un petit garçon et portant sur l'autre bras un petit être trop faible pour marcher. Il remplissait l'office de bonne et faisait prendre à ses enfants l'air du soir. Tous en guenilles. Ces trois visages étaient extraordinairement sérieux, et
30 ces six yeux contemplaient fixement le café nouveau avec une admiration égale, mais nuancée diversement par l'âge.

Les yeux du père disaient: «Que c'est beau! que c'est beau! on dirait que tout l'or du pauvre monde est venu se porter sur ces murs.»—Les yeux du petit garçon: «Que c'est beau! que c'est beau!
35 mais c'est une maison où peuvent seuls entrer les gens qui ne sont pas comme nous.»—Quant aux yeux du plus petit, ils étaient trop fascinés pour exprimer autre chose qu'une joie stupide[4] et profonde.

Les chansonniers disent que le plaisir rend l'âme bonne et amollit le coeur. La chanson avait raison ce soir-là, relativement à moi.
40 Non-seulement j'étais attendri par cette famille d'yeux, mais je me sentais un peu honteux de nos verres et de nos carafes, plus grands que notre soif. Je tournais mes regards vers les vôtres, cher amour, pour y lire *ma* pensée;[5] je plongeais dans vos yeux si beaux et si

[2] **les nappes éblouissantes des miroirs,** *the dazzling stretches of wall mirrors;* in the next phrases, **baguettes**=*molding.*

[3] **les pages,** The rest of this paragraph describes a very elegant new Parisian café of the Second Empire period, with unusual words and mythological references not listed in our end vocabulary. *The page boys with full cheeks pulled along by dogs on leashes, laughing ladies with falcons perched on their wrists* (a reminiscence of medieval falconry), *nymphs and goddesses carrying on their heads* (*baskets of*) *fruit, pastry and game, cup-bearers presenting with outstretched arms little vases containing the sweet dessert or the elaborate pillar of two-toned ice-cream; all history and mythology put to the service of gluttony.* (Hebe, who married Hercules after he was made a God, and the boy Ganymede, were cupbearers to the Olympian Gods of Greece.)

[4] **stupide,** *stupefied, stunned.*

[5] ***ma* pensée,** cf. the second paragraph of this **poème.**

bizarrement doux, dans vos yeux verts, habités par le Caprice et
45 inspirés par la Lune, quand vous me dîtes: «Ces gens-là me sont insupportables avec leurs yeux ouverts comme des portes cochères! Ne pourriez-vous pas prier le maître du café de les éloigner d'ici?»

Tant il est difficile de s'entendre, mon cher ange, et tant la pensée est incommunicable, même entre gens qui s'aiment!

II. Le Gâteau

50 Je voyageais. Le paysage au milieu duquel j'étais placé était d'une grandeur et d'une noblesse irrésistibles. Il en passa[6] sans doute en ce moment quelque chose dans mon âme. Mes pensées voltigeaient avec une légèreté égale à celle de l'atmosphère; les passions vulgaires,[7] telles que la haine et l'amour profane,[8] m'apparaissaient maintenant
55 aussi éloignées que les nuées qui défilaient au fond des abîmes sous mes pieds; mon âme me semblait aussi vaste et aussi pure que la coupole du ciel dont j'étais enveloppé; le souvenir des choses terrestres n'arrivait à mon coeur qu'affaibli et diminué, comme le son de la clochette des bestiaux imperceptibles[9] qui paissaient loin,
60 bien loin, sur le versant d'une autre montagne. Sur le petit lac immobile, noir de son immense profondeur, passait quelquefois l'ombre d'un nuage, comme le reflet du manteau d'un géant aérien volant à travers le ciel. Et je me souviens que cette sensation solennelle et rare, causée par un grand mouvement parfaitement
65 silencieux, me remplissait d'une joie mêlée de peur. Bref, je me sentais, grâce à l'enthousiasmante beauté dont j'étais environné, en parfaite paix avec moi-même et avec l'univers; je crois même que, dans ma parfaite béatitude et dans mon total oubli de tout le mal terrestre, j'en étais venu à[10] ne plus trouver si ridicules les
70 journaux qui prétendent que l'homme est né bon;—quand, la matière[11] incurable renouvelant ses exigences, je songeai à réparer la fatigue et à soulager l'appétit causés par une si longue ascension. Je tirai de ma poche un gros morceau de pain, une tasse de cuir

[6] **Il en passa,** the logical subject is **quelque chose.**
[7] **vulgaires,** *commonplace.*
[8] **profane,** *earthly.*
[9] **imperceptibles,** *out of sight;* such sounds carry great distances in mountain air.
[10] **j'en étais venu à,** *I had reached the point of.*
[11] **matière,** *flesh.*

et un flacon d'un certain élixir que les pharmaciens vendaient
75 dans ce temps-là aux touristes pour le mêler dans l'occasion[12] avec
de l'eau de neige.

Je découpais tranquillement mon pain, quand un bruit très-léger me fit lever les yeux. Devant moi se tenait un petit être déguenillé, noir, ébouriffé, dont les yeux creux, farouches et comme suppliants,
80 dévoraient le morceau de pain. Et je l'entendis soupirer, d'une voix basse et rauque, le mot: *gâteau!* Je ne pus m'empêcher de rire en entendant l'appellation dont il voulait bien[13] honorer mon pain presque blanc,[14] et j'en coupai pour lui une belle tranche que je lui offris. Lentement il se rapprocha, ne quittant pas des yeux
85 l'objet de sa convoitise; puis, happant le morceau avec sa main, se recula vivement, comme s'il eût craint[15] que mon offre ne fût pas sincère ou que je m'en repentisse déjà.

Mais au même instant il fut culbuté par un autre petit sauvage, sorti je ne sais d'où, et si parfaitement semblable au premier qu'on
90 aurait pu le prendre pour son frère jumeau. Ensemble ils roulèrent sur le sol, se disputant la précieuse proie, aucun n'en voulant sans doute sacrifier la moitié pour son frère.[16] Le premier, exaspéré, empoigna le second par les cheveux; celui-ci lui saisit l'oreille avec les dents, et en cracha un petit morceau sanglant avec un superbe
95 juron patois.[17] Le légitime propriétaire du gâteau essaya d'enfoncer ses petites griffes dans les yeux de l'usurpateur; à son tour celui-ci appliqua toutes les forces à étrangler son adversaire d'une main, pendant que de l'autre il tâchait de glisser dans sa poche le prix du combat. Mais, ravivé par le désespoir, le vaincu se redressa et
100 fit rouler le vainqueur par terre d'un coup de tête dans l'estomac. A quoi bon décrire une lutte hideuse qui dura en vérité plus longtemps que leurs forces enfantines ne semblaient[18] le promettre? Le gâteau voyageait de main en main et changeait de poche à chaque instant; mais, hélas! il changeait aussi de volume; et lorsque enfin,

[12] **dans l'occasion,** *in case of need.*
[13] **voulait bien,** *was so kind as to.*
[14] **presque blanc,** in many rural regions bread is usually very dark.
[15] **comme s'il eût craint=comme s'il craignait.**
[16] **aucun n'en voulant sans doute sacrifier la moitié pour son frère,** this, of course, is the entire moral of the piece. (**aucun,** *neither one.*)
[17] **superbe juron patois,** *magnificent specimen of dialect profanity*—Baudelaire speaks as a detached aesthetic observer.
[18] **ne semblaient=semblaient—ne** is used to complete the comparison after **plus.**

105 exténués, haletants, sanglants, ils s'arrêtèrent par impossibilité de continuer, il n'y avait plus, à vrai dire, aucun sujet de bataille; le morceau de pain avait disparu, et il était éparpillé en miettes semblables aux grains de sable auxquels il était mêlé.

Ce spectacle m'avait embrumé le paysage, et la joie calme où 110 s'ébaudissait mon âme avant d'avoir vu ces petits hommes avait totalement disparu; j'en restai triste assez longtemps, me répétant sans cesse: «Il y a donc un pays superbe où le pain s'appelle du *gâteau,* friandise si rare qu'elle suffit pour engendrer une guerre parfaitement fratricide!»

III. Le Joueur généreux

115 Hier, à travers la foule du boulevard, je me sentis frôlé par un Etre[19] mystérieux que j'avais toujours désiré connaître, et que je reconnus tout de suite, quoique je ne l'eusse jamais vu. Il y avait sans doute chez lui,[20] relativement à moi,[21] un désir analogue, car il me fit en passant, un clignement d'œil significatif auquel je me 120 hâtai d'obéir. Je le suivis attentivement, et bientôt je descendis derrière lui dans une demeure souterraine, éblouissante, où éclatait un luxe dont aucune des habitations supérieures de Paris ne pourrait fournir un exemple approchant. Il me parut singulier que j'eusse pu passer si souvent à côté de ce prestigieux repaire sans en 125 deviner l'entrée. Là régnait une atmosphère exquise, quoique capiteuse, qui faisait oublier presque instantanément toutes les fastidieuses horreurs de la vie; on y respirait une béatitude sombre,[22] analogue à celle que durent éprouver les mangeurs de lotus[23] quand, débarquant dans une île enchantée, éclairée des lueurs d'une éternelle 130 après-midi, ils sentirent naître en eux, aux sons assoupissants des

[19] **un Etre,** *a Being* (the Devil, in the form we associate with the Mephistopheles of Marlowe's DOCTOR FAUSTUS or Goethe's FAUST).

[20] **chez lui,** *in him.*

[21] **relativement à moi,** the alert reader will note a constant attitude of self-critical irony in this **poème.**

[22] **béatitude sombre,** as **béatitude** refers properly to the state of souls in Heaven, this is a fine example of oxymoron, or violently contrasting terms like Milton's "darkness visible."

[23] **mangeurs de lotus,** *lotus eaters,* the "drug addicts" of Homer's time (*Odyssey,* Book IX). Baudelaire made a pose of having investigated the use of drugs such as hashish and opium, but was not an addict like the English writers Coleridge and de Quincey.

mélodieuses cascades, le désir de ne jamais revoir leurs pénates, leurs femmes, leurs enfants, et de ne jamais remonter sur les hautes lames de la mer.

Il y avait là des visages étranges d'hommes et de femmes, marqués 135 d'une beauté fatale, qu'il me semblait avoir vus déjà à des époques et dans des pays dont il m'était impossible de me souvenir exactement, et qui m'inspiraient plutôt une sympathie fraternelle que cette crainte qui naît ordinairement à l'aspect de l'inconnu. Si je voulais essayer de définir d'une manière quelconque l'expres- 140 sion singulière de leurs regards, je dirais que jamais je ne vis d'yeux brillant plus énergiquement de l'horreur de l'ennui et du désir immortel de se sentir vivre.

Mon hôte et moi, nous étions déjà, en nous asseyant, de vieux et parfaits amis. Nous mangeâmes, nous bûmes outre mesure de 145 toutes sortes de vins extraordinaires, et, chose non moins extraordinaire, il me semblait, après plusieurs heures, que je n'étais pas plus ivre que lui.[24] Cependant le jeu,[25] ce plaisir surhumain, avait coupé à divers intervalles nos fréquentes libations, et je dois dire que j'avais joué et perdu mon âme, en partie liée,[26] avec 150 une insouciance et une légèreté héroïques.[27] L'âme est une chose si impalpable, si souvent inutile et quelquefois si gênante, que je n'éprouvai, quant à cette perte, qu'un peu moins d'émotion que si j'avais égaré, dans une promenade, ma carte de visite.

Nous fumâmes longuement quelques cigares dont la saveur et le 155 parfum incomparables donnaient à l'âme la nostalgie de[28] pays et de bonheurs inconnus, et, enivré de toutes ces délices, j'osai, dans un accès de familiarité qui ne parut pas lui déplaire, m'écrier, en m'emparant d'une coupe pleine jusqu'au bord: «A votre immortelle santé, vieux Bouc!»[29]

160 Nous causâmes aussi de l'univers, de sa création et de sa future destruction; de la grande idée du siècle, c'est-à-dire du progrès et

[24] **pas plus ivre que lui,** note the irony throughout this paragraph; the Devil has a way of "taking people in" rather easily.

[25] **le jeu,** *gambling.*

[26] **en partie liée,** *as a pledge.*

[27] **une insouciance et une légèreté héroïques,** for the ironic sense of the adjective, cf. note 22.

[28] **nostalgie de,** *desire for* (pays is plural).

[29] **vieux Bouc,** *you old Goat.* He and the Devil are now good friends and he "takes him by the horns."

de la perfectibilité,[30] et, en général, de toutes les formes de l'infatuation humaine. Sur se sujet-là, Son Altesse ne tarissait pas en plaisanteries légères et irréfutables, et elle[31] s'exprimait avec une
165 suavité de diction et une tranquillité dans la drôlerie que je n'ai trouvées dans aucun des plus célèbres causeurs de l'humanité. Elle m'expliqua l'absurdité des différentes philosophies qui avaient jusqu'à présent pris possession du cerveau humain, et daigna même me faire confidence de quelques principes fondamentaux dont il
170 ne me convient pas de partager les bénéfices et la propriété[32] avec qui que ce soit.[33] Elle ne se plaignit en aucune façon de la mauvaise réputation dont elle jouit dans toutes les parties du monde, m'assura qu'elle était, elle-même, la personne la plus intéressée à la destruction de la *superstition,*[34] et m'avoua qu'elle n'avait eu
175 peur, relativement à son propre pouvoir, qu'une seule fois, c'était le jour où elle avait entendu un prédicateur, plus subtil que ses confrères, s'écrier en chaire:[35] «Mes chers frères, n'oubliez jamais, quand vous entendrez vanter le progrès des lumières,[36] que la plus belle des ruses du diable est de vous persuader qu'il n'existe pas!»

180 Le souvenir de ce célèbre orateur nous conduisit naturellement vers le sujet des académies,[37] et mon étrange convive m'affirma qu'il ne dédaignait pas, en beaucoup de cas, d'inspirer la plume, la parole et la conscience des pédagogues, et qu'il assistait presque toujours en personne, quoique invisible, à toutes les séances acadé-
185 miques.

Encouragé par tant de bontés, je lui demandai des nouvelles de Dieu, et s'il l'avait vu récemment. Il me répondit, avec une insouciance

[30] **du progrès et de la perfectibilité,** ideas, deriving from the revolutionary thinkers of the 18th century, but codified in Baudelaire's time as Positivism, which he found lacking in poetry and imagination. Of his early Christian training the last thing Baudelaire could lose was his belief in human iniquity.

[31] **elle,** refers to **son Altesse;** translate *he.*

[32] **propriété,** *exclusive rights.*

[33] **qui que ce soit,** *anyone whatsoever.*

[34] **superstition,** term used by the 18th century rationalists and their positivist successors to designate any supernatural religion, especially Christianity.

[35] **en chaire,** *from the pulpit.*

[36] **vanter le progrès des lumières,** (*anyone*) *praise the progress of Enlightenment,* another slogan of the 18th century rationalists and their positivist disciples.

[37] **académies,** *learned societies*; obviously referring in particular to the five academies (scientific and literary) composing the **Institut de France,** of which the strictly literary group, the oldest, is the **Académie française.** The bohemian Baudelaire was, of course, not a member.

nuancée d'une certaine tristesse: «Nous nous saluons quand nous nous rencontrons, mais comme deux vieux gentilshommes,[38] en qui
190 une politesse innée ne saurait[39] éteindre tout à fait le souvenir d'anciennes rancunes.»

Il est douteux que Son Altesse ait jamais donné une si longue audience à un simple mortel, et je craignais d'abuser.[40] Enfin, comme l'aube frissonnante blanchissait les vitres, ce célèbre person-
195 nage, chanté par tant de poëtes et servi par tant de philosophes qui travaillent à sa gloire sans le savoir,[41] me dit: «Je veux que vous gardiez de moi un bon souvenir, et vous prouver que Moi, dont on dit tant de mal, je suis quelquefois *bon diable,* pour me servir d'une de vos locutions vulgaires. Afin de compenser la perte ir-
200 rémédiable que vous avez faite de votre âme, je vous donne l'enjeu que vous auriez gagné si le sort avait été pour vous, c'est-à-dire la possibilité de soulager et de vaincre, pendant toute votre vie, cette bizarre affection[42] de l'Ennui, qui est la source de toutes vos maladies et de tous vos misérables progrès. Jamais un désir ne sera
205 formé par vous, que je ne vous aide[43] à le réaliser; vous régnerez sur vos vulgaires semblables; vous serez fourni de flatteries et même d'adorations; l'argent, l'or, les diamants, les palais féeriques, viendront vous chercher et vous prieront de les accepter, sans que vous ayez fait un effort pour les gagner; vous changerez de patrie et
210 de contrée aussi souvent que votre fantaisie vous l'ordonnera; vous vous soûlerez de voluptés, sans lassitude, dans des pays charmants où il fait toujours chaud et où les femmes sentent aussi bon que les fleurs,—et caetera, et caetera. . .», ajouta-t-il en se levant et en me congédiant avec un bon sourire.

215 Si ce n'eût été[44] la crainte de m'humilier devant une aussi grande assemblée, je serais volontiers tombé aux pieds de ce joueur généreux pour le remercier de son inouïe munificence. Mais peu à peu,

[38] **gentilshommes,** *aristocrats, noblemen.*
[39] **ne saurait=ne peut (pas).**
[40] **abuser,** *intrude, abuse his kindness.*
[41] **sans le savoir,** another sly dig at many of Baudelaire's contemporary "bigwigs."
[42] **affection,** *disease.*
[43] **que je ne vous aide=sans que je vous aide.** This paragraph summarizes flippantly the beginning of the Faust legend, but presumably the author did not become a Faust.
[44] **Si ce n'eût été=Sans.**

après que je l'eus quitté, l'incurable défiance[45] rentra dans mon sein; je n'osais plus croire à un si prodigieux bonheur, et, en me
220 couchant, faisant encore ma prière par un reste d'habitude imbécile,[46] je répétais dans un demi-sommeil: «Mon Dieu! Seigneur, mon Dieu! faites que le diable me tienne sa parole!»

IV. A Une Heure du matin[47]

Enfin! seul! On n'entend plus que[48] le roulement de quelques fiacres attardés et éreintés. Pendant quelques heures, nous[49] posséderons le silence, sinon le repos. Enfin! la tyrannie de la face
225 humaine a disparu, et je ne souffrirai plus que par moi-même.

Enfin! il m'est donc permis de me délasser dans un bain de ténèbres! D'abord, un double tour à la serrure. Il me semble que ce tour de clef augmentera ma solitude et fortifiera les barricades qui
230 me séparent actuellement du monde.

Horrible vie! Horrible ville! Récapitulons la journée: avoir vu plusieurs hommes de lettres, dont l'un m'a demandé si l'on pouvait aller en Russie par voie de terre (il prenait sans doute la Russie pour une île); avoir disputé généreusement contre le directeur
235 d'une revue,[50] qui à chaque objection répondait: «—C'est ici le parti des honnêtes gens,» ce qui implique que tous les autres journaux sont rédigés par des coquins; avoir salué[51] une vingtaine de personnes, dont quinze me sont inconnues; avoir distribué des poignées de main dans la même proportion, et cela sans avoir pris la pré-
240 caution d'acheter des gants; être monté pour tuer le temps, pendant

[45] **défiance,** *distrust*—he wonders if the Devil is a **bon diable** who will keep his word, and prays to God that he may do so. He is, in short, no wiser than his fellows.

[46] **un reste d'habitude imbécile,** without trying to make Baudelaire out as a saint, this is of course ironic; the poet, far from an orthodox Christian, practiced daily prayer—compare the end of the last **poème.**

[47] **A Une Heure du matin,** while this is simply one more **poème en prose,** the reader may find in it a summing-up, in ideal terms, of the themes presented in the three preceding **poèmes**: a rather neurotically individualistic idealism, disgust with the weakness of others and with his own, and a desire to escape from this commonplace reality into an ideal world, even if it be only illusion.

[48] **plus que=plus rien d'autre que.**

[49] **nous,** this is the so-called "editorial we"; the author is alone and thinking only of himself in this soliloquy.

[50] **revue,** (*literary*) *review* or *magazine,* often published in the format of a newspaper (*journal*).

[51] **salué,** *greeted.*

une averse, chez une sauteuse[52] qui m'a prié de lui dessiner un costume de *Vénustre*; avoir fait ma cour à un directeur de théâtre, qui m'a dit en me congédiant: «—Vous feriez peut-être bien de vous adresser à Z. . . . ; c'est le plus lourd, le plus sot et le plus 245 célèbre de tous mes auteurs; avec lui vous pourriez peut-être aboutir à quelque chose.[53] Voyez-le, et puis nous verrons;» m'être vanté (pourquoi?) de plusieurs vilaines actions que je n'ai jamais commises, et avoir lâchement nié quelques autres méfaits que j'ai accomplis avec joie, délit de fanfaronnade,[54] crime de respect humain; 250 avoir refusé à un ami un service facile, et donné une recommandation écrite à un parfait drôle;[55] ouf! est-ce bien fini?

Mécontent de tous et mécontent de moi, je voudrais bien me racheter[56] et m'enorgueillir un peu dans le silence et la solitude de la nuit. Ames de ceux que j'ai aimés, âmes de ceux que j'ai chantés, 255 fortifiez-moi, soutenez-moi, éloignez de moi le mensonge et les vapeurs corruptrices du monde; et vous, Seigneur mon Dieu! accordez-moi la grâce de produire quelques beaux vers qui me prouvent à moi-même que je ne suis pas le dernier[57] des hommes, que je ne suis pas inférieur à ceux que je méprise.

EXPRESSIONS FOR STUDY

1. Vous êtes le plus bel exemple d'imperméabilité féminine qui se puisse rencontrer. **2.** Nous nous étions bien promis que nos deux âmes désormais n'en feraient qu'une. **3.** Le gaz lui-même y déployait toute l'ardeur d'un début. **4.** Il faisait prendre à ses enfants l'air du soir. **5.** Tant il est difficile de s'entendre, même entre gens qui s'aiment!

6. Il en passa sans doute en ce moment quelque chose dans mon âme. **7.** J'en étais venu à ne plus trouver si ridicules les journaux qui prétendent que l'homme est né bon. **8.** Je découpais tranquillement mon pain quand un bruit me fit lever les yeux. **9.** Lentement il se rapprocha, ne quittant pas

[52] **sauteuse,** contemptuous for *ballet dancer;* the lady's illiteracy is shown by her use of the term "**Vénustre,**" confusing perhaps **Vénus** with **illustre.**

[53] **aboutir à quelque chose,** *get somewhere.*

[54] **délit de fanfaronnade,** *crime* (*consisting only*) *of boasting,* the first of the above offenses; the second is considered a *crime against human dignity* (**crime de respect humain**).

[55] **drôle,** here has almost the force of *scoundrel, "crook."*

[56] **me racheter,** *redeem myself.*

[57] **dernier,** *vilest.* This prayer is very similar to one which Baudelaire recited daily.

des yeux l'objet de sa convoitise. **10.** Cette lutte hideuse dura en vérité plus longtemps que leurs forces enfantines ne semblaient promettre.

11. Il y avait sans doute chez lui, relativement à moi, un désir analogue. **12.** On y respirait une béatitude analogue à celle que durent éprouver les mangeurs de lotus. **13.** Ces visages m'inspiraient plutôt une sympathie fraternelle que cette crainte qui naît ordinairement à l'aspect de l'inconnu. **14.** Jamais je ne vis d'yeux brillant plus énergiquement de l'horreur de l'ennui et du désir immortel de se sentir vivre. **15.** Je dois dire que j'avais joué et perdu mon âme, en partie liée, avec une insouciance et une légèreté héroïques. **16.** Il daigna même me faire confidence de quelques principes fondamentaux dont il ne me convient pas de partager les bénéfices et la propriété avec qui que ce soit. **17.** Je veux vous prouver que Moi, dont on dit tant de mal, je suis quelquefois *bon diable,* pour me servir d'une de vos locutions vulgaires. **18.** Jamais un désir ne sera formé par vous, que je ne vous aide à le réaliser. **19.** Si ce n'eût été la crainte de m'humilier, je serais volontiers tombé aux pieds de ce joueur généreux. **20.** «Seigneur, mon Dieu! Faites que le diable me tienne sa parole!»

21. On n'entend plus que le roulement de quelques fiaces attardés et éreintés. **22.** Il prenait sans doute la Russie pour une île. **23.** Seigneur mon Dieu! accordez moi la grâce de produire quelques beaux vers qui me prouvent à moi-même que je ne suis pas inférieur à ceux que je méprise.

QUESTIONNAIRE

1. A qui parle le poète dans «Les Yeux des Pauvres»? **2.** Quel est le caractère de son amie? **3.** Qu'est-ce qu'ils s'étaient promis? **4.** Pourquoi l'amie voulut-elle s'asseoir? **5.** Où s'assit-elle? **6.** Qui les regardait? **7.** Que disaient les yeux du petit garçon? du plus petit? **8.** Que disent les chansonniers? **9.** Qu'est-ce que le poète voulait lire dans les yeux de son amie? **10.** Que dit l'amie?

11. Décrivez le paysage au milieu duquel le poète voyageait. **12.** Croyez-vous qu'il voyage en chemin de fer? pourquoi (pas)? **13.** Où se roulèrent les deux petits sauvages? **14.** Qu'est-ce qu'aucun d'eux ne veut faire? **15.** Que devient le «gâteau»?

16. Pourquoi le poète suit-il immédiatement l'Etre mystérieux? **17.** Décrivez la demeure dans laquelle il descendit. **18.** Qu'est-ce qui brillait dans les yeux des hôtes [guests]? **19.** Qu'avait fait le poète au jeu? **20.** Que donnait le parfum des cigares? **21.** Quelle est la «grande idée du siècle»? **22.** Comment le prédicateur montre-t-il qu'il est plus subtil que ses confrères? **23.** Quels sont les rapports du Diable avec Dieu? **24.** Comment montre-t-il qu'il est *bon diable*? **25.** Comment le poète fait-il preuve de son incurable défiance envers le Diable?

26. Combien de personnes le poète avait-il saluées ce jour-là? **27.** Qu'est-ce que la danseuse lui avait demandé? **28.** Qui est Z. . . ? **29.** Quel est le délit de fanfaronnade du poète? son crime de respect humain? **30.** Qu'est-ce qu'il demande à Dieu? **31.** Lequel de ces poèmes préférez-vous, et pourquoi?

VAUVENARGUES AND JOUBERT

MAXIMES ET PENSÉES

Introduction

THE ABOVE title designates a type of writing whose practitioners put down, succinctly and in polished form, their observations on life and their fellow men. Each highly distilled cryptic notation can be the object of lengthy reflection. With no obligation on the part of the writer to elaborate or support his observation, the reader finds he must evaluate each thought in the light of his own experience. The reader may also realize that he does not always match the maturity and sophistication of the author.

The best known of French maxim writers is the Duke de la Rochefoucauld (1613-1680) whose observations were based on an intimate knowledge of the society of Louis XIV. The first of the two authors whose reflections follow is the Marquis de Vauvenargues (1715-1747). When reduced to inaction through injuries sustained in the War of the Austrian Succession, he composed his *Réflexions sur divers sujets.* A convinced optimist who believed in the essential goodness of human nature, he used the same literary form as La Rochefoucauld to dispute the latter's pessimism.

The second author, Joseph Joubert (1754-1824) is known for the subtlety of his thought and the delicacy of his judgment. His impressions drawn from his readings and his general observations, collected as *Pensées,* were published posthumously.

MAXIMES ET PENSÉES

I. Maximes de Vauvenargues

1. Peu de maximes sont vraies à tous égards.

2. La clarté orne les pensées profondes.

3. L'obscurité est le royaume de l'erreur.

4. On dit peu de choses solides, lorsqu'on cherche à en dire d'extraordinaires.

5. Les jeunes gens souffrent moins de leurs fautes que de la prudence des vieillards.

6. Les conseils de la vieillesse éclairent sans échauffer, comme le soleil de l'hiver.

7. Les jeunes gens connaissent plutôt l'amour que la beauté.

8. Les femmes ne peuvent comprendre qu'il y ait[1] des hommes désintéressés à leur égard.[2]

9. Il est plaisant[3] qu'on ait fait une loi de la pudeur aux[4] femmes, qui n'estiment dans les hommes que l'effronterie.

10. Ceux qui ne sont plus en état de plaire aux femmes s'en corrigent.[5]

11. Les longues prospérités s'écoulent quelquefois en un moment: comme les chaleurs de l'été sont emportées par un jour d'orage.

12. La guerre n'est pas si onéreuse que la servitude.

13. Personne n'est sujet à plus de fautes que[6] ceux qui n'agissent que par[7] réflexion.

14. Le sot qui a beaucoup de mémoire est plein de pensées et de faits; mais il ne sait pas en conclure:[8] tout tient à[9] cela.

15. Le plus grand de tous les projets est celui de prendre un parti.

16. Ceux qui viendront après nous sauront peut-être plus que nous, et ils s'en croiront plus d'esprit,[10] mais seront-ils plus heureux ou plus

[1] **qu'il y ait,** *that there can be, should be.*
[2] **à leur égard,** *concerning* or *toward them.*
[3] **plaisant,** *amusing* (*funny*).
[4] **aux,** *for.*
[5] **s'en corrigent,** *abstain* (ironic—they think they are avoiding women but it is just the contrary).
[6] **que,** *than.*
[7] **par,** *after* (*mature*). For the sense, cf. maxim 5. Vauvenargues died young!
[8] **en conclure,** *conclude anything from, make any good use of them.*
[9] **tient à,** *depends on.*
[10] **s'en croiront plus d'esprit,** *will think themselves the cleverer thereby.*

sages? Nous-mêmes qui savons beaucoup, sommes-nous meilleurs que nos pères, qui savaient si peu?

17. Pour exécuter de grandes choses, il faut vivre comme si on ne devait jamais mourir.

18. Le fruit du travail est le plus doux des plaisirs.

19. Les espérances les plus ridicules et les plus hardies ont été quelquefois la cause des succès extraordinaires.

20. Les hommes sont si sensibles à la flatterie, que, lors même qu'ils pensent que c'est flatterie, ils ne laissent[11] pas d'en être les dupes.

21. Si les hommes ne se flattaient pas les uns les autres, il n'y aurait guère de société.

22. Tout ce qui distingue les hommes paraît peu de chose. Qu'est-ce qui fait la beauté ou la laideur, la santé ou l'infirmité, l'esprit ou la stupidité? une légère différence des organes, un peu plus ou un peu moins de bile, etc. Cependant ce plus ou ce moins est d'une importance infinie pour les hommes; et lorsqu'ils en jugent autrement, ils sont dans l'erreur.

23. Nous n'avons ni la force ni les occasions d'exécuter tout le bien et tout le mal que nous projetons.

24. Vous trouverez fort peu de paresseux que l'oisiveté n'incommode;[12] et si vous entrez dans un café, vous verrez qu'on y joue aux dames.[13]

25. S'il est vrai que nos joies soient courtes, la plupart de nos afflictions ne sont pas longues.

26. Les maladies suspendent nos vertus et nos vices.

27. Les hommes ne se comprennent pas les uns les autres. Il y a moins de fous qu'on ne[14] croit.

28. La pitié est moins tendre que l'amour.

29. Les choses que l'on sait le mieux sont celles qu'on n'a pas apprises.

30. Nous ne sommes pas contents d'être habiles si on[15] ne sait pas que nous le sommes: et pour ne pas en perdre le mérite, nous en perdons quelquefois le fruit.

[11] **laissent = manquent.**
[12] **n'incommode = n'ennuie pas.**
[13] **on y joue aux dames,** *they are playing checkers*—i.e., rather than do nothing at all.
[14] **qu'on ne,** *than one.*
[15] **on = le monde, les autres.**

31. Il est peut-être plus utile, dans les grandes places,[16] de savoir et de vouloir se servir de gens instruits,[17] que de l'être soi-même.

32. Ceux qui méprisent l'homme ne sont pas de grands hommes.

II. Pensées de Joubert

1. S'il est[1] quelqu'un tourmenté par la maudite ambition de mettre toujours tout un livre dans une page, toute une page dans une phrase, et cette phrase dans un mot, c'est moi.

2. Quiconque n'est jamais dupe n'est pas ami.

3. La crainte a toujours les yeux ouverts; l'amour aime à fermer les siens.

4. Les femmes en habits d'hommes et non flottants perdent la grâce.

5. Dans toutes les classes sans éducation, les femmes valent mieux que les hommes. Dans toutes les classes distinguées, on trouve les hommes supérieurs aux femmes. C'est que les hommes sont plus susceptibles d'être riches en vertus acquises, et les femmes en vertus naturelles ou natives.

6. Quand on aime, c'est le coeur qui juge.

7. Nous ne prenons plus garde dans les livres à ce qui est beau ou à ce qui ne l'est pas, mais à ce qui nous dit du bien ou du mal de nos amis et de nos opinions.

8. Toutes les femmes aiment beaucoup les esprits qui habitent de jeunes corps et les âmes qui ont de beaux yeux.

9. La haine entre les deux sexes ne s'éteint guère.[2]

10. Pour vivre heureuse et toujours semblable à elle-même,[3] une jolie femme doit mourir jeune, et une honnête femme mourir âgée.

11. Le son du tambour dissipe les pensées; c'est par cela même[4] que cet instrument est éminemment militaire.

12. La vieillesse aime le peu,[5] et la jeunesse aime le trop.

13. Les passions des jeunes gens sont des vices dans la vieillesse.

14. La jeunesse aime toutes les sortes d'imitations; mais l'âge mûr[6] les veut choisies, et la vieillesse n'en veut plus que de belles.

[16] **les grandes places,** *high office.*
[17] **se servir de gens instruits,** *make use of people who are competently trained.*
[1] **S'il est=S'il y a.**
[2] **ne s'éteint guère,** *is never entirely extinguished.*
[3] **semblable à elle-même,** *consistent, the same.*
[4] **par cela même,** *for that very reason.*
[5] **aime le peu** (as the contrary of **aime le trop**), *abhors any excess* (which youth loves).
[6] **l'âge mûr,** *maturity.*

15. Pour bien faire,[7] il faut oublier qu'on est vieux, quand on est vieux, et ne pas trop sentir qu'on est jeune quand on est jeune.

16. En élevant un enfant il faut songer à sa vieillesse.

17. Enseigner, c'est apprendre deux fois.

18. Les enfants doivent avoir pour amis leurs camarades et non pas leurs pères et leurs maîtres.

19. Les Anglais sont élevés dans le respect des choses sérieuses et les Français dans l'habitude de s'en moquer.

20. Jésus-Christ n'a rien écrit; la divinité inspire et dicte; c'est aux disciples à écrire.

21. Trois choses sont nécessaires pour bien faire un bon livre: le talent, l'art et le métier.[8] C'est-à-dire la nature, l'industrie[9] et l'habitude.

22. La politesse est la fleur de l'humanité; et ce qui n'est pas assez poli n'est pas assez humain.

23. L'impartialité naît d'une disposition à juger favorablement des hommes et des choses.

24. Y aurait-il en effet quelque chose de supérieur à la foi? Une vue, une vision. . . . Mais quand[10] cela pourrait être, qui oserait se flatter de l'avoir obtenu?

25. Il y a beaucoup de choses qu'il faut laisser dans la vie et qu'il ne faut pas[11] mettre dans les livres.

26. Adressez-vous aux jeunes gens, ils savent tout.

27. Les Français sont des jeunes gens toute leur vie.

28. Les Français naissent légers, mais ils naissent modérés.

29. Le mal[12] est que chaque âge, chaque sexe, veut avoir les biens[13] qui n'appartiennent qu'à l'autre sexe et à d'autres âges.

30. S'il n'est pas nécessaire de croire tout ce que les religions enseignent, il serait beau du moins de faire tout ce qu'elles prescrivent.

31. C'est un grand malheur quand la moitié d'une nation est méprisée

[7] **bien faire,** *act wisely.*
[8] **le métier,** *craftsmanship, technique.*
[9] **industrie,** *hard work.*
[10] **quand=quand même,** *even if.*
[11] **et qu'il ne faut pas,** *but which one must not.* For the sense of this maxim, cf. maxim 36.
[12] **mal,** *trouble.*
[13] **biens,** *benefits* or *advantages.*

par l'autre; et je ne veux pas seulement parler du mépris des grands pour les petits,[14] mais du mépris des petits pour les grands.

32. Quand je vois des jeunes gens tels que ceux de nos jours, je dis que le ciel veut perdre le monde.

33. La religion fait au pauvre même un devoir d'être libéral, noble, généreux et magnifique par la charité.[15]

34. Ce n'est pas ce qu'on dit, mais ce qu'on fait entendre;[16] ce n'est pas ce qu'on peint, mais ce qu'on fait imaginer, qui est important dans l'éloquence et les arts.

35. Ce n'est qu'en cherchant les mots qu'on trouve les pensées.

36. Celui qui en toutes choses appellerait un chat *un chat*, serait un homme franc, et pourrait être un honnête homme,[17] mais non pas un bon écrivain; car pour bien écrire, le mot propre et suffisant ne suffit pas réellement. Il ne suffit pas d'être clair et d'être entendu, il faut plaire, il faut enchanter; il faut séduire et mettre des illusions dans tous les yeux; j'entends des illusions qui éclairent, et non des illusions qui trompent et dénaturent les objets.

37. Beaucoup de mots ont changé de sens. Remarquez, par exemple, celui de *liberté*. Chez les anciens, il avait au fond le même sens que celui de *dominium*.[18] Je veux être libre, voulait dire chez eux: Je veux gouverner, ou administrer la cité; et parmi nous, ces mots veulent dire: Je veux être indépendant. Liberté, chez nous, a un sens moral, et avait chez eux un sens tout politique.

38. Tous les esprits ardents ont quelque chose d'un peu fou, et tous les esprits froids quelque chose d'un peu stupide.

39. On n'est guère malheureux que par réflexion.

40. Pensez aux maux dont vous êtes exempt.

41. Il n'y a que nos passions et nos pensées qui nous fassent[19] comprendre celles des autres.

42. Il est permis de s'affliger,[20] mais il n'est jamais permis de rire de la religion d'autrui.

[14] **grands . . . petits,** equivalent here to *upper* and *lower classes,* whether the division be by rank (as in the *Ancien Régime*) or by wealth only. Cf. maxim 33.

[15] **charité,** *love* (*of God and of one's fellow man*).

[16] **fait entendre,** *expresses* or *communicates.*

[17] **honnête homme,** *well-bred gentleman.*

[18] **dominium** (Latin), explained in next phrase.

[19] **fassent,** *cause, permit.*

[20] **s'affliger,** *be distressed* (or even *appalled*).

43. Il est des hommes qui se croient éclairées parce qu'ils sont décidés, prenant ainsi la conviction pour la vérité et la forte conception pour l'intelligence.

44. Quand on a trouvé ce qu'on cherchait, on n'a pas le temps de le dire: il faut mourir.

EXPRESSIONS FOR STUDY

I. Vauvenargues

1. Il ne sait pas en conclure; tout tient à cela. **2.** Ils s'en croiront plus d'esprit. **3.** Ils ne laissent pas d'en être les dupes. **4.** Tout ce qui distingue les hommes paraît peu de chose. **5.** Vous trouverez fort peu de paresseux que l'oisiveté n'incommode. **6.** Vous verrez qu'on y joue aux dames. **7.** Il y a moins de fous qu'on ne croit. **8.** Il est plus utile de savoir et de vouloir se servir de gens instruits, que de l'être soi-même.

II. Joubert

1. C'est que les hommes sont plus susceptibles d'être riches en vertus acquises. **2.** Nous ne prenons plus garde à ce qui est beau ou à ce qui ne l'est pas. **3.** C'est par cela même que cet instrument est éminemment militaire. **4.** Le ciel veut perdre le monde. **5.** Ce n'est pas ce qu'on dit, mais ce qu'on fait entendre, qui est important dans les arts. **6.** Y aurait-il en effet quelque chose de supérieur à la foi? **7.** La religion fait au pauvre même un devoir d'être libéral. **8.** Liberté, chez nous, a un sens moral. **9.** Les esprits ardents ont quelque chose d'un peu fou.

QUESTIONNAIRE

Le professeur demandera à chaque élève de citer une maxime ou une pensée qui l'a frappé, et de la commenter.

MARCEL PROUST

LA PHRASE DE VINTEUIL

Introduction

MARCEL Proust's vast cycle of novels, *A la Recherche du temps perdu,* publication of which was completed only after his death in 1922, is in a certain sense the culmination of a literary tendency which began with the *Comédie humaine* of Balzac (see Introducton to *El Verdugo* in Part I). Proust chose to emulate Balzac not in his manner of narration but in the concept of a cycle of novels presenting a comprehensive picture of contemporary society. The separate volumes have little plot or unity of action, and the over-all unity is obtained by such simple devices as maintaining the same principal characters, and by a certain profound unity of conception in the author's view of life. His method is rather descriptive than narrative, and he can therefore be judged more fairly than many novelists from excerpts such as the following, which is only slightly abridged from the opening pages of *Un Amour de Swann* (Book II of Part I, *Du Côté de chez Swann*).

Proust excels in the representation of futility; but while Baudelaire, as in his *poèmes en prose,* fought passionately against the threat of *ennui,* Proust depicts his world with an almost placid objectivity. Among his enthusiasms were art and music, and he has given similar tastes to his central character, Swann, who remains haunted throughout the entire volume by the enigmatic snatch of music, *la phrase de Vinteuil,* the vitality of which seems a constant reproach to Swann's own unrealized ambitions to create.

Of more general interest, and more typical of Proust's best qualities as a novelist, is the description of the amiably silly salon of Mme Verdurin.

LA PHRASE DE VINTEUIL

Pour faire partie du «petit noyau», du «petit groupe», du «petit clan» des Verdurin, une condition était suffisante mais elle était nécessaire: il fallait adhérer tacitement à un *Credo* dont un des articles était que le jeune pianiste, protégé par Mme Verdurin cette année-là et dont elle disait: «Ça ne devrait pas être permis de savoir jouer Wagner[1] comme ça!» «enfonçait»[2] à la fois? Planté[3] et Rubinstein[4] et que le docteur Cottard [5] avait plus de diagnostic[6] que Potain. Toute «nouvelle recrue» à qui les Verdurin ne pouvaient pas persuader que les soirées des gens qui n'allaient pas chez eux étaient ennuyeuses comme la pluie, se voyait immédiatement exclue. Les femmes étant à cet égard plus rebelles que les hommes à déposer toute curiosité mondaine[7] et l'envie[8] de se renseigner par soi-même sur l'agrément des autres salons, et les Verdurin sentant d'autre part que cet esprit d'examen et ce démon de frivolité pouvaient par contagion devenir fatal à l'orthodoxie de la petite église,[9] ils avaient été amenés à rejeter successivement tous les «fidèles» du sexe féminin.

En dehors de la jeune femme du docteur, ils[10] étaient réduits presque uniquement cette année-là (bien que Mme Verdurin fût elle-même vertueuse et d'une respectable famille bourgeoise) à une personne presque du demi-monde,[11] Mme de Crécy, que Mme Verdurin

[1] **Wagner, (Richard),** German operatic composer, whose international fame was then at its height, and who exercised an enormous influence—by action and by reaction—on French music of this period, which was dominated by Debussy and Impressionism.

[2] **"enfonçait,"** *"put in the shade"*—lit., *sank.*

[3] **Planté, (Francis),** 1839-1934, celebrated French pianist.

[4] **Rubinstein, (Anton),** 1829-1894, ranked with Liszt as one of the world's greatest pianists. He was also a distinguished composer and founder and director of the Petersburg conservatory where Tschaikowski was among his pupils.

[5] **Cottard,** one of the Verdurins' constant visitors, and not at all brilliant.

[6] **diagnostic,** *diagnostic skill;* **Potain,** a well-known physician of the time.

[7] **mondaine,** *social.*

[8] **envie,** object of **déposer.**

[9] **église=groupe;** the word **chapelle** is more commonly used in this ironic sense.

[10] **ils=les fidèles du sexe féminin.**

[11] **demi-monde,** an untranslatable term denoting persons, especially women, of flashy social status and somewhat questionable past (or present)—a rough equivalent would be *café society.*

appelait par son petit nom,[12] Odette, et déclarait être «un amour,»[13] et à la tante du pianiste, laquelle devait avoir tiré le cordon.[14]

Les Verdurin n'invitaient pas à dîner; on avait chez eux «son 25 couvert mis».[15] Pour la soirée, il n'y avait pas de programme. Le jeune pianiste[16] jouait, mais seulement si «ça lui chantait»,[17] car on ne forçait personne et comme disait M. Verdurin: «Tout pour les amis, vivent les camarades!»[18] Si le pianiste voulait jouer la chevauchée de *La Walkyrie* ou le prélude de *Tristan,*[19] Mme Ver-30 durin protestait, non que cette musique lui déplût, mais au contraire parce qu'elle lui causait trop d'impression. «Alors vous tenez à ce que j'aie[20] ma migraine? Vous savez bien que c'est la même chose chaque fois qu'il joue ça. Je sais ce qui m'attend! Demain matin quand je voudrai me lever, bonsoir, plus personne!»[21]

35 C'est Odette qui avait amené Swann[22] chez les Verdurin. En disant aux Verdurin que Swann était très «smart»,[23] Odette leur avait fait craindre un "ennuyeux".[24] Il leur fit au contraire une excellente impression dont à leur insu sa fréquentation dans la société élégante était une des causes indirectes. Il avait en effet sur 40 les hommes même intelligents qui ne sont jamais allés dans le monde une des supériorités de ceux qui y ont un peu vécu, qui

[12] **petit nom = Odette.**

[13] **amour,** *darling.*

[14] **devait avoir tiré le cordon,** *must have been a concierge*—one of whose duties was to pull the cord beside her bed, thus opening the apartment house door to people who rang to get in after it was locked up for the night.

[15] **son couvert mis,** *his place already set, a standing invitation.*

[16] **pianiste,** the musician will note that he plays nothing written originally for piano, only transcriptions; it is a little terrifying, in these days of microgroove records and high fidelity, to read, as we do later, of listening to a piano rendition of Beethoven's Ninth Symphony or one of Wagner's operas (some of which run to 10 hours in actual performing time if uncut). But such transcriptions were to many music-lovers of that time the only way of hearing such works. Among those famous for their piano transcriptions were Busoni and Planté (see note 3).

[17] **ça lui chantait,** *he felt the urge.*

[18] **vivent les camarades = vive la camaraderie,** *good-fellowship forever.*

[19] **chevauchéé de La Walkyrie . . . Tristan,** *the Ride of the Valkyries* and the *Prelude to Tristan and Isolda* are famous orchestral selections from Wagner operas.

[20] **vous tenez à ce que j'aie,** *you insist that I must come down with.*

[21] **bonsoir, plus personne,** *good night! I'm out!.*

[22] **Swann,** the central character in Proust's series of novels.

[23] **"smart",** in this society the use of an English term has the same magic effect as a French word would to the equivalent English group. This is the "Edwardian era," of the elegant and sociable King Edward VII, who frequently visited France.

[24] **un ennuyeux,** *an affected bore.*

est de ne plus le[25] transfigurer par le désir ou par l'horreur qu'il inspire à l'imagination, de le considérer comme sans aucune importance. Leur amabilité,[26] séparée de tout snobisme[27] et de la
45 peur de paraître trop aimable, devenue indépendante, a cette aisance, cette grâce des mouvements de ceux dont les membres assouplis exécutent exactement ce qu'ils veulent, sans participation indiscrète et maladroite du reste du corps. La simple gymnastique[28] élémentaire de l'homme du monde tendant la main[29] avec bonne
50 grâce au jeune homme inconnu qu'on lui présente et s'inclinant avec réserve devant l'ambassadeur à qui on le présente, avait fini par passer sans qu'il en fût conscient dans toute l'attitude de Swann, qui vis-à-vis[30] de gens d'un milieu inférieur au sien comme étaient les Verdurin et leurs amis, fit instinctivement montre d'un em-
55 pressement, se livra à des avances, dont selon eux un ennuyeux se fût abstenu.

Swann les toucha infiniment en croyant devoir[31] demander tout de suite à faire la connaissance de la tante du pianiste. En robe noire comme toujours, parce qu'elle croyait qu'en noir on est tou-
60 jours bien et que c'est ce qu'il y a de plus distingué, elle avait le visage excessivement rouge comme chaque fois qu'elle venait de manger. Elle s'inclina devant Swann avec respect, mais se redressa avec majesté. Comme elle n'avait aucune instruction[32] et avait peur de faire des fautes de français, elle prononçait exprès d'une
65 manière confuse, pensant que si elle lâchait un cuir[33] il serait estompé d'un tel vague[34] qu'on ne pourrait le distinguer avec certitude, de sorte que sa conversation n'était qu'un graillonnement indistinct duquel émergeaient de temps à autre les rares vocables

[25] **le=le monde,** *High Society.*

[26] **Leur amabilité,** *The naturally gracious manner (of persons like Swann).*

[27] **snobisme,** *vulgar affectation.*

[28] **gymnastique,** *grace of gesture.*

[29] **tendant la main,** *putting out his hand*—he is cordial to the insecure novice and reserved with the man of importance, unlike the snob, who would do just the contrary.

[30] **vis-à-vis,** *toward*—the Verdurins are not yet aware of the social distinction of their guest, and he is careful to make no show of it.

[31] **en croyant devoir,** *by taking it upon himself.*

[32] **instruction,** *education.*

[33] **lâchait un cuir,** *let slip an incorrect linking* (e.g., **il va-t-arriver vers quat'-z-heures**).

[34] **estompé d'un tel vague,** *so blurred by her generally fuzzy diction.*

dont elle se sentait sûre. Swann crut pouvoir[35] se moquer légèrement
70 d'elle en parlant à M. Verdurin, lequel au contraire fut piqué.

«C'est une si excellente femme, répondit-il. Je vous accorde qu'elle n'est pas étourdissante; mais je vous assure qu'elle est agréable quand on cause seul avec elle. Vous n'avez jamais entendu son neveu? c'est admirable, n'est-ce pas, docteur? Voulez-vous que
75 je lui demande de jouer quelque chose, Monsieur Swann?»

M. Verdurin, après avoir demandé à Swann la permission d'allumer sa pipe («ici on ne se gêne pas, on est entre camarades»), priait le jeune pianiste de se mettre au piano.

—M. Swann ne connaît peut-être pas la sonate en *fa* dièse[36] que
80 nous avons découverte; il va nous jouer l'arrangement pour piano.

—Ah! non, non, pas ma sonate! cria Mme Verdurin, je n'ai pas envie à force de pleurer de me fiche[37] un rhume de cerveau avec névralgies faciales, comme la dernière fois; merci du cadeau, je ne tiens pas à recommencer; vous êtes bons vous autres,[38] on voit
85 bien que ce n'est pas vous qui garderez le lit huit jours!

Cette petite scène qui se renouvelait chaque fois que le pianiste allait jouer enchantait les amis aussi bien que si elle avait été nouvelle, comme une preuve de la séduisante originalité de la «Patronne»[39] et de sa sensibilité musicale. Ceux qui étaient près
90 d'elle faisaient signe à ceux qui plus loin fumaient ou jouaient aux cartes, de se rapprocher, qu'il se passait quelque chose, leur disant comme on fait au Reichstag[40] dans les moments intéressants: «Écoutez, écoutez.» Et le lendemain on donnait des regrets à ceux[41] qui n'avaient pas pu venir en leur disant que la scène avait été
95 encore plus amusante que d'habitude.

—Eh bien! voyons, c'est entendu,[42] dit M. Verdurin, il ne jouera que l'andante.

[35] **crut pouvoir,** *felt he could permit himself to.*

[36] **fa dièse,** *f sharp*—in the world of "**snobisme**" such works are always **découvert,** and known only to the **petit noyau.**

[37] **fiche=ficher,** *get,* a snobbish vulgarism like the use of "ain't" or "he don't" in equivalent English circles.

[38] **bons vous autres,** *fine ones, you are!*

[39] **Patronne,** *Mistress of the House.*

[40] **Reichstag,** German parliament—cf. English "Hear, Hear!"

[41] **donnait des regrets à ceux,** *made those . . . feel sorry they hadn't come.*

[42] **c'est entendu,** *all right, it's agreed.*

—Que l'andante, comme tu y vas![43] s'écria Mme Verdurin. C'est justement l'andante qui me casse bras et jambes.[44] Il est vraiment superbe le Patron![45] C'est comme si dans la «Neuvième»[46] il disait: nous n'entendrons que le finale, ou dans «Les Maîtres»[47] que l'ouverture.

Le docteur, cependant, poussait Mme Verdurin à laisser jouer le pianiste.

—Vous ne serez pas malade cette fois-ci, vous verrez, dit-il en cherchant à la suggestionner du regard.[48] Et si vous êtes malade nous vous soignerons.

—Bien vrai? répondit Mme Verdurin, comme si devant l'espérance d'une telle faveur il n'y avait plus qu'à capituler. Peut-être aussi, à force de dire qu'elle serait malade, y avait-il des moments où elle ne se rappelait plus que c'était un mensonge et prenait une âme de malade.[49]

Or quand le pianiste eut joué, Swann fut plus aimable encore avec lui qu'avec les autres personnes qui se trouvaient là. Voici pourquoi:

L'année précédente, dans une soirée, il avait entendu une oeuvre musicale exécuté au piano et au violon. D'abord, il n'avait goûté que la qualité matérielle des sons sécrétés par les instruments. Et ç'avait déjà été un grand plaisir quand au-dessous[50] de la petite ligne du violon mince, résistante, dense et directrice, il avait vu tout d'un coup chercher à s'élever en un clapotement liquide, la masse de la partie de piano, multiforme, indivise, plane et entrechoquée comme la mauve agitation des flots que charme et bémolise le clair

[43] **comme tu y vas!** *don't you understand?* (*how you go on!*)

[44] **me casse bras et jambes,** *makes a perfect wreck of me.*

[45] **le Patron,** *the Master!*

[46] **la "Neuvième",** *the Ninth symphony* of Beethoven, with choral finale.

[47] **Les Maîtres=Die Meistersinger** (*The Mastersingers*), opera by Wagner, with a powerful overture.

[48] **la suggestioner du regard,** *convince her* (as if by "hypnotic suggestion") *with a glance.*

[49] **prenait une âme de malade,** *really felt she would be ill.*

[50] **au-dessous,** etc., this impressionistic description may (among various ways) be rendered, *from beneath the soft melodic line of the violin—delicate but firm, compact and dominating—he had suddenly felt the piano seeking to assert itself, a many-colored mass of sound, even but yet clashing, like the purplish stirring of iridescent waters softened by the moonlight.* It should be noted that Swann speaks as one without any formal training in music, although competent in the visual arts—in this resembling Proust.

de lune. Mais à un moment donné, sans pouvoir nettement dis-
125 tinguer un contour, donner un nom à ce qui lui plaisait, charmé tout d'un coup, il avait cherché à recueillir la phrase ou l'harmonie —il ne savait lui-même[51]—qui passait et lui avait ouvert plus largement l'âme, comme certaines odeurs de roses circulant dans l'air humide du soir ont la propriété de dilater nos narines. Peut-
130 être est-ce parce qu'il ne savait pas la musique qu'il avait pu éprouver une impression aussi confuse, une de ces impressions qui sont peut-être pourtant les seules purement musicales, inétendues,[52] entièrement originales, irréductibles à tout autre ordre d'impressions.

135 A peine la sensation délicieuse que Swann avait ressentie était-elle expirée, que sa mémoire lui en avait fourni séance tenante une transcription sommaire et provisoire, mais sur laquelle il avait jeté les yeux[53] tandis que le morceau continuait, si bien que, quand la même impression était tout d'un coup revenue, elle n'était déjà
140 plus insaisissable. Il s'en représentait l'étendue,[54] les groupements symétriques, la graphie,[55] la valeur expressive; il avait devant lui cette chose qui n'est plus de la musique pure, qui est du[56] dessin, de l'architecture, de la pensée, et qui permet de se rappeler la musique. Elle lui avait proposé[57] aussitôt des voluptés particulières,
145 dont il n'avait jamais eu l'idée avant de l'entendre, dont il sentait que rien autre qu'elle ne pourrait les lui faire connaître, et il avait éprouvé pour elle comme un amour inconnu.

D'un rythme lent elle le dirigeait[58] ici d'abord, puis là, puis ailleurs, vers un bonheur noble, inintelligible[59] et précis. Et tout
150 d'un coup, au point où elle était arrivée et d'où il se préparait à la suivre, après une pause d'un instant, brusquement elle changeait

[51] **il ne savait lui-même,** *he could not really tell which*—in music of the kind suggested here, harmonic color or tone quality are more stressed than melodic line, so that Swann does not know whether to call it a harmonic effect or a (melodic) phrase.

[52] **inétendues,** *entirely immaterial, bodiless* (See note 54).

[53] **sur laquelle il avait jeté les yeux,** *which he had kept present in his mind.*

[54] **l'étendue,** now that he is beginning to describe and analyze it, it is no longer **inétendue** (cf. note 52).

[55] **graphie,** *its appearance on the written page.*

[56] **est du,** etc. *partakes of the nature of . . .* etc.

[57] **proposé=suggéré.**

[58] **elle le dirigeait,** *it* (*the musical phrase*) *led him.*

[59] **inintelligible,** *purely intuitive, irrational*—a constant theme in Proust's interpretation of reality.

de direction, et d'un mouvement nouveau, plus rapide, elle l'entraînait avec elle vers des perspectives inconnues. Puis elle disparut. Il souhaita passionnément la revoir une troisième fois. Et elle reparut
155 en effet, mais sans lui parler plus clairement, en lui causant même une volupté moins profonde. Mais rentré chez lui[60] il eut besoin d'elle, il était comme un homme dans la vie de qui une passante qu'il a aperçue un moment vient de faire entrer l'image d'une beauté nouvelle qui donne à sa propre sensibilité une valeur plus
160 grande, sans qu'il sache seulement s'il pourra revoir jamais celle qu'il aime déjà et dont il ignore jusqu'au nom.

Même cet amour pour une phrase musicale sembla un instant devoir amorcer chez Swann la possibilité d'une sorte de rajeunissement. Depuis si longtemps il avait renoncé à appliquer sa vie
165 à[61] un but idéal et la bornait à la poursuite de satisfactions quotidiennes, qu'il croyait, sans jamais se le dire formellement, que cela ne changerait plus[62] jusqu'à sa mort; bien plus,[63] ne se sentant plus d'idées élevées dans l'esprit, il avait cessé de croire à leur réalité, sans pouvoir non plus la nier[64] tout à fait. Aussi[65]
170 avait-il pris l'habitude de se réfugier dans des pensées sans importance et qui lui permettaient de laisser de côté le fond des choses. De même qu'il ne se demandait pas s'il n'eût pas mieux fait de ne pas aller dans le monde, mais en revanche savait avec certitude que s'il avait accepté une invitation il devait s'y rendre, et que s'il
175 ne faisait pas de visite après il lui fallait laisser des cartes, de même dans sa conversation il s'efforçait de ne jamais exprimer avec coeur[66] une opinion intime sur les choses, mais de fournir des détails matériels qui valaient en quelque sorte par eux-mêmes et lui permettaient de ne pas donner sa mesure.[67] Il était extrêmement précis
180 pour une recette de cuisine, pour la date de la naissance ou de la mort d'un peintre, pour la nomenclature de ses oeuvres. Parfois,

[60] **rentré chez lui,** *after returning home.*

[61] **à,** *toward.*

[62] **que cela ne changerait plus,** this is an "anacoluthon" or interrupted construction. Construe: *which he thought . . . would never change. . . .*

[63] **bien plus,** *what's more.*

[64] **sans pouvoir non plus la nier,** *without yet* (lit., *either*) *being able to deny it* (the reality of high ideals).

[65] **Aussi,** *Consequently.*

[66] **avec coeur,** *with enthusiasm, warm-heartedly.*

[67] **donner sa mesure,** *reveal* (*the range or limitations of*) *his mind.*

malgré tout, il se laissait aller à émettre un jugement sur une oeuvre, sur une manière de comprendre la vie, mais il donnait alors à ses paroles un ton ironique comme s'il n'adhérait pas tout entier
185 à ce qu'il disait. Or, comme certains valétudinaires chez qui,[68] tout d'un coup, un pays où ils sont arrivés, un régime différent,[69] quelquefois une évolution organique, spontanée et mystérieuse, semblent amener une telle régression de leur mal qu'ils commencent à envisager la possibilité inespérée de commencer sur le tard[70] une
190 vie toute différente, Swann trouvait en lui, dans le souvenir de la phrase qu'il avait entendue, la présence d'une de ces réalités invisibles auxquelles il avait cessé de croire et auxquelles, comme si la musique avait eu sur la sécheresse morale dont il souffrait une sorte d'influence élective,[71] il se sentait de nouveau le désir et
195 presque la force de consacrer sa vie. Mais n'étant pas arrivé à savoir[72] de qui était l'oeuvre qu'il avait entendue, il n'avait pu se la procurer et avait fini par l'oublier.

Or, quelques minutes à peine après que le petit pianiste avait commencé de jouer chez Mme Verdurin, tout d'un coup après
200 une note longuement tendue[73] pendant deux mesures, il vit approcher, s'échappant de sous cette sonorité prolongée et tendue comme un rideau sonore[74] pour cacher le mystère de son incubation, il reconnut, secrète, bruissante et divisée, la phrase aérienne et odorante qu'il aimait. Et elle était si particulière, elle avait un
205 charme si individuel et qu'aucun autre n'aurait pu remplacer, que ce fut pour Swann comme s'il eût rencontré dans un salon ami une personne qu'il avait admirée dans la rue et désespérait de jamais retrouver. A la fin, elle s'éloigna, indicatrice,[75] diligente, parmi les ramifications de son parfum, laissant sur le visage de
210 Swann le reflet de son sourire. Mais maintenant il pouvait demander le nom de son inconnue (on lui dit que c'était l'andante de la sonate pour piano et violon de Vinteuil), il la tenait, il pourrait

[68] **chez qui,** *in whom.*
[69] **régime différent,** *change of diet.*
[70] **sur le tard,** *late in life.*
[71] **influence élective,** *dedicating influence,* singling him out to follow it.
[72] **n'étant pas arrivé à savoir,** *not having succeeded in ascertaining.*
[73] **tendue,** *held (sostenuto).*
[74] **tendue comme un rideau sonore,** *spread like a curtain of sound.*
[75] **Indicatrice,** *now clearly recognizable.*

l'avoir chez lui aussi souvent qu'il voudrait, essayer d'apprendre son langage et son secret.

215 Ainsi, quand le pianiste eut fini, Swann s'approcha-t-il de lui pour lui exprimer une reconnaissance dont la vivacité plut beaucoup à Mme Verdurin.

—Quel charmeur, n'est-ce pas, dit-elle à Swann; la comprend-il assez,[76] sa sonate, le petit misérable?[77] Vous ne saviez pas que le 220 piano pouvait atteindre à ça. C'est tout, excepté du piano, ma parole! Chaque fois j'y suis reprise,[78] je crois entendre un orchestre. C'est même plus beau que l'orchestre, plus complet.

Le jeune pianiste s'inclina, et, souriant, soulignant les mots comme s'il avait fait un trait d'esprit:

225 —Vous êtes très indulgente pour moi, dit-il.

Et tandis que Mme Verdurin disait à son mari: «Allons, donne-lui de l'orangeade, il l'a bien méritée», Swann demandait des renseignements sur Vinteuil, sur son oeuvre, sur l'époque de sa vie où il avait composé cette sonate, sur ce qu'avait pu signifer pour 230 lui la petite phrase,[79] c'est cela surtout qu'il aurait voulu savoir.

Mais tous ces gens qui faisaient profession d'admirer ce musicien semblaient ne s'être jamais posé ces questions, car ils furent incapables d'y répondre. Swann apprit seulement que l'apparition récente de la sonate de Vinteuil avait produit une grande im-235 pression dans une école de tendances très avancées, mais était entièrement inconnue du grand public.

—Je connais bien quelqu'un qui s'appelle Vinteuil, dit Swann, en pensant au professeur de piano des soeurs de sa grand-mère.

—C'est peut-être lui, s'écria Mme Verdurin.

240 —Oh! non, répondit Swann en riant. Si vous l'aviez vu deux minutes, vous ne vous poseriez pas la question. Mais ce pourrait être un parent, cela serait assez triste, mais enfin un homme de

[76] **la comprend-il assez,** *doesn't he understand (interpret) it beautifully!*

[77] **misérable,** *wretch*—cf. note 37 above.

[78] **j'y suis reprise,** *it grips me again.*

[79] **ce qu'avait pu signifier pour lui la petite phrase,** *what the little phrase could have meant to him.* Throughout the volume UN AMOUR DE SWANN, the phrase means so much to Swann as a sort of unattainable artistic ideal that he instinctively thinks it must have some nonmusical or biographical significance to the composer. He discovers his error only much later, in another volume of the novel, when he finds that Vinteuil is really the **vieille bête** that he knows already—see the conclusion of this extract.

génie peut être le cousin d'une vieille bête.[80] Si cela était, j'avoue qu'il n'y a pas de supplice que je ne m'imposerais pour que la 245 vieille bête me présentât à l'auteur de la sonate: d'abord le supplice de fréquenter la vieille bête, et qui doit être affreux.

—From *Un Amour de Swann* (Collection Pourpre). Reproduced by permission of Librairie Gallimard.

EXPRESSIONS FOR STUDY

1. Les Verdurin n'invitaient pas à dîner; on avait chez eux «son couvert mis». **2.** Alors vous tenez à ce que j'aie ma migraine? **3.** Demain matin quand je voudrai me lever, bonsoir, plus personne! **4.** Swann les toucha infiniment en croyant devoir demander tout de suite à faire la connaissance da la tante du pianiste. **5.** Elle croyait qu'en noir on est toujours bien et que c'est ce qu'il y a de plus distingué. **6.** Elle avait le visage excessivement rouge comme chaque fois qu'elle venait de manger. **7.** Swann crut pouvoir se moquer légèrement d'elle en parlant à M. Verdurin, lequel au contraire fut piqué. **8.** Il avait devant lui cette chose qui n'est plus de la musique pure, qui est du dessin, de l'architecture, de la pensée, et qui permet de se rappeler la musique. **9.** Elle lui avait proposé aussitôt des voluptés particulières, dont il sentait que rien autre qu'elle ne pourrait les lui faire connaître. **10.** Il était comme un homme dans la vie de qui une passante qu'il a aperçue un moment vient de faire entrer l'image d'une beauté nouvelle, **11.** sans qu'il sache seulement s'il pourra revoir jamais celle qu'il aime déjà et dont il ignore jusqu'au nom. **12.** Même cet amour pour une pharse musicale sembla un instant devoir amorcer chez Swann la possibilité d'une sorte de rajeunissement. **13.** Bien plus, ne se sentant plus d'idées élevées dans l'esprit, il avait cessé de croire à leur réalité, sans pouvoir non plus la nier tout à fait. **14.** Aussi avait-il pris l'habitude de se réfugier dans des pensées sans importance et qui lui permettaient de laisser de côté le fond des choses.

QUESTIONNAIRE

1. Pour faire partie du «petit clan» des Verdurin, qu'est-ce qu'il fallait croire (ou dire) du jeune pianiste? **2.** Qu'est-ce qu'il fallait croire (ou dire) des soirées des autres? **3.** Qui n'aime pas déposer toute curiosité mondaine? **4.** Qu'est-ce qui pouvait devenir fatal à l'orthodoxie de la petite église? **5.** Qui était Odette? **6.** Comment Swann trouvait-il le milieu social des

[80] **bête,** fool.

Verdurin? **7.** Comment se condusait-il vis-à-vis des Verdurin? **8.** Décrivez la tante du pianiste. **9.** Pourquoi parlait-elle d'une manière confuse? **10.** Qu'est-ce que Mme Verdurin craint si on joue la sonate de Vinteuil? **11.** A-t-on joué toute la sonate? **12.** Quand est-ce que Swann avait déjà entendu la sonate de Vinteuil? **13.** En savait-il alors le nom? **14.** La «phrase de Vinteuil» est-elle jouée par le violon ou par le piano? **15.** Comment l'amour de la phrase promettait-il de rajeunir Swann? **16.** Qu'est-ce qu'on donne au pianiste après qu'il a joué? **17.** Qu'est-ce que Swann a appris sur la sonate de Vinteuil? **18.** Quelle opinion a-t-il du professeur de piano des soeurs de sa grand-mère? **19.** Est-ce qu'il se trompe?

PART V

L'ESPRIT GAULOIS

L'ESPRIT GAULOIS

INTRODUCTION

THE TITLE of this section defies adequate translation. Literally, it is the colorless phrase "The Gallic Spirit" but one cognizant of its real meaning knows that it is the name of a certain quality of France and French writing so old that it dates back to the time when France was Gaul—and life was cruder. *L'esprit gaulois* may be defined as a talent for mockery, or for showing how ridiculous humans can become. Through it, a mirror is held up to us in our more unguarded moments and we are warned that what we are about to see will be unflattering. It is not to be confused with humor nor with the semiserious aims of social satire, although it is often related to both. Though its origins are buried deep in the past, this quality is never long absent from French literature. A tenacious vital undercurrent, it seems a constant reminder that as civilization advances there is always a need for an antidote to its subtleties and refinements which, as in the *précieux* movement in the seventeenth century, sometimes turn into absurdity. In this sense *l'esprit gaulois* may be viewed as the force that restores balance.

In its long history *l'esprit gaulois* appears with varying vigor. In the works of the sixteenth century author Rabelais it is coarse in tone and rough in wit. Yet, inevitably, the excessive civilizing forces which *l'esprit gaulois* seeks to constrain have, in turn, affected it. In the examples that follow, all from the nineteenth and twentieth centuries, there is little of the monstrous jest that was once inseparable from this vein. Maupassant's *Découverte* tells of a man charmed into marriage by a foreign accent, Daudet's *L'Élixir du Révérend Père Gaucher* of a compromise between the temptations of sin and the desire for affluence, and finally Aymé's *Le Proverbe* introduces us to a father never able to harmonize his paternal affection with his petty pride.

GUY DE MAUPASSANT

DÉCOUVERTE

Introduction

THE ONE hundred and fifty tales from the pen of Guy de Maupassant (1850–1893) in little more than ten years are perhaps the French writings most frequently translated into foreign tongues. Since some authors do not translate well and others have little interest beyond their own countries, one may well wonder what particular qualities Maupassant possessed to make his works so "exportable" and their content so universal in appeal.

Stylistically, Maupassant practised the arts of clarity and understatement. Since his meaning is always clear, and has no excess linguistic impedimenta, he may be rendered into a foreign tongue with a minimum of error. As for the attractiveness of the content of his tales, their common note is human misfortune, which is perhaps a sufficient explanation of the immediacy with which they communicate to readers in all lands.

Human suffering in Maupassant springs from the irony of existence, those situations in which well-meaning intentions of the protagonist are the cause of tragic occurrences. However, in some of his tales, such as this one, the irony turns gentle and the consequences fall far short of the tragic. We then have a story in which human foibles are revealed in their ridiculous and absurd aspects.

Découverte takes as its basic theme the age-old antipathy of the French and English temperaments. In his less reflective moments a Frenchman tends to caricature his neighbors across the Channel as phlegmatic, excessively reserved, and lacking individuality. When in *Découverte* a Frenchman falls in love with an English girl who knows no French, the girl clearly has a romantic advantage, for she has no way of communicating the "defects" of her nation. Her attempts to speak French yield only a foreign accent which charms him into marriage. Only then, when she dutifully studies her husband's language, does he discover that her English ideas and personality are what every Frenchman fears them to be.

DÉCOUVERTE

Le bateau était couvert de monde. La traversée s'annonçant fort belle,[1] les Havraises[2] allaient faire un tour à Trouville.[3]

On détacha les amarres; un dernier coup de sifflet[4] annonça le départ, et, aussitôt, un frémissement secoua le corps entier du
5 navire, tandis qu'on entendait, le long de[5] ses flancs, un bruit d'eau remuée.

Les roues tournèrent quelques secondes, s'arrêtèrent, repartirent doucement; puis le capitaine, debout sur sa passerelle, ayant crié par le porte-voix qui descend dans les profondeurs de la machine:
10 «En route!» elles se mirent à battre la mer avec rapidité.

Nous filions le long de la jetée, couverte de monde. Des gens sur le bateau agitaient leurs mouchoirs, comme s'ils partaient pour l'Amérique, et les amis restés à terre répondaient de la même façon.

15 Le grand soleil de juillet tombait sur les ombrelles rouges, sur les toilettes claires,[6] sur les visages joyeux, sur l'Océan à peine remué par des ondulations. Quand on fut sorti du port, le petit bâtiment fit une courbe rapide, dirigeant son nez pointu sur[7] la côte lointaine entrevue à travers la brume matinale.

20 A notre gauche s'ouvrait l'embouchure de la Seine, large de vingt kilomètres. De place en place les grosses bouées[8] indiquaient les bancs de sable, et on reconnaissait au loin les eaux douces et

[1] **s'annonçant fort belle,** *promising to be very pleasant*—the English Channel is usually rather choppy for small boats like this "side-wheeler."

[2] **Havraises,** *women from le Havre,* one of the principal French ports on the Channel, on the bay into which the Seine empties.

[3] **Trouville,** directly south across the bay from le Havre, and with its sister town Deauville a very fashionable **ville d'eau** (*watering-place* or *seaside resort*).

[4] **coup de sifflet,** *blast of the (boat's) whistle.*

[5] **le long de,** *alongside.*

[6] **toilettes claires,** *brightly colored attire.*

[7] **sur,** *toward.*

[8] **bouées,** note that the usual nautical pronunciation of the English form *buoy* is in the French manner, "boo-ie," not "boy."

bourbeuses du fleuve qui, ne se mêlant point à l'eau salée, dessinaient de grands rubans jaunes à travers l'immense nappe verte et pure
25 de la pleine mer.

J'éprouve, aussitôt que je monte sur un bateau, le besoin de marcher de long en large,[9] comme un marin qui fait le quart.[10] Pourquoi? Je n'en sais rien. Donc je me mis à circuler sur le pont à travers la foule des voyageurs.

30 Tout à coup, on m'appela. Je me retournai. C'était un de mes vieux amis, Henri Sidoine, que je n'avais point vu depuis dix ans.

Après nous être serré les mains,[11] nous recommençâmes ensemble, en parlant de choses et d'autres, la promenade d'[12]ours en cage que j'accomplissais[13] tout seul auparavant. Et nous regardions, tout en
35 causant, les deux lignes de voyageurs assis sur les deux côtés du pont.

Tout à coup Sidoine prononça, avec une véritable expression de rage:

—C'est plein d'Anglais ici! Les sales gens!

40 C'était plein d'Anglais, en effet. Les hommes debout lorgnaient l'horizon d'un air important qui semblait dire: «C'est nous, les Anglais, qui sommes les maîtres de la mer! Boum, boum! nous voilà!»

Et tous les voiles blancs qui flottaient sur leurs chapeaux blancs
45 avaient l'air des drapeaux de leur suffisance.[14]

Les jeunes misses plates,[15] dont les chaussures rappelaient aussi les constructions navales[16] de leur patrie, serrant en des châles multicolores leur taille droite et leurs bras minces, souriaient vaguement au radieux paysage. Leurs petites têtes, poussées[17] au bout de ces
50 longs corps, portaient des chapeaux anglais d'une forme étrange, et, derrière leurs crânes, leurs maigres chevelures enroulées ressemblaient à des couleuvres lovées.[18]

[9] **de long en large,** *back and forth.*
[10] **qui fait le quart,** *keeping watch.*
[11] **nous être serré les mains,** *having shaken hands.*
[12] **d',** *in the manner of a.*
[13] **accomplissais=avais faite.**
[14] **avaient l'air des drapeaux de leur suffisance,** *seemed emblems of their self-sufficiency.*
[15] **plates,** *flat-chested.*
[16] **constructions navales,** *gunboats.*
[17] **poussées,** *thrust out, projecting.*
[18] **couleuvres lovées,** *coiled snakes.*

Et les vieilles misses,[19] encore plus grêles,[20] ouvrant au vent leur mâchoire nationale, paraissaient menacer l'espace de[21] leurs dents 55 jaunes et démesurées.

On sentait, en passant près d'elles, une odeur de caoutchouc et d'eau dentifrice.[22]

Sidoine répéta, avec une colère grandissante:

—Les sales gens! On ne pourra donc pas les empêcher de venir 60 en France?

Je demandai en souriant:

—Pourquoi leur en veux-tu?[23] Quant à moi, ils me sont parfaitement indifférents.

Il prononça:

65 —Oui, toi, parbleu! Mais moi, j'ai épousé une Anglaise. Voilà.[24]

Je m'arrêtai pour lui rire au nez.[25]

—Ah! diable. Conte-moi ça. Et elle te rend donc très malheureux?

Il haussa les épaules:

—Non, pas précisément.

70 —Alors, je ne comprends pas!

—Tu ne comprends pas? Ça ne m'étonne point. Eh bien, elle a tout simplement appris le français, pas autre chose! Écoute:

«Je n'avais pas le moindre désir de me marier, quand je vins passer l'été à Etretat,[26] voici deux ans.[27] Rien de plus dangereux 75 que les villes d'eaux. On ne se figure pas combien les fillettes y sont à leur avantage. Paris sied aux femmes et la campagne aux jeunes filles.

Les promenades à ânes,[28] les bains[29] du matin, les déjeuners sur

[19] **vieilles misses,** the English *old maid* is a stock element of comedy in 19th-century European fiction.

[20] **encore plus grêles,** *still skinnier.*

[21] **menacer l'espace de,** *to be threatening (all surrounding) space with.*

[22] **de caoutchouc et d'eau dentifrice,** *of rubber and mouthwash.*

[23] **Pourquoi leur en veux-tu,** *What do you have against them?*

[24] **Voilà,** *And there you are (That's the whole story.)*

[25] **lui rire au nez,** *to laugh in his face.*

[26] **Étretat,** another sea-side resort, but on the coast of the Channel northward from le Havre.

[27] **voici deux ans,** *it's now two years ago.*

[28] **à ânes,** *on donkeys.*

[29] **bains,** *sea-bathing, swims.*

l'herbe, autant de pièges à mariage.[30] Et, vraiment, il n'y a rien de
80 plus gentil qu'une enfant de dix-huit ans qui court à travers un champ ou qui ramasse des fleurs le long d'un chemin.

Je fis la connaissance d'une famille anglaise descendue[31] au même hôtel que moi. Le père ressemblait aux hommes que tu vois là, et la mère à toutes les Anglaises.

85 Il y avait deux fils, de ces[32] garçons tout en os, qui jouent du matin au soir à des jeux violents, avec des balles, des massues ou des raquettes; puis deux filles, l'aînée, une sèche,[33] encore une Anglaise de boîte à conserves,[34] la cadette, une merveille. Une blonde, ou plutôt une blondine avec une tête venue du ciel. Quand
90 elles se mettent à[35] être jolies, les gredines, elles sont divines. Celle-là avait des yeux bleus, de ces yeux bleus qui semblent contenir toute la poésie, tout le rêve, toute l'espérance, tout le bonheur du monde!

Quel horizon ça vous ouvre dans les songes infinis, deux yeux
95 de femme comme ceux-là! Comme ça répond bien à l'attente éternelle et confuse de notre cœur!

Il faut dire aussi que, nous autres Français, nous adorons les étrangères. Aussitôt que nous rencontrons une Russe, une Italienne, une Suédoise, une Espagnole ou une Anglaise un peu jolie, nous
100 en tombons amoureux instantanément. Tout ce qui vient du dehors nous enthousiasme, drap pour culotte, chapeaux, gants, fusils et . . . femmes.

Nous avons tort, cependant.

Mais je crois que ce qui nous séduit[36] le plus dans les exotiques,
105 c'est leur défaut de prononciation. Aussitôt qu'une femme parle mal notre langue, elle est charmante; si elle fait une faute de français par mot,[37] elle est exquise, et si elle baragouine d'une façon tout à fait inintelligible, elle devient irrésistible.

[30] **autant de pièges à mariage,** *just so many marriage-traps.*
[31] **descendue,** *staying.*
[32] **de ces,** *the sort of.*
[33] **une sèche,** *a skinny one.*
[34] **encore une Anglaise de boîte à conserves,** *another Englishwoman right out of a can* (resembling every other one, as does her mother).
[35] **se mettent à,** here is equivalent to *happen to.*
[36] **séduit,** *attracts, intrigues.*
[37] **une faute de français par mot,** *one mistake in French per word.*

Tu ne te figures pas comme c'est gentil d'entendre dire à[38] une
110 mignonne bouche rose: «J'aimé bôcoup la gigotte.»[39]

Ma petite Anglaise Kate parlait une langue invraisemblable. Je n'y comprenais rien dans les premiers jours, tant elle inventait de mots inattendus; puis, je devins absolument amoureux de cet argot comique et gai.

115 Tous les termes estropiés, bizarres, ridicules prenaient sur ses lèvres un charme délicieux; et nous avions, le soir, sur la terrasse du Casino,[40] de longues conversations qui ressemblaient à des énigmes parlées.

Je l'épousai! Je l'aimais follement comme on peut aimer un rêve.
120 Car les vrais amants n'adorent jamais qu'un rêve qui a pris une forme de femme.

Eh bien, mon cher, le seul tort que j'ai eu, ç'a été de donner à ma femme un professeur de français.

Tant qu'elle a martyrisé le dictionnaire et supplicié la grammaire,
125 je l'ai chérie.

Nos causeries étaient simples. Elles me révélaient la grâce surprenante de son être, l'élégance incomparable de son geste; elles me la montraient comme un merveilleux bijou parlant, une poupée de chair faite pour le baiser, sachant énumérer à peu près ce qu'elle
130 aimait, pousser parfois des exclamations bizarres, et exprimer d'une façon coquette, à force d'être[41] incompréhensible et imprévue, des émotions ou des sensations peu compliquées.

Elle ressemblait bien aux jolis jouets qui disent «papa» et «maman,» en prononçant—Baaba—et Baamban.

135 Aurais-je pu croire que. . . .

Elle parle, à présent. . . . Elle parle . . . mal . . . très mal. . . . Elle fait tout autant de[42] fautes. . . . Mais on la comprend . . . oui, je la comprends . . . je sais . . . je la connais. . . .

[38] **d'entendre dire à,** *to hear said by.*

[39] **J'aimé bôcoup la gigotte,=J'aime beaucoup le gigot,** *leg of lamb* (or *mutton*) being a favorite English dish.

[40] **Casino,** *Casino*—a word that has widely varying significance in different parts of the world. Here it would be equivalent to a *municipal club-house;* it might or might not have a gambling room, like the most famous of Casinos at Monte-Carlo.

[41] **coquette, à force d'être,** *charmingly coy because they were so.*

[42] **tout autant de,** *just as many.*

J'ai ouvert ma poupée pour regarder dedans . . . j'ai vu. Et il faut
140 causer,[43] mon cher!

Ah! tu ne les connais pas, toi, les opinions, les idées, les théories d'une jeune Anglaise bien élevée, à laquelle je ne peux rien reprocher, et qui me répète, du matin au soir, toutes les phrases d'un dictionnaire de la conversation à l'usage des pensionnats de jeunes
145 personnes.[44]

Tu as vu ces surprises du cotillon, ces jolis papiers dorés qui renferment d'exécrables bonbons. J'en avais une. Je l'ai déchirée. J'ai voulu manger le dedans et suis resté tellement dégoûté que j'ai des haut-le-cœur, à présent, rien qu'en apercevant une de ses
150 compatriotes.

J'ai épousé un perroquet à qui une vieille institutrice anglaise aurait enseigné le français: comprends-tu?»

Le port de Trouville montrait maintenant ses jetées de bois couvertes de monde.

155 Je dis:

—Où est ta femme?

Il prononça:

—Je l'ai ramenée[45] à Etretat.

—Et toi, où vas-tu?

160 —Moi? moi je vais me distraire à Trouville.

Puis, après un silence, il ajouta:

—Tu ne te figures pas comme ça peut être bête quelquefois, une femme.

EXPRESSIONS FOR STUDY

1. La traversée s'annonçait fort belle. 2. Nous filions le long de la jetée couverte de monde. 2. J'éprouve le besoin de marcher de long en large, comme un marin qui fait le quart. **3.** Après nous être serré les mains, nous recommençames ensemble la promenade d'ours en cage que j'accomplissais tout seul auparavant. **4.** Tous les voiles blancs qui flottaient sur leurs chapeaux blancs avaient l'air des drapeaux de leur suffisance. **5.** Les vieilles misses, ouvrant au vent leur mâchoire nationale, paraissaient menacer

[43] **Et il faut causer,** *And I have to keep up a conversation with her.*
[44] **à l'usage des pensionnats de jeunes personnes,** *for girls' boarding schools.*
[45] **l'ai ramenée,** *brought her back* (for a holiday).

l'espace de leurs dents jaunes et démesurées. **6.** On ne se figure pas combien les fillettes y sont à leur avantage. **7.** Les bains du matin, les déjeuners sur l'herbe, autant de pièges à mariage. **8.** Quand elles se mettent à être jolies, les gredines, elles sont divines. **9.** Je crois que ce qui nous séduit le plus dans les exotiques, c'est leur défaut de prononciation. **10.** J'ai des haut-le-coeur, à présent, rien qu'en apercevant une de ses compatriotes.

QUESTIONNAIRE

1. De quel port part le bateau? 2. Où va-t-il? **3.** Où se trouve le Havre? **4.** Comment pouvait-on reconnaître les eaux de la Seine? **5.** Qu'est-ce que l'auteur s'est mis à faire? **6.** Depuis quand n'avait-il pas revu Sidoine? **7.** Sidoine aime-t-il les Anglais? **8.** Qu'est-ce que les hommes debout avaient l'air de dire? **9.** A quoi ressemblaient les chaussures des jeunes misses? leurs chevelures? **10.** Qu'est-ce qu'on sentait, en passant près des vieilles misses? **11.** Où est-ce que Sidoine est allé il y a deux ans? **12.** Qu'est-ce que les villes d'eau? **13.** Pourquoi sont-elles dangereuses aux garçons? **14.** Décrivez la famille de Kate. **15.** Décrivez Kate. **16.** Qu'est-ce que les Français aiment surtout dans les étrangères, selon Sidoine? **17.** Quel était le seul tort de Sidoine? **18.** Qu'est-ce que Kate lui répète maintenant tout le temps? **19.** Où Sidoine a-t-il ramené sa femme pour ses vacances? **20.** Où va-t-il lui-même?

ALPHONSE DAUDET

L'ÉLIXIR DU RÉVÉREND PÈRE GAUCHER

INTRODUCTION

OF THE twenty-three selections in this book, seventeen have, to the knowledge of the editors, never been previously edited in this form for intermediate students of French. Of the other six the following story has appeared the most frequently. This might seem an excellent reason for not using it in the present volume, yet not to include this selection would be depriving the student, for whom old stories are always new, of one of the finest examples of *l'esprit gaulois.*

The author, Alphonse Daudet (1840–1896), was associated with the Naturalist School, which included Zola and Maupassant. The general seriousness of Naturalistic writing might appear inconsistent with the spirit of *L'Élixir*. In Daudet, this contradiction can be explained by the Franco-Prussian War of 1870–1871, whose events, disastrous for France, turned his thoughts to graver matters. His works of this period include *Sapho* (1884), one of the best novels of the century. Our story comes from the collection *Lettres de mon moulin,* published in 1869, and primarily portraying episodes from the South of France where Daudet spent his childhood.

L'ÉLIXIR DU RÉVÉREND PÈRE GAUCHER[1]

—Buvez ceci, mon voisin; vous m'en direz des nouvelles.[2]

Et, goutte à goutte, avec le soin minutieux d'un lapidaire comptant des perles, le curé de Graveson[3] me versa deux doigts d'une liqueur[4] verte, dorée, chaude, étincelante, exquise . . . J'en eus
5 l'estomac tout ensoleillé.[5]

—C'est l'élixir du Père Gaucher, la joie et la santé de notre Provence, me fit[6] le brave homme d'un air triomphant; on le fabrique au couvent des Prémontrés,[7] à deux lieues de votre moulin[8]

[1] **Révérend Père Gaucher,** as will be seen he is not a *Father* (priest), and the name Gaucher means literally *left-handed,* which suggests **gauche,** *awkward.*

[2] **vous m'en direz des nouvelles,** *and you can tell me what you think of it.*

[3] **curé de Graveson,** *parish priest of Graveson,* an imaginary town near Arles in Southern France.

[4] **liqueur,** *cordial* or *liqueur* not "*liquor,*" much of the humor of the story consisting in the fact that one never thinks of becoming intoxicated on such a beverage, used as a digestive after dinner: it is obtained by distilling wine with various medicinal and aromatic herbs.

[5] **j'en eus l'estomac tout ensoleillé,** *it gave me the most wonderful feeling inside* (lit., *I had my stomach all filled with sunshine from it.*)

[6] **Provence,** region in south-Eastern France; Daudet was born there; **fit=dit.**

[7] **couvent des Prémontrés,** *Premonstratensian monastery* (the words **couvent** and **monastère** are used for religious houses of either sex). The Premonstratensian order of Canons regular was founded by St. Norbert in 1120 and follows the Rule of St. Augustine. They wear white robes like the Dominicans, hence the designation "Pères blancs" which in France is now used of another order doing missionary work in Africa. The Canon regular, unlike the monk, must take holy orders, hence there is a great difference in education between the Father (priest or canon of the order) and a lay brother like Gaucher (see note 27).

[8] **votre moulin,** *your mill,* where Daudet actually lived while writing the LETTRES DE MON MOULIN from which this story is taken.

... N'est-ce pas que cela vaut bien toutes les chartreuses[9] du monde?
10 . . . Et si vous saviez comme elle est amusante, l'histoire de cet élixir! Ecoutez plutôt . . .

Alors, tout naïvement, sans y entendre malice,[10] dans cette salle à manger de presbytère, si candide et si calme avec son Chemin de la croix[11] en petits tableaux et ses jolis rideaux clairs empesés
15 comme des surplis, l'abbé me commença une historiette légèrement sceptique et irrévérencieuse, à la façon d'un conte d'Érasme ou de d'Assoucy.[12]

—Il y a vingt ans, les Prémontrés, ou plutôt les Pères blancs, comme les appellent nos Provençaux, étaient tombés dans une
20 grande misère.[13] Si vous aviez vu leur maison de ce temps-là, elle vous aurait fait peine.

Le grand mur, la tour Pacôme s'en allaient en morceaux. Tout autour du cloître rempli d'herbes,[14] les colonnettes se fendaient, les saints de pierre croulaient dans leurs niches. Pas un vitrail
25 debout,[15] pas une porte qui tînt. Dans les préaux, dans les chapelles, le vent du Rhône soufflait comme en Camargue,[16] éteignant les cierges, cassant le plomb des vitrages,[17] chassant l'eau des[18] bénitiers. Mais le plus triste de tout, c'était le clocher du couvent, silencieux comme un pigeonnier vide, et les Pères, faute d'argent pour s'acheter
30 une cloche, obligés de sonner matines[19] avec des cliquettes de bois d'amandier! . . .

Pauvres Pères blancs! Je les vois encore, à la procession de la Fête-Dieu,[20] défilant tristement dans leurs capes rapiécées, pâles,

[9] **chartreuses,** one of the best-known of all cordials, originated by the Carthusian order.
[10] **sans y entendre malice,** *without meaning any harm by it.*
[11] **Chemin de la croix,** *Way of the cross,* series of fourteen scenes (paintings, stained glass or carvings) representing the stages of Christ's Passion.
[12] **Erasme,** the great Dutch humanist *Erasmus* famous for his Latin work *In Praise of Folly* (1467–1536); **d'Assoucy** or **Assouci,** French burlesque poet (1605–1675).
[13] **misère,** *poverty, destitution.*
[14] **herbes,** *weeds* or *wild grasses.*
[15] **debout,** *standing* (*intact*).
[16] **Camargue,** delta formed by the two branches of the Rhône river as it empties into the Mediterranean near Marseille—cold and windy in wintertime.
[17] **cassant le plomb des vitrages,** *breaking the leads that line the window panes.*
[18] **des,** *out of.*
[19] **matines,** *morning prayer service* or *office.*
[20] **Fête-Dieu,** *Corpus-Christi,* marked by a procession displaying the Host.

maigres, nourris de *citres* et de pastèques, et derrière eux mon-
35 seigneur l'abbé,[21] qui venait la tête basse, tout honteux de montrer au soleil sa crosse dédorée et sa mitre de laine blanche mangée des vers.[22] Les dames de la confrérie[23] en pleuraient de pitié dans les rangs, et les gros porte-bannière ricanaient entre eux tout bas en se montrant les pauvres moines:

40 —Les étourneaux vont maigres quand ils vont en troupe.[24]

Le fait est que les infortunés Pères blancs en étaient arrivés eux-mêmes à[25] se demander s'ils ne feraient pas mieux de prendre leur vol à travers le monde et de chercher pâture chacun de son côté.

Or, un jour que cette grave question se débattait dans le chapitre,[26]
45 on vint annoncer au prieur que le frère[27] Gaucher demandait à être entendu au conseil . . . Vous saurez pour votre gouverne[28] que ce frère Gaucher était le bouvier du couvent; c'est-à-dire qu'il passait ses journées à rouler[29] d'arcade en arcade dans le cloître, en poussant devant lui deux vaches étiques qui cherchaient
50 l'herbe aux fentes des pavés. Nourri jusqu'à douze ans par une vieille folle du pays des Baux,[30] qu'on appelait tante Bégon, recueilli depuis chez les moines, le malheureux bouvier n'avait jamais pu rien apprendre qu'[31]a conduire ses bêtes et à réciter son *Pater noster*;[32] encore[33] le disait-il en provençal, car il avait la cervelle
55 dure[34] et l'esprit fin comme[35] une dague de plomb. Fervent chrétien

[21] **abbé,** *abbott.*

[22] **mangée des vers,** *moth-eaten.*

[23] **dames de la confrérie,** *"ladies' auxiliary"* or equivalent; the fathers of the abbey would presumably serve as parish priest(s) of the church(es) in the vicinity.

[24] **Les étourneaux vont maigres quand ils vont en troupe,** a proverb having no appropriate equivalent in English, lit. *Starlings go hungry* (*thin*) *when they travel together*—suggesting that if there were plenty to eat, each one would be "*looking for food on his own*" (**chercher pâture chacun de son côté**).

[25] **en étaient arrivés eux-mêmes à,** *had themselves reached the point of.*

[26] **chapitre,** *chapter meeting* (of the Canons of the order).

[27] **frère,** *lay brother* associated with the abbey for menial tasks: lay brothers, while sharing the external life of the abbey or monastery, have no clerical status and usually very little education.

[28] **vous saurez pour votre gouverne,** *I must tell you for your information.*

[29] **rouler,** *rolling,* suggesting the awkward gait of a fat man.

[30] **Baux,** town near Arles where aluminum was first discovered (in bauxite).

[31] **qu',** *except.*

[32] **Pater Noster,** *Our Father, Lord's Prayer,* often recited for ritual purposes by all Catholics in the original Latin.

[33] **encore,** *even then.*

[34] **la cervelle dure,** *a thick skull* (lit., *hard brain*).

[35] **fin comme=pas plus fin qu'.**

du reste, quoiqu'un peu visionnaire, à l'aise sous le cilice et se donnant la discipline[36] avec une conviction robuste, et des bras! ...[37]

Quand on le vit entrer dans la salle du chapitre, simple et balourd, saluant l'assemblée la jambe en arrière,[38] prieur, chanoines, 60 argentier, tout le monde se mit à rire. C'était toujours l'effet que produisait,[39] quand elle arrivait quelque part, cette bonne face grisonnante avec sa barbe de chèvre et ses yeux un peu fous; aussi[40] le frère Gaucher ne s'en émut pas.

—Mes Révérends, fit-il[41] d'un ton bonasse en tortillant son chape- 65 let de noyaux d'olives, on a bien raison de dire que ce sont les tonneaux vides qui chantent le mieux.[42] Figurez-vous qu'à force de creuser[43] ma pauvre tête déjà si creuse,[44] je crois que j'ai trouvé le moyen de nous tirer tous de peine.

«Voici comment. Vous savez bien[45] tante Bégon, cette brave 70 femme qui me gardait quand j'étais petit. (Dieu ait son âme, la vieille coquine! elle chantait de bien vilaines chansons après boire.)[46] Je vous dirai donc, mes Révérends Pères, que tante Bégon, de son vivant, se connaissait aux herbes des montagnes autant et mieux qu'un vieux merle de Corse. Voire, elle avait composé, sur 75 la fin de ses jours, un élixir incomparable en mélangeant cinq ou six espèces de simples que nous allions cueillir ensemble dans les Alpilles.[47] Il y a belles années de cela;[48] mais je pense qu'avec l'aide de saint Augustin[49] et la permission de notre Père abbé, je pourrais —en cherchant bien—retrouver la composition de ce mystérieux 80 élixir. Nous n'aurions plus alors qu'à le mettre en bouteilles, et

[36] **cilice,** *hair-cloth shirt,* **discipline,** *lash,* used in some monastic disciplines to castigate the flesh.

[37] **et (avec) des bras!** *and how he laid it on!*

[38] **la jambe en arrière,** i.e., *genuflecting,* an exaggerated salutation for the chapter.

[39] **produisait,** subj. is **face.**

[40] **aussi,** *consequently, so,* as usually when it starts the sentence.

[41] **fit=dit.**

[42] **ce sont les tonneaux vides qui chantent le mieux,** lit., *empty casks sing* (*resound*) *best* (*when struck*).

[43] **à force de creuser,** *by dint of digging deep down into* (lit., *hollowing*).

[44] **creuse,** *hollow* or *empty.*

[45] **savez bien,** supply **qui était.**

[46] **après boire=après avoir bu;** this construction is used only with the infinitives **manger, boire,** and those which can be construed as nouns such as **dîner, déjeuner,** etc.

[47] **Alpilles,** a small mountain range around Baux.

[48] **Il y a belles années de cela,** *That was many years ago.*

[49] **saint Augustine,** see note 7.

à le vendre un peu cher, ce qui permettrait à la communauté de s'enrichir doucettement, comme ont fait nos frères de la Trappe et de la Grande . . .[50]

Il n'eut pas le temps de finir. Le prieur s'était levé pour lui 85 sauter au cou.[51] Les chanoines lui prenaient les mains. L'argentier, encore plus ému que tous les autres, lui baisait avec respect le bord tout effrangé de sa cucule . . . Puis chacun revint à sa chaire[52] pour délibérer; et, séance tenante, le chapitre décida qu'on confierait les vaches au frère Thrasybule, pour que le frère Gaucher pût se 90 donner tout entier à la confection de son élixir.

Comment le bon frère parvint-il à retrouver la recette de tante Bégon? au prix de quels efforts? au prix de quelles veilles? L'histoire ne le dit pas. Seulement, ce qui est sûr, c'est qu'au bout de six mois, l'élixir des Pères blancs était déjà très populaire. Dans tout le 95 Comtat,[53] dans tout le pays d'Arles, pas un *mas,*[54] pas une grange qui n'eût au fond de sa *dépense,*[55] entre les bouteilles de vin cuit[56] et les jarres d'olives à la picholine,[57] un petit flacon de terre brune cacheté aux armes de Provence,[58] avec un moine en extase sur une étiquette[59] d'argent. Grâce à la vogue de son élixir, la maison des 100 Prémontrés s'enrichit très rapidement. On releva la tour Pacôme. Le prieur eut une mitre neuve, l'église de jolis vitraux ouvragés; et, dans la fine dentelle du clocher, toute une compagnie de cloches et de clochettes vint s'abattre,[60] un beau matin de Pâques,[61] tintant et carillonnant à la grande volée.

[50] **la Trappe,** a Trappist abbey in Normandy which made a cordial called Trappistine; **la Grande,** for the famous **Grande Chartreuse** of the Carthusian order where chartreuse was made until the monks were expelled in 1903. They resumed manufacture after re-admission in 1938.

[51] **lui sauter au cou,** *throw his arms around him.*

[52] **chaire,** *stall.*

[53] **Comtat=comtat Venaissin,** an old province whose capital was Avignon, near Arles.

[54] **mas,** provençal for *farm.*

[55] **dépense,** *pantry* or *food-cellar.*

[56] **vin cuit,** general term for fortified wines such as Vermouth, Sherry, etc., prepared by a process similar to that for a cordial, but without distilling. The usual modern term is *apéritif.*

[57] **à la picholine,** *pickled.*

[58] **aux armes de Provence,** *with the coat of arms of* [the old province (region) of] *Provence.*

[59] **étiquette,** *label.*

[60] **vint s'abattre,** *started ringing,* lit., *came swooping down.*

[61] **un beau matin de Pâques,** *on one fine Easter morning.*

105 Quant au frère Gaucher, ce pauvre frère lai[62] dont les rusticités égayaient tant le chapitre, il n'en fut plus question dans le couvent. On ne connut plus désormais que le Révérend Père Gaucher, homme de tête et de grand savoir, qui vivait complètement isolé des occupations si menues et si multiples du cloître, et s'enfermait
110 tout le jour dans sa distillerie,[63] pendant que trente moines battaient la montagne pour lui chercher des herbes odorantes . . . Cette distillerie, où personne, pas même le prieur, n'avait le droit de pénétrer, était une ancienne chapelle abandonnée, tout au bout du jardin des chanoines. La simplicité des bons Pères en avait fait
115 quelque chose de mystérieux et de formidable; et si, par aventure, un moinillon[64] hardi et curieux, s'accrochant aux vignes grimpantes, arrivait jusqu'à la rosace[65] du portail, il en dégringolait bien vite, effaré d'avoir vu le Père Gaucher, avec sa barbe de nécromant,[66] penché sur ses fourneaux, le pèse-liqueur à la main; puis, tout
120 autour, des cornues de grès rose, des alambics gigantesques, des serpentins de cristal, tout un encombrement bizarre qui flamboyait ensorcelé dans la lueur rouge des vitraux . . .

Au jour tombant,[67] quand sonnait le dernier Angélus,[68] la porte de ce lieu de mystère s'ouvrait discrètement, et le Révérend se
125 rendait à l'église pour l'office du soir.[69] Il fallait voir[70] quel accueil quand il traversait le monastère! Les frères faisaient la haie[71] sur son passage. On disait:

—Chut! . . . il a le secret! . . .

L'argentier le suivait et lui parlait la tête basse . . .[72] Au milieu

[62] **frère lai,** see notes 7 and 27.

[63] **distillerie,** note that this and related words are correctly pronounced with the usual sound of **l**, not the **l mouillé.**

[64] **moinillon,** humorous diminutive of **moine;** *novice.*

[65] **rosace,** *rose-window* over the main entrance of the former chapel.

[66] **barbe de nécromant,** *sorcerer's* (*necromancer's*) *beard.*

[67] **Au jour tombant,** *At nightfall.*

[68] **le dernier Angélus,** the last call for recitation of ritual prayers beginning **Angelus domini annuntiavit Mariae,** (*the Angel of the Lord announced to Mary.*) These prayers are often recited by the entire parish at sunrise, noon and sunset; in other places they are recited only at sunset, with which hour they are especially associated. (The painting of Millet known in English as *The Angelus* is in French **l'Angélus du soir.**)

[69] **office du soir,** *evening office* or *prayer service* for the chapter.

[70] **Il fallait voir,** *You should have seen.*

[71] **faisaient la haie,** *lined up to let him pass,* lit., *made a hedge.*

[72] **la tête basse,** *with bowed head*—note the frequent reference to the *treasurer's* affection for the source of the chapter's treasure.

130 de ces adulations, le Père s'en allait en s'épongeant le front, son tricorne aux larges bords[73] posé en arrière comme une auréole,[74] regardant autour de lui d'un air de complaisance les grandes cours plantées d'orangers, les toits bleus où tournaient des girouettes neuves, et, dans le cloître éclatant de blancheur,—entre les colon-
135 nettes élégantes et fleuries,—les chanoines habillés de frais[75] qui défilaient deux par deux avec des mines reposées.

—C'est à moi qu'ils doivent tout cela! se disait le Révérend en lui-même; et chaque fois cette pensée lui faisait monter des bouffées d'orgueil.[76]

140 Le pauvre homme en fut bien puni. Vous allez voir . . .

Figurez-vous qu'un soir, pendant l'office, il arriva à l'église dans une agitation extraordinaire: rouge, essoufflé, le capuchon de travers, et si troublé qu'en prenant de l'eau bénite il y trempa ses manches jusqu'au coude. On crut d'abord que c'était l'émotion
145 d'arriver en retard; mais quand on le vit faire de grandes révérences à l'orgue et aux tribunes[77] au lieu de saluer le maître-autel, traverser l'église en coup de vent,[78] errer dans le choeur pendant cinq minutes pour chercher sa stalle, puis, une fois assis, s'incliner de droite et de gauche en souriant d'un air béat, un murmure d'étonnement courut
150 dans les trois nefs.[79] On chuchotait de bréviaire à bréviaire:[80]

—Qu'a donc notre Père Gaucher? . . . Qu'a donc notre Père Gaucher?

Par deux fois[81] le prieur, impatienté, fit tomber sa crosse sur les

[73] **tricorne aux larges bords,** *wide-brimmed tricorn* or three-cornered clerical hat of the Order.

[74] **posé en arrière,** *thrust back on his head*—not at all producing the effect of a circular *halo* (**auréole**)!

[75] **habillés de frais,** *in new robes.*

[76] **lui faisait monter des bouffées d'orgueil,** *puffed him up with pride*—the sin of Lucifer, for which he will soon be punished.

[77] **révérences à l'orgue et aux tribunes,** *genuflections to the organ and pulpits,* probably turning his back on the altar to do this.

[78] **en coup de vent,** *like a gust of wind.*

[79] **trois nefs,** *three naves*—central and side aisles of the usual type of French church. The novices, lay brethren etc. were seated here. It suits Daudet's humor to have Gaucher —though a lay brother and ignorant of a single word of Latin!—admitted to the choir (within the sanctuary) to sing Latin with the **Révérends pères.**

[80] **bréviaire,** *breviary,* containing the prayers of the Divine Offices that must be read or recited each day by every religious (priest, nun, monk, etc.)

[81] **Par deux fois,** *Twice in succession.*

dalles pour commander le silence . . . Là-bas, au fond du chœur, les
155 psaumes allaient toujours,[82] mais les répons manquaient d'entrain . . .[83]

Tout à coup, au beau milieu de l'*Ave verum,*[84] voilà mon Père Gaucher qui se renverse dans sa stalle et entonne d'une voix éclatante:

160 Dans Paris, il y a un Père blanc,
Patatin, patatan, tarabin, taraban . . . [85]

Consternation générale. Tout le monde se lève. On crie:

—Emportez-le . . . il est possédé![86]

Les chanoines se signent. La crosse de monseigneur se démène . . .
165 Mais le Père Gaucher ne voit rien, n'écoute rien; et deux moines vigoureux sont obligés de l'entraîner par la petite porte du chœur, se débattant comme un exorcisé[87] et continuant de plus belle[88] ses *patatin* et ses *taraban.*

Le lendemain, au petit jour,[89] le malheureux était à genoux dans
170 l'oratoire du prieur, et faisait sa *coulpe*[90] avec un ruisseau de larmes:

—C'est l'élixir, Monseigneur, c'est l'élixir qui m'a surpris,[91] disait-il en se frappant la poitrine.

Et de le voir si marri, si repentant, le bon prieur en était tout ému lui-même.

175 —Allons, allons, Père Gaucher, calmez-vous, tout cela séchera comme la rosée au soleil . . . Après tout, le scandale n'a pas été aussi grand que vous pensez. Il y a bien eu la chanson qui était un peu . . . [92] hum! hum! . . . Enfin il faut espérer que les novices ne l'auront pas entendue . . . A présent, voyons, dites-moi bien com-

[82] **allaient toujours,** *kept on going, were still being sung.*

[83] **les répons manquaient d'entrain,** *the (antiphonal) responses lacked enthusiasm.*

[84] **au beau milieu de l'Ave Verum,** *right in the middle of the* Ave Verum, a Latin hymn (*Hail, true Body*) especially famous for its beautiful setting in a motet by Mozart.

[85] **Patatin,** etc., nonsense syllables like *tralala.*

[86] **possédé,** *possessed by a demon!*

[87] **comme un exorcisé,** *like one from whom demons are being cast out.*

[88] **de plus belle,** *louder than ever.*

[89] **au petit jour,** *by the first light of dawn.*

[90] **coulpe,** *confession of sin*—**mea culpa** in Latin.

[91] **m'a surpris,** *caught me off my guard*—a common meaning.

[92] **Il y a bien eu la chanson qui était un peu . . . ,** *Of course there was that song which was a bit. . . .*

180 ment la chose vous est arrivée . . . C'est en essayant l'élixir, n'est-ce pas? Vous aurez eu la main trop lourde . . .[93] Oui, oui, je comprends . . . C'est comme le frère Schwartz,[94] l'inventeur de la poudre: vous avez été victime de votre invention . . . Et dites-moi, mon brave[95] ami, est-il nécessaire que vous l'essayiez sur vous-même, ce terrible
185 élixir?

—Malheureusement, oui, Monseigneur . . . l'éprouvette me donne bien la force et le degré de l'alcool; mais pour le fini, le velouté,[96] je ne me fie guère qu'à[97] ma langue . . .

—Ah! très bien . . . Mais écoutez encore un peu que je vous
190 dise . . . Quand vous goûtez ainsi l'élixir par nécessité, est-ce que cela vous semble bon? Y prenez-vous du plaisir? . . .[98]

—Hélas! oui, Monseigneur, fit le malheureux Père en devenant tout rouge . . . Voilà deux soirs que je lui trouve un bouquet,[99] un arôme! . . . C'est pour sûr le démon qui m'a joué ce vilain tour . . .
195 Aussi[100] je suis bien décidé désormais à ne plus me servir que de[101] l'éprouvette. Tant pis si la liqueur n'est pas assez fine, si elle ne fait pas assez la perle . . .[102]

—Gardez-vous-en bien,[103] interrompit le prieur avec vivacité. Il ne faut pas s'exposer[104] à mécontenter la clientèle . . . Tout ce que
200 vous avez à faire maintenant que vous voilà prévenu, c'est de vous tenir sur vos gardes . . . Voyons, qu'est-ce qu'il vous faut pour vous

[93] **Vou aurez eu la main trop lourde,** *You must have been heavy-handed* (in pouring it out).

[94] **le frère Schwartz,** popular belief ascribed the invention of gunpowder to a German monk and said that he was killed by his own invention. All that is known for certain is that a Benedictine monk, Berthold Schwartz, who was born at Freiburg-im-Breisgau in 1318 and died about 1384, cast the first bronze cannons used by the Venetian republic.

[95] **brave,** *good, worthy.*

[96] **pour le fini, le velouté,** *to make the taste just right, really delicious.*

[97] **je ne me fie guère qu'à,** *I can scarcely trust anything but.*

[98] **du plaisir,** essential if his weakness is to be interpreted as a real sin—and also suggesting a possible improvement in the quality, and saleability, of his product (see next note).

[99] **Voilà deux soirs que je lui trouve un bouquet,** *For the last two evenings I've found in it* such *a bouquet—bouquet* (in the wine trade, *nose*) being the technical term for the qualities of a flavor that remain after the first impression, perceptible almost exclusively to the sense of smell.

[100] **Aussi,** *So.*

[101] **à ne plus me servir que de,** *to use henceforth nothing but.*

[102] **si elle ne fait pas assez la perle,** *if it doesn't bead sufficiently.*

[103] **Gardez-vous-en bien,** *Do nothing of the sort* (lit., *Beware indeed*).

[104] **Il ne faut pas s' exposer,** *We mustn't risk.*

rendre compte? . . .[105] Quinze ou vingt gouttes, n'est-ce pas? . . . mettons[106] vingt gouttes . . . Le diable sera bien fin s'il vous attrape avec vingt gouttes . . . D'ailleurs, pour prévenir tout accident, je
205 vous dispense dorénavant de venir à l'église. Vous direz l'office du soir dans la distillerie . . . Et maintenant, allez en paix, mon Révérend, et surtout . . . comptez bien vos gouttes.

Hélas! le pauvre Révérend eut beau compter ses gouttes . . .[107] le démon le tenait, et ne le lâcha plus.

210 C'est la distillerie qui entendit de singuliers offices!

Le jour, encore,[108] tout allait bien. Le Père était assez calme: il préparait ses réchauds, ses alambics, triait soigneusement ses herbes, toutes herbes de Provence, fines, grises, dentelées, brûlées de parfums et de soleil . . .[109] Mais, le soir, quand les simples étaient infusés
215 et que l'élixir tiédissait dans de grandes bassines de cuivre rouge, le martyre du pauvre homme commençait.

—. . . Dix-sept . . . dix-huit . . . dix-neuf . . . vingt! . . . Les gouttes tombaient du chalumeau dans le gobelet de vermeil. Ces vingt-là, le Père les avalait d'un trait, presque sans plaisir. Il n'y avait que la
220 vingt et unième qui lui faisait envie.[110] Oh! cette vingt et unième goutte! . . . Alors, pour échapper à la tentation, il allait[111] s'agenouiller tout au bout du laboratoire et s'abîmait dans ses patenôtres.[112] Mais de[113] la liqueur encore chaude il montait une petite fumée toute chargée d'aromates, qui venait rôder autour de lui et,
225 bon gré, mal gré, le ramenait vers les bassines . . . La liqueur était d'un beau vert doré . . . Penché dessus, les narines ouvertes, le père la remuait tout doucement avec son chalumeau, et dans les petites

[105] **qu'est-ce qu'il vous faut pour vous rendre compte?** *how much do you need to make a test?*
[106] **mettons,** *let's make it.*
[107] **le pauvre Révérend eut beau compter ses gouttes,** *it did the poor Reverend no good to count his drops.*
[108] **Le jour, encore,** *While it was still daylight.*
[109] **brûlées de parfums et de soleil,** *drenched with perfumes and sunlight.*
[110] **lui faisait envie,** *made him thirsty, aroused his desire.*
[111] **allait,** *went over to* (imperfect because habitual).
[112] **patenôtres,** *prayers* (from *Pater Noster,* see note 32).
[113] **de,** *from.*

paillettes étincelantes que roulait le flot d'émeraude,[114] il lui semblait voir les yeux de tante Bégon qui riaient et pétillaient en le re-
230 gardant . . .

—Allons! encore une goutte!

Et de goutte en goutte, l'infortuné finissait par avoir son gobelet plein jusqu'au bord. Alors, à bout de forces, il se laissait tomber dans un grand fauteuil, et, le corps abandonné, la paupière à demi
235 close, il dégustait son péché par petits coups,[115] en se disant tout bas avec un remords délicieux:

Ah! je me damne . . . je me damne . . .

Le plus terrible, c'est qu'au fond de cet élixir diabolique, il retrouvait, par je ne sais quel sortilège, toutes les vilaines chansons de
240 tante Bégon: *Ce sont trois petites commères, qui parlent de faire un banquet* . . . ou: *Bergerette de maître André s'en va-t-au*[116] *bois seulette* . . . et toujours la fameuse des Pères blancs: *Patatin, patatan.*

Pensez quelle confusion le lendemain, quand ses voisins de cellule lui faisaient[117] d'un air malin:

245 —Eh! eh! Père Gaucher, vous aviez des cigales en tête[118] hier soir en vous couchant.

Alors c'étaient des larmes, des désespoirs, et le jeûne, et le cilice, et la discipline. Mais rien ne pouvait[119] contre le démon de l'élixir; et tous les soirs, à la même heure, la possession[120] recommençait.

250 Pendant ce temps, les commandes pleuvaient à l'abbaye que c'était une bénédiction. Il en venait[121] de Nîmes, d'Aix, d'Avignon, de Marseille . . . De jour en jour le couvent prenait un petit air de manufacture. Il y avait des frères emballeurs, des frères étiqueteurs, d'autres pour les écritures, d'autres pour le camionnage; le service
255 de Dieu y perdait bien par-ci par-là quelques coups de cloches; mais

[114] **que roulait le flot d'émeraude,** freely, *sparkling on the surface of the emerald-green liquid* (subject of **roulait**, lit., *rolled*).

[115] **par petits coups,** *in little sips.*

[116] **s'en va-t-au,** the **t** is commonly inserted for euphony in popular speech, especially in songs (cf. **Malbrough s'en va-t-en guerre**). This is called a **cuir.**

[117] **faisaient=disaient.**

[118] **vous aviez des cigales en tête,** lit., *you had crickets in your head, bats in your belfry.*

[119] **ne pouvait,** *was of any avail.*

[120] **la possession,** i.e., by the devil.

[121] **Il en venait,** *Some came.* The cities are among the principal ones in Provence.

les pauvres gens du pays n'y perdaient rien, je vous en réponds . . .[122]

Et donc, un beau dimanche matin, pendant que l'argentier lisait en plein chapitre[123] son inventaire de fin d'année et que les bons chanoines l'écoutaient les yeux brillants et le sourire aux lèvres, voilà
260 le Père Gaucher qui se précipite au milieu de la conférence en criant:

—C'est fini . . . Je n'en fais plus . . .[124] Rendez-moi mes vaches.

—Qu'est-ce qu'il y a donc, Père Gaucher? demanda le prieur, qui se doutait bien un peu de ce qu'il y avait.[125]

—Ce qu'il y a, Monseigneur? . . . Il y a que je suis en train de
265 me préparer une belle éternité de flammes et de coups de fourche . . . Il y a que je bois, que je bois comme un misérable . . .

—Mais je vous avais dit de compter vos gouttes.

—Ah! bien oui, compter mes gouttes! c'est par gobelets qu'il faudrait compter maintenant . . . Oui, mes Révérends, j'en suis
270 là.[126] Trois fioles par soirée . . . Vous comprenez bien que cela ne peut pas durer . . . Aussi,[127] faites faire l'élixir[128] par qui vous voudrez . . . Que[129] le feu de Dieu me brûle si je m'en mêle encore!

C'est le chapitre qui ne riait plus.

—Mais, malheureux, vous nous ruinez! criait l'argentier en agitant
275 son grand-livre.[130]

—Préférez-vous que je me damne?

Pour lors, le Prieur se leva.

—Mes Révérends, dit-il en étendant sa belle main blanche où luisait l'anneau pastoral,[131] il y a moyen de tout arranger . . . C'est
280 le soir, n'est-ce pas, mon cher fils, que le démon vous tente? . . .

[122] **les pauvres gens du pays n'y perdaient rien, je vous en réponds,** *the poor folk of the region lost nothing by it, I assure you*—since the abbey would naturally be the center for what we would call "social and charitable work" of the region. This would profit by their increased business activity even if they missed a few formal *religious observances* thereby (**quelques coups de cloches**).

[123] **en plein chapitre,** *to the assembled chapter.*

[124] **Je n'en fais plus,** *I won't make any more of it.*

[125] **qui se doutait bien un peu de ce qu'il y avait,** *who really somewhat suspected what the matter was.*

[126] **j'en suis là,** *I've come to that.*

[127] **Aussi,** *So.*

[128] **faites faire l'élixir,** *have the elixir made.*

[129] **Que,** *May.*

[130] **grand-livre,** *ledger.*

[131] **l'anneau pastoral,** *the pastoral ring,* properly associated with the dignity of a bishop, may be worn by the abbott.

—Oui, monsieur le prieur, régulièrement tous les soirs . . . Aussi, maintenant, quand je vois arriver la nuit, j'en ai, sauf votre respect,[132] les sueurs qui me prennent, comme l'âne de Capitou,[133] quand il voyait venir le bât.

285 —Eh bien; rassurez-vous . . . Dorénavant, tous les soirs, à l'office, nous réciterons à votre intention[134] l'oraison de saint Augustin, à laquelle l'indulgence plénière est attachée . . . Avec cela, quoi qu'il arrive, vous êtes à couvert . . . C'est l'absolution pendant le péché.[135]

—Oh bien! alors, merci, monsieur le prieur!

290 Et, sans en demander davantage, le Père Gaucher retourna à ses alambics, aussi léger qu'une alouette.

Effectivement, à partir de ce moment-là, tous les soirs à la fin des complies,[136] l'officiant ne manquait jamais de dire:

—Prions pour notre pauvre Père Gaucher, qui sacrifie son âme

295 aux intérêts de la communauté . . .[137] *Oremus Domino . . .*[138]

Et pendant que sur toutes ces capuches blanches, prosternées dans l'ombre des nefs, l'oraison courait en frémissant comme une petite bise sur la neige, là-bas, tout au bout du couvent, derrière le vitrage enflammé de la distillerie, on entendait le Père Gaucher qui chantait

300 à tue-tête:[139]

Dans Paris il y a un Père blanc,
Patatin, patatan, taraban, tarabin;
Dans Paris il y a un Père blanc
Qui fait danser des moinettes,
305 Trin, trin, trin, dans un jardin;
Qui fait danser des . . .

[132] **sauf votre respect,** *with all due respect to you*—or as a character in an English novel might say, *saving your reverence.*

[133] **comme l'âne de Capitou,** *like the chapter donkey* who fled when he saw the pack-saddle (reference to another proverbial saying).

[134] **à votre intention,** *for your intention* (*benefit*).

[135] **à laquelle l'indulgence plénière . . . le péché,** *To which plenary indulgence is attached. With that, no matter what happens, you're covered; it is absolution during the act of sin.* There is no such prayer and no such privilege, but this is Daudet's logical culmination of the process of coddling which the chapter has followed toward frère Gaucher.

[136] **complies,** *complines,* final portion of the Divine Office.

[137] **communauté,** *religious community, chapter.*

[138] **Oremus Domino,** *Let us pray unto the Lord.*

[139] **à tue-tête,** *at the top of his lungs.*

. . . Ici le bon curé[140] s'arrêta plein d'épouvante:
—Miséricorde! si mes paroissiens m'entendaient!

EXPRESSIONS FOR STUDY

1. On le fabrique au couvent des Prémontrés, à deux lieues de votre moulin. **2.** Il y a vingt ans les Pères blancs, comme les appellent nos Provençaux, étaient tombés dans une grande misère. **3.** Si vous aviez vu leur maison de ce temps-là, elle vous aurait fait peine. **4.** Ils en étaient arrivés eux-mêmes à se demander s'ils ne feraient pas mieux de chercher pâture chacun de son côté. **5.** Le malheureux bouvier n'avait jamais pu rien apprendre qu'à conduire ses bêtes et à réciter son *Pater noster*. **6.** Encore le disait-il en provençal, car il avait la cervelle dure. **7.** Aussi le frère Gaucher ne s'en émut pas. **8.** On a bien raison de dire que ce sont les tonneaux vides qui chantent le mieux. **9.** Figurez-vous qu'à force de creuser ma pauvre tête déjà si creuse, je crois que j'ai trouvé le moyen de nous tirer tous de peine. **10.** Tante Bégon, de son vivant, se connaissait aux herbes des montagnes autant et mieux qu'un vieux merle de Corse. **11.** Nous n'aurions plus alors qu'à le mettre en bouteilles, et à le vendre un peu cher. **12.** Il n'eut pas le temps de finir: le prieur s'était levé pour lui sauter au cou. **13.** Grâce à la vogue de son élixir, la maison des Prémontrés s'enrichit très rapidement. **14.** Quant au frère Gaucher, ce pauvre frère lai dont les rusticités égayaient tant le chapitre, il n'en fut plus question. **15.** On ne connut plus que le Révérend Père Gaucher, homme de tête et de grand savoir. **16.** La simplicité des bons Pères en avait fait quelque chose de mystérieux et de formidable. **17.** Au jour tombant, quand sonnait le dernier Angélus, le Révérend se rendait à l'église pour l'office du soir. **18.** Chaque fois cette pensée lui faisait monter des bouffées d'orgueil. **19.** Le pauvre homme en fut bien puni. Vous allez voir.

20. On le vit traverser l'église en coup de vent, **21.** puis, une fois assis, s'incliner de droite et de gauche en souriant d'un air béat. **22.** Là-bas, au fond du choeur, les psaumes allaient toujours; mais les répons manquaient d'entrain. **23.** Il y a bien eu la chanson qui était un peu. . . . hum! hum! **24.** Dites-moi bien comment la chose vous est arrivée. **25.** Vous aurez eu la main trop lourde. **26.** Pour le fini, le velouté, je ne me fie guère qu'à ma langue. **27.** Voilà deux soirs que je lui trouve un bouquet, un arôme! **28.** C'est pour sûr le démon qui m'a joué ce vilain tour. **29.** Aussi je suis bien décidé désormais à ne plus me servir que de l'éprouvette. **30.** Gardez-vous en bien!

[140] **le bon curé,** of Graveson, who was telling the story but fears it is now getting out of hand.

Il ne faut pas s'exposer à mécontenter la clientèle. **31.** Voyons, qu'est-ce qu'il vous faut pour vous rendre compte? **32.** Hélas! le pauvre Révérend eut beau compter ses gouttes. . . . le démon le tenait, et ne le lâcha plus. **33.** C'est la distillerie qui entendit de singuliers offices! **34.** Il n'y avait que la vingt et unième qui lui faisait envie. **35.** Rien ne pouvait contre le démon de l'élixir. **36.** Les commandes pleuvaient à l'abbaye que c'était une bénédiction. **37.** De jour en jour le couvent prenait un petit air de manufacture. **38.** Le service de Dieu y perdait bien par-ci par-là quelques coups de cloche; **39.** mais les pauvres gens du pays n'y perdaient rien, je vous en réponds. **40.** C'est fini. Je n'en fais plus. Rendez-moi mes vaches. **41.** Ce qu'il y a, Monseigneur? Il y a que je suis en train de me préparer une belle éternité de flammes et de coups de fourche. **42.** Faites faire l'élixir par qui vous voudrez. **43.** Que le feu de Dieu me brûle si je m'en mêle encor! **44.** Aussi, maintenant, quand je vois arriver la nuit, j'en ai, sauf votre respect, les sueurs qui me prennent. **45.** Avec cela, quoi qu'il arrive, vous êtes à couvert.

QUESTIONNAIRE

1. Qui raconte cette histoire? 2. Où habitait l'auteur à ce moment? **3.** Quelle était la situation des Pères blancs il y a vingt ans? **4.** Qu'est-ce qui était le plus triste de tout? **5.** Qui était le frère Gaucher? **6.** Que faisait-il? **7.** Qui l'avait élevé jusqu'à douze ans? **8.** Qu'est-ce qu'il avait pu apprendre? **9.** Quel effet produisit-il toujours sur les Révérends Pères? **10.** Qu'est-ce que tante Bégon avait composé vers la fin de sa vie? **11.** Qu'est-ce que le chapitre décida? **12.** Quel est le nouveau titre du frère Gaucher? **13.** Où passe-t-il la journée? **14.** Qu'est-ce qui aurait fait peur à un moinillon curieux? **15.** Quand sonne le dernier Angélus? 16. Que faisait le père Gaucher alors? **17.** Qu'est-ce qu'il se disait en lui-même? **18.** De quel péché se rendait-il donc coupable?

19. Comment arriva-t-il un soir à l'église? **20.** Qu'est-ce qu'il salua? 21. Que fit le prieur pour commander le silence? 22. Qu'est-ce qui a causé une consternation générale? **23.** Comment la chose est-elle arrivée? 24. L'éprouvette suffit-elle pour garantir la qualité de l'élixir? 25. Quels sont les ordres du prieur? **26.** Quand commençait le martyre du pauvre père Gaucher? 27. Qu'est-ce qui lui faisait envie? **28.** Qu'est-ce qu'il retrouvait au fond de cet élixir diabolique? 29. Qu'est-ce qui pleuvait pendant ce temps à l'abbaye? **30.** Que demande maintenant le père Gaucher? Pourquoi? **31.** Qu'est-ce qu'il boit chaque soirée?32. Quelle est la solution proposée par le prieur? **33.** Pourquoi le curé de Graveson interrompt-il son récit?

MARCEL AYMÉ

LE PROVERBE

Introduction

THERE is a kind of universality in literature completely dissociated from great themes like those in *La Condition humaine,* Part IV of this book. This other universality might be called one of situation. It reproduces a set of circumstances, of no particular significance, which can be duplicated in every country in the world. What, for instance, is more commonplace than a student who shirks his homework, or than a parent who does a child's lessons so that his own name will not be disgraced? Out of such an ordinary happening the contemporary writer Marcel Aymé (born 1902) has drawn *Le Proverbe.* Like all families, the one in this story has a wide range of sensitivities, loyalties and internal stresses which Aymé has exploited to the fullest for their comic value. *Le Proverbe* has the feel of earthiness and commonness innate to *l'esprit gaulois* better than any of the other stories in this Part. For some authors earthiness and commonness would not inspire worthwhile themes; it takes the unusual talents of an Aymé to transform them into a first-rate literary piece.

Aymé is currently the recognized heir of the Rabelaisian and Gallic tradition, which, in his writings, often turns to violent satire. Best known of his novels are *La Jument verte* (1933) and *Uranus* (1948).

LE PROVERBE

Dans la lumière de la suspension qui éclairait la cuisine, M. Jacotin voyait d'ensemble[1] la famille courbée sur la pâture[2] et témoignant, par des regards obliques, qu'elle redoutait l'humeur du

[1] **d'ensemble,** *in a general glance.*

[2] **pâture,** *"grub."* Note that they are eating in the kitchen. The tone of the whole household is fixed by the master, who is **sanguin** (*easily aroused* or *irascible*).

maître. La conscience profonde qu'il avait de son dévouement et
5 de son abnégation, un souci étroit de justice domestique, le rendaient en effet injuste et tyrannique, et ses explosions d'homme sanguin, toujours imprévisibles, entretenaient à son foyer une atmosphère de contrainte qui n'était du reste pas sans[3] l'irriter.

Ayant appris dans l'après-midi qu'il était proposé pour les palmes
10 académiques,[4] il se réservait d'en informer les siens à[5] la fin du dîner. Après avoir bu un verre de vin sur sa dernière bouchée de fromage, il se disposait à pendre la parole, mais il lui sembla que l'ambiance n'était pas telle qu'il avait souhaitée pour accueillir l'heureuse nouvelle. Son regard fit lentement le tour de la table,
15 s'arrêtant d'abord à l'épouse dont l'aspect chétif, le visage triste et peureux lui faisaient si peu honneur auprès de ses collègues. Il passa ensuite à la tante Julie qui s'était installée au foyer en faisant valoir[6] son grand âge et plusieurs maladies mortelles et qui, en sept ans, avait coûté sûrement plus d'argent qu'on n'en pouvait attendre
20 de sa succession. Puis vint le tour de ses deux filles, dix-sept et seize ans, employées de magasin à cinq cents francs par mois, pourtant vêtues commes des princesses, montres-bracelets, épingles d'or à l'échancrure,[7] des airs au-dessus de leur condition, et on[8] se demandait où passait l'argent, et on s'étonnait. M. Jacotin eut
25 soudain la sensation atroce qu'on lui dérobait son bien, qu'on buvait la sueur de ses peines et qu'il était ridiculement bon.[9] Le vin lui monta un grand coup à la[10] tête et fit flamber sa large face déjà remarquable au repos par sa rougeur[11] naturelle.

Il était dans cette disposition d'esprit lorsque son regard s'abaissa
30 sur son fils Lucien, un garçon de treize ans qui, depuis le début du repas, s'efforçait de passer inaperçu. Le père entrevit quelque chose

[3] **qui n'était du reste pas sans=qui, d'ailleurs, ne manquait pas de.**

[4] **proposé pour les palmes académiques,** *designated, on the latest honors list, for the P.A.,* a decoration given by the Ministry of Public Instruction in recognition of distinguished service to education or the arts and letters.

[5] **il se réservait d'en informer les siens à,** *he was refraining from telling the family until.*

[6] **en faisant valoir,** *by playing up.*

[7] **échancrure,** *throat line, V-line* (of their dresses).

[8] **on,** used very freely to replace other pronouns, especially in the speech of Lucien later in the story. Here=**il**; more usually=**nous**; sometimes=**vous.**

[9] **bon=indulgent.**

[10] **lui monta un grand coup à la,** *suddenly went to his.*

[11] **rougeur,** *ruddiness.* The strict meaning of **sanguin** is *full-blooded;* he is the apoplectic type.

de louche dans la pâleur du petit visage. L'enfant n'avait pas levé les yeux, mais se sentant observé, il tortillait avec ses deux main un pli de son tablier[12] noir d'écolier.

35 —Tu voudrais bien le déchirer? jeta le père d'une voix qui s'en promettait.[13] Tu fais tout ce que tu peux pour le déchirer?

Lâchant son tablier, Lucien posa les mains sur la table. Il penchait la tête sur son assiette sans oser chercher le réconfort d'un regard de ses soeurs et tout abandonné au malheur menaçant.

40 —Je te parle, dis donc.[14] Il me semble que tu pourrais me répondre. Mais je te soupçonne de n'avoir pas la conscience bien tranquille.

Lucien protesta d'un regard effrayé. Il n'espérait nullement détourner les soupçons, mais il savait que le père eût été déçu[15] de ne

45 pas trouver l'effroi dans les yeux de son fils.

—Non, tu n'as sûrement pas la conscience tranquille. Veux-tu me dire ce que tu as fait cet après-midi?

—Cet après-midi, j'étais avec Pichon. Il m'avait dit qu'il passerait me prendre à deux heures. En sortant d'ici, on[16] a rencontré

50 Chapuset qui allait faire des commissions. D'abord, on a été chez le médecin pour son oncle qui est malade. Depuis avant-hier, il se sentait des douleurs du côté du foie. . .

Mais le père comprit qu'on voulait l'égarer sur de l'anecdote[17] et coupa:

55 —Ne te mêle donc pas du foie des autres. On n'en fait pas tant[18] quand c'est moi qui souffre. Dis-moi plutôt où tu étais ce matin.

—J'ai été voir avec Fourmont la maison qui a brûlé l'autre nuit[19] dans l'avenue Poincaré.

—Comme ça,[20] tu as été dehors toute la journée? Du matin

[12] **tablier,** a type of *apron* or *smock* usually worn by French schoolboys.

[13] **s'en promettait,** *was heavy (pregnant) with meaning.*

[14] **dis donc,** a phrase become almost meaningless by frequent use in colloquial French; here=*you know, I'm telling you.*

[15] **eût été déçu=aurait été désappointé.**

[16] **on=Pichon et moi;** cf. note 8.

[17] **on voulait l'égarer sur de l'anecdote,** *the child was trying to divert his attention with idle stories.*

[18] **On n'en fait pas tant,** *None of you worry so much.*

[19] **l'autre nuit,** probably means *last night.*

[20] **Comme ça,** *So.*

jusqu'au soir? Bien entendu, puisque tu as passé ton jeudi[21] à t'amuser, j'imagine que tu as fait tes devoirs?

Le père avait prononcé ces dernières paroles sur un ton doucereux qui suspendait tous les souffles.[22]

—Mes devoirs? murmura Lucien.

—Oui, tes devoirs.

—J'ai travaillé hier soir en rentrant de classe.

—Je ne te demande pas si tu as travaillé hier soir. Je te demande si tu as fait tes devoirs pour demain.

Chacun sentait mûrir le drame[23] et aurait voulu l'écarter, mais l'expérience avait appris que toute intervention en pareille circonstance ne pouvait que gâter les choses et changer en fureur la hargne de cet homme violent. Par politique,[24] les deux soeurs de Lucien feignaient de suivre l'affaire distraitement, tandis que la mère, préférant ne pas assister de trop près à une scène pénible, fuyait vers un placard. M. Jacotin lui-même, au bord de la colère, hésitait encore à enterrer la nouvelle des palmes académiques. Mais la tante Julie, mue par de généreux sentiments, ne put tenir sa langue.

—Pauvre petit, vous êtes toujours après lui. Puisqu'il vous dit qu'il a travaillé hier soir. Il faut bien qu'il s'amuse aussi.

Offensé, M. Jacotin répliqua avec hauteur:

—Je vous prierai de ne pas entraver mes efforts dans l'éducation[25] de mon fils. Étant son père, j'agis comme tel et j'entends le diriger selon mes conceptions. Libre à vous, quand vous aurez des enfants, de faire leurs cent mille caprices.[26]

La tante Julie, qui avait soixante-treize ans, jugea qu'il y avait peut-être de l'ironie à parler de ses enfants à venir. Froissée à son tour, elle quitta la cuisine. Lucien la suivit d'un regard ému et la vit un moment, dans la pénombre de la salle à manger luisante de propreté, chercher à tâtons le commutateur. Lorsqu'elle eut refermé la porte, M. Jacotin prit toute la famille à témoin qu'il n'avait rien dit qui justifiât un tel départ et il se plaignit de la perfidie qu'il y

[21] **jeudi,** a free day in most Continental schools.
[22] **suspendait tous les souffles,** *made them all hold their breath* (*with apprehension*).
[23] **mûrir le drame,** *things heading for a climax* or *"smash."*
[24] **Par politique,** *As a matter of strategy.*
[25] **éducation,** *upbringing.*
[26] **faire leurs cent mille caprices,** *indulge their every whim.*

avait à le mettre en situation de passer pour un malotru. Ni ses filles, qui s'étaient mises à desservir la table, ni sa femme, ne purent
95 se résoudre à l'approuver, ce qui eût peut-être amené une détente. Leur silence lui fut un nouvel outrage. Rageur,[27] il revint à Lucien:

—J'attends encore ta réponse, toi. Oui ou non, as-tu fait tes devoirs?

Lucien comprit qu'il ne gagnerait rien à faire traîner les choses
100 et se jeta à l'eau.[28]

—Je n'ai pas fait mon devoir de français.

Une lueur de gratitude passa dans les yeux du père. Il y avait plaisir à entreprendre ce gamin-là.[29]

—Pourquoi, s'il te plaît?

105 Lucien leva les épaules en signe d'ignorance et même d'étonnement, comme si la question était saugrenue.

—Je le moudrais,[30] murmura le père en le dévorant du regard.

Un moment, il resta silencieux, considérant le degré d'abjection auquel était descendu ce fils ingrat qui, sans aucune raison avouable
110 et apparemment sans remords, négligeait de faire son devoir de français.

—C'est donc bien ce que je pensais, dit-il, et sa voix se mit à monter avec le ton du discours. Non seulement tu continues, mais tu persévères.[31] Voilà un devoir de français que le professeur t'a
115 donné vendredi dernier pour demain. Tu avais donc huit jours pour le faire et tu n'en as pas trouvé le moyen. Et si je n'en avais pas parlé, tu allais en classe sans l'avoir fait. Mais le plus fort,[32] c'est que tu auras passé tout ton jeudi à flâner et à paresser. Et avec qui? avec un Pichon, un Fourmont, un Chapusot, tous les
120 derniers, tous les cancres de la classe. Les cancres sont dans ton genre.[33] Qui se ressemble s'assemble. Bien sûr que l'idée ne te viendrait pas de t'amuser avec Béruchard. Tu te croirais déshonoré d'aller jouer avec un bon élève. Et d'abord, Béruchard n'accepterait pas, lui, Béruchard, je suis sûr qu'il ne s'amuse pas. Et qu'il ne

[27] **Rageur,** *Bursting with anger.*
[28] **se jeta à l'eau,** *took the plunge, plunged in.*
[29] **à entreprendre ce gamin-là,** *in taking on (dealing with) a youngster like that.*
[30] **Je le moudrais,** freely, *I could smash that brat* [lit., *I would mill (crush) him*].
[31] **presévères,** *make a habit of it.*
[32] **plus fort,** *worst of all.*
[33] **dans ton genre,** *your kind.*

125 s'amuse jamais. C'est bon pour toi. Il travaille, Béruchard. La conséquence, c'est qu'il est toujours dans les premiers. Pas plus tard que la semaine dernière, il était trois places devant toi. Tu peux compter[34] que c'est une chose agréable pour moi qui suis toute la journée au bureau avec son père. Un homme pourtant moins bien 130 noté que moi. Qu'est-ce que c'est que Béruchard? je parle du père. C'est l'homme travailleur, si on veut, mais qui manque de capacités. Et sur les idées politiques, c'est bien pareil que sur la besogne. Il n'a jamais eu de conceptions. Et Béruchard, il le sait bien. Quand on discute de choses et d'autres, devant moi, il n'en mène pas large.[35] 135 N'empêche,[36] s'il vient à me parler de son gamin qui est toujours premier en classe, c'est lui qui prend le dessus quand même. Je me trouve par le fait[37] dans une position vicieuse. Je n'ai pas la chance, moi, d'avoir un fils comme Béruchard. Un fils premier en français, premier en calcul. Un fils qui rafle tous les prix. Lucien, laisse-moi 140 ce rond de serviette tranquille.[38] Je ne tolérerai pas que tu m'écoutes avec des airs qui n'en sont pas.[39] Oui ou non, m'as-tu entendu? ou si tu veux une paire de claques pour t'apprendre que je suis ton père? Paresseux, voyou, incapable! Un devoir de français donné depuis huit jours! Tu ne me diras pas que si tu avais pour deux 145 sous de coeur[40] ou que si tu pensais au mal que je me donne, une pareille chose se produirait. Non, Lucien, tu ne sais pas reconnaître.[41] Autrement que ça, ton devoir français, tu l'aurais fait. Le mal que je me donne, moi, dans mon travail. Et les soucis et l'inquiétude. Pour le présent et pour l'avenir. Quand j'aurai l'âge 150 de m'arrêter, personne pour me donner de quoi vivre.[42] Il vaut mieux compter sur soi que sur les autres. Un sou, je ne l'ai jamais demandé. Moi, pour m'en tirer, je n'ai jamais été chercher le voisin. Et je n'ai jamais été aidé par les miens. Mon père ne m'a pas laissé étudier. Quand j'avais douze ans, en apprentissage. Tirer 155 la charrette et par tous les temps. L'hiver, les engelures, et l'été,

[34] **compter=être sûr** (ironic).
[35] **n'en mène pas large,** *cuts a sorry figure, doesn't get far.*
[36] **N'empêche,** *Despite that.*
[37] **par le fait=par cette raison.**
[38] **laisse-moi ce rond de serviette tranquille,** *will you leave that napkin ring alone!*
[39] **avec des airs qui n'en sont pas,** *with those preposterous (intolerable) airs of yours.*
[40] **avais pour deux sous de coeur,** *had two cents worth of guts (stamina).*
[41] **reconnaître=montrer de la reconnaissance,** *show gratitude.*
[42] **me donner de quoi vivre,** *support me (in my old age).*

la chemise qui collait sur le dos. Mais toi, tu te prélasses. Tu as la chance d'avoir un père qui soit trop bon. Mais ça ne durera pas. Quand je pense. Un devoir de français. Fainéant, sagouin! Soyez bon, vous serez toujours faible. Et moi tout à l'heure qui pensais 160 vous mener tous, mercredi prochain, voir jouer *Les Burgraves.*[43] Je ne me doutais pas de ce qui m'attendait en rentrant chez moi. Quand je ne suis pas là, on peut être sûr que c'est l'anarchie. C'est les devoirs pas faits et tout ce qui s'ensuit dans toute la maison. Et, bien entendu, on a choisi le jour . . .[44]

165 Le père marqua un temps d'arrêt.[45] Un sentiment délicat, de pudeur et de modestie, lui fit baisser les paupières.

—Le jour où j'apprends que je suis proposé pour les palmes académiques. Oui, voilà le jour qu'on a choisi.

Il attendit quelques secondes l'effet de ses dernières paroles. Mais, 170 à peine détachées de la longue apostrophe, elles semblaient n'avoir pas été comprises. Chacun les avait entendues, comme le reste du discours, sans en pénétrer le sens. Seule, Mme Jacotin, sachant qu'il attendait depuis deux ans la récompense de services rendus, en sa qualité de trésorier bénévole,[46] à la société locale de solfège et de 175 philharmonie (l'U.N.S.P.),[47] eut l'impression que quelque chose d'important venait de lui échapper. Le mot de palmes académiques rendit à ses oreilles un son étrange mais familier, et fit surgir pour elle la vision de son époux coiffé de sa casquette de musicien honoraire et à califourchon sur la plus haute branche d'un cocotier.[48] 180 La crainte d'avoir été inattentive lui fit enfin apercevoir le sens de cette fiction poétique et déjà elle ouvrait la bouche et se préparait à manifester une joie déférente. Il était trop tard. M. Jacotin, qui se délectait amèrement de l'indifférence des siens, craignit qu'une

[43] **Les Burgraves,** an historical drama by Victor Hugo—presumably not Lucien's ideal of a night out.

[44] **on a choisi le jour,** *you had to pick the very day.*

[45] **marqua un temps d'arrêt,** *made a significant pause.*

[46] **bénévole,** *voluntary* (serving without any remuneration).

[47] **société locale . . . (l'U.N.S.P.),** *the local branch of the* Union Nationale de Solfège et de Philharmonie; the author is making fun of both the pretentious titles of many local clubs and the tendency to use unintelligible initials in designating national organizations. Solfeggio is a system of musical training, and the whole thing adds up to a local choral society or "glee club."

[48] **cocotier,** a *palm tree* that produces cocoanuts.

parole de sa femme ne vînt adoucir l'injure de ce lourd silence et se
185 hâta de la prévenir.

—Poursuivons, dit-il avec un ricanement douloureux. Je disais donc que tu as eu huit jours pour faire ce devoir de français. Oui, huit jours. Tiens, j'aimerais savoir depuis quand Béruchard l'a fait. Je suis sûr qu'il n'a pas attendu huit jours, ni six, ni cinq. Ni
190 trois, ni deux. Béruchard, il l'a fait le lendemain. Et veux-tu me dire ce que c'est que ce devoir?

Lucien, qui n'écoutait pas, laissa passer le temps de répondre. Son père le somma d'une voix qui passa trois portes et alla toucher la tante Julie dans sa chambre. En chemise de nuit et la mine défaite,
195 elle vint s'informer.

—Qu'est-ce qu'il y a? Voyons, qu'est-ce que vous lui faites, à cet enfant? Je veux savoir, moi.

Le malheur voulut qu'[49] en cet instant M. Jacotin se laissât dominer par la pensée de ses palmes académiques. C'est pourquoi
200 la patience lui manqua. Au plus fort[50] de ses colères, il s'exprimait habituellement dans un langage décent. Mais le ton de cette vieille femme recueillie chez lui par un calcul charitable et parlant avec ce sans-gêne à un homme en passe d'être décoré, lui parut une provocation appelant[51] l'insolence.

205 —Vous, répondit-il, je vous dis cinq lettres.[52]

La tante Julie béa, les yeux ronds, encore incrédules, et comme il précisait ce qu'il fallait entendre par cinq lettres, elle tomba évanouie. Il y eut des cris de frayeur dans la cuisine, une longue rumeur de drame avec remuement de bouillottes, de soucoupes et
210 de flacons. Les soeurs de Lucien et leur mère s'affairaient auprès de la malade avec des paroles de compassion et de réconfort, dont chacune atteignait cruellement M. Jacotin. Elles évitaient de le regarder, mais quand par hasard leurs visages se tournaient vers lui, leurs yeux étaient durs. Il se sentait coupable et, plaignant la
215 vieille fille, regrettait sincèrement l'excès de langage auquel il s'était laissé aller. Il aurait souhaité s'excuser, mais la réprobation

[49] **Le malheur voulut qu'**, *As bad luck would have it.*
[50] **Au plus fort**, *Even at the peak of.*
[51] **appelant**, *calling for.*
[52] **Je vous dis cinq lettres**, *Why, you five-letter word, you!* (The English equivalent would be *four-letter.*)

qui l'entourait si visiblement durcissait son orgueil. Tandis qu'on emportait la tante Julie dans sa chambre, il prononça d'une voix haute et claire:

220 —Pour la troisième fois, je te demande en quoi consiste ton devoir de français.

—C'est une explication,[53] dit Lucien. Il faut expliquer le proverbe: «Rien ne sert de courir, il faut partir à point.»

—Et alors? Je ne vois pas ce qui t'arrête là-dedans.

225 Lucien opina d'un hochement de tête,[54] mais son visage était réticent.

—En tout cas, file[55] me chercher tes cahiers, et au travail. Je veux voir ton devoir fini.

Lucien alla prendre sa serviette de classe[56] qui gisait dans un 230 coin de la cuisine, en sortit un cahier de brouillon et écrivit au haut d'une page blanche:[57] «Rien ne sert de courir, il faut partir à point.» Si lentement qu'il eût écrit,[58] cela ne demanda pas cinq minutes. Il se mit alors à sucer son porte-plume et considéra le proverbe d'un air hostile et buté.

235 —Je vois que tu y mets de la mauvaise volonté, dit le père. A ton aise.[59] Moi, je ne suis pas pressé. J'attendrai toute la nuit s'il le faut.

En effet, il s'était mis en position d'attendre commodément. Lucien, en levant les yeux, lui vit un air de quiétude qui le désespéra. 240 Il essaya de méditer sur son proverbe: «Rien ne sert de courir, il faut partir à point.» Pour lui, il y avait là une évidence ne requérant aucune démonstration, et il songeait avec dégoût à la fable de La Fontaine: *Le Lièvre et la Tortue*. Cependant, ses soeurs, après avoir couché la tante Julie, commençaient à ranger la vaisselle dans 245 le placard et, si attentives fussent-elles à ne pas faire de bruit,[60] il se produisait des heurts qui irritaient M. Jacotin, lui semblant qu'on voulût offrir à l'écolier une bonne excuse pour ne rien faire.

[53] **explication,** *development of a given theme.* The proverb next quoted is from a fable by La Fontaine whose title is given below.

[54] **opina d'un hochement de tête,** *nodded his assent.*

[55] **file,** *hurry, off with you.*

[56] **serviette de classe,** *school-bag.*

[57] **blanche,** *blank.*

[58] **Si lentement qu'il eût écrit,** *Even as slowly as he wrote.*

[59] **A ton aise,** *Take your time.*

[60] **Si attentives . . . bruit,** see note 58.

Soudain, il y eut un affreux vacarme. La mère venait de laisser tomber sur l'évier une casserole de fer qui rebondit sur le carrelage.

250 —Attention, gronda le père. C'est quand même agaçant. Comment voulez-vous qu'il travaille, aussi, dans une foire[61] pareille? Laissez-le tranquille et allez-vous-en d'ailleurs. La vaisselle est finie. Allez vous coucher.

Aussitôt, les femmes quittèrent la cuisine. Lucien se sentit livré 255 à son père, à la nuit, et songeant à la mort à l'aube sur un[62] proverbe, il se mit à pleurer.

—Ça t'avance bien, lui dit son père. Gros bête, va![63]

La voix restait bourrue, mais avec un accent de compassion, car M. Jacotin, encore honteux du drame qu'il avait provoqué tout à 260 l'heure, souhaitait racheter sa conduite par une certaine mansuétude à l'égard de son fils. Lucien perçut la nuance, il s'attendrit et pleura plus fort. Une larme tomba sur le cahier de brouillon, auprès du proverbe. Ému, le père fit le tour de la table en traînant une chaise et vint s'asseoir à côté de l'enfant.

265 —Allons, prends-moi ton mouchoir et que ce soit fini. A ton âge, tu devrais penser que si je te secoue,[64] c'est pour ton bien. Plus tard, tu diras: «Il avait raison.» Un père qui sait être sévère, il n'y a rien de meilleur pour l'enfant. Béruchard, justement, me le disait hier. C'est une habitude, à lui, de battre le sien. Tantôt c'est 270 les claques ou son pied où je pense, tantôt le martinet ou bien le nerf de boeuf. Il obtient de bons résultats. Sûr que son gamin marche droit et qu'il ira loin. Mais battre un enfant, moi, je ne pourrais pas, sauf bien sûr comme ça[65] une fois de temps en temps. Chacun ses conceptions. C'est ce que je disais à Béruchard. J'estime 275 qu'il vaut mieux faire appel à la raison de l'enfant.

Apaisé par ces bonnes paroles, Lucien avait cessé de pleurer et son père en conçut de l'inquiétude.

—Parce que je te parle comme à un homme, tu ne vas pas au moins te figurer que ce serait de la faiblesse?

[61] **foire,** *public fair* or *carnival.*

[62] **sur un,** *sprawled out* (*lifeless*) *over his.*

[63] **Ça t'avance bien . . . Gros bête, va,** *A lot of good that does you. . . . You big ninny, you!*

[64] **te secoue,** *am hard on you.*

[65] **comme ça,** *perhaps, you might say.*

280 —Oh non, répondit Lucien avec l'accent d'une conviction profonde.

Rassuré, M. Jacotin eut un regard de bonté. Puis, considérant d'une part le proverbe, d'autre part l'embarras de son fils, il crut pouvoir se montrer généreux à peu de frais et dit avec bonhomie:

285 —Je vois bien que si je ne mets pas la main à la pâte, on sera encore là[66] à quatre heures du matin. Allons, au travail. Nous disons donc: «Rien ne sert de courir, il faut partir à point.» Voyons. Rien ne sert de courir . . .

Tout à l'heure, le sujet de ce devoir de français lui avait paru
290 presque ridicule à force d'être facile. Maintenant qu'il en avait assumé la responsabilité, il le voyait d'un autre oeil. La mine soucieuse, il relut plusieurs fois le proverbe et murmura:

—C'est un proverbe.

—Oui, approuva Lucien qui attendait la suite[67] avec une assurance
295 nouvelle.

Tant de paisible confiance troubla le coeur de M. Jacotin. L'idée que son prestige de père était en jeu[68] le rendit nerveux.

—En vous donnant ce devoir-là, demanda-t-il, le maître ne vous a rien dit?

300 —Il nous a dit: surtout, évitez de résumer *Le Lièvre et la Tortue*. C'est à vous[69] de trouver un exemple. Voilà ce qu'il a dit.

—Tiens, c'est vrai, fit[70] le père. *Le Lièvre et la Tortue,* c'est un bon exemple. Je n'y avais pas pensé.

—Oui, mais c'est défendu.

305 —Défendu, bien sûr, défendu. Mais alors, si tout est défendu . . .

Le visage un peu congestionné, M. Jacotin chercha une idée ou au moins une phrase qui fût un départ. Son imagination était rétive. Il se mit à considérer le proverbe avec un sentiment de crainte et de rancune. Peu à peu, son regard prenait la même
310 expression d'ennui[71] qu'avait eue tout à l'heure celui de Lucien.

Enfin, il eut une idée qui était de développer un sous-titre de journal, «La Course aux armements», qu'il avait lu le matin

[66] **si je ne mets . . . là,** *if I don't put my hand to it, we'll still be here.*
[67] **attendait la suite,** *waited for what was to come next.*
[68] **en jeu,** *at stake.*
[69] **C'est à vous,** *It's up to you.*
[70] **fit=dit.**
[71] **ennui,** *annoyance, vexation.*

même. Le développement venait bien: une nation se prépare à la guerre depuis longtemps,[72] fabriquant canons, tanks, mitrail-
315 leuses et avions. La nation voisine se prépare mollement, de sorte qu'elle n'est pas prête du tout quand survient la guerre et qu'elle s'efforce vainement de rattraper son retard. Il y avait là toute la matière d'un excellent devoir.

Le visage de M. Jacotin, qui s'était éclairé un moment, se
320 rembrunit tout d'un coup. Il venait de songer que sa religion politique ne lui permettait pas de choisir un exemple aussi tendancieux. Il avait trop d'honnêteté pour humilier ses convictions, mais c'était tout de même dommage. Malgré la fermeté de ses opinions, il se laissa effleurer par le regret de n'être pas inféodé à
325 un parti réactionnaire, ce qui lui eût[73] permis d'exploiter son idée avec l'approbation de sa conscience. Il se ressaisit en pensant à ses palmes académiques, mais avec beaucoup de mélancolie.

Lucien attendait sans inquiétude le résultat de cette méditation. Il se jugeait déchargé du soin d'expliquer le proverbe et n'y pensait
330 même plus. Mais le silence qui s'éternisait lui faisait paraître le temps long. Les paupières lourdes, il fit entendre plusieurs bâillements prolongés. Son père, le visage crispé par l'effort de la recherche, les perçut comme autant de reproches et sa nervosité s'en accrut. Il avait beau se mettre[74] l'esprit à la torture, il ne trouvait
335 rien. La course aux armements le gênait. Il semblait qu'elle se fût soudée au proverbe et les efforts qu'il faisait pour l'oublier lui en imposaient justement la pensée. De temps en temps, il levait sur son fils un regard furtif et anxieux.

Alors qu'il n'espérait plus et se préparait à confesser son im-
340 puissance, il lui vint[75] une autre idée. Elle se présentait comme une transposition de la course aux armements dont elle réussit à écarter l'obsession. Il s'agissait encore d'une compétition, mais sportive, à

[72] **une nation se prépare à la guerre depuis longtemps,** This story dates from the period of about 1935 to 1938 when the left-wing governments of France were mainly concerned with social reform and during which Germany rapidly acquired an enormous advantage in industry and munitions. M. Jacotin was of the anti-clerical left in politics, so his **religion politique** would make it embarrassing for him to treat a theme so **tendancieux** (*tendentious* or *incriminating*—to his party).

[73] **eût=aurait.**

[74] **Il avait beau se mettre,** *No matter how much he put.*

[75] **il lui vint,** *there occurred to him.*

laquelle se préparaient deux équipes de rameurs, l'une méthodiquement, l'autre avec une affectation de négligence.

345 —Allons, commanda M. Jacotin, écris.

A moitié endormi, Lucien sursauta et prit son porte-plume.

—Ma parole,[76] tu dormais?

—Oh! non. Je réfléchissais. Je réfléchissais au proverbe. Mais je n'ai rien trouvé.

350 Le père eut un petit rire indulgent, puis son regard devint fixe et, lentement, il se mit à dicter:

—Par[77] cette splendide après-midi d'un dimanche d'été, virgule, quels sont donc ces jolis objets verts à[78] la forme allongée, virgule, qui frappent nos regards? On dirait de loin qu'ils sont munis 355 de longs bras, mais ces bras ne sont autre chose que des rames et les objets verts sont en réalité deux canots de course qui se balancent mollement au gré des flots de la Marne.[79]

Lucien, pris d'une vague anxiété, osa lever la tête et eut un regard un peu effaré. Mais son père ne le voyait pas, trop occupé à 360 polir une phrase de transition qui allait lui permettre de présenter les équipes rivales. La bouche entr'ouverte, les yeux mi-clos, il surveillait ses rameurs et les rassemblait dans le champ de sa pensée. A tâtons, il avança la main vers le porte-plume de son fils.

—Donne. Je vais écrire moi-même. C'est plus commode que de 365 dicter.

Fiévreux, il se mit à écrire d'une plume abondante. Les idées et les mots lui venaient facilement, dans un ordre commode et pourtant exaltant, qui l'inclinait au lyrisme. Il se sentait riche, maître d'un domaine magnifique et fleuri. Lucien regarda un moment, 370 non sans un reste d'appréhension, courir sur son cahier de brouillon la plume inspirée et finit par s'endormir sur la table. A onze heures, son père le réveilla et lui tendit le cahier.

—Et maintenant, tu vas me recopier ça posément. J'attends que tu aies fini pour relire. Tâche de mettre la ponctuation, surtout.

375 —Il est tard, fit observer Lucien. Je ferais peut-être mieux de me lever demain matin de bonne heure?

[76] **Ma parole,** *Upon my word!*

[77] **Par,** *On.*

[78] **à,** *with.*

[79] **la Marne,** stream tributary to the Seine which it enters just west of Paris; the region is popular for boating including shell-races.

—Non, non. Il faut battre le fer pendant qu'il est chaud. Encore un proverbe, tiens.[80]

M. Jacotin eut un sourire gourmand[81] et ajouta:

380 —Ce proverbe-là, je ne serais pas en peine de l'expliquer non plus.[82] Si j'avais le temps, il ne faudrait pas me pousser beaucoup. C'est un sujet de toute beauté.[83] Un sujet sur lequel je me fais fort d'écrire mes douze pages. Au moins, est-ce que tu le comprends bien?

385 —Quoi donc?

—Je te demande si tu comprends le proverbe: «Il faut battre le fer pendant qu'il est chaud.»

Lucien, accablé, faillit céder au découragement. Il se ressaisit et répondit avec une grande douceur:

390 —Oui, papa. Je comprends bien. Mais il faut que je recopie mon devoir.

—C'est ça,[84] recopie, dit M. Jacotin d'un ton qui traduisit son mépris pour certaines activités d'un ordre subalterne.[85]

Une semaine plus tard, le professeur rendait la copie corrigée.

395 —Dans l'ensemble, dit-il, je suis loin d'être satisfait. Si j'excepte Béruchard à qui j'ai donné treize,[86] et cinq ou six autres tout juste passables, vous n'avez pas compris le devoir.

Il expliqua ce qu'il aurait fallu faire, puis, dans le tas des copies annotées à l'encre rouge, il en choisit trois qu'il se mit à commenter.

400 La première était celle de Béruchard, dont il parla en termes élogieux. La troisième était celle de Lucien.

—En vous lisant, Jacotin, j'ai été surpris par une façon d'écrire à laquelle vous ne m'avez pas habitué et qui m'a paru si déplaisante que je n'ai pas hésité à vous coller un trois. S'il m'est arrivé souvent

405 de blâmer la sécheresse de vos développements, je dois dire que vous êtes tombé cette fois dans le défaut contraire. Vous avez trouvé le moyen de remplir six pages en restant constamment en dehors

[80] **tiens,** *notice.*
[81] **gourmand,** *smug.*
[82] **non plus,** *either.*
[83] **de toute beauté,** *first-rate, very attractive.*
[84] **C'est ça,** *That's right.*
[85] **subalterne,** *subordinate* (*inferior* to "creative writing" such as he had been indulging in).
[86] **treize,** out of 20, a good grade in France.

du sujet. Mais le plus insupportable est ce ton endimanché que vous avez cru devoir[87] adopter.

410 Le professeur parla encore longuement du devoir de Lucien, qu'il proposa aux autres élèves comme le modèle de ce qu'il ne fallait pas faire.[88] Il en lut à haute voix quelques passages qui lui semblaient particulièrement édifiants.[89] Dans la classe, il y eut des sourires, des gloussements et mêmes quelques rires soutenus. 415 Lucien était très pâle. Blessé dans son amour-propre, il l'était aussi dans ses sentiments de piété filiale.

Pourtant, il en voulait à[90] son père de l'avoir mis en situation de se faire moquer[91] par ses camarades. Élève médiocre, jamais sa négligence ni son ignorance ne l'avaient ainsi exposé au ridicule. 420 Qu'il s'agît[92] d'un devoir de français, de latin ou d'algèbre, il gardait jusque dans ses insuffisances[93] un juste sentiment des convenances et même des élégances écolières. Le soir où, les yeux rouges de sommeil, il avait recopié le brouillon de M. Jacotin, il ne s'était guère trompé de l'accueil qui serait fait à son devoir. Le lendemain, 425 mieux éveillé, il avait même hésité à le remettre au professeur, ressentant alors plus vivement ce qu'il contenait de faux et de discordant, eu égard aux[94] habitudes de la classe. Et[95] au dernier moment, une confiance instinctive dans l'infaillibilité de son père l'avait décidé.

430 Au retour de l'école, Lucien songeait avec rancune à ce mouvement[96] de confiance pour ainsi dire religieuse qui avait parlé plus haut que l'évidence. De quoi s'était mêlé le père en expliquant ce proverbe? A coup sûr, il n'avait pas volé[97] l'humiliation de se voir flanquer trois sur vingt à son devoir de français. Il y avait là de 435 quoi lui faire passer l'envie[98] d'expliquer les proverbes. Et Béruchard

[87] **avez cru devoir,** (*apparently*) *felt you had to.*
[88] **ce qu'il ne fallait pas faire,** *bad writing* (*what shouldn't be done.*)
[89] **édifiants,** *edifying* (*instructive* as horrible examples.)
[90] **en voulait à,** *blamed.*
[91] **se faire moquer,** *getting himself laughed at.*
[92] **Qu'il s'agît,** *Whether it was a question.*
[93] **jusque dans ses insuffisances,** *even with all his shortcomings.*
[94] **eu égard aux,** *considering.*
[95] **Et=Mais.**
[96] **mouvement,** *burst, impulse.*
[97] **il n'avait pas volé=le père avait bien mérité.**
[98] **de quoi lui faire passer l'envie,** *enough to cure him of any desire.*

qui avait eu treize. Le père aurait du mal à s'en remettre. Ça lui apprendrait.

A table, M. Jacotin se montra enjoué et presque gracieux. Une allégresse un peu fiévreuse animait son regard et ses propos. Il eut
440 la coquetterie[99] de ne pas poser dès l'abord la question qui lui brûlait les lèvres et que son fils attendait. L'atmosphère du déjeuner n'était pas très différente de ce qu'elle était d'habitude. La gaieté du père, au lieu de mettre à l'aise les convives, était plutôt une gêne supplémentaire. Mme Jacotin et ses filles essayaient en vain
445 d'adopter un ton accordé à la bonne humeur du maître. Pour la tante Julie, elle se fit un devoir de souligner par une attitude maussade et un air de surprise offensée tout ce que cette bonne humeur offrait d'insolite[100] aux regards de la famille. M. Jacotin le sentit lui-même, car il ne tarda pas à s'assombrir.

450 —Au fait,[101] dit-il avec brusquerie. Et le proverbe?

Sa voix trahissait une émotion qui ressemblait plus à de l'inquiétude qu'à de l'impatience. Lucien sentit qu'en cet instant il pouvait faire le malheur de son père. Il le regardait maintenant avec une liberté qui lui livrait le personnage.[102] Il comprenait que,
455 depuis de longues années, le pauvre homme vivait sur le sentiment de son infaillibilité de chef de famille et qu'en expliquant le proverbe, il avait engagé le principe de son infaillibilité dans une aventure dangereuse. Non seulement le tyran domestique allait perdre la face devant les siens, mais il perdrait du même coup[103]
460 la considération qu'il avait pour sa propre personne. Ce serait un effondrement. Et dans la cuisine, à table, face à la tante Julie qui épiait toujours une revanche, ce drame qu'une simple parole pouvait déchaîner avait déjà une réalité bouleversante. Lucien fut effrayé par la faiblesse du père et son coeur s'attendrit d'un senti-
465 ment de pitié généreuse.

—Tu es dans la lune? Je te demande si le professeur a rendu mon devoir? dit M. Jacotin.

—Ton devoir? Oui, on l'a rendu.

[99] **coquetterie,** *affectation.*
[100] **tout ce que . . . insolite,** *how suspiciously unusual this cheery manner seemed.*
[101] **Au fait,** *Let's get to the point.*
[102] **une liberté qui lui livrait le personnage,** *a freedom (from usual restraint) which suddenly revealed to him the real character of his father.*
[103] **du même coup,** *at the same time, for that very reason.*

—Et quelle note avons-nous[104] eue?

470 —Treize.

—Pas mal. Et Béruchard?

—Treize.

—Et la meilleure note était?

—Treize.

475 Le visage du père s'était illuminé. Il se tourna vers la tante Julie avec un regard insistant, comme si la note treize eût[105] été donnée malgré elle. Lucien avait baissé les yeux et regardait en lui-même[106] avec un plaisir ému. M. Jacotin lui toucha l'épaule et dit avec bonté:

480 —Vois-tu, mon cher enfant, quand on entreprend un travail, le tout est d'abord d'y bien réfléchir. Comprendre un travail, c'est l'avoir fait plus qu'aux trois quarts. Voilà justement ce que je voudrais te faire entrer dans la tête une bonne fois.[107] Et j'y arriverai. J'y mettrai tout le temps nécessaire. Du reste, à partir de main-485 tenant, et désormais, tous tes devoirs de français, nous les ferons ensemble.

EXPRESSIONS FOR STUDY

1. Ses explosions d'homme sanguin entretenaient à son foyer une atmosphère de contrainte qui n'était du reste pas sans l'irriter. **2.** Il se réservait d'en informer les siens à la fin du dîner. **3.** Il se disposait à prendre la parole, mais il lui sembla que l'ambiance n'était pas telle qu'il avait souhaitée. **4.** La tante Julie s'était installée au foyer en faisant valoir son grand âge et plusieurs maladies mortelles. **5.** M. Jacotin eut soudain la sensation atroce qu'on lui dérobait son bien, qu'on buvait la sueur de ses peines. **6.** Depuis avant-hier, il se sentait des douleurs du côté du foie. **7.** Le père comprit qu'on voulait l'égarer sur l'anecdote. **8.** Chacun sentait mûrir le drame et aurait voulu l'écarter. **9.** Il se plaignait de la perfidie qu'il y avait à le mettre en situation de passer pour un malotru. **10.**

[104] **mon, ton, nous,** note the humorous effect of these pronouns used here so spontaneously.

[105] **eût=avait.**

[106] **regardait en lui-même,** *kept his thoughts to himself.*

[107] **une bonne fois,** *once and for all.*

Béruchard, je suis sûr qu'il ne s'amuse pas. C'est bon pour toi. **11.** Quand on discute de choses et d'autres, devant moi, il n'en mène pas large. **12.** N'empêche, s'il vient à me parler de son gamin qui est toujours premier en classe, c'est lui qui prend le dessus quand même. **13.** Tu ne me diras pas que si tu avais pour deux sous de coeur ou que si tu pensais au mal que je me donne, une pareille chose se produirait. **14.** Quand j'aurai l'âge de m'arrêter, personne pour me donner de quoi vivre. **15.** Moi, pour m'en tirer, je n'ai jamais été chercher le voisin. **16.** Et moi tout à l'heure qui pensais vous mener tous, mercredi prochain, voir jouer *Les Burgraves*. **17.** Je ne me doutais pas de ce qui m'attendait en rentrant chez moi. **18.** M. Jacotin, qui se délectait amèrement de l'indifférence des siens, craignit qu'une parole de sa femme ne vînt adoucir l'injure de ce lourd silence et se hâta de la prévenir. **19.** Son père le somma d'une voix qui passa trois portes et alla toucher la tante Julie dans sa chambre. **20.** En chemise de nuit et la mine défaite, elle vint s'informer. **21.** Le malheur voulut qu'en cet instant M. Jacotin se laissât dominer par la pensée de ses palmes académiques.

22. Rien ne sert de courir, il faut partir à point. **23.** En tout cas, file me chercher tes cahiers, et au travail. **24.** Si lentement qu'il eût écrit, cela ne demanda pas cinq minutes. **25.** Si attentives fussent-elles à ne pas faire de bruit, il se produisait des heurts qui irritaient M. Jacotin. **26.** Ça t'avance bien. Gros bête, va! **27.** M. Jacotin, encore honteux du drame qu'il avait provoqué tout à l'heure, souhaitait racheter sa conduite par une certaine mansuétude à l'égard de son fils. **28.** Mais battre un enfant, moi, je ne pourrais pas, sauf bien sûr comme ça de temps en temps. **29.** Considérant d'une part le proverbe, d'autre part l'embarras de son fils, il crut pouvoir se montrer généreux à peu de frais. **30.** Peu à peu, son regard prenait la même expression d'ennui qu'avait eue tout à l'heure celui de Lucien. **31.** Le silence qui s'éternisait lui faisait paraître le temps long. **32.** Les paupières lourdes, il fit entendre plusieurs bâillements prolongés. **33.** Il avait beau se mettre l'esprit à la torture, il ne trouvait rien. **34.** Fiévreux, il se mit à écrire d'une plume abondante. **35.** J'attends que tu aies fini pour relire. **36.** Ce proverbe-là, je ne serais pas en peine de l'expliquer non plus. **37.** Le plus insupportable est ce ton endimanché que vous avez cru devoir adopter. **38.** Pourtant, il en voulait à son père de l'avoir mis en situation de se faire moquer par ses camarades. **39.** Qu'il s'agît d'un devoir de français, de latin ou d'algèbre, il gardait jusque dans ses insuffisances un juste sentiment des convenances et même des élégances écolières. **40.** Le soir où, les yeux rouges de sommeil, il avait recopié le brouillon de M. Jacotin, il ne s'était guère trompé de l'accueil qui serait fait à son devoir. **41.** Il y avait là de quoi lui faire passer l'envie d'expliquer les proverbes. **42.** Et Béruchard qui avait eu treize. Le père aurait du mal à s'en remettre. Ça lui apprendrait. **43.** Pour la tante Julie, elle se fit un devoir de souligner par une attitude maussade tout ce que cette bonne humeur offrait d'insolite aux regards de la famille. **44.** Il le regardait maintenant avec une liberté qui lui livrait le personnage. **45.** Vois-tu, mon cher enfant, quand on entreprend un travail, le tout est d'abord d'y bien réfléchir. **46.** Du reste, à partir de maintenant, et désormais, tous tes devoirs de français, nous les ferons ensemble.

QUESTIONNAIRE

1. Qu'est-ce qui causait l'atmosphère de contrainte qui régnait chez les Jacotin? **2.** Quel âge avaient les enfants de la maison? **3.** Comment la tante Julie s'y était-elle installée. **4.** Par quoi le visage de M. Jacotin était-il remarquable? **5.** Qu'est-ce qu'il a appris cet après-midi? **6.** Où mangeait-on? **7.** Quelle était l'attitude de Lucien? **8.** Quel jour de la semaine était-ce? **9.** Qu'avait fait Lucien pendant la journée? **10.** Quel âge avait la tante Julie? **11.** Qu'est-ce que Lucien a négligé de faire? **12.** Quand est-ce que le professeur avait donné le devoir de français? **13.** Qui est le premier élève de la classe? **14.** Où travaille son père? **15.** Qu'est-ce que M. Jacotin avait pensé faire mercredi prochain? **16.** Mme Jacotin sait-elle ce que c'est que les palmes académiques? **17.** Qu'est-ce qui a fait descendre de sa chambre la tante Julie? **18.** En quoi consistait le devoir de français de Lucien? **19.** Quelle oeuvre littéraire est l'illustration de ce thème? **20.** Quelle est l'habitude de M. Béruchard père? **21.** Pour le proverbe, quelle était la première idée de M. Jacotin? **22.** Pourquoi fallait-il l'abandonner? **23.** Quelle idée a-t-il enfin adoptée? **24.** Pourquoi Lucien fut-il pris d'une vague anxiété? **25.** Qu'est-ce que le professeur a donné à Béruchard? **26.** A Lucien? Pourquoi? **27.** Qu'est-ce qui a fait rire les élèves? **28.** Pourquoi Lucien en voulait-il à son père? **29.** Quelle était l'humeur de M. Jacotin le vendredi suivant? **30.** La famille était-elle gaie? **31.** Qu'est-ce que Lucien comprit soudain? **32.** Quel mensonge fit-il alors? **33.** Quel en est l'effet sur son père?

PART VI

CRISES

CRISES

INTRODUCTION

THE FRANKISH ruler Chlodovig or Clovis (in modern French, Louis) established a one-man rule over most of Gaul about the year 500, and that country, since known as France, remained a monarchy until 1789. The monarchy had been hereditary since 987, the dynastic family founded at that time by Hugues Capet continuing with male descendants until the present day. After 1814 France was ruled again by Capetians under a constitutional monarchy until 1848, when a Second Republic was set up, followed by the Second Empire under the same ruler (Louis-Napoleon Bonaparte, later Napoleon III). Since 1870 it has been a republic. The Third Republic ended with the surrender to Germany in 1940, and the Fourth dates from 1946. In the interim unoccupied France was called *L'Etat Français,* under the rule of Marshall Pétain.

The following selections are instructive in the pictures they offer of some of the critical moments of French history from the establishment of absolute monarchy under the Bourbons by Cardinal Richelieu, about 1630, until the fall of the Third Republic in 1940. The extracts have been chosen primarily for their literary interest, rather than for historical accuracy. It is a case of using exciting incidents from history as material for literature, rather than offering literature as a means to teach history.

Such incidents abound in the period of the Revolution and Napoleon, and have inspired some of France's greatest writers. A story dealing with this same period can be found in Part I (*El Verdugo*), followed now by the second selection of Part VI. The first selection, *Régnez!,* can serve as a sort of introduction to all these, since it portrays a decisive moment in Richelieu's struggle to establish absolute power after the chaotic period of civil wars in the preceding century. It was the abuse of this absolute power, and its growing failure to maintain contact with the people, which led to the attacks on its bases that ultimately became the French Revolution.

Lacking a Richelieu, a Napoleon, or even a Robespierre, modern republican France is more difficult to present in brief extracts of striking literary value. The last two selections show, in each case, the reaction of a leading literary figure to a crisis which threatened the existence of France as a democratic republic.

ALFRED DE VIGNY

RÉGNEZ!

Introduction

THE DEFEAT of Napoleon at Waterloo by the English general Wellington, in June 1815, was scarcely less important by literary standards than the contemporary conquest of all European fiction by the novelist Walter Scott, whose Waverley novels were published from 1814 to 1832, approximately the period of the Restoration in France (1815–1830). For a good deal of this period the historical novel in imitation of Scott threatened to supplant most other forms of fiction. The early French imitations were of very inferior quality, and the first serious historical novel in French, worthy of its models, was *Cinq-Mars* by the young army officer and poet Alfred de Vigny (1797–1863), published in 1826. Although a royalist aristocrat, Vigny's interpretation of French history has little of the patriotic exaltation of the past that animated Scott; he idealizes the conspirator Cinq-Mars and tends to belittle Louis XIII and his minister Richelieu, who discovered the conspiracy and had its leaders executed. In this, Vigny showed himself typical of the second wave of French romanticism, which acquired its full momentum under the leadership of Victor Hugo, beginning about 1830, and espoused humanitarian ideals of liberty very different from those of the old regime.

While the intrigue centering about Cinq-Mars is highly melodramatic, some of the scenes in the novel are convincing in their portrayal of historical figures. Such is the scene by which Richelieu imposes his will upon Louis XIII in the following extract. Both characters are no doubt exaggerated in typical Romantic style, but it remains true that Louis was a rather weak monarch, and that the centralization of power in the Crown, or its prime minister, was achieved by Richelieu at the expense of the great landed aristocrats. He passed it on, through his successor, Cardinal Mazarin, to Louis XIV *Le Grand Monarque*.

The year of the action is 1642; the Cardinal died later that year, and Louis XIII in 1643, leaving the throne to his five-year-old son, Louis XIV, while the actual power, under the regency of the Spanish-born queen mother, Anne d'Autriche, was wielded by Richelieu's successor, Cardinal Mazarin. The king's surrender of authority to his minister as depicted in this passage, was reversed at the death of Mazarin when Louis XIV took personal command of the government. As the narrative begins, Richelieu is revealing to the king the ramifications of a plot against him, led by the king's favorite, Cinq-Mars (pronounced with silent q and s).

RÉGNEZ!

«Qu'est-ce que cela veut dire? s'écria Louis; osaient-ils s'armer contre moi-même aussi?[1]

—Aussi» dit tout bas le Cardinal, se mordant les lèvres; puis il reprit: «Oui, Sire, aussi; c'est ce que me ferait croire, jusqu'à un
5 certain point,[2] ce petit rouleau de papier.»

Et il tirait, en parlant, un parchemin et le déployait sous les yeux du Roi.

«C'est tout simplement un traité avec l'Espagne, auquel, par exemple,[3] je ne crois pas que Votre Majesté ait souscrit. Vous pouvez
10 en voir les vingt articles bien en règle. Tout est prévu, la place de sûreté,[4] le nombre des troupes, les secours d'hommes et d'argent.

—Les traîtres, s'écria Louis agité, il faut les faire saisir: mon frère[5] renonce et se repent; mais faites arrêter le duc de Bouillon.[6]

[1] **aussi,** *as well* (*as against you*). In its origins, the plot had been a "palace conspiracy" to win for Cinq-Mars the position of favor held by Richelieu; the king had not realized that Cinq-Mars had gone so far as to invoke the aid of an enemy power, Spain, which meant treason against the Crown. Up to this point he had favored his friend Cinq-Mars over the despotic Cardinal; hence the latter's gesture of biting his lips and his irony in the following phrase.

[2] **jusqu'à un certain point,** ironic—the proof was overwhelming.

[3] **par exemple=par ma foi.**

[4] **place de sûreté,** *fortified base of operations.*

[5] **mon frère,** Gaston, duc d'Orléans, whose letter of apology Richelieu had just shown to the king.

[6] **duc de Bouillon,** Frédéric-Maurice (1605-1652), son of a French Protestant leader; he had already fought the French as an ally of Spain and was now heading a Spanish army in Italy. He was pardoned by Louis XIII.

—Oui, Sire.

15 —Ce sera difficile au milieu de son armée d'Italie.

—Je réponds de son arrestation sur ma tête, Sire; mais ne reste-t-il pas un autre nom?

—Lequel? . . . Quoi? . . . Cinq-Mars? dit le roi en balbutiant.

—Précisément, Sire, dit le Cardinal.

20 —Je le vois bien . . . mais . . . je crois que l'on pourrait . . .

—Ecoutez-moi, dit tout à coup Richelieu d'une voix tonnante, il faut que tout finisse aujourd'hui. Votre favori est à cheval à la tête de son parti; choisissez entre lui et moi. Livrez l'enfant à l'homme ou l'homme à l'enfant, il n'y a pas de milieu.

25 —Eh! que voulez-vous donc si je vous favorise?[7] dit le Roi.

—Sa tête et celle de son confident.[8]

—Jamais . . . c'est impossible! reprit le Roi avec horreur et tombant dans la même irrésolution où il était[9] avec Cinq-Mars contre Richelieu. Il est mon ami tout aussi bien que vous; mon 30 coeur souffre de l'idée de sa mort. Pourquoi aussi n'étiez-vous pas d'accord tous les deux? Pourquoi cette division? C'est ce qui l'a amené jusque-là.[10] Vous[11] avez fait mon désespoir: vous et lui vous me rendez le plus malheureux des hommes!»

Louis cachait sa tête dans ses deux mains en parlant, et peut-être 35 versait-il des larmes; mais l'inflexible ministre le suivait des yeux comme on regarde sa proie et, sans pitié, sans lui accorder un moment pour respirer, profita au contraire de son trouble[12] pour parler plus longtemps:

«Est-ce ainsi, disait-il avec une parole[13] dure et froide, que vous 40 vous rappelez les commandements que Dieu même vous a faits par la bouche de votre confesseur? Vous me dîtes[14] un jour que l'Eglise vous ordonnait expressément de révéler à votre premier ministre tout ce que vous entendriez contre lui, et je n'ai jamais

[7] **vous favorise,** *heed your request.*
[8] **son confident,** *his right-hand man* de Thou, executed with Cinq-Mars.
[9] **il était=il avait été récemment.**
[10] **jusque-là=au point de conspirer contre nous.**
[11] **Vous=Vous et lui.**
[12] **son trouble=son angoisse.**
[13] **parole,** *delivery, manner.*
[14] **dîtes,** (passé simple) **=avez dit.**

rien su[15] par vous de ma mort prochaine.[16] Il a fallu que des amis
45 plus fidèles vinssent m'apprendre la conjuration; que les coupables
eux-mêmes, par un coup de la Providence, se livrassent à moi
pour me faire l'aveu[17] de leurs fautes. Un seul, le plus endurci, le
moindre de tous[18] résiste encore; et c'est lui qui a tout conduit, c'est
lui qui livre la France à l'étranger, qui renverse en un jour l'ouvrage
50 de mes vingt années, soulève les Huguenots du Midi,[19] appelle
aux armes tous les ordres de l'État,[20] ressuscite des prétentions
écrasées et rallume enfin la ligue éteinte par votre père; car c'est
elle, ne vous y trompez pas, c'est elle qui relève toutes les têtes
contre vous. Etes-vous prêt au combat? Où donc est votre massue?»

55 Le roi anéanti ne répondait pas et cachait toujours sa tête dans
ses mains. Le cardinal, inexorable, croisa les bras et poursuivit:

«Je crains qu'il ne vous vienne à l'esprit[21] que c'est pour moi
que je parle. Croyez-vous vraiment que je ne me juge pas et qu'un
tel adversaire m'importe beaucoup? En vérité, je ne sais à quoi il
60 tient que je vous laisse faire,[22] et mettre cet immense fardeau de
l'État dans la main de ce jouvenceau.[23]

«Vous pensez[24] que depuis vingt ans que je connais votre cour,
je ne suis pas sans m'être assuré quelque retraite où, malgré vous-même,
je pourrais aller, de ce pas,[25] achever les six mois peut-être

[15] **su**=**appris.**

[16] **prochaine,** *imminent,* as plotted by the conspirators; actually Richelieu knew also that his death was imminent from a serious illness that struck him in the middle of the conspiracy; he can no longer walk.

[17] **l'aveu,** led by Gaston in the letter above mentioned; most of the others hastened to desert Cinq-Mars, except his **confident,** de Thou.

[18] **le moindre de tous,** Richelieu continues to show his contempt for the political inexperience and childishness of Cinq-Mars, who in the novel undertook the conspiracy mainly to win the love of a great lady of the court.

[19] **Huguenots du Midi,** *Protestants of the South*—an attempt to establish a separate Protestant state centering in La Rochelle had just been put down by the Cardinal. This included arousing also the fanatically Catholic group known as the **ligue,** mentioned just below, which had been suppressed by Louis' father Henri IV when he established religious tolerance by the edict of Nantes in 1598. The **ligue** would be especially favorable to working with Catholic Spain.

[20] **les ordres de l'état,** *the principal groups of privileged nobles* opposing the absolutism of the king.

[21] **il ne vous vienne à l'esprit,** *it may occur to you.*

[22] **je ne sais à quoi il tient que je vous laisse faire,** *I don't know why I don't let you have your own way.*

[23] **ce jouvenceau,** *this stripling*—Cinq-Mars.

[24] **Vous pensez,** *You can well imagine.*

[25] **de ce pas**=**tout de suite.**

65 qu'il me reste de vie. Ce serait un curieux spectacle pour moi que[26] celui d'un tel règne! Que répondrez-vous, par exemple, lorsque tous ces petits potentats,[27] se relevant dès que je ne pèserai plus sur eux, viendront à la suite de votre frère vous dire, comme ils l'osèrent à Henri IV sur son trône: «Partagez-nous tous les grands 70 gouvernements[28] à titres héréditaires et souveraineté, nous serons contents!» Vous le ferez, je n'en doute pas, et c'est la moindre chose que vous puissiez accorder à ceux qui vous auront délivré de Richelieu; et ce sera plus heureux peut-être, car, pour gouverner l'Ile-de-France,[29] qu'ils vous laisseront sans doute comme domaine 75 originaire, votre nouveau ministre n'aura pas besoin de tant de papiers.»

En parlant, il poussa avec colère la vaste table qui remplissait presque la chambre, et que surchargeaient[30] des papiers et des portefeuilles sans nombre.

80 Louis fut tiré de son apathique méditation par l'excès d'audace de ce discours; il leva la tête et sembla un instant avoir pris une résolution par crainte d'en prendre une autre.

«Eh bien, Monsieur, je répondrai que je veux régner par moi seul.

85 —A la bonne heure,[31] dit Richelieu; mais je dois vous prévenir que les affaires du moment sont difficiles. Voici l'heure où l'on m'apporte mon travail ordinaire.

—Je m'en charge, reprit Louis; j'ouvrirai les portefeuilles, je donnerai mes ordres.

90 —Essayez donc, dit Richelieu; je me retire et, si quelque chose vous arrête, vous m'appellerez.»

Il sonna: à l'instant même et comme s'ils eussent attendu le signal, quatre vigoureux valets de pied entrèrent et emportèrent son fauteuil et sa personne dans un autre appartement; car, nous

[26] **que,** equivalent to a comma, omit in translation.

[27] **petits potentats,** *petty sovereigns,* the great feudal lords whose claims to rule over their own land were the greatest obstacles to establishing absolute monarchy. Cf. note 20.

[28] **grands gouvernements,** *the rule over the principal provinces:* under the absolute monarchy such rule was held by lieutenants-general (vice-rois) acting for the king under his appointment; the feudal lords wished the title to be hereditary.

[29] **l'Ile-de-France,** the region centering in Paris which was the original domain of the royal family.

[30] **que surchargeaint,** subject follows.

[31] **A la bonne heure=Très bien alors.**

95 l'avons dit, il ne pouvait plus marcher. En passant dans la chambre où travaillaient les secrétaires, il dit à haute voix:

«Qu'on prenne[32] les ordres de Sa Majesté.»

Le Roi resta seul. Fort de sa nouvelle résolution et fier d'avoir une fois résisté, il voulut sur-le-champ se mettre à l'ouvrage politi-
100 que. Il fit le tour de l'immense table et vit autant de portefeuilles que l'on comptait alors d'empires, de royaumes et de cercles[33] dans l'Europe; il en ouvrit un et le trouva divisé en cases, dont le nombre égalait celui des subdivisions de tout le pays auquel il était destiné. Tout était en ordre, mais dans un ordre effrayant pour lui, parce
105 que chaque note ne renfermait que la quintessence de chaque affaire, si l'on peut parler ainsi, et ne touchait que le point juste des relations du moment avec la France. Ce laconisme[34] était à peu près aussi énigmatique pour Louis que les lettres en chiffres[35] qui couvraient la table. Là, tout était confusion: sur des édits de
110 bannissement et d'expropriation des Huguenots[36] de La Rochelle se trouvaient jetés les traités avec Gustave-Adolphe et les Huguenots du Nord contre l'Empire; des notes sur le général Bannier, sur Walstein, le duc de Weimar et Jean de Wert, étaient roulées pêle-mêle avec le détail des lettres trouvées dans la cassette de la
115 Reine,[37] la liste de ses colliers et des bijoux qu'ils renfermaient et la double interprétation qu'on eût pu[38] donner à chaque phrase de ses billets. Sur la marge de l'un d'eux étaient ces mots: *Sur quatre lignes de l'écriture d'un homme, on peut lui faire un procès criminel.* Plus loin étaient entassées les dénonciations contre les Huguenots,
120 les plans de république qu'ils avaient arrêtés, la division de la France en cercles, sous la dictature annuelle d'un chef; le sceau

[32] **Qu'on prenne,** (*Let*) *every one of you take.*

[33] **cercles,** *spheres* or *zones* (of influence, etc.).

[34] **laconisme,** *excessive brevity.*

[35] **chiffres,** *code.*

[36] **Huguenots,** see note 19. Richelieu's policy was determined entirely by his concepts of the national interest, and though a prince of the Catholic church, he allied himself with the German Protestants because he felt they represented a lesser threat to France than the Catholic Empire. The following names refer to figures in this, the Thirty Years' War.

[37] **la Reine,** *the Queen, Anne d'Autriche,* was by birth a Spanish Hapsburg, and had been generally opposed to the Cardinal until her loyalty to the crown led her to help him expose Cinq-Mars' plot; her personal papers, however, had always been under the scrutiny of the Cardinal's men.

[38] **eût pu=aurait pu,** although not apparently in **"chiffres"** the letters might really convey a secret or coded meaning.

de cet Etat projeté y était joint, représentant un ange appuyé sur une croix, et tenant à la main la Bible, qu'il élevait sur son front.

Louis XIII épuisait en vain ses forces sur des détails d'une autre 125 époque, cherchant inutilement des papiers relatifs à la conjuration[39] et propres à lui montrer son véritable noeud[40] et ce que l'on avait tenté contre lui-même, lorsqu'un petit homme entra dans le cabinet; c'était un secrétaire d'État, nommé Desnoyers; il s'avança en saluant:

130 «Puis-je parler à Sa Majesté des affaires de Portugal?[41] dit-il.

—D'Espagne, par conséquent, dit Louis; le Portugal est une province de l'Espagne.

—De Portugal, insista Desnoyers. Le roi de Portugal . . .

—Dites le duc de Bragance, reprit Louis; je ne reconnais pas 135 un révolté.

—Le duc de Bragance donc, Sire, dit froidement le conseiller d'Etat, envoie à la *Principauté* de Catalogne[42] son neveu, D. Ignace de Mascareñas, pour s'emparer de la protection de ce pays (et de sa souveraineté peut-être, qu'il voudrait ajouter à celle qu'il vient 140 de reconquérir). Or, les troupes de Votre Majesté sont devant Perpignan.[43]

—Eh bien, qu'importe? dit Louis.

—Les Catalans ont le coeur plus français que portugais, Sire, et il est encore temps d'enlever cette tutelle au roi de . . . au duc 145 de Portugal.

—Moi, soutenir des rebelles! vous osez!

—C'était le projet de Son Éminence, poursuivit le secrétaire d'Etat; l'Espagne et la France sont en pleine guerre d'ailleurs, et

[39] **la conjuration,** that of Cinq-Mars.

[40] **noeud,** *clue* or *source.*

[41] **Portugal,** had recently been declared independant of Spain by the Duke of Bragance, who assumed rule as Juan IV; but Louis was either ignorant of this fact or refused to grant the rebellious Juan his recognition.

[42] **Principauté de Catalogne,** the *province of Catalonia* is the wealthiest in Spain, speaks its own language, which is akin to **provençal,** formerly the language of Southern France, and, by its position just south of the Pyrenees, is geographically close to France; its tendencies to seek an autonomous government exist to the present day, and were to be exploited in this case by both Portugal and France.

[43] **Perpignan,** southernmost French city, very near the eastern border between France and Spain, then the base of a military expedition which would be used against Spain. It and its province, **le Roussillon,** had just been conquered from Spain by Louis' armies.

M. d'Olivarès[44] n'a pas hésité à tendre la main de Sa Majesté
150 Catholique à nos Huguenots.

—C'est bon; j'y penserai, dit le Roi; laissez-moi.

—Sire, les Etats-Généraux[45] de Catalogne sont pressés, les troupes d'Aragon[46] marchent contre eux. . . .

—Nous verrons . . . je me déciderai dans un quart d'heure»
155 répondit Louis XIII.

Le petit secrétaire d'Etat sortit avec un air mécontent et découragé. A sa place, Chavigny[47] se présenta, tenant un portefeuille aux armes britanniques.

«Sire, dit-il, je demande à Votre Majesté des ordres pour les
160 affaires d'Angleterre. Les parlementaires,[48] sous le commandement du comte d'Essex, viennent de faire lever le siège de Glocester; le prince Rupert a livré à Newbury une bataille désastreuse et peu profitable à Sa Majesté Britannique. Le Parlement se prolonge, et il a pour lui les grandes villes, les ports et toute la population
165 presbytérienne. Le roi Charles Ier demande des secours que la Reine ne trouve plus en Hollande.

—Il faut envoyer des troupes à mon frère[49] d'Angleterre,» dit Louis.

Mais il voulut voir les papiers précédents et, en parcourant les
170 notes du Cardinal, il trouva que, sur une première demande du roi d'Angleterre, il avait écrit de sa main:

Faut réfléchir longtemps et attendre:—Les Communes sont fortes; —le Roi Charles compte sur les Écossais; ils le vendront. Faut prendre garde.

175 Et plus bas:

[44] **Olivarès,** prime minister of Spain, had with the same "realism" as Richelieu lent the help of Catholic Spain to the insurgent Protestants of France.

[45] **Etats-Généraux,** *States General,* awaiting decision as to what course to take toward Spain, Portugal or France. Catalonia actually remained a part of Spain until 1932, when until 1939 it had the status of an independent ally, becoming a province again in 1939.

[46] **Aragon,** Spanish province whose troops were loyal to the Spanish crown.

[47] **Chavigny,** Richelieu's principal secretary.

[48] **parlementaires,** Chavigny is announcing the outbreak of the Civil War in England, which ended in the victory of the *Parliamentary* party over Charles I when the latter was delivered to his enemies by the Scots, as Vigny shows Richelieu predicting in his annotations a few lines below. Essex and Prince Rupert were leaders of the Parliamentary and Royalist armies.

[49] **mon frère,** Charles was married to Henriette, sister of Louis XIII.

Secours refusé;–argent perdu.

Le Roi dit alors:

«Non, non, ne précipitez rien, j'attendrai.

—Mais, Sire, dit Chavigny, les événements sont rapides; si le
180 courrier retarde d'une heure, la perte du roi d'Angleterre peut s'avancer d'un an.

—En sont-ils là?[50] demanda Louis.

—Dans le camp des Indépendants, on prêche la République la Bible à la main; dans celui des Royalistes, on se dispute le pas[51] et
185 l'on rit.

—Mais un moment de bonheur[52] peut tout sauver!

—Les Stuarts ne sont pas heureux,[53] Sire, reprit Chavigny respectueusement, mais sur un ton qui laissait beaucoup à penser.

—Laissez-moi», dit le Roi d'un ton d'humeur.[54]

190 Le secrétaire d'Etat sortit lentement.

Ce fut alors que Louis XIII se vit tout entier[55] et s'effraya du néant qu'il trouvait en lui-même. Il promena d'abord sa vue sur l'amas de papiers qui l'entourait, passant de l'un à l'autre, trouvant partout des dangers et ne les trouvant jamais plus grands que dans
195 les ressources mêmes[56] qu'il inventait. Il se leva et, changeant de place, se courba ou plutôt se jeta sur une carte géographique de l'Europe; il y trouva toutes ses terreurs ensemble, au nord, au midi, au centre de son royaume; sous chaque contrée, il crut voir fumer un volcan; il lui semblait entendre les cris de détresse des rois qui
200 l'appelaient et les cris de fureur des peuples; il crut sentir la terre de France craquer et se fendre sous ses pieds; sa vue faible et fatiguée se troubla, sa tête malade fut saisie d'un vertige qui refoula le sang vers son coeur.

«Richelieu! cria-t-il d'une voix étouffée en agitant une sonnette;
205 qu'on appelle le Cardinal!»

Et il tomba évanoui dans un fauteuil.

Lorsque le Roi rouvrit les yeux, ranimé par les odeurs fortes et

[50] **En sont-ils là,** *Have they* (the royalist party) *come to such a pass?*
[51] **le pas,** *precedence.*
[52] **bonheur,** *good luck.*
[53] **heureux,** *lucky.*
[54] **humeur=mauvaise humeur,** as often in French.
[55] **se vit tout entier,** *saw himself as he really was.*
[56] **les ressources mêmes,** *the very solutions.*

les sels qu'on lui mit sur les lèvres et les tempes, il vit un instant des pages, qui se retirèrent sitôt qu'il eut entr'ouvert ses paupières, 210 et se retrouva seul avec le Cardinal. L'impassible ministre avait fait poser sa chaise longue contre le fauteuil du Roi, comme le siège d'un médecin près du lit de son malade, et fixait ses yeux étincelants et scrutateurs sur le visage pâle de Louis. Sitôt qu'il put l'entendre, il reprit d'une voix sombre son terrible dialogue.

215 «Vous m'avez rappelé, dit-il; que me voulez-vous?»[57]

Louis, renversé sur l'oreiller, entr'ouvrit les yeux et le regarda, puis se hâta de les refermer. Cette tête décharnée, ornée de deux yeux flamboyants et terminée par une barbe aiguë et blanchâtre, cette calotte[58] et ces vêtements de la couleur du sang et des flammes, 220 tout lui représentait un esprit infernal.

«Régnez, dit-il d'une voix faible.

—Mais . . . me livrez-vous Cinq-Mars et de Thou? poursuivit l'implacable ministre en s'approchant pour lire dans les yeux éteints du prince, comme un avide héritier poursuit jusque dans la tombe[59] 225 les dernières lueurs de la volonté d'un mourant.

—Régnez, répéta le Roi en détournant la tête.

—Signez donc, reprit Richelieu; ce papier porte: «Ceci est ma volonté de les prendre morts ou vifs.»

Louis, toujours la tête renversée sur le dossier du fauteuil, laissa 230 tomber la main sur le papier fatal et signa.

«Laissez-moi, par pitié! je meurs! dit-il.

—Ce n'est pas tout encore, continua celui qu'on appelle le grand politique; je ne suis pas sûr de vous; il me faut dorénavant des garanties et des gages. Signez encore ceci et je vous quitte.

235 «Quand le Roi ira voir le Cardinal, les gardes[60] de celui-ci ne quitteront pas les armes; et quand le Cardinal ira chez le Roi, ses gardes partageront le poste avec ceux de Sa Majesté.»

De plus:

[57] **me voulez-vous=voulez-vous de moi?**

[58] **calotte,** etc., Richelieu wore the skull-cap and crimson robe of a Cardinal of the Church.

[59] **jusque dans la tombe,** *up to his dying moments.*

[60] **les gardes,** readers of Dumas' TROIS MOUSQUETAIRES will recall that the King and the Cardinal each had his own picked guardsmen; here the Cardinal is claiming the right to keep armed men to protect him even against the King's men during a royal visit; his next request goes even further.

«Sa Majesté s'engage à remettre les deux Princes ses fils en otage
240 entre les mains du Cardinal, comme garantie de la bonne foi de son attachement.»

—Mes enfants! s'écria Louis relevant sa tête, vous osez . . .

—Aimez-vous mieux que je me retire? dit Richelieu.

Le Roi signa.

EXPRESSIONS FOR STUDY

1. C'est ce que me ferait croire, jusqu'à un certain point, ce petit rouleau de papier. **2.** Je réponds de son arrestation sur ma tête. **3.** L'inflexible ministre le suivait des yeux comme on regarde sa proie. **4.** Je n'ai jamais rien su par vous de ma mort prochaine. **5.** Je crains qu'il ne vous vienne à l'esprit que c'est pour moi que je parle. **6.** Je ne sais à quoi il tient que je vous laisse faire, et mettre cet immense fardeau de l'état dans la main de ce jouvenceau. **7.** Vous pensez que depuis vingt ans que je connais votre cour, je ne suis pas sans m'être assuré quelque retraite **8.** où, malgré vous-même, je pourrais aller, de ce pas, achever les six mois peut-être qu'il me reste de vie. **9.** Partagez-nous tous les grands gouvernements à titres héréditaires et souveraineté, nous serons contents! **10.** Je me retire, et, si quelque chose vous arrête, vous m'appellerez. **11.** Il cherchait des papiers relatifs à la conjuration et propres à lui montrer son véritable noeud et ce que l'on avait tenté contre lui-même. **12.** Les parlementaires viennent de faire lever le siège de Glocester. **13.** Si le courrier retarde d'une heure, la perte du roi d'Angleterre peut s'avancer d'un an. **14.** Il promena d'abord sa vue sur l'amas de papiers qui l'entourait, **15.** trouvant partout des dangers et ne les trouvant jamais plus grands que dans les ressources mêmes qu'il inventait.

QUESTIONNAIRE

1. Quelle est la date de ce récit? **2.** Qui avait négocié le traité avec l'Espagne? **3.** Quel est le choix que le roi doit faire? **4.** Qu'ont fait les principaux conspirateurs? **5.** Quels sont les deux qui résistent encore? **6.** Qu'est-ce que le Cardinal s'est assuré? **7.** Quel est le domaine originaire de la famille royale? **8.** Qu'est-ce qui surchargeait la table? **9.** Quelle est la première résolution du roi? **10.** Qu'ont fait les quatre valets de pieds? **11.** Combien de portefeuilles y avait-il sur la table? **12.** Comment les portefeuilles étaient-ils divisés? **13.** Que renfermait chaque note? **14.** Qu'avait-on trouvé dans la cassette de la Reine? **15.** Qu'est-ce que le roi cherchait parmi tous ces papiers? **16.** Qui entra d'abord et de quoi voulait-il parler? **17.** Où

sont les troupes du roi? **18.** Pourquoi faut-il une décision prompte? **19.** Sur qui le roi Charles 1er compte-t-il? **20.** Pourquoi Richelieu avait-il refusé sa première demande de secours? **21.** Quelles sont les conditions dictées au roi par le Cardinal?

ALFRED DE VIGNY

COMMEDIANTE!

Introduction

NAPOLEON Bonaparte as man, general and emperor has inspired great literature in many languages. In France some writers tried to understand him without partisanship, others were almost blinded by his greatness, and some tried systematically to discredit him, but the latter group produced little literature of importance. Among his most enthusiastic eulogists were the novelists Balzac, who sought to emulate by the pen what Napoleon had done with the sword, and Stendhal, who had fought in the Emperor's armies; and the poet, leader of French romanticism, Victor Hugo, whose father was a Napoleonic general. Due in large measure to their work and to that of the Emperor during his last years in exile, the *Napoleonic Legend* has triumphed. Nevertheless, many readers will continue to prefer writers who treat Napoleon not as a demi-god but as a human being, equally aware of his greatness and of his faults. The next selection will illustrate this point of view. It is from the prose masterpiece of the poet Vigny, *Servitude et grandeur militaires* (1835).

The following scene, which has no historical basis, is from the last of the three novelettes in the volume, *La Canne de Jonc* (*Walking-Stick*). All three stories present the plight of the soldier in the modern world, with reflections drawn from the author's own experience as an army officer under the Restoration. *Canne de Jonc* is the nickname of his protagonist, Captain Renaud, who uses no other weapon since he saw an old Russian fall dead after Renaud had killed his young son in hand-to-hand combat.

As the scene opens, Renaud is still a young page-boy of Napoleon's, but he has already begun to question the fascination which the First Consul has for him, and to wonder if his idol may not have feet of clay. The date of the episode is just before the crowning of Napoleon by Pope Pius VII on 2 Dec., 1804. Renaud has just received a deeply touching letter from his father, a naval officer who had been made prisoner by the British admiral Collingwood.

COMMEDIANTE!

La lettre de mon pauvre père, et sa mort, que j'appris peu de temps après, produisirent en moi une impression assez forte pour donner un grand ébranlement à mon ardeur aveugle. Je me demandai, pour la première fois, en quoi consistait l'ascendant que
5 nous laissions prendre sur nous aux hommes[1] d'action revêtus d'un pouvoir absolu, et j'osai tenter quelques efforts intérieurs pour tracer des bornes, dans ma pensée, à cette donation volontaire de tant d'hommes à un homme. Cette première secousse me fit entr'ouvrir la paupière, et j'eus l'audace de regarder en face l'aigle
10 éblouissant qui m'avait enlevé, tout enfant, et dont les ongles me pressaient les reins.[2]

Quoi! me disais-je, il y a donc des têtes assez fortes pour être sûres de tout et n'hésiter devant personne? Des hommes dont l'assurance écrase les autres en leur faisant penser que la clef de
15 tout savoir et de tout pouvoir, clef qu'on ne cesse de chercher, est dans leur poche, et qu'ils n'ont qu'à l'ouvrir[3] pour en tirer lumière et autorité infaillibles!—Je sentais pourtant que c'était là une force fausse et usurpée. Je me révoltais, je criais: «Il ment! Son attitude, sa voix, son geste, ne sont qu'une pantomime d'acteur, une misérable
20 parade[4] de souveraineté, dont il doit savoir la vanité. Il n'est pas possible qu'il croie en lui-même aussi sincèrement! Il nous défend à tous de lever le voile, mais il se voit nu par-dessous. Et que

[1] **aux hommes,** *by men.*

[2] **dont les ongles me pressaient les reins,** *whose claws were (still) clutching my back*—Renaud is thinking of the traditional idea that eagles can carry away young children in their claws, and applies this to the continuing domination the Emperor has exercised over him to the present.

[3] **l'ouvrir,** *open their pocket* (to take out the key).

[4] **parade,** the French word does not suggest in itself the English idea of a procession, but that of *public display,* as in the **lit de parade** below.

62

voit-il? un pauvre ignorant comme nous tous et, sous tout cela, la créature faible!»[5]—Cependant je ne savais comment voir le fond de
25 cette âme déguisée. Le pouvoir et la gloire le défendaient sur tous les points; je tournais autour[6] sans réussir à y rien surprendre,[7] et ce porc-épic toujours armé se roulait devant moi, n'offrant de tous côtés que des pointes acérées.—Un jour pourtant, le hasard, notre maître à tous, les[8] entr'ouvrit, et à travers ces piques et ces dards
30 fit pénétrer une lumière d'un moment.—Un jour, ce fut peut-être le seul de sa vie, il rencontra plus fort que lui et recula un instant devant un ascendant plus grand que le sien.—J'en fus témoin, et me sentis vengé.—Voici comment cela m'arriva:

Nous étions à Fontainebleau.[9] Le Pape venait d'arriver. L'Em-
35 pereur l'avait attendu impatiemment pour le sacre, et l'avait reçu en voiture, montant[10] de chaque côté, au même instant, avec une étiquette en apparence négligée, mais profondément calculée de manière à ne céder ni prendre le pas, ruse italienne. Il revenait au château, tout y était en rumeur;[11] j'avais laissé plusieurs officiers
40 dans la chambre qui précédait celle de l'Empereur, et j'étais resté seul dans la sienne.—Je considérais une longue table qui portait, au lieu de marbre, des mosaïques romaines, et que surchargeait un amas énorme de placets.[12] J'avais vu souvent Bonaparte rentrer et leur faire subir une étrange épreuve. Il ne les prenait ni par ordre,
45 ni au hasard; mais quand leur nombre l'irritait il passait sa main sur la table de gauche à droite et de droite à gauche, comme un faucheur, et les dispersait jusqu'à ce qu'il en eût réduit le nombre à

[5] **créature faible,** *weak mortal.*

[6] **autour=autour de lui.**

[7] **surprendre,** *detect.*

[8] **les=les pointes acérées.**

[9] **Fontainebleau,** a beautiful château south of Paris, Napoleon's favorite palace, in which ten years later (1814) he signed his first abdication. He has just received Pope Pius VII, who has come from Rome at the Emperor's request to crown him at Notre Dame de Paris. The following conversation is presumably the first of many such discussions actually held in the few days preceding the ceremony.

[10] **montant=chacun d'eux montant.** The Emperor had, as one sovereign to another, gone personally to meet the Pope at his arrival and to conduct him to his quarters in the château; but his *wily diplomacy* **(ruse italienne)** led him to avoid the question of *precedence* **(le pas)** on entering the carriage.

[11] **rumeur,** *uproar.*

[12] **placets,** *petitions* (subject follows verb here).

cinq ou six qu'il ouvrait. Cette sorte de jeu dédaigneux m'avait ému singulièrement. Je tenais dans ma main l'une de ces pétitions
50 méprisées, lorsque le bruit des tambours qui battaient *aux champs* m'apprit l'arrivée subite de l'Empereur. Or, vous savez que de même que l'on voit la lumière du canon avant d'entendre sa détonation, on le voyait toujours en même temps qu'on était frappé du bruit de son approche, tant ses allures étaient promptes et tant il
55 semblait pressé de vivre et de jeter ses actions les unes sur les autres.[13] Quand il entrait à cheval dans la cour d'un palais, ses guides avaient peine à le suivre, et le poste n'avait pas le temps de prendre les armes, qu'[14]il était déjà descendu de cheval et montait l'escalier. Cette fois il avait quitté la voiture du Pape pour revenir seul, en avant
60 et au galop. J'entendis ses talons résonner en même temps que le tambour. J'eus le temps à peine de me jeter dans l'alcôve d'un grand lit de parade qui ne servait à personne, fortifié d'une balustrade de prince et fermé heureusement, plus qu'à demi, par des rideaux semés d'abeilles.[15]

65 L'Empereur était fort agité; il marcha seul dans la chambre comme quelqu'un qui attend avec impatience et fit en un instant trois fois sa longueur, puis s'avança vers la fenêtre et se mit à y tambouriner une marche avec les ongles. Une voiture roula dans la cour, il cessa de battre, frappa des pieds deux ou trois fois comme
70 impatienté de la vue de quelque chose qui se faisait avec lenteur, puis il alla brusquement à la porte et l'ouvrit au Pape.

Pie VII[16] entra seul, Bonaparte se hâta de refermer la porte derrière lui, avec une promptitude de geôlier. Je sentis une grande terreur, je l'avoue, en me voyant en tiers avec de telles gens. Ce-

[13] **jeter ses actions les unes sur les autres,** *pile one exploit* (*hastily*) *upon another.*

[14] **qu',** *before.*

[15] **semés d'abeilles,** *decorated with bees,* the chosen emblem of the Emperor. The bed in question is to be imagined as for ceremonial display, set in a niche and protected by a *railing* **(balustrade)** and *curtains* which would usually be drawn closed as Renaud would be sure to leave them now. The **tête d'aigle,** mentioned below, is another Napoleonic emblem.

[16] **Pie VII,** *Pius VII* was Pope from 1800 to 1823; he negotiated the Concordat, reestablishing diplomatic relations between the Church and the French state, with Napoleon as first consul in 1801, and was taken prisoner by Napoleon in 1809, his prison in 1812 being Fontainebleau. The following dialogue is without any historical foundation and occasionally suggests other dates (such as 1801 or 1812); but it is true in most essentials to the psychology of the two men and to the historical situation at the moment of the coronation.

75 pendant je restais sans voix et sans mouvement, regardant et écoutant de toute la puissance de mon esprit.

Le Pape était d'une taille élevée; il avait un visage allongé, jaune, souffrant, mais plein d'une noblesse sainte et d'une bonté sans bornes. Ses yeux noirs étaient grands et beaux, sa bouche était 80 entr'ouverte par un sourire bienveillant auquel son menton avancé donnait une expression de finesse très spirituelle et très vive, sourire qui n'avait rien de la sécheresse politique, mais tout de la bonté chrétienne. Une calotte blanche couvrait ses cheveux longs, noirs, mais sillonnés de larges mèches argentées. Il portait négligemment 85 sur ses épaules courbées un long camail de velours rouge, et sa robe traînait sur ses pieds. Il entra lentement avec la démarche calme et prudente d'une femme âgée.[17] Il vint s'asseoir, les yeux baissés, sur un des grands fauteuils romains dorés et chargés d'aigles, et attendit ce que lui allait dire l'autre Italien.

90 Ah! monsieur, quelle scène! quelle scène! je la vois encore.—Ce ne fut pas le génie de l'homme[18] qu'elle me montra, mais ce fut son caractère; et si son vaste esprit ne s'y déroula pas, du moins son coeur y éclata.—Bonaparte n'était pas alors ce que vous l'avez vu depuis; il n'avait point ce ventre de financier, ce visage joufflu et malade, 95 ces jambes de goutteux, tout cet infirme embonpoint que l'art a malheureusement saisi pour en faire un *type,* selon le langage actuel, et qui a laissé de lui, à la foule, je ne sais quelle forme populaire[19] et grotesque qui le laissera peut-être un jour fabuleux et impossible comme l'informe Polichinelle.[20]—Il n'était point ainsi 100 alors, monsieur, mais nerveux[21] et souple, mais leste, vif et élancé, convulsif dans ses gestes, gracieux dans quelques moments, recherché dans ses manières; la poitrine plate et rentrée entre les épaules, le visage mélancolique et effilé.

Il ne cessa point de marcher dans la chambre quand le Pape 105 fut entré; il se mit à rôder autour du fauteuil comme un chasseur

[17] **une femme âgée,** the student will note the skilful contrast established between the two men and the qualities in the pope's manner calculated to arouse Napoleon's impatience; note that the Pope, who of course understands and speaks French, says only two words, both in Italian.

[18] **l'homme=l'Empereur.**

[19] **populaire,** *vulgar.*

[20] **Polichinelle,** character in a puppet-show, English *Punch.*

[21] **nerveux,** *muscular, lithe* (usual meaning in French).

prudent, et, s'arrêtant tout à coup en face de lui dans l'attitude raide et immobile d'un caporal, il reprit la conversation commencée dans leur voiture.

«Je vous le répète, Saint-Père, je ne suis point un esprit fort,[22]
110 moi, et je n'aime pas les raisonneurs et les idéologues. Je vous assure que, malgré mes vieux républicains, j'irai à la messe.»[23]

Il jeta ces derniers mots brusquement au Pape et s'arrêta pour en attendre l'effet.—Le Pape baissa les yeux et posa ses deux mains sur les têtes d'aigle qui formaient les bras de son fauteuil. Il parut,
115 par cette attitude de statue romaine, qu'il disait clairement: Je me résigne d'avance à écouter toutes les choses profanes qu'il lui plaira de me faire entendre.

Bonaparte fit le tour de la chambre et du fauteuil qui se trouvait au milieu, et je vis, au regard qu'il jetait de côté sur le vieux
120 pontife, qu'il n'était content ni de lui-même ni de son adversaire, et qu'il se reprochait d'avoir trop lestement débuté dans cette reprise de conversation. Il se mit donc à parler avec plus de suite, en marchant circulairement et jetant à la dérobée des regards perçants dans les glaces de l'appartement où se réfléchissait la figure grave
125 du Saint-Père, et le regardant en profil quand il passait près de lui, mais jamais en face, de peur de sembler trop inquiet de l'impression de ses paroles.[24]

«Il y a quelque chose, dit-il, qui me reste sur le coeur, Saint-Père, c'est que vous consentez au sacre de la même manière que l'autre
130 fois au concordat, comme si vous y étiez forcé. Vous avez un air de martyr devant moi, vous êtes là comme résigné, comme offrant au Ciel vos douleurs. Mais, en vérité, ce n'est pas là votre situation, vous n'êtes pas prisonnier, par Dieu! vous êtes libre[25] comme l'air.»

[22] **esprit fort,** a term used rather loosely to indicate an agnostic or rationalist in religion; the principal group of such freethinkers at the time was that of the **idéologues,** many of whom opposed the new absolutism of Bonaparte in the name of the principles of the Revolution, as **vieux républicains.**

[23] **messe,** actually Napoleon displayed his political break with the antireligious elements of the Revolution two years earlier by attending mass at Notre-Dame for the proclamation of the Concordat, on Easter in 1802.

[24] **l'impression de ses paroles,** this self-consciousness prepares us for the Pope's criticism of it in his first remark later.

[25] **libre,** the general impression is that the Pope suffers from a feeling of constraint, which as indicated above has no historical foundation at that time; however, there were conversations preparatory to the coronation, and the reader can imagine a difference of opinion arising over questions of detail.

Pie VII sourit avec tristesse et le regarda en face. Il sentait ce 135 qu'il y avait de prodigieux dans les exigences de ce caractère despotique, à qui, comme à tous les esprits de même nature, il ne suffisait pas de se faire obéir si, en obéissant, on ne semblait encore avoir désiré ardemment ce qu'il ordonnait.

«Oui, reprit Bonaparte avec plus de force, vous êtes parfaitement 140 libre; vous pouvez vous en retourner à Rome, la route vous est ouverte, personne ne vous retient.»

Le Pape soupira et leva sa main droite et ses yeux au ciel sans répondre; ensuite il laissa retomber très lentement son front ridé et se mit à considérer la croix d'or suspendue à son col.

145 Bonaparte continua à parler en tournoyant plus lentement. Sa voix devint douce et son sourire plein de grâce.

«Saint-Père, si la gravité de votre caractère ne m'en empêchait, je dirais, en vérité, que vous êtes un peu ingrat. Vous ne paraissez pas vous souvenir assez des bons services que la France vous a 150 rendus. Le conclave de Venise,[26] qui vous a élu Pape, m'a un peu l'air d'avoir été inspiré par ma campagne d'Italie et par un mot que j'ai dit sur vous. L'Autriche ne vous traita pas bien alors, et j'en fus très affligé. Votre Sainteté fut, je crois, obligée de revenir par mer à Rome, faute de pouvoir passer par les terres autrichiennes.»

155 Il s'interrompit pour attendre la réponse du silencieux hôte[27] qu'il s'était donné; mais Pie VII ne fit qu'une inclination de tête presque imperceptible, et demeura comme plongé dans un abattement qui l'empêchait d'écouter.

Bonaparte alors poussa du pied une chaise près du grand fauteuil 160 du Pape.—Je tressaillis, parce qu'en venant chercher ce siège il avait effleuré de son épaulette le rideau de l'alcôve où j'étais caché.

«Ce fut, en vérité, continua-t-il, comme catholique que cela m'affligea. Je n'ai jamais eu le temps d'étudier beaucoup la théologie, moi; mais j'ajoute[28] encore une grande foi à la puissance 165 de l'Église; elle a une vitalité prodigieuse, Saint-Père. Voltaire vous

[26] **conclave de Venise,** the college of cardinals met at Venice in 1800 and its choice of Pius as Pope may have been influenced by Napoleon's victories against Austria in his second Italian campaign that year; he conquered the ancient republic of Venice in his first Italian campaign, but ceded it to Austria, while taking Lombardy for France, in the treaty of Campo-Formio (1797).

[27] **hôte,** *guest.*

[28] **ajoute,** *have* (faith in).

attribute

a bien un peu entamés, mais je ne l'aime pas, et je vais lâcher sur lui un vieil oratorien défroqué.[29] Vous serez content, allez. Tenez,[30] nous pourrions, si vous vouliez, faire bien des choses à l'avenir.»

Il prit un air d'innocence et de jeunesse très caressant.

170 «Moi, je ne sais pas, j'ai beau chercher,[31] je ne vois pas bien, en vérité, pourquoi vous auriez de la répugnance à siéger à Paris pour toujours! Je vous laisserais, ma foi, les Tuileries,[32] si vous vouliez. Vous y trouverez déjà votre chambre de Monte-Cavallo[33] qui vous attend. Moi, je n'y séjourne guère. Ne voyez-vous pas bien, *Padre,*[34] 175 que c'est là la vraie capitale du monde? Moi, je ferais tout ce que vous voudriez; d'abord, je suis meilleur enfant[35] qu'on ne croit.— Pourvu que la guerre et la politique fatigante me fussent laissées, vous arrangeriez l'Église comme il vous plairait. Je serais votre soldat tout à fait. Voyez, ce serait vraiment beau; nous aurions nos 180 conciles comme Constantin et Charlemagne,[36] je les ouvrirais et les fermerais; je vous mettrais ensuite dans la main les vraies clefs du monde,[37] et comme Notre-Seigneur a dit: «Je suis venu avec l'épée,» je garderais l'épée, moi; je vous la rapporterais seulement à bénir après chaque succès de nos armes.»

185 Il s'inclina légèrement en disant ces derniers mots.

Le Pape, qui jusque-là n'avait cessé de demeurer sans mouvement,

[29] **je vais lâcher contre lui un vieil oratorien défroqué,** *I'll have my chief of police take care of the Voltairians* (if they cause any trouble). This remark, explained in no edition of the work consulted by the editors, casts extraordinary light on the Emperor's cynicism here. One of the most notorious characters of the age was Fouché, (1759-1820) who abandoned the religious order of the Oratory to be one of the most bloodthirsty extremists of the Revolution and then, by his skill at intrigue, became Napoleon's chief of police and actually kept this position for a while under the Restoration because of the fear he aroused and his access to secret police information.

[30] **Tenez,** *See here, Really.*

[31] **j'ai beau chercher,** *no matter how I think about it.*

[32] **Tuileries,** the royal residence attached to the Louvre in Paris; destroyed in 1870.

[33] **Monte-Cavallo,** the *Quirinal Palace* at Rome, now seat of the Italian government.

[34] **Padre=mon père** (Italian form of address to a priest).

[35] **meilleur enfant,** *better natured.*

[36] **Constantin,** emperor from 313 to 337, established religious liberty in the Roman empire by the Edict of Milan in 313, and later became the first Emperor to embrace Christianity; he established a new capital of the Empire with the construction of Constantinople. **Charlemagne,** one of the first, and the greatest Emperor of the Holy Roman Empire (768-814). Important church councils were held under the reigns of both Emperors.

[37] **clefs du monde,** as the *keys* of Peter, symbolic of the papal power, are to the Kingdom of Heaven, Napoleon is made to sound here very much like the Devil in the Temptation in the Desert (Matthew iv, 8-9).

comme une statue égyptienne, releva lentement sa tête à demi baissée, sourit avec mélancolie, leva ses yeux en haut et dit, après un soupir paisible, comme s'il eût confié[38] sa pensée à son ange
190 gardien invisible:

«*Commediante!*»[39]

Bonaparte sauta de sa chaise et bondit comme un léopard blessé. Une vraie colère le prit; une de ses colères jaunes.[40] Il marcha d'abord sans parler, se mordant les lèvres jusqu'au sang. Il ne tour-
195 nait plus en cercle autour de sa proie avec des regards fins et une marche cauteleuse; mais il allait droit et ferme, en long et en large, brusquement, frappant du pied et faisant sonner ses talons éperonnés. La chambre tressaillit; les rideaux frémirent comme les arbres à l'approche du tonnerre; il me semblait qu'il[41] allait arriver quelque
200 terrible et grande chose; mes cheveux me firent mal[42] et j'y portai la main malgré moi. Je regardai le Pape, il ne remua pas, seulement il serra de ses deux mains les têtes d'aigle des bras du fauteuil.

La bombe éclata tout à coup.

«Comédien! Moi! Ah! Je vous donnerai des comédies à vous
205 faire tous pleurer comme des femmes et des enfants.—Comédien! —Ah! vous n'y êtes pas,[43] si vous croyez qu'on puisse avec moi faire du sang-froid insolent![44] Mon théâtre, c'est le monde; le rôle que j'y joue, c'est celui de maître et d'auteur; pour comédiens j'ai vous tous, Papes, Rois, Peuples! et le fil par lequel je vous remue,
210 c'est la peur!—Comédien! Ah! il faudrait être d'une autre taille que la vôtre pour m'oser applaudir ou siffler, *signor Chiaramonte!*[45] —Savez-vous bien que vous ne seriez qu'un pauvre curé, si je le voulais? Vous et votre tiare, la France vous rirait au nez, si je ne gardais mon air sérieux[46] en vous saluant.

[38] **eût confié,** *had been confiding.*

[39] **Commediante,** Italian for *comedian* or *actor;* pronounce every letter including the double m, and rhyme with **andante.**

[40] **jaunes,** *towering, bilious.*

[41] **il,** *there.*

[42] **mes cheveux me firent mal,** *my scalp tingled.*

[43] **vous n'y êtes pas,** *you're mistaken.*

[44] **faire du sang-froid insolent,** *act insolently cool.*

[45] **signor Chiaramonte,** *Mr. Chiaramonte,* reducing the Pope to the name he would have as a simple layman.

[46] **si je ne gardais mon air sérieux,** Bonaparte is taking credit entirely to himself for the restoration of religion in France.

215 «Il y a quatre ans seulement, personne n'eût osé parler tout haut du Christ.[47] Qui donc eût parlé du Pape, s'il vous plaît?—Comédien! Ah! messieurs, vous prenez vite pied chez nous![48]—Mais on ne me pipe pas ainsi.—C'est moi qui vous tiens dans mes doigts; c'est moi qui vous porte du Midi au Nord[49] comme des marionnettes; 220 c'est moi qui fais semblant de vous compter pour quelque chose parce que vous représentez une vieille idée que je veux ressusciter; et vous n'avez pas l'esprit de voir cela et de faire[50] comme si vous ne vous en aperceviez pas. Mais non! Il faut tout vous dire! il faut vous mettre le nez sur les choses pour que vous les compreniez. 225 Et vous croyez bonnement que l'on a besoin de vous, et vous relevez la tête, et vous vous drapez dans vos robes de femmes!—Mais sachez bien qu'elles ne m'en imposent nullement, et que, si vous continuez, vous! je traiterai la vôtre comme Charles XII celle du grand-vizir: je la déchirerai d'un coup d'éperon.»[51]

230 Il se tut. Je n'osais pas respirer. J'avançai la tête, n'entendant plus sa voix tonnante, pour voir si le pauvre vieillard était mort d'effroi. Le même calme dans l'attitude, le même calme sur le visage. Il leva une seconde fois les yeux au ciel, et après avoir encore jeté un profond soupir il sourit avec amertume et dit:

235 «*Tragediante!*»[52]

Bonaparte, en ce moment, était au bout de la chambre appuyé sur la cheminée de marbre aussi haute que lui. Il partit comme un trait,[53] courant sur le vieillard; je crus qu'il l'allait tuer. Mais il s'arrêta court, prit, sur la table, un vase de porcelaine de Sèvres,[54]

[47] **n'eût osé parler tout haut du Christ,** *would have dared to mention Christ out loud;* again Bonaparte is presenting a highly simplified picture of conditions preceding his negotiation of the Concordat in 1801; it was a fact, however, that the institutional side of religion had almost disappeared, due to the failure to function of the State Church created by the Revolution.

[48] **messieurs, vous prenez vite pied chez nous,** *you gentlemen (of the clergy) are quick in getting installed among us.*

[49] **du Midi au Nord,** *from South to North,* the one phrase in this passage which seems to apply only to the condition of the Pope at the time of his imprisonment at Fontainebleau in 1812, and is therefore an anachronism. See note 16.

[50] **faire,** *act.*

[51] **d'un coup d'éperon,** *with a kick of my spurred heel*—the allusion is to a minor incident in the career of Charles XII, King of Sweden from 1660 to 1697.

[52] **Tragediante,** *Tragedian,* implying no more sincerity in the preceding passionate speech than in the earlier cajoling one.

[53] **trait,** *arrow.*

[54] **Sèvres,** town just west of Paris celebrated for its beautiful porcelain-ware.

240 et, le jetant sur les chenets et le marbre, le broya sous ses pieds. Puis tout d'un coup il s'assit et demeura dans un silence profond et une immobilité formidable.

Je fus soulagé. Je sentis que la pensée réfléchie[55] lui était revenue et que le cerveau avait repris l'empire sur les bouillonnements du 245 sang. Il devint triste, sa voix fut sourde et mélancolique, et dès sa première parole je compris qu'il était dans le vrai,[56] et que ce Protée,[57] dompté par deux mots, se montrait lui-même.

«Malheureuse vie!» dit-il d'abord. Puis il rêva, déchira le bord de son chapeau, sans parler pendant une minute encore, et reprit, se 250 parlant à lui seul, au réveil:[58]

«C'est vrai! Tragédien ou Comédien.—Tout est rôle, tout est costume pour moi depuis longtemps et pour toujours. Quelle fatigue! quelle petitesse! Poser! toujours poser! de face pour ce parti, de profil pour celui-là, selon leur idée. Leur paraître ce qu'ils 255 aiment que l'on soit, et deviner juste leurs rêves d'imbéciles. Les placer tous entre l'espérance et la crainte.—Les éblouir par des dates et des bulletins,[59] par des prestiges de distance et des prestiges de nom. Être leur maître à tous et ne savoir qu'en faire.[60] Voilà tout, ma foi!—Et, après ce tout, s'ennuyer autant que je fais, c'est 260 trop fort.—Car, en vérité, poursuivit-il en se croisant les jambes et en se couchant dans un fauteuil, je m'ennuie énormément.—Sitôt que je m'assieds, je crève d'ennui.— La vie est trop courte pour s'arrêter.—N'importe, mon affaire est de réussir, et je m'entends à[61] cela. Je fais mon Iliade en action,[62] moi, et tous les 265 jours.»

Ici il se leva avec une promptitude gaie et quelque chose d'alerte et de vivant; il était naturel et vrai dans ce moment-là; il ne songeait

[55] **la pensée réfléchie,** *the power of reflective thought.*

[56] **dans le vrai,** *true to his real character.*

[57] **Protée,** *Proteus,* who in classical mythology had the gift of assuming any form he pleased.

[58] **au réveil,** *as if just awakened.*

[59] **bulletins,** now called *communiqués, battle reports.*

[60] **ne savoir qu'en faire,** *not to know what to do with them.*

[61] **je m'entends à,** *I am skilled in.*

[62] **Je fais mon Iliade en action,** *I compose my epic in actions* (not in words, as Homer in writing his epic of the Trojan war, the Iliad).

point à s'idéaliser, et ne composait point son personnage[63] de manière à réaliser les plus belles conceptions philosophiques: il
270 était lui, lui-même mis au dehors.[64]—Il revint près du Saint-Père, qui n'avait pas fait un mouvement, et marcha devant lui. Là s'enflammant, riant à moitié avec ironie, il débita ceci, à peu près, tout mêlé de trivial et de grandiose, selon son usage, en parlant avec une volubilité inconcevable:

275 «La naissance est tout, dit-il; ceux qui viennent au monde pauvres et nus sont toujours des désespérés. Cela tourne en action ou en suicide, selon le caractère des gens. Quand ils ont le courage, comme moi, de mettre la main à tout, ma foi! ils font le diable.[65] Que voulez-vous. Il faut vivre. Il faut trouver sa place et faire son trou.[66]
280 Moi, j'ai fait le mien comme un boulet de canon. Tant pis pour ceux qui étaient devant moi.—Les uns se contentent de peu, les autres n'ont jamais assez. —Qu'y faire?[67] Chacun mange selon son appétit; moi, j'avais grand'faim! —Tenez, Saint-Père, à Toulon,[68] je n'avais pas de quoi acheter une paire d'épaulettes, et au lieu
285 d'elles j'avais une mère et je ne sais combien de frères sur les épaules. Tout cela est placé à présent,[69] assez convenablement, j'espère. Joséphine[70] m'avait épousé, comme par pitié, et nous allons la couronner à la barbe de Raguideau,[71] son notaire, qui disait que

[63] **ne composait point son personnage,** *wasn't posing.* Actually, his preceding speech in the complete text, which has been cut in the interests of narrative force, was full of the kind of exaggerated Romantic talk that was current in Vigny's time, and would certainly sound like posing to a twentieth-century reader, however it seemed to Renaud. Some of this can be seen in the next speech, uncut.

[64] **mis au dehors,** *frankly expressed* (lit., *externalized*).

[65] **font le diable,** *"raise the devil," do great things,* if not always in a conventional way.

[66] **faire son trou,** *to make his niche.* The literal meaning of **trou,** *hole,* is developed in the next sentence.

[67] **Qu'y faire?** *What is one to do?*

[68] **Toulon,** important French naval port where Bonaparte served as an artillery captain in 1793.

[69] **Tout cela est placé à présent,** *The whole lot have jobs now*—the ironically casual tone merely serves to emphasize the fact that all his brothers and sisters (who shared to some degree Napoleon's prodigious vitality) were raised to royal or near royal rank during the Empire; he extended similar favor to the children of Josephine by her first marriage.

[70] **Joséphine Tascher de la Pagerie,** whose first husband, the vicomte de Beauharnais, died under the guillotine in 1794, married the young general Bonaparte, five years her junior, in 1796 and was now about to be crowned empress.

[71] **à la barbe de Raguideau,** *in spite of her notary* (who presumably drew up the contract of marriage for her in 1796).

je n'avais que la cape et l'épée. Il n'avait, ma foi! pas tort.—Manteau
290 impérial, couronne, qu'est-ce que tout cela? Est-ce à moi?—
Costume! costume d'acteur! Je vais l'endosser pour une heure, et
j'en aurai assez. Ensuite je reprendrai mon petit habit d'officier, et
je monterai à cheval.—Toujours à cheval; toute la vie à cheval!—
Je ne serai pas assis un jour sans courir le risque d'être jeté à bas du
295 fauteuil. Est-ce donc bien à envier? Hein?

«Je vous le dis, Saint-Père, il n'y a au monde que deux classes
d'hommes: ceux qui ont et ceux qui gagnent.

«Les premiers se couchent,[72] les autres se remuent. Comme j'ai
compris cela de bonne heure et à propos, j'irai loin, voilà tout. Il n'y
300 en a que deux qui soient arrivés en commençant à quarante ans:
Cromwell[73] et Jean-Jacques;[74] si vous aviez donné à l'un une ferme,
et à l'autre douze cents francs et sa servante, ils n'auraient ni prêché,
ni commandé, ni écrit. Il y a des ouvriers en bâtiments, en couleurs,
en formes et en phrases; moi, je suis ouvrier en batailles. C'est mon
305 état.[75]—A trente-cinq ans j'en ai déjà fabriqué dix-huit qui s'appellent: Victoires.—Il faut bien qu'on me paye mon ouvrage. Et le
payer d'un trône, ce n'est pas trop cher.—D'ailleurs je travaillerai
toujours. Vous en verrez bien d'autres. Vous verrez toutes les
dynasties dater de la mienne, tout parvenu que je suit,[76] et élu. Élu,
310 comme vous, Saint-Père, et tiré de la foule.[77] Sur ce point nous
pouvons nous donner la main.»

Et, s'approchant, il tendit sa main blanche et brusque vers la main
décharnée et timide du bon Pape, qui, peut-être attendri par le ton
de bonhomie de ce dernier mouvement de l'Empereur, peut-être
315 par un retour[78] secret sur sa propre destinée et une triste pensée sur
l'avenir des sociétés chrétiennes, lui donna doucement le bout de ses
doigts, tremblants encore, de l'air d'une grand'mère qui se raccom-

[72] **se couchent,** this never means literally *go to bed,* but *lie down* (here, *on the job*).

[73] **Cromwell,** (1599–1658) dictator, or as he called himself, Lord Protector of England after the execution of Charles I in 1648.

[74] **Jean-Jacques, Rousseau** (1712–1778), whose first literary work was published in 1750, and whose real literary career did indeed begin after he was forty.

[75] **état,** *profession.*

[76] **tout parvenu que je suis,** *self-made man though I am.*

[77] **tiré de la foule,** the Papacy is an elective office with no requirement of birth for the candidates. Note how in the following lines Napoleon evens the score; still a *commediante,* he knew his lines better this time.

[78] **retour,** *thinking back.*

mode avec un enfant qu'elle avait eu le chagrin de gronder trop fort. Cependant il secoua la tête avec tristesse, et je vis rouler de ses
320 beaux yeux une larme qui glissa rapidement sur sa joue livide et desséchée. Elle me parut le dernier adieu du Christianisme mourant[79] qui abandonnait la terre à l'égoïsme et au hasard.

Bonaparte jeta un regard furtif sur cette larme arrachée à ce pauvre coeur, et je surpris[80] même, d'un côté de sa bouche, un
325 mouvement rapide qui ressemblait à un sourire de triomphe.—En ce moment, cette nature toute-puissante me parut moins élevée et moins exquise que celle de son saint adversaire; cela me fit rougir, sous mes rideaux, de tous[81] mes enthousiasmes passés; je sentis une tristesse toute nouvelle en découvrant combien la plus haute
330 grandeur politique pouvait devenir petite dans ses froides ruses de vanité. Je vis qu'il n'avait rien voulu de son prisonnier, et que c'était une joie tacite qu'il s'était donnée de n'avoir pas faibli dans ce tête-à-tête, en s'étant laissé surprendre à[82] l'émotion de la colère, de la crainte et de toutes les faiblesses qui amènent un attendrisse-
335 ment inexplicable sur la paupière d'un vieillard.—Il avait voulu avoir le dernier et sortit, sans ajouter un mot, aussi brusquement qu'il était entré. Je ne vis pas s'il avait salué le Pape. Je ne le crois pas.

EXPRESSIONS FOR STUDY

1. Je me demandai en quoi consistait l'ascendant que nous laissons prendre sur nous aux hommes d'action revêtus d'un pouvoir absolu. **2.** Il y a donc des hommes dont l'assurance écrase les autres en leur faisant penser que la clef de tout savoir et de tout pouvoir est dans leur poche, **3.** et qu'ils n'ont qu'à l'ouvrir pour en tirer lumière et autorité infaillibles! **4.** Il nous défend à tous de lever le voile, mais il se voit nu par-dessous. **5.** Je tournais autour sans réussir à y rien surprendre. **6.** Un jour il rencontra plus fort que lui et recula un instant devant un ascendant plus grand que le sien. **7.** Il l'avait reçu en voiture, montant de chaque côté, au même instant, de manière à ne céder ni prendre le pas, ruse italienne. **8.** On le voyait toujours en même temps qu'on était frappé du bruit de son approche, tant ses allures

[79] **Christianisme mourant,** this reflection is more properly that of the stoically pessimistic philosopher-poet, Vigny, than of his character Renaud.

[80] **je surpris,** *I caught a glimpse (of).*

[81] **de tous,** *for all;* this remark of Renaud brings us back to his remarks at the beginning of the story.

[82] **en s'étant laissé surprendre à,** *after letting himself be caught in.*

étaient vives et tant il semblait pressé de vivre. **9.** Il frappa des pieds comme impatienté de la vue de quelque chose qui se faisait avec lenteur. **10.** Il vint s'asseoir et attendit ce que lui allait dire l'autre Italien. **11.** Si son vaste esprit ne s'y déroula pas, du moins son coeur y éclata. **12.** Il se mit donc à parler avec plus de suite. **13.** Il sentait ce qu'il y avait de prodigieux dans les exigences de ce caractère despotique. **14.** Le conclave de Venise m'a un peu l'air d'avoir été inspiré par ma campagne d'Italie et par un mot que j'ai dit sur vous. **15.** J'ai beau chercher, je ne vois pas bien pourquoi vous auriez de la répugnance à siéger à Paris pour toujours. **16.** Je suis meilleur enfant qu'on ne croit. **17.** Il me semblait qu'il allait arriver quelque terrible et grande chose. **18.** Mes cheveux me firent mal et j'y portai la main malgré moi. **19.** Vous n'y êtes pas, si vous croyez qu'on puisse avec moi faire du sang-froid insolent! **20.** Dès sa première parole je compris qu'il était dans le vrai. **21.** Tout est costume pour moi depuis longtemps et pour toujours. **22.** Etre leur maître à tous et ne savoir qu'en faire. Voilà tout, ma foi! **23.** Et après ce tout, s'ennuyer autant que je fais, c'est trop fort. **24.** N'importe, mon affaire est de réussir, et je m'entends à cela. **25.** Nous allons la couronner à la barbe de Raguideau, son notaire, qui disait que je n'avais que la cape et l'épée. **26.** Vous en verrez bien d'autres. **27.** Vous verrez toutes les dynasties dater de la mienne, tout parvenu que je suis. **28.** Je surpris même, d'un côté de sa bouche, un mouvement rapide qui ressemblait à un sourire de triomphe. **29.** Je vis que c'était une joie tacite qu'il s'était donnée de n'avoir pas faibli dans ce tête-à-tête. **30.** Il avait voulu avoir le dernier.

QUESTIONNAIRE

1. Quelle est la date du couronnement de Napoléon? **2.** Qui le couronna? **3.** Pourquoi le capitaine Renaud se sentit-il vengé? **4.** D'où arrivait le Pape? **5.** Où se trouvait Renaud au moment de l'arrivée de Napoléon? **6.** Que portait la longue table? **7.** Comment Napoléon avait-il l'habitude de choisir les placets qu'il ouvrait? **8.** Que battaient les tambours? **9.** Où Renaud se jeta-t-il? **10.** Décrivez l'aspect du Pape. **11.** Décrivez celui de Napoléon. **12.** Pourquoi Napoléon regardait-il le Pape de profil? **13.** Le Pape était-il prisonnier? **14.** Quelle ville est proposée par Napoléon comme siège de la papauté? **15.** Quelle est la première parole du Pape? **16.** En quelle langue le disait-il? **17.** Quel en est l'effet sur l'Empereur? **18.** Quel est le nom de famille de Pie VII? **19.** Que fait l'Empereur après la seconde parole du Pape? **20.** Pourquoi s'ennuie-t-il? **21.** Quelle est son affaire? **22.** Avait-il bien "placé" ses frères et soeurs? **23.** Sur quel prétexte tend-il la main au Pape? **24.** De quoi rougit Renaud? **25.** Qui a eu le dernier? **26.** Napoléon a-t-il salué le Pape en sortant?

ÉMILE ZOLA

J'ACCUSE

INTRODUCTION

THE FRENCH language has an aptness for creating untranslatable clichés which gain a certain international currency. Such an expression is *cause célèbre,* used to designate a social or political event which in its day caused a profound furor. Two famous instances in France are the trials of Gustave Flaubert and Charles Baudelaire (both in 1857) on charges of immorality in their masterpieces, *Madame Bovary* and *Les Fleurs du mal.*

The passage of time naturally reduces such happenings to the status of historical notes; perhaps the average Frenchman today has little emotional response to the history of the Dreyfus case, the most sensational *cause célèbre* of the late nineteenth century. Yet, this case generated a violence of opinion which was long in abating. Here, in brief, are the details.

In 1870-1871 France suffered a humiliating military defeat at the hands of Germany. When, in 1894, Captain Alfred Dreyfus, an officer on the General Staff, was accused of selling military secrets to Germany, it was enough to unleash and bring into conflict a host of opposing interests. Dreyfus, of Jewish origin, was a native of Alsace, which was ceded to Germany after the war. Anti-Semitism, anticlericalism, nationalism and their opposites soon came to grips. Dreyfus was tried by a military tribunal and sentenced to life detention on Devil's Island, the notorious French penal colony off the north coast of South America. By the fall of 1898 the rising cry for a review of the case had to be heeded. A second court-martial reaffirmed the original verdict, but found extenuating circumstances and reduced the penalty to ten years' detention. Ten days later, the government decided to reverse the court finding and pardoned Dreyfus. Only in 1906, however, was Dreyfus restored to his full rights as a French citizen.

It was late in 1897 that Émile Zola (1840-1902) became interested in the case. By then he had virtually retired as an active writer, after acquiring a great name and a considerable fortune from the publication of his Rougon-Macquart series of novels. Convinced of Dreyfus' innocence, he published, first as a pamphlet and then as a newspaper article, his letter *J'Accuse,* addressed to the then president of the French Republic, Félix Faure. The letter has remained one of the best-remembered aspects of the affair.

This letter, which apparently did much to win the freedom of Dreyfus, is offered at its face value, and as a significant document in man's long battle for civil liberties.

J'ACCUSE[1]

MONSIEUR LE PRÉSIDENT,[2]

Me permettez-vous, dans ma gratitude pour le bienveillant accueil que vous m'avez fait un jour, d'avoir le souci de votre juste gloire et de vous dire que votre étoile, si heureuse jusqu'ici, est
5 menacée de la plus honteuse, de la plus ineffaçable des taches? Quelle tache de boue sur votre nom que cette abominable affaire Dreyfus! Un conseil de guerre vient, par ordre, d'oser acquitter un Esterhazy,[3] soufflet suprême à toute vérité, à toute justice. Et c'est fini, la France a sur la joue cette souillure, l'histoire écrira que c'est
10 sous votre présidence qu'un tel crime social a pu être commis.

Puisqu'ils ont osé, j'oserai aussi, moi. La vérité, je la dirai, car j'ai promis de la dire, si la justice, régulièrement saisie,[4] ne la faisait pas, pleine et entière. Mon devoir est de parler, je ne veux pas être complice. Mes nuits seraient hantées par le spectre de l'innocent qui

[1] **J'Accuse,** this pamphlet was first published separately as a brochure, then in the newspaper L'AURORE for 13 Jan. 1898, which sold 300,000 copies.

[2] **Président,** Félix Faure, president from 1895 to 1899; Zola had been admitted to a brief interview with him some time earlier.

[3] **Major Esterhazy,** was a native Frenchman whose family was related to the Hungarian family of that name, world-famous as patrons of music; information pointing to Esterhazy as the author of the **bordereau** (*memorandum*) came to light in 1896. The Major's dissipated and extravagant way of living and his heavy debts suggested that he might have sold himself to a foreign power (Germany). After considerable hesitation on the part of the general staff he was court-martialed and acquitted, but years later new evidence showed him unmistakably guilty.

[4] **la justice, régulièrement saisie,** *the courts, taking due jurisdiction over the case.*

15 expie là-bas, dans la plus affreuse des tortures, un crime qu'il n'a pas commis.

Et c'est à vous, monsieur le Président, que je la crierai, cette vérité, de toute la force de ma révolte d'honnête homme. Pour votre honneur, je suis convaincu que vous l'ignorez. Et à qui donc 20 dénoncerai-je la tourbe malfaisante des vrais coupables, si ce n'est à vous, le premier magistrat du pays?

La vérité d'abord sur le procès et sur la condamnation de Dreyfus.

Un homme néfaste a tout mené, a tout fait, c'est le lieutenant-colonel du Paty de Clam,[5] alors simple commandant. Il est l'affaire 25 Dreyfus tout entière; on ne la connaîtra que lorsqu'une enquête loyale aura établi nettement ses actes et ses responsabilités. Il apparaît comme l'esprit le plus fumeux, le plus compliqué, hanté d'intrigues romanesques, se complaisant aux moyens des romans-feuilletons,[6] les papiers volés, les lettres anonymes, les rendez-vous 30 dans les endroits déserts, les femmes mystérieuses qui colportent, de nuit, des preuves accablantes. C'est lui qui imagina de dicter[7] le bordereau à Dreyfus; c'est lui qui rêva de l'étudier[8] dans une pièce entièrement revêtue[9] de glaces; c'est lui que le commandant Forzinetti nous représente armé d'une lanterne sourde, voulant se 35 faire introduire près de l'accusé, endormi, pour projeter sur son visage un brusque flot de lumière et surprendre ainsi son crime, dans l'émoi du réveil. Et je n'ai pas à tout dire, qu'on cherche, on trouvera. Je déclare simplement que le commandant du Paty de Clam, chargé d'instruire[10] l'affaire Dreyfus, comme officier judiciaire, 40 est, dans l'ordre des dates et des responsabilités, le premier coupable de l'effroyable erreur judiciaire qui a été commise.

Le bordereau était depuis quelque temps déjà entre les mains du colonel Sandherr, directeur du bureau des renseignements, mort depuis de paralysie générale. Des «fuites»[11] avaient lieu, des papiers 45 disparaissaient, comme il en disparaît aujourd'hui encore; et l'auteur

[5] **du Paty de Clam,** in charge of collecting the evidence. History does not support Zola's charges against this officer, finding him only to have been extremely conscientious in carrying out his duties.

[6] **romans-feuilletons,** *cheap serialized fiction.*

[7] **dicter,** *dictate,* in order to have a copy of it in Dreyfus' handwriting.

[8] **l'étudier,** *examine him.*

[9] **revêtue,** *lined.*

[10] **instruire,** *gather and sift the evidence for.*

[11] **fuites,** *leaks.*

du bordereau était recherché, lorsqu'un a priori[12] se fit peu à peu que cet auteur ne pouvait être qu'un officier de l'état-major, et un officier d'artillerie: double erreur manifeste, qui montre avec quel esprit superficiel on avait étudié ce bordereau, car un examen 50 raisonné démontre qu'il ne pouvait s'agir que d'un officier de troupe.[13]

On cherchait donc dans la maison, on examinait les écritures, c'était comme une affaire de famille, un traître à surprendre dans les bureaux[14] mêmes, pour l'en expulser. Et, sans que je veuille 55 refaire ici une histoire connue en partie, le commandant du Paty de Clam entre en scène, dès qu'un premier soupçon tombe sur Dreyfus. A partir de ce moment, c'est lui qui a inventé Dreyfus, l'affaire devient son affaire, il se fait fort de confondre le traître, de l'amener à des aveux complets. On ne saurait concevoir les expériences aux- 60 quelles il a soumis le malheureux Dreyfus, les pièges, dans lesquels il a voulu le faire tomber, les enquêtes folles, les imaginations[15] monstrueuses, toute une démence torturante.

Mais voici Dreyfus devant le conseil de guerre. Le huis clos le plus absolu est exigé. Un traître aurait ouvert[16] la frontière à 65 l'ennemi, pour conduire l'empereur allemand jusqu'à Notre-Dame, qu'on ne prendrait pas des mesures de silence et de mystère plus étroites. La nation est frappée de stupeur, on chuchote des faits terribles, de ces trahisons monstrueuses qui indignent l'Histoire; et naturellement la nation s'incline.[17] Il n'y a pas de châtiment 70 assez sévère, elle applaudira à la dégradation publique, elle voudra que le coupable reste sur son rocher d'infamie, dévoré par le remords. Est-ce donc vrai, les choses indicibles, les choses dangereuses, capables de mettre l'Europe en flammes, qu'on a dû enterrer soigneusement derrière ce huis clos? Non! il n'y a eu, derrière, 75 que les imaginations romanesques et démentes du commandant du Paty de Clam. Tout cela n'a été fait que pour cacher le plus saugrenu des romans-feuilletons. Et il suffit, pour s'en assurer,

[12] **a priori,** *unsubstantiated opinion.*
[13] **troupe**=*field* (as distinguished from *staff*).
[14] **bureaux=bureaux du Ministère de la Guerre.**
[15] **imaginations,** *wild schemes.*
[16] **Un traître aurait ouvert= (Même) si un traître avait ouvert;** omit in translation the following **que.**
[17] **s'incline,** *bows down in acceptance* (of the whispered accusations).

d'étudier attentivement l'acte d'accusation, lu devant le conseil de guerre.

80 Ah! le néant de cet acte d'accusation! Qu'un homme ait pu être condamné sur cet acte, c'est un prodige d'iniquité. Je défie les honnêtes gens de le lire, sans que leur coeur bondisse d'indignation et crie leur révolte, en pensant à l'expiation démesurée, là-bas, à l'île du Diable! Dreyfus sait plusieurs langues, crime; on n'a 85 trouvé chez lui aucun papier compromettant, crime; il va parfois dans son pays d'origine,[18] crime; il est laborieux, il a le souci de tout savoir, crime; il ne se trouble pas, crime; il se trouble, crime. Et les naïvetés de rédaction, les formelles assertions dans le vide![19] On nous avait parlé de quatorze chefs d'accusation:[20] nous n'en 90 trouvons qu'une seule en fin de compte, celle du bordereau; et nous apprenons même que, les experts n'étaient pas d'accord, qu'un d'eux, M. Gobert, a été bousculé militairement, parce qu'il se permettait de ne pas conclure dans le sens désiré. On parlait aussi de vingt-trois officiers qui étaient venus accabler Dreyfus de leurs 95 témoignages. Nous ignorons encore leurs interrogatoires,[21] mais il est certain que tous ne l'avaient pas chargé;[22] et il est à remarquer, en outre, que tous appartenaient aux bureaux de la guerre. C'est un procès de famille, on est là entre soi,[23] et il faut s'en souvenir: l'état-major a voulu le procès, l'a jugé, et il vient de le juger une 100 seconde fois.

Donc, il ne restait que le bordereau, sur lequel les experts ne s'étaient pas entendus. On[24] raconte que, dans la chambre du conseil, les juges allaient naturellement acquitter. Et, dès lors, comme l'on comprend l'obstination désespérée avec laquelle, pour justifier la 105 condamnation, on affirme aujourd'hui l'existence d'une pièce[25] secrète, accablante, la pièce qu'on ne peut montrer, qui légitime tout,

[18] **son pays d'origine,** Alsace, from 1870 to 1918 a part of Germany.

[19] **dans le vide,** *unsupported by evidence.*

[20] **chefs d'accusation,** *principal charges;* the rest of this sentence has a number of minor errors of grammar and punctuation, but is given as originally published.

[21] **interrogatoires,** *testimony* (*under interrogation*).

[22] **chargé=accusé.**

[23] **on est là entre soi,** *they're all in the same club.*

[24] **On,** the student will observe the extreme elasticity of this pronoun in these lines, where it refers first to unnamed informants of Zola, then anyone (his readers), then the judges, etc. ≐ passive

[25] **pièce,** *exhibit, piece of evidence.*

devant laquelle nous devons nous incliner, le bon Dieu invisible et inconnaissable! Je la nie, cette pièce, je la nie de toute ma puissance! Une pièce ridicule, oui, peut-être la pièce où il est question de
110 petites femmes,[26] et où il est parlé d'un certain D . . . qui devient trop exigeant: quelque mari sans doute trouvant qu'on ne lui payait pas sa femme assez cher. Mais une pièce intéressant la défense nationale, qu'on ne saurait produire sans que la guerre fût déclarée demain, non, non! c'est un mensonge! Et cela est
115 d'autant plus odieux et cynique qu'ils mentent impunément sans qu'on puisse les en convaincre.

Et nous arrivons à l'affaire Esterhazy. Trois ans se sont passés, beaucoup de consciences restent troublées profondément, s'inquiètent, cherchent, finissent par se convaincre de l'innocence de Drey-
120 fus.

Je ne ferai pas l'historique des doutes, puis de la conviction[27] de M. Scheurer-Kestner. Mais, pendant qu'il fouillait de son côté, il se passait des faits graves à l'état-major même. Le colonel Sandherr était mort, et le lieutenant-colonel Picquart lui avait succédé comme
125 chef du bureau des renseignements. Et c'est à ce titre,[28] dans l'exercice de ses fonctions, que ce dernier eut un jour entre les mains une lettre-télégramme,[29] adressée au commandant Esterhazy, par un agent d'une puissance étrangère. Son devoir strict était d'ouvrir une enquête. La certitude est qu'il n'a jamais agi en dehors de la
130 volonté de ses supérieurs. Il insistait auprès de ses supérieurs, au nom de la justice. Il les suppliait même, il leur disait combien leurs délais étaient impolitiques, devant le terrible orage qui s'amoncelait, qui devait éclater, lorsque la vérité serait connue.

A Paris, la vérité marchait, irrésistible, et l'on sait de quelle façon
135 l'orage attendu éclata. M. Mathieu Dreyfus[30] dénonca le commandant Esterhazy comme le véritable auteur du bordereau, au moment où M. Scheurer-Kestner allait déposer, entre les mains du

[26] **petites femmes,** *women (wives) of easy virtue.*

[27] **conviction,** *certainty.* Scheurer-Kestner, vice-president of the Senate, was one of the first to be convinced of Dreyfus' innocence.

[28] **à ce titre,** *in this capacity.*

[29] **lettre-télégramme,** also called **lettre pneumatique** or **petit bleu** (from its color), a kind of special delivery letter sent by underground pneumatic tube.

[30] **Mathieu Dreyfus,** brother of Alfred, the accused.

garde des sceaux,[31] une demande en revision[32] du procès. Et c'est ici que le commandant Esterhazy paraît. Des témoignages le
140 montrent d'abord affolé, prêt au suicide ou à la fuite. Puis, tout d'un coup, il paye d'audace, il étonne Paris par la violence de son attitude. C'est que du secours lui était venu, il avait reçu une lettre anonyme l'avertissant des menées de ses ennemis, une dame mystérieuse s'était même dérangée de nuit pour lui remettre une
145 pièce volée à l'état-major, qui devait le sauver. Et je ne puis m'empêcher de retrouver là le lieutenant-colonel du Paty de Clam, en reconnaissant les expédients de son imagination fertile. Son oeuvre, la culpabilité de Dreyfus, était en péril, et il a voulu sûrement défendre son oeuvre. La revision du procès, mais c'était
150 l'écroulement du roman-feuilleton si extravagant, si tragique, dont le dénoûment abominable a lieu à l'île du Diable! C'est ce qu'il ne pouvait permettre. Dès lors, le duel va avoir lieu entre le lieutenant-colonel Picquart et le lieutenant-colonel du Paty de Clam, l'un le visage découvert, l'autre masqué. Au fond, c'est
155 toujours l'état-major qui se défend, qui ne veut pas avouer son crime, dont l'abomination grandit d'heure en heure.

Voilà donc, monsieur le Président, l'affaire Esterhazy: un coupable qu'il s'agissait d'innocenter. Depuis bientôt deux mois, nous pouvons suivre[33] heure par heure la belle besogne.

160 Comment a-t-on pu espérer qu'un conseil de guerre déferait ce qu'un conseil de guerre avait fait?

Je ne parle même pas du choix toujours possible des juges. L'idée supérieure[34] de discipline, qui est dans le sang de ces soldats, ne suffit-elle pas à infirmer leur pouvoir d'équité? Qui dit discipline
165 dit obéissance. Lorsque le ministre de la guerre, le grand chef, a établi publiquement, aux acclamations de la représentation nationale,[35] l'autorité de la chose jugée, vous voulez qu'un conseil de guerre lui donne un formel démenti? Hiérarchiquement, cela

[31] **garde des sceaux,** *Guardian of the Great Seal,* or *Minister of Justice.*
[32] **demande en revision,** *request for review.*
[33] **Depuis bientôt deux mois, nous pouvons suivre=Il y aura bientôt deux mois que nous avons pu suivre.**
[34] **idée supérieure,** *dominating concept.* Zola goes on to argue that discipline weakens the sense of equity. He argues thus from a real hostility against the military mind in any of its manifestations.
[35] **représentation nationale=les deux chambres (du parlement).**

est impossible. Le général Billot[36] a suggestionné les juges par sa
170 déclaration, et ils ont jugé comme ils doivent aller au feu, sans raisonner. L'opinion préconçue qu'ils ont apportée sur leur siège,[37] est évidemment celle-ci: «Dreyfus a été condamné pour crime de trahison par un conseil de guerre, il est donc coupable; et nous, conseil de guerre, nous ne pouvons le déclarer innocent; or nous
175 savons que reconnaître la culpabilité d'Esterhazy, ce serait proclamer l'innocence de Dreyfus.» Rien ne pouvait les faire sortir de là.

Ils ont rendu une sentence inique, qui à jamais pèsera sur nos conseils de guerre, qui entachera désormais de suspicion tous leurs arrêts. Le premier conseil de guerre a pu être inintelligent, le
180 second est forcément criminel. Son excuse, je le répète, est que le chef suprême avait parlé, déclarant la chose jugée inattaquable, sainte et supérieure aux hommes, de sorte que des inférieurs ne pouvaient dire le contraire. On nous parle de l'honneur de l'armée, on veut que nous l'aimions, la respections. Ah! certes, oui, l'armée
185 qui se lèverait à la première menace, qui défendrait la terre française, elle est tout le peuple[38] et nous n'avons pour elle que tendresse et respect. Mais il ne s'agit pas d'elle, dont nous voulons justement la dignité, dans notre besoin de justice. Il s'agit du sabre, le maître qu'on nous donnera demain peut-être. Et baiser dévotement la
190 poignée du sabre, le dieu, non!

Je l'ai démontré d'autre part:[39] l'affaire Dreyfus était l'affaire des bureaux de la guerre, un officier de l'état-major, dénoncé par ses camarades de l'état-major, condamné sous la pression des chefs de l'état-major. Encore une fois, il ne peut revenir innocent sans que
195 tout l'état-major soit coupable. Ainsi les bureaux, par tous les moyens imaginables, par des campagnes de presse, par des communications, par des influences, n'ont-ils couvert Esterhazy que pour perdre une seconde fois Dreyfus.

[36] **Billot,** Minister of War. (His name means literally *head-block,* as used in executions).

[37] **siège,** (*judicial*) *bench.*

[38] **tout le peuple.** Zola is employing the familiar device of attempting to divide the army (of plain men) from its officers **(le sabre).** The examples of Napoleon I and III, and in the late 1880's that of the highly popular nationalist general Boulanger, had made many Frenchmen wary of a "man on horseback," or the possibility of a military dictatorship of the Right.

[39] **d'autre part=d'ailleurs** or **ailleurs;** the expression is not clear.

Et c'est un crime que de s'être appuyé sur la presse immonde,[40]
200 que de s'être laissé défendre par toute la fripouille de Paris, de sorte que voilà la fripouille qui triomphe insolemment, dans la défaite du droit[41] et de la simple probité. C'est un crime d'avoir accusé de troubler la France ceux qui la veulent généreuse,[42] à la tête des nations libres et justes, lorsqu'on ourdit soi-même l'impu-
205 dent complot d'imposer l'erreur, devant le monde entier. C'est un crime d'égarer l'opinion, d'utiliser pour une besogne de mort[43] cette opinion qu'on a pervertie jusqu'à la faire délirer. C'est un crime d'empoisonner les petits et les humbles, d'exaspérer les passions de réaction et d'intolérance, en s'abritant derrière l'odieux
210 anti-sémitisme, dont la grande France libérale des droits de l'homme mourra, si elle n'en est pas guérie. C'est un crime que d'exploiter le patriotisme pour des oeuvres de haine et c'est un crime, enfin, que de faire du sabre le dieu moderne, lorsque toute la science humaine est au travail pour l'oeuvre prochaine de vérité et de justice.

215 Cette vérité, cette justice, que nous avons si passionnément voulues, quelle détresse à les voir ainsi souffletées, plus méconnues et plus obscurcies![44] Ce n'est pas, d'ailleurs, que je désespère le moins du monde du triomphe. Je le répète avec une certitude plus véhémente: la vérité est en marche et rien ne l'arrêtera. C'est
220 aujourd'hui seulement que l'affaire commence, puisque aujourd'hui seulement les positions sont nettes: d'une part, les coupables qui ne veulent pas que la lumière se fasse; de l'autre, les justiciers qui donneront leur vie pour qu'elle soit faite. Je l'ai dit ailleurs, et je le répète ici: quand on enferme la vérité sous terre, elle s'y amasse,
225 elle y prend, une force telle d'explosion, que, le jour où elle éclate, elle fait tout sauter avec elle. On verra bien si l'on ne vient pas de préparer, pour plus tard, le plus retentissant des désastres.

Mais cette lettre est longue, monsieur le Président, et il est temps de conclure.

230 J'accuse le lieutenant-colonel du Paty de Clam d'avoir été l'ouvrier

[40] **presse immonde,** *"yellow journalism"* which hit a new low in hate-mongering and anti-Semitism during these years.

[41] **droit,** *right, justice.*

[42] **généreuse = noble.**

[43] **besogne de mort,** *dirty job of murder (death).*

[44] **plus méconnues et plus obscurcies,** the meaning is clearer, and more correct, if the two **plus** are omitted.

diabolique de l'erreur judiciaire, en inconscient,[45] je veux le croire, et d'avoir ensuite défendu son oeuvre néfaste, depuis trois ans, par les machinations les plus saugrenues et les plus coupables.

J'accuse le général Mercier[46] de s'être rendu complice, tout au
235 moins par faiblesse d'esprit, d'une des plus grandes iniquités du siècle.

J'accuse le général Billot d'avoir eu entre les mains les preuves certaines de l'innocence de Dreyfus et de les avoir étouffées, de s'être rendu coupable de ce crime de lèse-humanité et de lèse-
240 justice,[47] dans un but politique et pour sauver l'état-major compromis.

J'accuse le général de Boisdeffre et le général Gonse[48] de s'être rendus complices du même crime, l'un sans doute par passion cléricale,[49] l'autre peut-être par cet esprit de corps qui fait des
245 bureaux de la guerre l'arche sainte, inattaquable.

J'accuse le général de Pellieux et le commandant Ravary d'avoir fait une enquête scélérate, j'entends par là une enquête de la plus monstrueuse partialité, dont nous avons, dans le rapport du second, un impérissable monument de naïve audace.

250 J'accuse les trois experts en écritures,[50] les sieurs Belhomme, Varinard et Couard, d'avoir fait des rapports mensongers et frauduleux, à moins qu'un examen médical ne les déclare atteints d'une maladie de la vue et du jugement.

J'accuse les bureaux de la guerre d'avoir mené dans la presse,
255 particulièrement dans *L'Éclair* et dans *L'Echo de Paris*, une campagne abominable, pour égarer l'opinion et couvrir leur faute.

J'accuse enfin le premier conseil de guerre d'avoir violé le droit, en condamnant un accusé sur une pièce restée secrète, et j'accuse le second conseil de guerre d'avoir couvert cette illégalité, par ordre,
260 en commettant à son tour le crime juridique d'acquitter sciemment un coupable.

[45] **en inconscient,** *unwittingly.*

[46] **Mercier** had preceded Billot as Minister of War.

[47] **lèse-humanité** and **lèse-justice** are coined on the model of **lèse-majesté,** *treason against the Crown.*

[48] **Boisdeffre** was chief of staff and **Gonse** his deputy.

[49] **passion cléricale,** *devotion to the clergy.*

[50] **experts en écritures,** these three men obtained a judgment of libel against Zola for his insulting remarks here.

En portant ces accusations, je n'ignore pas que je me mets sous le coup[51] des articles 30 et 31 de la loi sur la presse du 29 juillet 1881, qui punit les délits de diffamation. Et c'est volontairement que 265 je m'expose.

Quant aux gens que j'accuse, je ne les connais pas, je ne les ai jamais vus, je n'ai contre eux ni rancune ni haine. Ils ne sont pour moi que des entités, des esprits de malfaisance sociale. Et l'acte que j'accomplis ici n'est qu'un moyen révolutionnaire pour hâter l'ex- 270 plosion de la vérité et de la justice.

Je n'ai qu'une passion, celle de la lumière, au nom de l'humanité qui a tant souffert et qui a droit au bonheur. Ma protestation enflammée n'est que le cri de mon âme. Qu'on ose donc me traduire en cour d'assises[52] et que l'enquête ait lieu au grand jour![53]

275 J'attends.[54]

Veuillez agréer, monsieur le Président, l'assurance de mon profond respect.

—From *La Vérité en marche*. Reproduced by courtesy of Éditions Eugène Fasquelle.

EXPRESSIONS FOR STUDY

1. Et je n'ai pas à tout dire, qu'on cherche, on trouvera. **2.** Un examen raisonné démontre qu'il ne pouvait s'agir que d'un officier de troupe. **3.** Un traître aurait ouvert la frontière à l'ennemi, qu'on ne prendrait pas des mesures de silence et de mystère plus étroites. **4.** On nous avait parlé de quatorze chefs d'accusation; nous n'en trouvons qu'une seule en fin de compte, celle du bordereau. **5.** C'est un procès de famille, on est là entre soi, et il faut s'en souvenir. **6.** Donc, il ne restait que le bordereau, sur lequel les experts ne s'étaient pas entendus. **7.** Mais, pendant qu'il fouillait de son côté,

[51] **coup,** *force.*

[52] **Qu'on ose donc me traduire en cour d'assises,** *Just let them dare then to have me haled into Criminal Court.*

[53] **au grand jour,** *in the open.*

[54] **J'attends,** Zola did not have long to wait. Five days after the publication of his pamphlet in L'AURORE he was indicted for defamation and given the maximum penalty of a year in prison and 3,000 francs fine; he also paid individual damages as a result of private law-suits. During his absence in England to avoid imprisonment, the one clearly guilty officer in the ministry of war, Colonel Henry, admitted having forged one of the documents used against Dreyfus, committed suicide while awaiting trial, and thus so inflamed public opinion that the conviction of Dreyfus was reversed on 26 sept. 1898; but he was not fully exonerated of guilt until 1906, four years after Zola's death. It may be noted that Colonel Henry is not among those accused by Zola.

il se passait des faits graves à l'état-major même. **8.** C'est que du secours lui était venu. **9.** Une dame mystérieuse s'était même dérangée de nuit pour lui remettre une pièce volée à l'état-major, qui devait le sauver.

QUESTIONNAIRE

1. Donnez la date de: la première conviction de Dreyfus; la publication de *J'Accuse* dans L'Aurore; la mort de Zola; l'exonération finale de Dreyfus. **2.** Qui sont: le commandant Esterhazy; Mathieu Dreyfus; Félix Faure; le général Billot; Scheurer-Kestner; le lieutenant-colonel Sandherr; le lieutenant-colonel Picquart; du Paty de Clam?

ANDRÉ GIDE

PAGES DE JOURNAL

INTRODUCTION

ONE OF the greatest names in contemporary French literature has been that of André Gide (1869-1951). His long literary activity has deeply influenced the first half of the century and it earned for him the Nobel prize in 1947. Since Gide's death the many evaluations of his work all testify to the subtlety of his thought and the seriousness of his themes. Yet more and more these same literary appreciations tend to assign to Gide the role of distinguished man of letters rather than of creative genius. If this be so, it is perhaps because Gide's supreme talent was that of the observer, both of the human scene in general and of his own particular place in it. He once remarked that at the moment of his death he expected to find himself saying *"Je me meurs!"* (*"I am dying"*). This scientific detachment, which may be felt as a defect in his ficton, makes him on the other hand admirably qualified to be the personal historian of his times. An arch-individualist whose temporary infatuation with communism came to an abrupt halt once he visited Russia, he was, of course, no less impatient with the totalitarianism which came from Germany to subjugate France in 1940. The following pages of his diary date from the period just preceding and subsequent to the defeat of France and throw a penetrating light on another of the great critical periods in French history.

PAGES DE JOURNAL

10 septembre 1939.[1] Oui, tout cela pourrait bien disparaître, cet effort de culture qui nous paraissait admirable (et je ne parle pas seulement de la française). Du train dont on va, il n'y aura bientôt plus grand monde[2] pour en sentir le besoin, pour la com-
5 prendre; plus[3] grand monde pour s'apercevoir qu'on ne la comprend plus.

On s'efforce et l'on s'ingénie pour mettre à l'abri de la destruction ces reliques; nul abri n'est sûr. Une bombe peut avoir raison d'[4]un musée. Il n'est pas d'acropole que le flot de barbarie ne puisse[5]
10 atteindre, pas d'arche qu'il ne vienne à bout d'engloutir.

On se cramponne à des épaves.[6]

7 février 1940. Il faut s'attendre à ce que, après la guerre, encore que vainqueurs,[7] nous plongions dans une telle gadouille que seule une dictature bien résolue nous en puisse tirer.[8] L'on voit
15 les esprits les plus sains s'y acheminer peu à peu (si j'en juge par moi, comme dit l'autre),[9] et maints petits faits, de successives menues décisions, qui, chaque fois et prises à leur tour, paraissent

[1] **10 septembre 1939,** Two days after the German invasion of Poland on 1 Sept., France declared war on Germany, but while the latter was conquering Poland in the East, with the acquiescence of Stalinist Russia, the Western front was static in the so-called "phony war" (**drôle de guerre**) and so remained until 10 May, 1940, when in a six-weeks campaign Germany struck westward to conquer Holland, Belgium and France.

[2] **Du train . . . monde,** *Considering the speed with which they are going at it, there will soon be few people left.*

[3] **plus=il n'y aura plus,** as in note 2.

[4] **peut avoir raison d',** *can annihilate* (*overcome*).

[5] **ne puisse=ne pourra (pas).**

[6] **épaves,** like **arche** above, appears derived from the idea of the Biblical flood (cf. the story L'ARCHE DE NOÉ.)

[7] **vainqueurs,** Gide is still writing before the campaign of May, 1940 (cf. note 1).

[8] **nous en puisse tirer=soit capable de nous en tirer.**

[9] **comme dit l'autre,** *as one* (*the average man*) *says.*

les plus sages du monde et proprement[10] inéluctables, apprivoisent en nous progressivement cette idée.

20 . . . Si bien que l'on pourrait deviner leurs opinions[11] simplement en sachant à quoi ils sont insensibles. Il est facile de demeurer conservateur lorsqu'on est bien loti soi-même et peu touché par l'infortune d'autrui.

Leur esprit s'agite en un monde sec et réduit comme un problème. 25 J'ai voulu d'abord croire que ce qui les poussait au communisme, c'était un amour ulcéré pour nos frères; je n'ai pu m'abuser longtemps. J'ai voulu croire alors que ces êtres secs, insensibles, abstraits, étaient de mauvais communistes, qu'ils desservaient une noble cause et je me refusais à juger celle-ci d'après eux. Mais non, c'est 30 sur toute la ligne, du haut en bas que je me trompais. Les vrais communistes, m'affirmait-on, me prouvait-on, c'était bien eux. Ils restaient exactement dans la ligne;[12] et c'était bien moi qui trahissais en apportant ici[13] du coeur, dont on n'avait que faire,[14] et des considérants dont on prétendait se passer.[15] Et d'abord en prétendant 35 sauvegarder à travers lui[16] mon individualité, mon individualisme. Il ne pouvait et ne devait être question que d'égalité, de justice.[17] Le reste[18] (et ce reste surtout m'importait) ressortissait au christianisme. Et lentement j'en arrivais à me convaincre que, lorsque je me croyais communiste, j'étais chrétien, si tant est[19] qu'on peut 40 être chrétien sans «croire», si catholicisme aussi bien que protestantisme ne mettait au-dessus de tout le reste et comme condition sine

[10] **proprement,** *really.*

[11] **leurs opinions,** note that the entry for 7 Feb. is given exactly as printed by Gide. The **leurs** here obviously refers to purse-proud capitalists, whereas the **leur** in the next paragraph, totally unconnected in thought, refers to the left-wingers, or communist fellow-travelers so typical of the 1930's. The connecting link, for Gide, may be in their tendency to estimate all human values in terms of economics, Marxian or capitalistic. Gide himself went through a period as fellow-traveler, during which he took a trip to Russia, in 1936, at the invitation of Stalin; but he lost little time in expressing his disillusionment with the "Cause" in two books, RETOUR DE L'U.R.S.S. and RETOUCHES.

[12] **dans la ligne,** *in the party line.*

[13] **ici,** *to the "Cause,"* during his period as a fellow-traveler.

[14] **dont on n'avait que faire,** *which they (the Party) had no use for.*

[15] **des considérants . . . passer,** *considerations they claimed they could do without.*

[16] **à travers lui,** *through it (my heart).*

[17] **Il ne pouvait . . . justice,** *(According to them), the only considerations were those of equality and justice.* The next sentence should also be understood as quoted "according to them."

[18] **Le reste,** *Everything else.*

[19] **si tant est,** *if it be conceivable.*

qua non: la Foi.[20] De sorte que, pas plus avec les uns qu'avec les autres, je ne pouvais et ne voulais pactiser.[21] C'est dommage: n'était cette sacrée[22] question de croyance devant laquelle se hérisse in-
45 éluctablement ma raison, je m'entendrais bien avec ceux-ci,[23] quant aux vertus du moins qu'ils préconisent, et dont très souvent ils se persuadent que la Foi leur permet de se passer.[24]

Vence, 21 mai . . .[25] O incurablement léger peuple de France! tu vas payer bien cher aujourd'hui ton inapplication, ton insouciance,
50 ton repos complaisant[26] dans tant de qualités charmantes!

25 mai . . . Cette désindividualisation systématique à quoi travaillait le hitlérisme, préparait admirablement l'Allemagne à la guerre. Et c'est par là surtout, me semble-t-il, que le hitlérisme s'oppose au christianisme, cette incomparable école d'individualisation, où
55 chacun est plus précieux que tous. Nier la valeur individuelle, de sorte que chacun, fondu dans la masse et faisant nombre, soit indéfiniment remplaçable; que, si Friedrich ou Wolfgang se fait tuer, Hermann ou Ludwig feront aussi bien l'affaire,[27] et que de la perte de tel ou tel, il n'y a pas lieu[28] de beaucoup s'affliger.

[20] **la Foi,** Gide states here that acceptance of *creed* is the chief obstacle to his becoming a Christian. What he prefers here is the Christian *social* doctrine, which defends the individual as sacred, as against the anthill concept of human nature that he found in Marxist communism.

[21] **pas plus que . . . pactiser,** *I neither could nor would come to an agreement with one* (communists) *or the other* (Christians).

[22] **sacrée,** when used before the noun is equivalent to English *damn*(*ed*).

[23] **je m'entendrais . . . ceux-ci,** *I could well enough come to an agreement with the latter* (the Christians).

[24] **et dont . . . passer,** *and which they often persuade themselves that their faith absolves them from practicing.*

[25] **Vence, 21 mai.** The Journal for 1939-42 does not record Gide's location or his various displacements until the spring of 1940, at which time he was at his favorite residence on the Côte d'Azur, Vence, above Nice. By 21 May Hitler's forces had forced the surrender of Holland—Belgium was to surrender within a few days—and captured Arras and Amiens in northern France; their massive break-through at Sedan at this time spread panic in French governmental and military circles and led to the formal surrender of France on 22 June, which divided the country into occupied and "free" or unoccupied zones. Gide had been planning to go to Paris in early May. Instead he traveled to a number of places in the south, farther from fighting or the risk of it, but returned to the vicinity of Nice at Cabris in July.

[26] **repos complaisant,** *easy-going self-indulgence.*

[27] **feront aussi bien l'affaire,** *will do just as well.*

[28] **il n'y a pas lieu,** *there is no occasion* (*reason*).

60 **Ginoles**[29] **13 juillet.** Il faut beaucoup d'imagination, et de la qualité la plus rare: celle dans le raisonnement, pour se représenter les lointaines conséquences d'une défaite et par où[30] chacun peut en souffrir. La solidarité entre tous les citoyens d'un pays reste assez mal établie, du moins en France, et peu *sentie;* elle demeure chose 65 abstraite; et, du reste, pour un grand nombre, existe réellement fort peu. Il se fût agi,[31] non de la créer précisément, mais d'en inculquer le sentiment dans le peuple et la jeunesse des écoles. A vrai dire, c'est à travers les restrictions qu'elle entraîne, et par cela seulement, ou presque, que le grand nombre sera touché par la défaite. Moins 70 de sucre dans le café, moins de café dans les tasses; c'est à cela qu'ils seront sensibles. Mais comme on leur dira qu'en Allemagne il en va de même,[32] ces privations leur paraîtront dues non tant à la défaite qu'à la guerre plus simplement; et ils n'auront pas tout à fait tort.

Toute l'éducation des enfants devrait tendre à élever l'esprit de 75 ceux-ci au-dessus des intérêts matériels. Mais allez donc[33] parler au cultivateur du "patrimoine intellectuel" de la France; dont il ne se sentira que fort peu, lui-même, l'héritier. Lequel d'entre eux n'accepterait pas volontiers que Descartes ou Watteau[34] fussent allemands, ou n'aient jamais été,[35] si cela pouvait lui faire vendre 80 son blé quelques sous plus cher? Une rétrogradation, un effacement, ou du moins un échappement dans la mystique, des valeurs nobles,[36] c'est à quoi, je le crains, nous devrons assister; et ce sera tout à la fois le plus onéreux et le plus imperceptible des articles de la «note à payer».

[29] **Ginoles,** a village near the Pyrenees and south of Carcassonne where Gide made a short stay.

[30] **par où,** *in what way.*

[31] **Il se fût agi (de) = Il aurait été question (de) = On aurait vraiment dû.**

[32] **il en va de même,** *it's the same.*

[33] **allez donc,** *just try to.*

[34] **Descartes,** world-famous philosopher and mathematician (1596–1650), **Watteau,** painter (1684–1721).

[35] **été = existé.**

[36] **Une rétrogradation,** etc. = **Une rétrogression (réaction), un effacement des valeurs nobles, ou du moins . . .** etc. Gide feels that the positive values of devotion to truth, intellectual integrity and the like, will lose ground, and if they are not actually effaced (wiped out), they will be inflected toward a kind of mysticism which to him would be equivalent to escapism. This cultural loss would thus be *at once, the heaviest and the least obviously noticeable item in the bill to be paid* for the war. This and the following entry were the subject of parliamentary debates, some deputies in North Africa after the Liberation wishing to take punitive measures against the author.

85 **14 juillet.** Le sentiment patriotique n'est du reste pas plus constant que nos autres amours qui, certains jours, si l'on était parfaitement sincère, se réduiraient à bien peu de chose; mais l'on ose rarement s'avouer le peu de place qu'ils tiennent alors dans nos coeurs.

Cabris,[37] **27 juillet.** Il est vrai que le Français est animé par un 90 besoin de perfection plus souvent sans doute qu'aucun autre peuple moderne; que le sens du parfait est inséparable de l'idée de mesure et, partant,[38] de limitation; de sorte que cette perfection même entraîne nécessairement, en art, certain resserrement, voire même rétrécissement (beaucoup plus apparent que profond, du reste) du 95 théâtre et champ d'opération de la pensée. Et c'était également l'invite[39] à une rapide sclérose;[40] contre quoi protestaient les extraordinaires sursauts du romantisme et de tant d'individualités puissantes, en peinture aussi bien qu'en littérature.

Il est également vrai que l'Allemand, moins dessinateur[41] que 100 musicien, se complaît dans le vague de la démesure. Et que ce besoin d'expansion inquiète, d'évasion dans l'informulé, dans l'informe, glisse vite vers le désir de conquête, c'est ce que nous avons pu voir à nos dépens. Ce qu'il nous reste à voir, c'est si ce brusque franchissement des bornes, cette expansion démesurée, sont concilia- 105 bles avec l'équilibre d'un organisme.[42]

13 septembre. Le nombre de bêtises qu'une personne intelligente peut dire dans une journée n'est pas croyable. Et j'en dirais sans doute autant que les autres, si je ne me taisais plus souvent.

28 septembre. Si demain, comme je le crains, toute liberté de 110 pensée ou du moins d'expression de cette pensée, nous est refusée,

[37] **Cabris,** see note 25.

[38] **partant=par conséquent.**

[39] **invite,** *incentive.*

[40] **sclérose,** lit., *hardening* (of the arteries or of other vital tissue); applied figuratively to literary and artistic doctrines such as those of neo-classicism against which the Romantic and other modern schools reacted.

[41] **dessinateur,** *designer,* (*plastic*) *artist.*

[42] **organisme,** the thought of this sentence is that it remains to be seen whether Germany's new *military* conquests, so vast and so sudden, can be properly and permanently absorbed into German *culture* or whether the latter may not get from them a fatal case of indigestion.

je tâcherai de me persuader que l'art, que la pensée même, y perdront moins que dans une liberté excessive. L'oppression ne peut avilir les meilleurs; et quant aux autres, peu importe. Vive la pensée comprimée! Le monde ne peut être sauvé que par quelques-
115 uns. C'est aux époques non libérales[43] que l'esprit libre atteint à la plus haute vertu.

23 novembre. J'achève de relire Werther,[44] non sans irritation. J'avais oublié qu'il mettait tant de temps à mourir. Cela n'en finit pas, et l'on voudrait enfin le pousser par les épaules. A quatre ou
120 cinq reprises, ce que l'on espérait son dernier soupir est suivi d'un autre plus ultime encore. . . . Les départs frangés[45] m'exaspèrent.

Puis, pour mon repos d'esprit et ma récompense (car je ne lis l'allemand qu'avec effort et peine), je quitte l'allemand pour l'anglais.[46] Chaque fois que je me replonge dans la littérature
125 anglaise, c'est avec délices. Quelle diversité! Quelle abondance. C'est celle dont la disparition appauvrirait le plus l'humanité.[47]

Seul l'art m'agrée, parti de l'inquiétude, qui tende[48] à la sérénité.

6 mai 1941. «La France . . ., La France seule», disent-ils. Hélas! je doute qu'il y ait en elle de quoi remonter la sinistre pente.[49] En
130 sa jeunesse, peut-être; mais elle est par trop divisée. L'état de délabrement où nous sommes, et que notre défaite a si tristement révélé, m'affecte bien plus encore que la défaite même. Oui, je

[43] **non libérales,** Gide obviously is attempting to console himself here with the thought that political tyranny—such as that of the Greek despots, the Roman emperors, the Italian despots of the Renaissance, or Louis XIV of France—may instead of killing art, give it rules and discipline while leaving the great artist his full intellectual liberty, but a responsible liberty.

[44] **Werther,** the youthful novel of Goethe, THE SORROWS OF YOUNG WERTHER (1774) was of great influence on early European romanticism; the hero commits suicide after a disappointment in love. Listeners to Wagnerian opera will perhaps sympathize with Gide's comments on the Germanic passion for long-drawn-out agony.

[45] **frangés** (lit., *fringed*), *drawn out* as distinguished from clear-cut or concise.

[46] **anglais,** Gide maintained throughout his life an affectionate intimacy with literature in the English language. His JOURNAL for 1939-42 contains many references to contemporary American writers also.

[47] **C'est celle . . . humanité,** *It is the literature whose loss (disappearance) would be the most tragic to humanity.*

[48] **Seul . . . tende=Le seul art qui me plaît, c'est celui qui, parti . . . tende. . . .** The context suggests that he finds these values in English literature.

[49] **la sinistre pente,** *the forbidding uphill climb* (to former greatness).

doute que, seuls, nous soyons capables de nous en relever, le jour où nous serait rendue par l'Angleterre cette «Liberté, liberté
135 chérie»[50] dont nous ne ferons que de l'indiscipline. Même je vais jusqu'à croire préférable pour un temps la sujétion allemande, avec ses pénibles humiliations, moins préjudiciable pour nous, moins dégradante que la discipline que nous propose aujourd'hui Vichy.[51]

Il ne peut y avoir de[52] honte à être vaincu par un adversaire plus
140 robuste et préparé de si longue main[53] à la lutte; mais bien honte à se rétablir (à chercher à)[54] sur des positions si misérablement repliées.[55] La collaboration avec l'Allemagne, me paraîtrait acceptable, souhaitable même, si j'étais sûr qu'elle fût honnête. Mais de l'honnêteté du contractant,[56] le mieux est sans doute de ne paraître
145 point douter. J'ai toujours cru et dit que nos deux peuples étaient beaucoup moins opposés que complémentaires et la faiblesse du Traité de Versailles est de ne l'avoir pas déjà compris. Il est vrai qu'en ces temps il n'était pas question de hitlérisme; mais c'est précisément pourquoi il eût fallu en profiter.[57] Au lieu de prévenir
150 le hitlérisme, nous avons fait en sorte de le rendre nécessaire au relèvement de l'Allemagne que nous prenions à tâche d'humilier, de mortifier. Nous pouvons reprocher à Hitler les moyens de relèvement qu'il emploie, nous indigner de ses procédés sommaires, cruels, iniques . . . Mais sans eux eût-il[58] pu obtenir les stupéfiants

[50] **Liberté, liberté chérie,** from the second stanza of the Marseillaise.

[51] **Vichy,** from 1 July 1940 was seat of the provisional government under Marshall Pétain, with Pierre Laval as *premier ministre.* The Pétain government undertook extensive changes and tried to impose the slogan **Travail, Famille, Patrie,** to replace the revolutionary **Liberté, Égalité, Fraternité.** Gide in this passage expresses the feeling that the Pétain regime could never take root in the French character, which would do better to remain as it is and seek progress for a time through collaboration with the Germans.

[52] **Il ne peut y avoir de,** *There can be no.*

[53] **de si longue main,** *so long beforehand.*

[54] **à chercher à=ou, du moins, à chercher à se rétablir.**

[55] **repliées,** *weak, pushed back.* (**Se replier sur des positions établies,** *Retire to "previously established" positions,* in reporting a military retreat.)

[56] **contractant,** *contracting party,* i.e., Hitler's Germany. This extract shows Gide's thought at the lowest point of despair under the abnormal conditions of defeat and occupation: this despair takes the less obvious form of parroting some of the catchphrases of German propaganda relative to the treaty of Versailles which ended the war of 1914–1918 and attempted to exact some reparation from Germany for the incalculable damage it had inflicted on France, its industry and its life.

[57] **il eût fallu en profiter,** *we should have profited by it* (presumably, by the differences of character which should make France and Germany complementary to each other, each furnishing qualities the other lacks).

[58] **eût-il=aurait-il.**

155 résultats qui le rendent maître de la situation actuelle? Nous sommes maintenant à la merci d'une puissance qui ne connaît pas de merci. Et rien ne me paraît plus vain qu'une révolte impuissante.

Le «Ecrase-moi, sinon jamais je ne ploierai» de Qaïn,[59] n'est pas mon fait.[60] J'estime que mieux vaut alors filer doux.[61] Je ne
160 parlerais sans doute pas ainsi, si je ne croyais toutes les valeurs auxquelles je tiens, parfaitement inaliénables; si je ne savais que la force ne peut rien contre elles. Et sans doute le régime[62] que je préfère sera-t-il celui qui les mettra le plus en honneur[63] (je ne dis certes pas: qui leur rendra le plus d'honneurs) mais je tiens que ce
165 serait les avilir que de les mettre au service d'un régime, quel qu'il puisse être. Je tiens aussi qu'il n'est pas[64] de régime où le culte de ces valeurs ne puisse[65] restituer à l'homme sa dignité, ni de cause si belle qu'elle vaille que l'homme y asservisse[66] la liberté de sa pensée (et dignité c'est même chose).

170 **8 mai.** Tout ce que j'écrivais plus haut, je préférerais qu'il y eût péril à le penser. Une opinion commence à me gêner dès que j'y puis trouver avantage.[67] Le jugement trouve sa liberté bien plus gravement compromise lorsque les circonstances le favorisent que lorsqu'elles le contrecarrent, et l'on doute de son impartialité bien
175 moins dans la résistance que dans l'acquiescement.

10 mai. Si les Anglais parviennent à bouter les Allemands hors de France un parti se formera dans notre pays pour regimber contre

[59] **Qaïn,** the biblical *Cain* was made a symbol of human progress in the struggle against religious dogma, by the 19th century poet Leconte de Lisle. The poet's "**Qaïn**" is quoted as addressing Jehovah, in the spirit of the Greek Prometheus in Shelley's poem PROMETHEUS UNBOUND, or of Byron's CAIN.

[60] **n'est pas mon fait,** *isn't my dish, is not what I care for.*

[61] **filer doux,** *proceed with caution, go easy.*

[62] **régime,** (*form of*) *government.*

[63] **mettra le plus en honneur,** *will honor the most highly,* as distinguished from **rendre honneurs** in the next place which, by the use of the plural, indicated *conferring prizes and awards* such as the Nobel prize.

[64] **il n'est pas=il n'y a pas.**

[65] **ne puisse=ne serait pas capable de.**

[66] **y asservisse,** *should enslave to it* (to any cause).

[67] **avantage,** a truth or virtue placidly enjoyed without having to fight for it, is unattractive to Gide. This seems to lead him here to a preference for a political system which attempts to restrict the freedom of the mind. Compare the entry under 28 Sept. 1940, and the following one for 10 May (1941).

cette délivrance, pour trouver que la domination précédente avait du bon,[68] qui du moins imposait un ordre, et la préférer au dé-
180 sordre de la liberté. Une liberté pour laquelle nous ne sommes pas mûrs et que nous ne méritons pas. La liberté n'est belle que pour permettre l'exercice de vertus qu'il importerait d'abord d'acquérir. Que me sera-t-il laissé de temps pour[69] souffrir de cette époque de turbulence? Vivrai-je encore assez pour voir, au delà de
185 la confusion, poindre l'aube et pour ne pas mourir désespéré?

11 mai. Puis non! Le désespoir n'est pas du tout mon affaire.[70] Mais plus que jamais je dépends du temps, des courants, de l'entourage, des circonstances. Quand j'étais jeune, il me semblait que mon âme pouvait se dégager plus aisément de l'ambiance. Je
190 n'avais pas encore compris combien, que nous le voulions et sachions ou non,[71] chacun de nous fait partie de l'ensemble, a partie liée,[72] reste, fût-ce à son insu,[73] dépendant. Mais aujourd'hui, plus moyen de l'ignorer;[74] les événements ont pris une telle importance! On ne peut plus en désolidariser sa pensée. On reste engoncé jusqu'au
195 coeur et souffrant avec ceux qui souffrent.

5 juillet. Fier d'être Français . . . La France, hélas! depuis des mois, des années, ne nous a guère donné motifs d'être fiers. Par moments on la reconnaît si peu, la France, que c'est à douter si d'abord on ne s'était pas trompé sur elle. Ses qualités, ses vertus les
200 plus belles, les plus rares, elle semble avoir pris à tâche de les renier l'une après l'autre, ou de s'en dessaisir comme d'articles de luxe inserviables ou comme des propriétés qui, par temps de besoin, coûtent trop cher à entretenir. La France que voici[75] n'est plus la France. Où sont ces qualités, ces vertus, qui me faisaient aimer ma

[68] **du bon,** *something good in it.*

[69] **que me . . . pour,** *How long shall I remain alive to.*

[70] **n'est pas du tout mon affaire,** *doesn't suit me at all.*

[71] **que nous . . . ou non,** *whether or not we wanted or realized it.*

[72] **a partie liée,** *is jointly responsible* (**engagé** or *committed* to one's role in the social order, as the existentialist philosophy phrases it). The following **reste** is a verb, continuing the construction of **chacun . . . fait.**

[73] **fût-ce à son insu = même sans le savoir (sans s'en rendre compte).**

[74] **plus moyen de l'ignorer,** *it is no longer possible to overlook (remain ignorant of) this truth.*

[75] **La France que voici,** *This France (of which I speak)*—to which Gide adds in a note of his own: **Il s'agit, parbleu, de celle de Vichy.**

205 patrie? Si la figure qu'elle fait aujourd'hui dans le monde est son visage véritable, je la renie.

Hélas! ne peut-on penser que ceux qui la représentaient le mieux, notre France, sont ceux précisément qui moururent dans l'autre guerre.[76] C'est par le sacrifice des meilleurs que nous nous trouvons 210 aujourd'hui le plus atrocement appauvris. Si ces vaillants d'hier vivaient, ils ne laisseraient pas s'enfoncer, s'avilir et se déprécier la France; et l'on parlerait moins de l'*honneur,* parce que l'on ne l'aurait pas perdu.

EXPRESSIONS FOR STUDY

1. Du train dont on va, il n'y aura bientôt plus grand monde pour en sentir le besoin. **2.** Il n'y aura plus grand monde pour s'apercevoir qu'on ne la comprend plus. **3.** Une bombe peut avoir raison d'un musée. **4.** Il n'est pas d'acropole que le flot de barbarie ne puisse atteindre, pas d'arche qu'il ne vienne à bout d'engloutir. **5.** C'est sur toute la ligne, du haut en bas que je me trompais. **6.** C'était bien moi qui trahissais en apportant ici un coeur, dont on n'avait que faire, et des considérants dont on prétendait se passer. **7.** De sorte que, pas plus avec les uns qu'avec les autres, je ne pouvais et ne voulais pactiser. **8.** Si Friedrich ou Wolfgang se fait tuer, Hermann ou Ludwig feront aussi bien l'affaire. **9.** A vrai dire, c'est à travers les restrictions qu'elle entraîne, et par cela seulement, ou presque, que le grand nombre sera touché par la défaite. **10.** On leur dira qu'en Allemagne il en va de même. **11.** Hélas! je doute qu'il y ait en elle de quoi remonter la sinistre pente. **12.** L'état de délabrement où nous sommes m'affecte bien plus encore que la défaite même. **13.** J'estime que mieux vaut alors filer doux. **14.** Je tiens que ce serait les avilir que de les mettre au service d'un régime, quel qu'il puisse être. **15.** Une opinion commence à me gêner dès que j'y puis trouver avantage. **16.** Je n'avais pas encore compris combien, que nous le voulions et sachions ou non, chacun de nous fait partie de l'ensemble, a partie liée. **17.** C'est par le sacrifice des meilleurs que nous nous trouvons aujourd'hui le plus atrocement appauvris.

QUESTIONNAIRE

Le professeur demandera à chaque élève de citer une phrase, une opinion, un passage du *Journal* et d'en faire la critique.

[76] **l'autre guerre**=**la première guerre mondiale** or **guerre de '14** (1914-1918).

GLOSSARY OF AUTHORS REPRESENTED

The birthplace is indicated after date of birth; if no other date is given, author is still living. Representative works are mentioned, with date of first publication; those which have furnished passages for the present book are preceded by an asterisk.

1. **Aymé, Marcel,** novelist and conteur, 1902 Joigny—. Best known for tales which push the fantastic to new limits of comic absurdity, such as **Le Passe-muraille* (in the volume by that name, 1945), Aymé has also written tales and novels remarkable for their robust and earthy realism; a true heir to the fantastic humorist Rabelais, Aymé may well prove to be the greatest master of the short story now writing in French. Other works: *Uranus* (novel) 1948, *Le Nain* (short stories) 1934, *Lucienne et le boucher* (comedy) 1948.

2. **Balzac, Honoré de,** novelist, 1799 Tours—1850. By the vigor and originality of his creative imagination, the boldness and fertility of invention with which he made the novel a means of portraying the whole society of his time, he is the father of the modern novel. Most of his fiction is grouped under the general heading of **La Comédie humaine,* from 1842. Among his chief novels are *Eugénie Grandet* 1833, *Le Père Goriot* 1834, *La Cousine Bette* 1846, *Le Curé de Village* 1846.

3. **Baudelaire, Charles,** poet, 1821 Paris—1867. As a poet, Baudelaire rejected Romantic sentimentality but not the Romantic cult of passion. He tried to face with the bitterest kind of sincerity the futility of modern big-city life and his own weakness of character, and made them the themes of his poetry (*Les Fleurs du mal,* 1857), still a model and an inspiration to writers of many countries. His prose includes translations of Edgar Allan Poe, remarkable essays in art criticism, and **Petits poèmes en prose* 1868, the latter having previously appeared in various periodicals.

4. **Bombard, Dr. Alain,** physician, 1926 Paris—. Educated at the Lycée Henri IV and the Faculté de Médecine, in Paris, physician at Boulogne-sur-mer and now at Amiens. His experiment in survival on the sea is recorded in two works, **Naufragé volontaire* 1953 and *Rapport Technique sur une Expérience de Survie en Mer.*

5. **Colette,** pen name of Gabrielle Sidonie Colette Gauthier-Villars de Jouvenel Goudeket, novelist, 1873 Saint-Sauveur (Bourgogne)—1954. Colette occupies a unique place in twentieth century French letters, as the

most successful and completely feminine among women writers. Her first works, depicting an adolescent heroine, Claudine, were written in collaboration with her first husband, Henri de Gauthier-Villars. Her real literary career begins with her first independent work, *La Vagabonde* (1911). Her love of the physical world and its impressions, which has a peasant vigor and directness, has been associated with her Burgundian origin (which she shares with Marcel Aymé, *q.v.*) For several years before her death she was President of the Goncourt Academy. *Chéri* 1920, *La Fin de Chéri* 1926, *La Chatte* 1933, **La Femme cachée* 1924.

6. **Cousteau, Jacques-Yves,** naval officer, inventor and film producer, St. André de Cubzac (near Bordeaux) 1910—. His interest in underseas exploration led him to work on a device to facilitate skin diving, and made him co-inventor of the aqualung. From his explorations with this device he produced submarine movies, *Par 18 mètres de fond* 1942, *Épaves* 1945 and *Le Monde du Silence* 1955, winning film awards at festivals of Venice, Cannes, Nice and Paris. He has travelled and lectured widely in the United States, where he spent some time at school as a boy, and published his principal work, *The Silent World,* in English in 1953 before bringing out the* French edition; it was quickly translated into German, Italian, Norwegian, Swedish, Dutch, Danish, Finnish, Spanish, Brazilian, Portuguese, Japanese and Turkish, and chosen in this country by the Book of the Month club (alternate choice) and by the Reader's Digest club. Capt. Cousteau was active in the French underground during the war. He works and writes in collaboration with a fellow-officer, Frédéric Dumas. Other published works: *La Plongée en scaphandre* 1940, *Par 18 mètres de fond* 1946.

7. **Daudet, Alphonse,** novelist, 1840 Nîmes (Provence)—1896. In early works the poet of his native Provence which he satirized in *Tartarin de Tarascon* 1872 and *Numa Roumestan* 1880, he wrote many realistic novels as an associate of Zola and Maupassant in the Naturalist group. One of the most charming of conteurs in **Lettres de mon moulin* 1869, *Contes du lundi* 1873; novels include *Jack* 1876, *Le Nabab* 1877, *Sapho* 1884.

8. **Gide, André,** man of letters, 1869 Paris—1951, one of the subtlest and most enigmatic minds of modern France, over whose literature he exercised for some decades a virtual dominance, both by his personal prestige and by the influence of the *Nouvelle Revue Française,* which he founded. He preached an emancipation of the individual, justifying on the moral level the greatest abnormalities, while practicing in his writing a severely classical discipline. Besides important works of fiction (*La Porte étroite,* 1909, *La Symphonie pastorale,* 1919, *Les Faux-monnayeurs,* 1925) he made translations from the English of Blake, Conrad, Shakespeare, Whitman, *et al.* and kept an extremely important **Journal,* reflecting all the artistic and intellectual currents of his age.

9. **Herzog, Maurice,** business executive and amateur mountain-climber, 1919, Lyon—. One of a family of eight brothers and sisters, all enthusiastic mountaineers, he spent his summers in Chamonix at the foot of Mont Blanc, birthplace of his father. Served during World War II in field artillery, then in the select *Chasseurs Alpins*; won *Croix de guerre*; executive in the Kléber-Colombes company, French affiliate of an American rubber company. Vice-president of Club Alpin. Besides having written **Annapurna premier 8.000* 1952, he has edited a photo-documentary work, *La Montagne* 1956.

10. **Joubert, Joseph,** educator and moralist, 1754 Montignac—1824. A quiet and domestic soul, his exquisite taste and perfectionist temperament sterilized any creative urge he might have had, and he would have died unknown except for the efforts of his intimate friend Chateaubriand in publishing posthumously, in 1842, his *Pensées et correspondance*. It is now recognized that his taste, tact, and judgment, and his sincerely Christian philosophy, had the greatest influence in forming the mind of Chateaubriand. Through their mutual friend, Fontanes, *grand-maître de l'Université,* Joubert became *inspecteur général* in the new University established by the *Convention Nationale* (1792-95) and effectively set up by Napoleon I.

11. **Lemaître, Jules,** critic and man of letters, 1853 Vennecy—1914. During his lifetime known chiefly as a man of the theatre by his plays and *Impressions de théâtre* (10 vol., 1888-98), secondarily as an "impressionist" critic who defended with wit and impeccable style the traditional values of classicism; he continues to be remembered also for his skill as a conteur, especially for the volume **Myrrha* 1894.

12. **Maupassant, Guy de,** novelist, 1850, château de Miromesnil (Normandie)—1893 (in a madhouse). A godson and protégé of the great novelist Flaubert, who gave him a priceless literary discipline, Maupassant remains an outstanding master of realism in the *conte*. Besides some twenty volumes of short stories he wrote important novels, *Une Vie* 1883, *Pierre et Jean* 1888, *Fort comme la mort* 1889.

13. **Maurois, André** (Émile Herzog), man of letters, 1885, Elbeuf (Normandie)—. Beginning as a textile manufacturer in the steps of his father, he took to writing with *Les Silences du colonel Bramble* 1918, based on his experiences as an interpreter with the British army. His *Ariel ou la vie de Shelley* 1923, started the vogue of modern interpretive biography told in fictional style. Has won equal acclaim for his works of biography or history and his fiction. *Histoire des Etats-Unis* 1944, **La Machine à lire les pensées* 1938, important biographies of V. Hugo, Chateaubriand, George Sand, etc.

14. **Proust, Marcel,** novelist, 1871 Paris—1922. At his death in 1922, after years of invalidism, Proust was still working on his immense cycle of novels,

**A la Recherche du temps perdu,* the last volumes of which were prepared for publication by his literary executors. In seven parts and eighteen volumes, it has given Proust a position as one of the most original novelists of the century.

15. **Roy, Gabrielle,** pen name of Mme Gabrielle Carbotte, wife of a physician; novelist, 1909 St. Boniface (suburb of Winnipeg, Manitoba)—. One of the creators of the important new school of realism in French Canadian fiction, and the one whose works have won the most general acclaim in France. **Bonheur d'occasion* 1947 (Prix Fémina), (Translated as *The Tin Flute*); *Alexandre Chenevert, caissier,* 1954 (translated by Harry Lorin Binsse as *The Cashier*); *Rue Deschambaux,* 1955.

16. **Saint Exupéry, Antoine de,** aviator and writer, 1900, Lyons, disappeared on a flight mission for the Allies on July 31, 1944. "Saint-Ex," a distinguished flyer, was the first to make real literature out of aviation. His works, all well known in English, include *Vol de nuit* (*Night Flight*), 1931, *Terre des hommes* (*Wind, Sand and Stars*), 1939, *Pilote de guerre* (*Flight to Arras*), 1942, *Le Petit Prince,* 1943, and **Lettre à un otage,* 1944.

17. **Supervielle, Jules,** poet and writer, 1884 Montevideo (Uruguay)—, of a family originating in the French Pyrenees. The term "surrealism," which is sometimes used to designate a methodic sort of irrationality, might be applied to the whimsical style of Supervielle, product of a subtle poetic fancy rather than of a deliberate will to mystify. Besides important collections of poems, of which the best known is *La Fable du monde,* 1938, he has published works of fiction such as *L'Homme de la Pampa,* 1923 and **L'Arche de Noé,* 1938.

18. **Vallery-Radot, René,** 1853-1933, scientist and writer, of a distinguished Burgundian family. An associate of Pasteur's researches, he became his son-in-law, and published the first version of his world-famous biography in 1884 as *Louis Pasteur: la vie d'un savant, par un ignorant.* After the death of the scientist in 1895, he brought out the definitive biography* *La Vie de Pasteur* 1900. His son, Pasteur Vallery-Radot, (born in 1886) has also written extensively along scientific lines, and produced a shorter biographical study of his grand-father.

19. **Vauvenargues, Luc de Clapiers, marquis de,** moralist, 1715, Aix-en-Provence—1747. One of the few French writers to risk crossing lances with the formidable duc de la Rouchefoucauld, (1613-1680) whose *Maximes* are intended to show that self-interest underlies even our most apparently noble or idealistic actions, Vauvenargues in his own **Maximes* 1746 expressed a more humanitarian view of human nature. Little known or read in the eighteenth century, their reputation dates from the early years of the Romantic period.

20. **Vigny, comte Alfred de,** poet, dramatist, and novelist, 1797 Loches (Touraine)—1863, of cancer. The poet of stoic courage, Vigny is the noblest and most profound writer of the Romantic school. Disappointed in all his ambitions, he never achieved in his lifetime the recognition due him. His ambitions and disappointments as a soldier are expressed in the volume of tales **Servitude et grandeur militaires,* 1835. *Poèmes,* 1822; *Les Destinées,* 1864; *Journal d'un poète,* 1867.

21. **Voltaire,** pen-name of **François-Marie Arouet,** man of letters, 1694 Paris—1778. The greatest writer of the eighteenth century, Voltaire incarnated all its weaknesses and superficiality as well as giving definitive expression to its wit, its classical taste, its cult of progress, its pioneering in every field of thought. To his contemporaries first of all a dramatist, in his last years a propagandist, he lives today as a man in the twenty huge volumes of his *Correspondance,* and as an imaginative writer in a few *romans philosophiques,* one of the best of which is **Vision de Babouc, ou Le Monde comme il va,* 1746.

22. **Zola, Emile,** novelist, 1840 Paris—1902. Invoking Claude Bernard's discoveries in experimental physiology, and the theories of heredity and environment popularized by Darwin, Zola claimed to base his novels on documented scientific method, and to use them as a vehicle for the transformation of society. As literature, his work lives largely by the popular appeal of his vast imagination; his reputation in France is due in part to his prestige as a spokesman for revolutionary socialism in the early days of the Third Republic, and to his generous intervention in the celebrated Dreyfus case. Of his pseudo-scientific cycle, *Les Rougon-Macquart,* 1871-93, the best is *Germinal* 1885, a study of the coal mines.

VOCABULARY

Words not listed include the articles and commonest pronoun forms, most proper names, words of common use almost identical in form and meaning to the English equivalent, and a few very common words whose meaning or use should occasion no difficulty to the student.

Irregular verb forms are listed simply by their stems, which may be identical with the past participles. Unless the verb is indicated as **v. ir.** (irregular), it is conjugated regularly. Students not yet familiar with the forms and uses of the **passé simple** (preterite) and the imperfect subjunctive must study these forms in order to read this or any other book in standard French.

Modifiers and connectives used only as such are translated without any indication of part of speech. Many words are used with more than one function. Substantives used only in one gender are listed as **m.** or **f.** The indication **n.** is for nouns that can be of either gender or used also as adjectives.

ABBREVIATIONS

*does not admit elision (such as ***onze,** or words with aspirate **h** like *** héros**).

adj. used adjectivally.
adv., used adverbially.
f., feminine substantive.
fut., future.
indic., indicative.
interj., interjection.
ir., irregular.
m., masculine substantive.
n., noun or adjective, common gender.
p. p., past participle.
pl., plural.
pres., present
subj., subjunctive.
v. ir., irregular verb.
——— repeats word defined.

à, to, at, with, for, by, in, according to; ——— **peu près,** almost, nearly.
abaisser, to lower.
abandon, *m.,* abandon, abandonment.
abandonné, relaxed
abandonner, to abandon, to leave, to give up.
abâtardir, to debase.
abattement, *f.,* dejection.
abattre, *v. ir.,* to bring down; **s'**——— to swoop down.
abbé, *m.* priest, Reverend Father, abbot.
abeille, *f.,* bee.
abesse, *f.,* abbess.
abîme, *m.,* abyss, bottomless pit.
abîmer, to sink, to ruin; **s'**——— to sink, to bury oneself.
abnégation, *f.,* abnegation, self-denial.

abolir, to abolish, to eliminate.
abonder, to abound.
abord, *m.,* approach; **dès l'——,** right off.
aborder, to approach.
aboutir, to end.
abri, *m.,* shelter; **à l'——,** sheltered; **mettre à l'——,** to shelter.
abriter, to shelter.
absoudre, *v. ir.,* to absolve.
abstenu, *p. p. of* **abstenir,** to abstain, to be absent.
abstien-, *irr. stem of* **abstenir,** to abstain.
abstrait, abstract, theoretical.
abuser, to abuse, to deceive.
accabler, to overwhelm.
accentuer, to accentuate.
accès, *m.,* outburst, attack.
acclamation, *f.,* acclaim.
acclimater, to acclimatize.
accomplir, to accomplish.
accomplissement, *m.,* accomplishment.
accord, *m.,* agreement; **être d'——,** to agree.
accorder, to grant, to be in harmony with
accoster, to go (come) alongside.
accoucher, to give birth, to have a baby.
accouder, s'——, to lean on one's elbows.
accourir, *v. ir.,* to run up, to hasten up, to hasten.
accouru-, *p. p. and ir. stem of* **accourir.**
accoutumer, to accustom.
accrocher, to cling, to hang up, to hook.
accroire, en faire —— à, to impose upon.
accru-, *ir. stem of* **accroître,** to increase.
accueil, *m.,* reception.
accueillir, *v. ir.,* to greet, to welcome.
acculer, to corner.
acéré, sharp.
acharné, persistent.
acharnement, *m.,* slaughter.
acharner, to struggle.
achat, *m.,* purchase.
acheminer, s'——, to proceed, to make one's way.
acheter, to buy.
achever, to finish, to complete.
acier, *m.,* steel; **—— trempé,** tempered steel.
acquérir, *v. ir.,* to acquire.
acquier-, *ir. stem of* **acquérir.**
acquiescement, *m.,* acquiescence, consent.
acquis, *p. p. of* **acquérir; vitesse ——e,** momentum.
acropole, *f.,* acropolis, citadel.
activer, to activate, to arouse.
actuel, le, present.
actuellement, now, at present, at this moment.
adieu, farewell.
adjoindre, *v. ir.,* to join.
adjoint, united, joined.
admettre, *v. ir.,* to admit.
admirer, to admire, to be amazed.
admis., *p. p. and ir. stem of* **admettre.**
adonner, to devote.
adossé, backed, leaning.
adosser, to lean.
adoucir, to soften, to sweeten.
adresse, *f.,* skill, address.
adverse, adverse, opposite.
advien-, *irreg. stem of* **advenir,** to happen.
aération, *f.,* ventilation.
aérien, airy, aerial.
affaiblir, to weaken.

affaire, business, affair; **faire l'——,** to do the job; **avoir —— à,** to deal with; **se tirer d'——,** to get along, to get out of difficulty.
affairer, to busy.
affaissement, *m.,* sinking, weakening.
affaisser, to sink.
affamé, starving.
affecter, to assign, to affect, to reserve.
affectif, emotional.
affection, *f.,* affection, disease.
affectionner, s'—— à, to take a liking to.
affectueux, -se, affectionate.
affermi, certain.
afficher, to post.
affligé, *n.,* afflicted.
affliger, to afflict.
affluer, to crowd.
affoler, to drive mad (crazy); **s'——,** to be driven mad.
affranchir, to free, to set free.
affreux, -se, terrible, awful, frightening.
affronter, to confront.
afin de, in order to; **afin que,** in order that.
agaçant, annoying.
âge, *m.,* age; **dans la force de l'——,** in his prime.
âge, aged,
agenouiller, s'——, to kneel.
aggraver, to weigh down, to aggravate.
agir, to act; **s'——de,** to be a question of.
agitation, *f.,* disturbance, agitation, concern.
agiter, to shake, to disturb, to wave, to move; **s'——,** to stir, to move about, to thrash around.
agneau, *m.,* lamb.
agonie, *f.,* agony, intense suffering.
agrafer, to fasten, to hook.
agrandir, to aggrandize, to enlarge.
agréer, to accept, to please.
agrément, *m.,* charm.
agriculteur, *m.,* farmer.
ahurissant, amazing, bewildering.
ai- *ir. stem of* **avoir.**
aide, *n.,* aid; **—— de camp,** aide de camp.
aigle, *m.,* eagle; *f.,* standard.
aigre, shrill.
aigreur, *f.,* bitterness.
aigu, aiguë, pointed, sharp, keen.
aiguille [ɛgyi:j], *f.,* needle, hand (*of watch*).
aiguillonner [ɛgyijɔne], to sharpen.
aile, *f.,* wing.
aileron, *m.,* fin, aileron.
aill- [a:j], *ir. stem of* **aller.**
ailleurs, elsewhere, **d'——,** besides, anyhow.
aimable, kind, lovable, amiable.
aimant, affectionate.
aimantation, *f.,* magnetization.
aimer, to love, to like; **—— mieux,** to prefer.
aîné(e), elder, eldest.
ainsi, thus, so; **—— que,** just as, as well as.
air, *m.,* air, manner.
aisance, *f.,* ease.
aise, *f.,* ease, leisure; **à l'——,** at leisure, glad; **à ton ——,** as you wish, take your time.
aisé, easy, well-off.
ait [ɛ], *3 p. sing. pr. subj. of* **avoir.**
ajouter, to add, to attribute, to give.
ajuster, to adjust, to aim at.
alambic [alɑ̃bik], *m.,* still.
alangui, langorous.
alerte, *n.,* alert, alarm.
aliment, *m.,* food.
alimentation, *f.,* feeding.

alizé, *m.,* trade wind.
allée, *f.,* path, pathway, road.
alléger, to lighten.
allégresse, *f.,* joy.
alléguer, to allege.
Allemagne, *f.,* Germany.
allemand, German.
aller, *v. ir.,* to go; **s'en ———,** to go away, to go along, to leave;——— **en morceaux,** to fall apart;——— **bien,** to be well; ——— **de l'avant,** to go forward.
allez, *interj.,* I tell you, *etc.*
allié(e), *n.,* ally.
allocution, *f.,* speech.
allonger, to lengthen.
allons, *interj.,* come now, come on, really now, *etc.*
allumer, to light.
allure, *f.,* behavior, action, speed, attitude; **vive ———,** good speed.
alors, then; ——— **que,** whereas, when, while.
alouette, *f.,* lark.
alourdir, to weigh down.
Alsacien, Alsatian.
altérer, to alter, to change.
alterner, to alternate.
Altesse, *f.,* Highness.
altier, proud, haughty.
amabilité, *f.,* amiability.
amandier, *f.,* almond wood.
amant, *m.,* lover.
amarre, *f.,* line, cable, mooring, hawser.
amarrer, to tie, to moor.
amas, *m.,* heap.
ambiance, *f.,* surroundings, atmosphere.
ambiant, surrounding.
ambulant, on foot, ambulating.
âme, *f.,* soul, mind.
aménagement, *m.,* fitting, set-up, arrangement.
aménager, to outfit.
amener, to lead, to bring about, to bring, to lead to.
amer, amère, bitter.
amertume, *f.,* bitterness.
ami, -e, *n.,* friend, friendly.
amitié, *f.,* friendship, liking, affection.
Amirauté, *f.,* Admiralty.
amnistie, *f.,* amnesty; —— **plénière,** plenary (full) pardon.
amollir, to soften.
amonceler, to pile up.
amorcer, to begin, to kindle.
amour, *m.,* love; —— **propre,** pride.
amoureux, -se, *n.,* lover, in love.
ampliation, *f.,* duplicate.
ampoule, *f.,* blister.
an, *m.,* year; **jour de l'———,** New Year's day.
analogue, similar, analogous.
ancient, -ne, old, former.
ancre, *f.,* anchor.
andalou, *m.,* Andalusian horse.
andante, *m.,* andante, slow movement.
âne, *m.,* donkey.
anéantir, to annihilate, to crush.
anévrisme, *m.,* aneurism (*disease of the blood vessels.*)
ange, *m.,* angel.
anglais, -e, English.
angle, *m.,* corner, angle.
angoisse, *f.,* anguish.
angoisser, to frighten.
anguleux, angular.
animer, to animate, to bring to (one's senses).
ânier, *m.,* donkey driver.
animal, -aux, *n.,* animal(s).
animer, to animate.
anormal, abnormal.
anneau, *m.,* ring.

année, *f.,* year.
annoncer, to announce.
annoter, to annotate.
annulaire, *m.,* ring finger.
antédiluvien, antediluvian, existing before the Flood.
antenne, *f.,* antenna.
antérieur, anterior, front, previous, frontal.
Antilles, *f. pl.,* West Indies.
antipodes, *m., pl.,* Antipodes, South Pole.
antiquaire, *m.,* antique shop.
antique, ancient, antique.
antirabique, antirabic.
antre, *m.,* cave, cavern.
août [u] *or* [ut], *m.,* August.
apaisant, calming.
apaisement, *m.,* appeasement.
apaiser, to appease, to calm, to die down.
apanage, *m.,* attribute, appanage.
aparté, en ———, in an aside.
apathique, apathetic.
apercevoir, *v. ir.,* to see; **s'——— de,** to perceive, to notice.
apercevr-, *fut. stem of* **apercevoir.**
aperçoi-, *ir. stem of* **apercevoir,**
aperçu-, *p. p. and ir. stem of* **apercevoir.**
apéritif, -ve, aperitive, appetizing.
aplanir, to level.
aplomb, *m.,* nerve, cheek.
apologie, *f.,* reasoning, defense.
apostrophe, *f.,* apostrophe, brusk discourse.
apothéose, *f.,* glorification, apotheosis.
apparaiss-, *ir. stem of* **apparaître.**
apparaître, *v. ir.,* to appear.
appareil, *m.,* apparatus, mechanism.
apparemment, apparently.
apparence, *f.,* appearance.
apparition, *f.,* (sudden) appearance, something ethereal, apparition.
appartenir, *v. ir.,* to belong.
appartien-, *ir. stem of* **appartenir.**
appartiendr, *fut. stem of* **appartenir.**
apparu-, *p. p. and ir. stem of* **apparaître.**
appât, *m.,* bait.
appauvrir, to impoverish.
appel, *m.,* call, note, appeal.
appeler, to call (for), to ask for; **s'———,** to be named.
appendice, *m.,* appendage.
application, *f.,* care, application.
appliquer, to apply.
apporter, to bring.
apprendre, *v. ir.,* to learn, to teach, to inform.
apprenti, -e, *n.,* apprentice.
apprentissage, *m.,* apprenticeship.
apprêt, *m.,* preparation.
apprêter, to get ready.
appri-, *ir. stem of* **apprendre.**
apprivoiser, to tame, to accustom.
approbation, *f.,* approval.
approcher, to bring near, to approach.
approfondir, to investigate, to fathom, to go deeply into.
approvisionner, to supply.
appui, *m.,* support, weight.
appuyer, to lean, to rest, to push.
âpre, sharp, severe.
après, after, afterward; **d'———,** from, according to.
après-midi, *n.,* afternoon.
âpreté, *f.,* sharpness.
arabesque, *f.,* arabesque, interlacing.
arbre, *m.,* tree.
arbitre, *m.,* judge, arbiter.
arbuste, *m.,* bush, shrub.
arc [ark], *m.,* bow, arch; **——— -en-ciel,** rainbow.

arche, *f.*, arch, Ark.
archipel, *m.*, archipelago.
ardemment, ardently.
ardent, ardent, burning.
ardeur, *f.*, ardor, warmth, fire.
arène, *f.*, arena.
arêtes, *f. pl.*, ridge.
argent, *m.*, money, silver.
argenté, silvered, silvery.
argentier, *m.*, treasurer.
argile, *f.*, clay.
argot, *m.*, slang, jumble of words, argot.
arme, *f.*, weapon, arm; ———**s, coat** of arms.
armer, to arm, to provide.
armure, *f.*, armor.
aromate, *m.*, spice, sweet-smelling substance.
arqué, bow-legged, bowed.
arracher, to tear (off), to snatch; ——— **à,** to wring from.
arrestation, *f.*, arrest.
arrêt, *m.*, stop, decision, pause; **marquer un temps d'**———, make a significant pause.
arrêter, to stop, to draw up, to decide upon, to arrest.
arrière, *m.*, rear; **en**———, behind, back; **tribord** ———, starboard quarter.
arriéré, *m.*, arrears.
arrivée, *f.*, arrival.
arriver, to arrive, to happen; **(en)** ——— **à,** to get to the point of, to succeed in.
arroser, to water.
ascendant, *m.*, domination.
ascension, *f.*, aspiration, ascension.
aspect *m.*, sight, aspect.
asperger, to sprinkle.
aspirer, to breathe, to suck in, to aspire.
assaillir, *v. ir.*, to assail.
assassiner, to kill, to assault.
assaut, *m.*, assault.
assentiment, *m.*, assent.
asseoir, *v. ir.*, to seat; **s'**———, to sit down.
asservir, *v. ir.*, to subject.
assey-, *ir. stem of* **asseoir.**
assez, rather, quite, sufficiently; **c'en est** ———, enough of it.
assi-, *ir. stem of* **asseoir.**
assiéger, to besiege.
assiette, *f.*, plate.
assise, *f.*, assize (*court*).
assistance, *f.*, bystander(s), audience.
assistant(s), company, people present.
assister, to assist; ——— **à,** to witness, to attend, to be present at; ——— **en fraude à,** to witness from hiding, to sneak in to watch.
associer, to associate, to share.
assoiffé, *n.*, thirsting, victim of thirst, thirsty.
assombrir, s'———, to become glum.
assommer, to stun, to strike.
assoupissant, sleepy, sleep-inducing.
assoupli, supple.
assuré, certain.
astheur = **à cette heure.**
astre, *m.*, star, planet, sun.
atelier, *m.*, work shop.
athée, *m.*, atheist.
atroce, cruel, atrocious.
attabler, to seat at table.
attachement, *m.*, friendship, attachment.
attaquer, to attack.
attardé, late.
atteign-, *ir. stem of* **atteindre.**
atteindre, *v. ir.*, to hit, to attain, to strike, to catch, to reach.
atteint, *p. p. of* **atteindre.**
atteinte, *f.*, attack, blow.

atteler, to hitch.
attendre, to wait for, to expect; **s'——— à,** to expect; **se faire ——,** to be long in coming; ——— **la suite,** to wait for what is to follow.
attendri, touching, emotional.
attendrir, to move *or* touch (the heart), to weaken; **(s')———,** to be moved, to become tender.
attendrissement, *m.,* compassion, tenderness.
attendu que, considering that.
attente, *f.,* expectation, wait, waiting.
atténuer, to lessen, to attenuate.
atterré, crushed, dumbfounded.
atterrir, to land.
attester, to attest; ——— **de,** to call on.
attirail, *m.,* outfit.
attirer, to draw, to attract.
attrait, *m.,* attraction.
attrister, to grow sad, to make sad.
aube, *f.,* dawn.
aucun, any; **ne . . .** ———, no, none, neither (one).
audace, *f.,* daring, audacity; **prendre de l'———,** to become daring; **payer d'———,** to put up a bold front.
au-delà (de), beyond.
au-dessous [otsu], under, beneath, underneath.
au-dessus [otsy], above.
auditoire, *m.,* audience, public.
augmenter, to increase.
aujourd'hui, today.
aumône, *f.,* alms.
aumônier, *m.,* chaplain.
auparavant, previously, heretofore.
auprès (de), near, with, among.
aur-, *fut. stem of* **avoir.**
auréole, *f.,* halo.
auréoler, to crown with a halo.
au revoir, until we meet again, au revoir.
aussi, also, as, so, consequently.
aussitôt, immediately; ——— **que,** as soon as.
autant, as much, as well, as many, so many; **tout ———,** just as many; **d'——— que,** especially as (since); **en ——— que,** to the degree that; **d'——— plus que,** all the more (so) . . . since.
autel, *m.,* altar; **maître ———,** main altar.
auteur, *m.,* author.
autorisation, *f.,* authorization.
autoriser, to authorize.
autour (de), around.
autre, other, next, last; **l'——— nuit,** last night; **de choses et d'———s,** of one thing or another; **de part et d'———,** on both sides; **de temps à ———,** from time to time; **j'en ai vu bien d'———s,** I have seen much worse.
autrefois, formerly.
autrement, otherwise.
Autriche, *f.,* Austria.
autrichien, -nne, Austrian.
autrui, others.
avaler, to swallow.
avance, d'———, in advance, beforehand.
avancer, to bring forward, to project, to put forward, to advance.
avant, ——— **que,** before; **en ———,** ahead, in front, forward; **aller de l'———,** to go forward.
avantage, *m.,* advantage.
avant-dernier, next to the last.
avant-garde, *f.,* outpost.
avant-hier, day before yesterday.
avant-veille, *f.,* two days ago.
avare, *n.,* miser, miserly, grasping, stingy.

avarié, damaged.
avènement, *m.,* advent.
avenir, *m.,* future.
aventure, *f.,* adventure, chance; **par ——,** by chance; **à l'——,** blindly, at random.
aventurer, to adventure.
avenue, *f.,* wide path.
averse, *f.,* shower.
avertir, to warn, to inform.
aveu, *m.,* confession.
aveugle, *n.,* blind, blind man; **couler en ——,** to come down blindly.
aveugler, to blind.
avide, greedy, avaricious.
avidité, *f.,* greed.
avilir, to debase.
avion, *m.,* airplane.
aviron, *m.,* oar.
avis, *m.,* opinion; **demande d'——,** request for information.
avisé, clever.
aviser, to notice; **s'—— de,** to consider, to think of.
avivé, shining.
avocat, *m.,* lawyer, attorney.
avoir, *v. ir.,* to have; **—— faim, froid, honte, raison, soif, tort,** to he hungy, cold, ashamed, right, thirsty, wrong; **—— raison de,** to get the better of, to annihilate; **——affaire à,** to deal with; **—— lieu,** to take place; **—— soin de,** to take care of; **—— envie,** to desire; **il a (aura) beau dire,** no matter what he says, it's no use talking, he says in vain; **—— le dernier,** to have the last word.
avorter, to miscarry.
avouable, admissible.
avouer, to admit, to confess.
avril, *m.,* April.
ay-, *ir. stem of* **avoir.**
azur, *n.,* azure, blue.
bagatelle, *f.,* trifle.
bague, *f.,* ring.
baguette, *f.,* wand; (*in architecture*) baguette, fillet, moulding.
bai, bay (*color*).
baigner, se ——, to bathe, to swim.
bail [ba:j], *m.,* lease; **tenir à ——,** to have a lease on, to hold the tax rights to.
bâillement, *m.,* yawn.
bâiller, to yawn, to open (wide), to be (wide) open.
bain, *m.,* bath, swim.
baiser, to kiss; *m.,* kiss, kissing.
baisser, to lower; **se ——,** to stoop.
bal, *m.,* dance, ball.
balai, *m.,* broom.
balancer, to hesitate, to sway, to rock, to wave.
balayer, to sweep.
balbutier [balbysje], to stammer.
balcon, *m.,* balcony.
baleine, *f.,* whale.
baleineau, *m.,* young whale.
baleinier, *m.,* whaler, whale hunter.
baliste, *f.,* trigger-fish.
balle, *f.,* bullet, (foot)ball; **tirer à ——,** to shoot with a rifle.
ballotter, to toss about.
balourd, dull.
balustrade, *f.,* railing, balustrade; **—— de prince,** ornate railing.
banc, *m.,* bench, bank.
bancal, bandy-legged.
bande, *f.,* strip, band.
bandé sous, with a pressure of.
bandelette, *f.,* band.
banissement, *m.,* banishment.
banquette, *f.,* seat.
baptême, *m.,* baptism.
barbare, barbaric.
barbarie, *f.,* barbarity, barbarousness.

barbe, *f.*, beard; **à la ——— de,** in spite of, under the nose of.
baroque, odd, strange, quaint.
barque, *f.*, boat.
barre, *f.*, bar.
barreau, *m.*, bar.
bas, *m.*, stocking.
bas, -se, *n.*, low, lower part, lowered, bottom; **à ——,** down; **en ——,** down below; **vue basse,** poor eyesight; ——— *adv.*, low.
basilique, *f.*, basilica.
bassesse, *f.*, baseness.
bassine, *f.*, pan.
bât, *m.*, pack-saddle.
bataille, *f.*, battle.
bataillon, *m.*, batallion; **chef de ——,** batallion leader = major.
bateau, *m.*, boat, ship.
bâtiment, *m.*, building, boat.
bâtir, to build.
battant, *m.*, wing (*of a door*).
battement, *m.*, wave.
battoir, *m.*, fin.
battre, *v. ir.*, to beat, to tap, to flap; **se ———,** to fight; **——— aux champs,** to beat (sound) the general salute; **——— en retraite,** to beat a retreat; **——— la montagne,** to scour (search) the mountains; **——— des mains,** to clap (hands); **se ——— comme plâtre,** to beat each other black and blue.
baume, *m.*, balm.
bave, *f.*, saliva, slobber.
bazar, *m.*, bazaar, second-hand shop.
béat, blissful.
béatitude, *f.*, blessedness, beatitude.
beau, x, beautiful; **il a (aura) — dire,** no matter what he says, it's no use saying, he says in vain; **faire ———,** to be good weather.
beaucoup, much, very much; **à ——— près,** far from it; **de ———,** by far.
beau-fils, *m.*, son-in-law.
beau-frère, *m.*, brother-in-law.
beauté, *f.*, beauty.
Beaux-Arts, *m. pl.*, Fine Arts.
bébé, *m.*, baby.
bec, *m.*, jet, beak.
bêche, tête ———, head to toe.
béer, to stand gaping.
bégayer, to stammer.
belle, beautiful; **de plus ———,** harder than ever.
belle-mère, *m.*, mother-in-law.
belle-soeur, *f.*, sister-in-law.
bémoliser, to dull, to soften.
bénédiction, *f.*, blessing.
bénéfice, *m.*, benefit.
bénévole, voluntary.
bénir, to bless.
bénit, holy.
bénitier, *m.*, holy-water font.
bercer, to rock, to cradle.
berceur, lulling.
berge, *f.*, bank (*of a river*).
berger, -ère, *n.*, shepherd(ess).
Bergerette, *f.*, Little Shepherdess.
besogne, *f.*, (hard) work, task.
besoin, *m.*, need; **au ———,** in case of need.
bestiaux, *m. pl.*, cattle; **camion à ———,** cattle truck.
bétail, *m.*, cattle.
bête, *f.*, animal, insect, creature; fool; *adj.*, stupid.
bêtise, *f.*, stupidity, desperate act.
béton, *m.*, mortar.
beurre, *m.*, butter.
bibelot, *m.*, collector's item, curio.
bicyclette, *f.*, bicycle.
bien, *m.*, good, possession, wealth, money; *adv.*, well, indeed, very (much); **——— des, du, de la,**

many, much; **ou** ———, or else; ——— **que,** although; **eh** ———, well!; **vouloir** ———, to be willing; **être, se trouver** ———, to be comfortable, well established; **tant** ——— **que mal,** somehow or other, indifferently; ——— **entendu,** of course; **j'en ai vu** ——— **d'autres,** I've seen much worse.

bien-être, *m.,* comfort, well-being.

bienfaisance, *f.,* kindness.

bienfaisant, kind.

bienheureux, -se, blessed, complacent, overwhelming.

bien que, although.

bientôt, soon.

bienveillant, kindly, benevolent.

bienvenu, welcome.

bière, *f.,* beer.

bijou, *m.,* jewel.

bilan, *m.,* balance sheet.

billet, *m.,* note.

billot [bijo], *m.,* block.

bise, *f.,* cold wind.

bizarre, strange, eccentric.

blâme, *m.,* condemnation, disapproval.

blâmer, to blame.

blanc, blanche, white, blank.

blanchâtre, whitish.

blancheur, *f.,* whiteness.

blanchir, to whiten.

blé, *m.,* wheat.

bleuâtre, bluish.

blessé, *n.,* wounded (one).

blesser, to wound, to hurt.

blessure, *f.,* wound, hurt.

bleu, blue.

bloc, *m.,* block, outcropping.

blondine, *f.,* fair-haired girl.

blondir, to whiten, to brighten.

bloquer, to jam, to block.

blottir, to huddle.

bluette, *f.,* sparkle.

boeuf, *m.,* ox, cow; **nerf de** ———, whip.

boire, *v. ir.,* to drink.

bois, (je), *pres. ind. of* **boire.**

bois, *m.,* wood; **courir les** ———, to roam the woods.

boîte, *f.,* box, "dump"; ——— **à conserves,** canned goods, can.

bon, ne, good, kind; ——— **mot,** clever saying; ———, *m.,* goodness; **à la bonne heure,** that's fine; **c'est** ———, O. K.!

bonasse, silly.

bond, *m.,* bound, leap.

bondir, to bound, to leap, to jump.

bonheur, *m.,* happiness.

bonhomie, *f.,* familiarity, geniality.

bonhomme, *m.,* old fellow.

bonne, *f.,* (house)maid.

bonnement, honestly.

bonté, *f.,* kindness, bounty.

bord, *m.,* edge, brim, side; **à** ———, on board; **par dessus** ———, overboard.

border, to border, to tuck in.

bordereau, *m.,* consignment sheet, schedule, memorandum.

borne, *f.,* limit, border.

borner, to limit.

bottine, *f.,* shoe, boot.

bosillé (*archaic*), wooded.

bou-, *ir. stem of* **bouillir,** to boil, to stew.

bouc [buk] *m.,* goat.

bouche, *f.,* mouth.

bouchée, *f.,* mouthful.

boucher, to stop, to close, to close in.

boucle, *m.,* curl.

boucler, to buckle.

bouclier, *m.,* shield.

boudoir, *m.,* boudoir, dressing room.

boue, *f.,* mud.

bouée, *f.,* buoy.

bouffée, *f.,* puff.

bouger, to budge, to stir.
bougie, *f.,* candle.
bouillie, *f.,* pudding.
bouillon, *m.,* bouillon, broth, light soup.
bouillonner, to boil.
bouillonnement, *m.,* boiling.
bouillotte, *f.,* hot-water bottle.
boule, *f.,* ball.
boulet, *m.,* cannon-ball.
bouleversant, catastrophic.
bouleversement, *m.,* upheaval, confusion.
bouleverser, to upset.
boum, boom!
bouquet, *m.,* cluster, clump, bouquet, aroma.
bouquin, *m.,* book; *adj.,* buckskin.
bourbeuse, muddy.
bourdonnement, *m.,* buzz, hum.
bourg [*g silent*], *m.,* town.
bourgade, *f.,* small town, village.
bourgeois, *n.,* bourgeois, middle-class citizen.
Bourgogne, *f.,* Burgundy.
bourreau, *m.,* executioner.
bourrer, to stuff.
bourrique, *f.,* donkey.
bourru, gruff.
bourse, *f.,* purse.
bousculer, to jostle, to mistreat.
boussole, *f.,* compass.
bout, *m.,* end, bit; **à ——— de,** out of; **à ——— de force (s),** worn out; **à —— portant,** point blank; **venir à ——— de,** to succeed in; **du ——— des lèvres,** lightly, superficially.
bouteille, *f.,* bottle; **tri———s,** three-cylinder tank.
bouter (*obs.*), to put.
boutique, *f.,* shop.
bouton, *m.,* bud, button, stud.
bouvier, *m.,* cowherd.
bracelet, *m.,* bracelet; **montre- ——,** *f.,* wrist watch.
brancher, to connect.
branchette, *f.,* little branch.
brande, *f.,* brand.
brander, to brandish.
branle, se mettre en ———, to start moving.
braquer, to aim, to point.
bras, *m.,* arm; **——— de chemise,** shirt-sleeves; **à pleins ———,** with all her might.
brasier, *m.,* brazier.
brasse, *f.,* fathom.
brasserie, *f.,* tavern, pub, beer-shop.
bravade, *f.,* bragging.
brave, (*preceding noun*), good, fine; (*after noun*), brave.
braver, to defy.
brèche, *f.,* breach, opening.
bref, brève, brief; **bref,** *adv.,* in short.
bretelle, *f.,* suspender.
bréviaire, *m.,* breviary, prayer-book.
bride, *f.,* bridle.
briguer, to solicit.
brillant, *m.,* cut diamond.
briller, to shine.
brin, *m.,* blade.
brise, *f.,* breeze.
briser, to break.
britannique, British.
brosser, to brush, to paint.
brouillard, *m.,* fog.
brouillon, *m.,* rough copy, sketch; **cahier de ———,** workbook.
brouter, to browse, to graze.
broyer, to crush.
bruissant, rustling.
bruissement, *m.,* resulting.
bruit, *m.,* noise, rumor.
brûler, to burn.
brûlure, *f.,* burn.
brume, *f.,* fog, haze, mist.

brumeux, -se, misty.
brun, brown; **terre -e,** earthenware.
brusque, quick, sudden.
brusquement, suddenly.
brusquerie, *f.*, abruptness.
brut [bryt], raw.
bruyamment, noisily.
bruyère, *f.*, briar, heather.
bu-, *p. p. and ir. stem of* **boire.**
bulle, *f.*, bubble.
bureau, *m.*, office, bureau; **chef de** ———, office manager.
but [byt] *or* [by], *m.*, goal, aim.
buté, uncertain.
buv-, *ir. stem of* **boire.**
buvard, *m.*, blotter, blotting paper.
buveur, *m.*, drinker.

ça, *familiar contraction of* **cela;** ——— **y est,** (now) I'm in for it; **c'est** ———, that's right.
çà, here.
cabale, *f.*, clique.
cabane, *f.*, shed; ——— **à sucre,** sugar shed.
cabinet, *m.*, office, study, cabinet room.
cacher, to hide.
cacheter, to seal.
cachot, *m.*, prison.
cadavérique, corpse-like.
cadavre, *m.*, corpse, cadaver.
cadeau, *m.*, gift.
cadette, younger.
Cadix, Cadiz *(city in Spain).*
cadran, *m.*, sun-dial.
café, *m.*, coffee, café.
cahier, *m.*, notebook.
cahin-caha, lamely, limping.
cahot, *m.*, jolting.
cahoter, to jolt.
caillou, *m.*, pebble, stone.
cairn, *m.*, stone marker, cairn.
caisson, *m.*, gun carriage.
calcul, *m.*, arithmetic, calculation.
calculateur, calculator.
calice, *f.*, chalice.
califourchon, à ———, astride.
câlin, caressing.
calomnier, to slander.
calotte, *f.*, skull-cap.
calquer, to pattern, to imitate.
camail, *m.*, cape.
camarade, *n.*, comrade.
cambriolage, *m.*, theft, burglary.
camera, *f.*, movie camera.
camion, *m.*, truck; —— **à bestiaux,** cattle truck.
camionnage, *m.*, trucking.
camp, *m.*, camp; **aide de** ———, *m.*, aide de camp.
campagne, *f.*, country, countryside, campaign; **en** ———, in the field.
camper, to camp, to place, to take position.
cancre, *m.*, dunce, dunderhead.
candidature, *f.*, candidacy.
candide, light, innocent.
canon, *m.*, cannon, barrel.
canot, *m.*, launch, (ship's) boat.
cantonner, to billet.
caoutchouc [kautʃu], *m.*, rubber.
cap [kap], *m.*, course, direction.
capacité, *f.*, capacity.
cape, *f.*, cape.
capitaine, *m.*, captain, leader.
capital, capital, very important.
capiteux, -se, heady, inebriating.
caporal, *m.*, corporal.
captivant, captivating.
capricieux, fickle (man).
capuche, *f.*, **capuchon,** *m.*, cowl, hood.
caquet, *m.*, idle talk.
carabine, *f.*, carbine.
caractère, *m.*, character, characteristic.
carafe, *f.*, decanter, carafe.

cardinal, -ux, cardinal; **quatre points cardinaux,** four points of the compass.
caréné, keeled, laid.
caresser, to caress, to cherish.
cargaison, *f.,* cargo, load.
cargo, *m.,* freighter.
carillonner, to chime.
carlingue, *f.,* cockpit.
carnaval, *m.,* pre-Lenten season.
carnet, *m.,* notebook.
Carpathes, des ——, Carpathian.
carré, *adj.,* square, blunt; *m.,* wardroom.
carreau, -x, windowpane.
carrefour, *m.,* crossroads.
carrelage, *m.,* tile flooring.
carrière, *m.,* course, career.
carrousel, *m.,* merry-go-round, circling motion.
carte, *f.,* map, chart, card; **chambre des ——s,** charthouse.
carton, *m.,* card-board (box).
cas, *m.,* case.
casanier, *m.,* stay-at-home.
case, *f.,* compartment.
casque, *m.,* helmet.
casquette, *f.,* cap.
casser, to break; **se —— les reins,** to break one's back.
casserole, *f.,* pot, pan.
cassette, *f.,* (letter) case.
catalan, Catalan, Catalonian.
Catalogne, *f.,* Catalonia (*Spanish province*).
cauchemar, *m.,* nightmare.
cause, *f.,* cause, case; **à —— de,** because of.
causer, to chat.
causerie, *f.,* chat, intimate conversation.
causeur, *m.,* talker.
cauteleux, -se, cautious.
cautérisation, *f.,* cauterization.
cautériser, to cauterize.
cavalier, *m.,* horseman.
cave, *f.,* cellar.
caveau, *m.,* vaulted room.
ceci, this.
céder, to yield, to give; **—— le pas,** to follow, to yield precedence.
cèdre, *m.,* cedar.
ceinture, *f.,* belt.
cela, that.
celui, celle(s), ceux, that *or* this one, those; **—— - là,** that one; **—— - ci,** this one. **—— qui,** he who, any one who, the one who.
cellule, *f.,* cell.
censé, reputed, supposed.
cent, *m.,* (one) (a) hundred; **pour ——,** per cent.
centaine, *f.,* (about a) hundred.
centupler, to increase a hundredfold.
centurion, *m.,* centurion (*Roman army officer.*)
cependant, however, meanwhile.
cercle, *m.,* circle, circlet, sphere, zone.
cerf [*f silent*], *f.,* deer, stag.
cerise, *f.,* cherry.
cerner, to surround.
certes, certainly.
cerveau, *m.,* brain; **rhume de ——,** head cold.
cervelle, *f.,* brain, gray matter.
cesse, *f.,* cease; **sans——,** ceaselessly.
cesser, to cease.
cétacé, *m.,* cetacean (*marine mammal*).
ceux, *pl. of* **celui.**
chacun, each one.
chagrin, *m.,* grief, sorrow; *adj.,* distressing.
chair, *f.,* flesh; **—— de poule,** gooseflesh.
chaire, *f.,* pulpit, desk, stall.

chaise, *f.,* chair; —— **longue,** chaise longue.
châle, *m.,* shawl.
chaleur, *f.,* heat.
chalumeau, *m.,* tube.
chambre, *f.,* room; —— **des cartes,** charthouse; **robe de** ——, dressing gown.
chameau, *m.,* camel.
champ, *m.,* field, background; **sur-le-** ——, immediately; **battre aux** ——**s,** to beat the general salute.
chance, *f.,* luck, chance.
chanceler, to totter.
changement, *m.,* replacement.
chanoine, *m.,* canon (*church dignitary*).
chanson, *f.,* song.
chansonnier, *m.,* singer, song writer.
chant, *m.,* song, singing.
chanter, to sing.
chanvre, *m.,* hemp, rope.
chapeau, *m.,* hat.
chapelet, *m.,* rosary, beads.
chapitre, *m.,* chapter.
chaque, each.
char, *m.,* carriage.
charbon, *m.,* (piece of) coal.
charge, *f.,* office, load, task, duty.
charger, to load, to encharge, to be in charge of, to commission, to direct, to look after, to empower, to charge (*legal*); **se** —— **de,** to take charge of, to undertake.
chariot, *m.,* cart, chariot.
charrette, *f.,* (hand) cart.
chartreuse, *f.,* charterhouse, (*Carthusian monastery*), chartreuse (*liqueur made there*).
chasse, *f.,* hunt, hunting; **faire la** —— **à,** to go hunting for.
chasser, to hunt, to drive (out).
chasseur, *m.,* hunter.
chat, *m.,* cat.
château, *m.,* chateau, castle, villa; —— **fort,** fortress.
châtier, chastize.
châtiment, *m.,* punishment.
châtrer, to castrate, to emasculate.
chaud, warm, hot; **avoir** ——, **faire** ——, to be warm; **faire des gorges** ——**es,** to gloat.
chaudron, *m.,* caldron.
chauffer, to warm.
chaume, *m.,* humble home, thatch, thatched roof.
chaussée, *f.,* street (level).
chausser, to put on (the feet).
chaussette, *f.,* sock.
chaussure, *f.,* foot-wear, shoe.
chauve, bald.
chavirer, to tip, to capsize.
chef, *m.,* leader, chief, boss; —— **de bataillon,** major; —— **de bureau,** office manager; —— **d'accusation,** principal charge; **sous-** ——, assistant chief.
chemin, *m.,* path; —— **de la croix,** Stations of the Cross; —— **de fer,** railroad; —— **de traverse,** shortcut; **grand** ——, highway.
cheminée, *f.,* fireplace.
chemise, *f.,* shirt; **bras de** ——, shirtsleeves.
chêne, *m.,* oak.
chenet, *m.,* andiron, fire-dog.
chenu, hoary, white-haired.
cher, chère, *n.,* dear (fellow, *etc.*); *adv.,* dearly.
chercher, to seek, to look for.
chercheur, *m.,* seeker, researcher.
chéri, *n.,* dear, beloved.
chérir, to cherish.
chétif, sickly.
cheval, -ux, *m.,* horse(s); **à** ——, on horseback.
chevaleresque, chivalrous.

chevalerie, *f.,* chivalry, knighthood.
chevauchée, *f.,* ride.
chevelure, *f.,* (head of) hair.
cheveu(x), *m.,* hair.
cheville, *f.,* ankle.
chèvre, *f.,* goat.
chez, *prep.,* with, among, at the home of, in.
chien, *m.,* dog.
chiffonné, crumpled.
chiffre, *m.,* figure, code.
chimère, *f.,* fancy, illusion.
chimérique, fanciful, unreal.
chimique, chemical.
Chine, *f.,* China.
chinois, Chinese.
chirurgien, *m.,* surgeon.
choc, *m.,* shock.
choeur, *m.,* choir, chorus.
choir, *v. ir.,* to fall.
choisir, to choose, to select.
choix, *m.,* choice.
choquer, to clash.
chose, *f.,* thing; **quelque ———,** something; **de ———s et d'autres,** of one thing or another.
chou, *m.,* cabbage.
chrétien, -ne, Christian, fellow.
christianisme, *m.,* Christianity.
chuchotement, *m.,* whispering.
chuchoter, to whisper.
chut [ʃyt] *or* [ʃt], *interj.,* hush! silence!
chute, *f.,* fall.
ci, here; **par ———, par-là,** here and there.
ciel, *m.,* sky, heaven; **arc-en- ———,** rainbow.
cierge, *m.,* candle.
cigale, *f.,* cricket, grasshopper.
cil, *m.,* eyelash.
cilice, *f.,* hair-shirt.
cimeterre, *m.,* scimitar, sword.
cimetière, *m.,* cemetery.
cinq, five.
cinquantaine, *f.,* (about) fifty.
cinquante, fifty.
circuit, *m.,* circuit, circling.
circulation, *f.,* distribution, circulation.
circuler, to move around.
citadin, *m.,* city dweller, citizen.
cité, *f.,* city.
citer, to cite.
citerne, *f.,* cistern, tank.
cithare, *f.,* zither.
citoyen, -ne, citizen(ess) (*compulsory form of address during the Revolution, 1792-1803*).
citre, *f.,* Spanish gourd, citron.
citron, *m.,* lemon.
clair, *adj.,* clear, light-colored; *m.,* light; **——— de lune,** moonlight; **tirer au ———,** to clarify; *adv.,* clearly.
clairvoyant, clear-sighted, clairvoyant.
clameur, *f.,* racket, call.
clandestin, secret, hidden, clandestine.
clapotement, *m.,* splashing, lapping.
claque, *f.,* slap, smack.
claquette, *f.,* clapper.
clarté, *f.,* clarity, brightness; **jeter des ———s,** to shimmer.
classer, to file, to classify.
clé, clef, *f.,* key.
clémence, *f.,* kindness, clemency.
clément, pardoning, clement.
clerical, religious, clerical (*favoring the clergy*).
clignement, *m.,* blinking; **——— d'oeil,** wink.
cligner, to blink.
cliquette, *f.,* clapper.
clinique, *f.,* clinical medicine.
cloche, *f.,* bell, bell-jar.

clocher, *m.,* bell-tower, belfry, steeple.
clochette, *f.,* little bell.
cloître, *m.,* cloister.
clos, closed; **huis ——,** secrecy, closed hearing.
clou, *m.,* nail.
cocher, *m.,* coachman; **porte cochère,** carriage-gate.
cochon, *m.,* pig; **—— d'Inde,** guinea-pig.
cocotier, *m.,* coco-nut palm.
coeur, *m.,* heart; **hommes de ——,** courageous men; **à —— ouvert,** frankly; **à plein ——,** with all her heart; **le —— serré,** with heavy heart; **haut-le- ——,** nausea; **soulever le ——,** to nauseate, to frighten.
coffret, *m.,* (strong) box, chest.
coiffer, to wear (*on the head*).
coin, *m.,* corner, angle.
col, *m.,* collar.
colère, *f.,* anger; **—— jaune,** towering rage; *adj.,* choleric, angry.
colifichet, *m.,* trinket.
collectionneur, *m.,* collector.
collège, *m.,* (secondary) school.
coller, to stick, to hold, to give.
collier, *m.,* collar, necklace.
colline, *f.,* hill.
colombe, f., dove.
colon, *m.,* colonist.
colonne, *f.,* column.
colonnette, *f.,* small column.
colorer, to color.
colporter, to peddle.
colporteur, *m.,* pedlar.
combat, *m.,* combat; **mettre hors de ——,** to knock out.
combattre, *v. ir.,* to fight, to combat.
combien, how much (many), how greatly.
combinaison, *f.,* combination.
combiner, to arrange.
comble, *m.,* climax, height.
combler, to fulfill.
comestible, edible.
commandant, *m.,* major.
commande, *f.,* order; control (*of airplane*).
commandement, *m.,* command.
comme, as, how, like, something like.
commediante, *n.,* (*Italian*), actor, comedian.
comment, how.
commerçant, *m.,* merchant, business-man.
commerce, *m.,* commerce, dealing.
commère, *f.,* neighbor-woman, gossip.
commettre, *v. ir.,* to commit.
commi-, *ir. stem of* **commettre.**
commis, *m.,* clerk.
commissaire, *m.,* commissioner.
commission, *f.,* errand, commission.
commode, convenient, comfortable.
commun, common.
communauté, *f.,* community.
commune, *f.,* commune; **——s,** House of Commons.
communiquer, to communicate; **se ——,** to give one's ideas.
commutateur, *m.,* light-switch.
compagne, *f.,* **compagnon,** *m.,* companion.
comparé, comparative, compared.
comparu, *p. p. of comparaître,* to appear (*in court*).
compatissant, sympathetic.
compenser, to compensate.
compère, *m.,* friend, companion.
complaire, se —— à, to find pleasure in.
complais-, *ir. stem of* **complaire.**

complaisance, *f.*, kindness, complacency.
complaisant, complacent.
complice, *m.*, accomplice.
complie, *f.*, compline (*prayer service*).
compliquer, to complicate.
complot, *m.*, plot.
comportement, *m.*, action, conduct.
comporter, to call for, to require; **se** ——, to act, to behave.
composé, compound, composite.
comprendre, *v. ir.*, to understand, to comprise.
compren-, *ir. stem of* **comprendre.**
compression, *f.*, density, tenseness, compression.
compri-, *ir. stem of* **comprendre.**
comprimé, repressed.
compromettre, to compromise.
compromis, *p. p. of* **compromettre.**
comptable, *n.*, accountable, accountant.
compte, *m.*, account; —— **rendu,** report; **en fin de** ——, when all is said and done; **se rendre** ——, to realize, to test; **tenir** —— **de,** to pay attention to.
compter, to count, to consider, to be sure, to expect; **à** —— **de,** beginning with.
comptoir, *m.*, counter.
comte, *m.*, count (*title*).
comtesse, *f.*, countess.
concentrer, to concentrate.
conception, *f.*, idea, conception.
concevoir, *v. ir.*, to conceive.
concevr-, *fut. stem of* **concevoir.**
concierge, *n.*, keeper, caretaker.
concile, *m.*, council.
conciliable, reconcilable.
concilier, to reconcile.
concitoyen, *n.*, fellow-citizen.
concluant, conclusive.
conclure, *v. ir.*, to conclude.
conçois (je), *pres. indic. of* **concevoir.**
concombre, *m.*, cucumber.
concordat, *m.*, concordat.
concours, *m.*, competition.
conçu-, *p. p. and ir. stem of* **concevoir.**
condamnable, blameable, condemnable.
condamner, to condemn.
conducteur, *m.*, conductor.
conduire, *v. ir.*, to conduct, to take, to lead.
conduis-, *ir. stem of* **conduire.**
conduit, *p. p. of* **conduire.**
conduite, *f.*, conduct, guidance.
conférence, *f.*, lecture.
conférer, to speak, to confer.
confiance, *f.*, trust, confidence.
confidence, *f.*, secret.
confier, to entrust.
confiture, *f.*, preserves.
confluent, *m.*, junction.
confondre, to confuse, to identify.
conforme, fitting.
confrère, *m.*, colleague.
confrérie, *m.*, brotherhood.
congé, *m.*, dismissal, leave.
congédier, to dismiss.
congelé, congealed.
congestionné, flushed.
conjuration, *f.*, plot, conspiracy.
conjuré, *m.*, conspirator.
conjurer, to beseech.
connais-, *ir. stem of* **connaître.**
connaissance, *f.*, acquaintance, awareness, knowledge; **prendre** ——, to become aware.
connaisseur, *m.*, excellent judge, connoisseur; **de** ——, first class.
connaître, *v. ir.*, to know; **se** —— **à,** to be a good judge of.

connu-, *p. p. and ir. stem of* **connaître.**
conquérant, *m.*, conqueror.
conquérir, *v. ir.*, to conquer.
conquête, *f.*, conquest.
conquis-, *p. p. and ir. stem of* **conquérir.**
consacrer, to consecrate.
conscience, *f.*, consciousness, conscience.
conscient, conscious.
conseil, *m.*, council, advice, counsel.
conseiller, to advise; ———, **conseillère**, counsellor.
consentir, *v. ir.*, to consent, to grant.
conserver, to keep.
conservation, *f.*, preservation.
conserves, *f. pl.*, preserves; **boîte à** ———, canned goods.
considérant, *m.*, grounds (for judgment), consideration.
consigner, to order.
consolider, to strengthen, to increase, to consolidate.
consommation, *f.*, drink, consumption.
consommer, to accomplish, to consummate.
conspiration, *f.*, plot, conspiracy.
constamment, constantly.
constance, *f.*, constancy.
constatation, *f.*, evidence.
constater, to remark, to ascertain, to realize.
consterner, to fill with consternation.
constituer, to constitute.
construire, *v. ir.*, to construct, to build.
contagieux, *n.*, contagious (case).
conte, *m.*, tale.
contemplatif, *n.*, thinker, contemplative.
contenant, *n.*, container.
contenir, *v. ir.* to contain, to restrain.
contenu, *p. p. of* **contenir**; *n.*, content(s).
conter, to tell, to relate.
contien-, *ir. stem of* **contenir.**
continu, continuous.
contour, *m.*, outline, contour.
contourner, to go around.
contractant, *n.*, contracting party.
contraign-, *ir. stem of* **contraindre**, to constrain, to force.
contraint, *p. p. of* **contraindre**, to constrain, to force.
contrainte, *f.*, constraint.
contrarier, to thwart, to annoy.
contrariété, *f.*, vexation.
contre, *prep.*, against, toward, for; *n.*, **le pour et le** ———, the pros and cons.
contrebande, *f.*, contraband.
contre-bas, en ——— **de**, at the base of.
contrecarrer, to oppose.
contredire, *v. ir.*, to contradict.
contredi-, *ir. stem of* **contredire.**
contrée, *f.*, region, country.
contre-marche, *f.*, counter march.
contre-temps, *m.*, obstacle.
contrister, to sadden.
contrôle, *m.*, verification, check.
contrôler, to check, to verify, to control.
convaincre, *v. ir.*, to convince.
convenable, suitable.
convenance, *f.*, propriety.
convenir, to agree, to be suitable *or* proper.
convenu, *p. p. of* **convenir.**
conviction, *f.*, certainty, conviction; **pièce à** ———, exhibit for the prosecution.
convien-, *ir. stem of* **convenir.**
convive, *n.*, guest (*at table*), companion.

convoi, *m.,* convoy.
convoitise, *f.,* covetousness.
coquette, coquettish.
coquettement, daintily, prettily.
coquetteries, *f.,* affectation.
coquin, -e, *n.,* scoundrel, rascal.
cor, *m.,* horn.
corbeau, *m.,* crow, raven.
corbeille, *f.,* basket.
corde, *f.,* cord, rope; **jusqu'à la ——,** threadbare, worn thin.
cordée, *f.,* small team, "rope."
cordillière, *f.,* mountain chain.
cordon, *m.,* bell-cord (*to open the door*).
corne, *f.,* peak.
cornet, *m.,* small horn.
corniche, *f.,* cornice; **en ——,** projecting.
cornue, *f.,* retort.
corps, *m.,* body; **prise de ——,** seizure; **esprit de ——,** esprit de corps.
corriger, to correct, to chastise.
corrupteur, -trice, corrupting.
corsage, *m.,* blouse.
Corse, *f.,* Corsica.
corseter, to corset.
cortège, *m.,* procession.
cosmographie, *f.,* cosmography, astronomical movements (*as guide to navigation*).
côte, *f.,* coast, hill, rib; **—— à ——,** side by side.
côté, *m.,* side, part; **à ——,** beside; **de ——,** aside, sidewise; **de son ——,** for his (her, its) part, as for it; **de quelque ——,** in whatever direction; **du —— de,** in the direction of.
cotillon, *m.,* cotillion.
cou, *m.,* neck; **se jeter au ——,** to throw one's arms around.
couchage, sac de ——, *m.,* sleeping bag.
couche, *f.,* layer.
coucher, to lay, to lean, to stretch out, to put to bed; **se ——,** to recline, to go to bed, to set.
couches, *f. pl.,* childbirth.
couche-tôt, *m.,* early to bed(der).
couchette, *f.,* small bed, cot.
coude, *m.,* elbow.
coudre, *v. ir.,* to sew.
couler, to flow, to run, to pour, to sink, to mould, to come down; **—— en aveugle,** to come down blindly; **noeud coulant,** slip-knot.
couleuvre, *f.,* snake.
coulisse, *f.,* wing (*on stage*).
couloir, *m.,* passageway, couloir.
coulpe, *f.,* confession of sin, mea culpa.
coup, *m.,* stroke, blow, shot, thrust, blast, pounding; **—— d'état,** revolt; **—— de feu,** shot; **—— de grâce,** coup de grace, merciful (final) blow; **—— de main,** unexpected attack; **—— d'oeil,** glance; **—— de théâtre,** (sensational) surprise; **—— de vent,** gust of wind; **à —— sûr,** certainly, without fail; **du même ——,** at the same moment; **sans —— férir,** without striking a blow; **tout d'un ——,** suddenly; **valoir le ——,** to be worth the effort (trouble).
coupable, guilty.
coupe, *f.,* cup.
couper, to cut, to interrupt; **—— la parole,** to interrupt.
coupole, *f.,* cupola, dome.
coupure, *f.,* cut, gulf.
cour, *f.,* court, court-yard; **faire la —— à,** to court, pay one's respects to.

courant, *n.,* course, current.
courbe, *f.,* curve, arc.
courber, to bend.
courir, *v. ir.,* to run; —— **au-devant de,** to run to meet; —— **les bois,** to roam the woods.
couronne, *f.,* crown.
couronner, to crown.
courrier, *m.,* mail, courier.
courroucer, to anger.
courroux, *m.,* anger.
cours, *m.,* course; — **d'eau,** stream.
course, *f.,* race, racing, trip, expedition.
coursive, *f.,* runway.
court, *adj.,* short; **rester** ——, to be confused.
court (il), *pres. ind. of* **courir.**
courtisan, *m.,* courtier.
courtois, courteous.
courtoisie, *f.,* courtesy.
couru-, *ir. stem of* **courir.**
cous-, *ir. stem of* **coudre.**
couteau, *m.,* knife.
coûter, to cost; **coûte que coûte,** cost what it may.
coutume, *f.,* custom; **de** ——, customarily.
coutumier, customary.
couvent, *m.,* monastery, convent.
couvert, *m.,* cover, place set at table.
couvert, *p. p. of* **couvrir; à** ——, protected.
couverture, *f.,* cover, blanket.
couvrir, *v. ir.,* to cover, to protect.
cracher, to spit (out).
craquer, to crack.
craign-, *ir. stem of* **craindre.**
crain-, *ir. stem of* **craindre.**
craindre, *v. ir.,* to fear.
crainte, *f.,* fear.
craintif, -ve, fearful, timid.
crampon, *m.,* shoe iron, crampon.
cramponner, to cling.
crâne, *m.,* cranium, head.
crapule, *f.,* guttersnipe(s), low character(s).
craquement, *m.,* cracking, crunching.
craquer, to crack, to crackle.
cravate, *f.,* neck-tie.
crayon, *m.,* pencil.
créateur, -trice, creative.
crèche, *m.,* crib, manger.
crédulité, *f.,* credulity.
crépelure, *f.,* wave.
crépiter, to crackle.
cretonne, *f.,* cretonne.
creuser, to dig, to hollow.
crête, *f.,* crest.
creux, -se, hollow.
crever, to burst, to die.
criard, loud, bright.
crier, to shout, to yell, to screech, to protest, to crunch (*of sand*).
crinière, *f.,* mane.
crispé, tense, taut.
cristal, -ux, *m.,* crystal.
cristallerie, *f.,* crystal shop.
crissement, *m.,* grating.
croire, *v. ir.,* to believe, to think.
croiser, to cross.
croissance, *f.,* growth.
croissant, increasing, growing.
croix, *f.,* cross; **chemin de la** ——, Stations of the Cross.
crosse, *f.,* crozier, staff.
crouler, to crumble.
croûte, *f.,* crust.
croy-, *ir. stem of* **croire.**
croyable, believable.
croyance, *f.,* belief.
cru, *adj.,* raw.
cru-, *p. p. and ir. stem of* **croire.**
cruauté, *f.,* cruelty.
crypte, *f.,* cavern.
cucule, *f.,* cowl.

cueillir [koeji:r], *v. ir.*, to pick, to pluck.
cuillerée [koejre], *f.*, spoonful.
cuir, *m.*, leather, hide, incorrect linking in pronunciation.
cuirasse, *f.*, armor.
cuirassé, armored.
cuirassier, *m.*, cavalryman, cuirassier.
cuisine, *f.*, kitchen, cooking.
cuit, cooked; **vin** ———, aperitive, spiced wine.
cuivre, *m.*, copper; ——— **rouge**, brass.
cuivré, coppery.
culbute, *f.*, somersault, tumble.
culbuter, to upset, to knock over.
culotte, *f.*, knee breeches.
culpabilité, *f.*, guilt.
culte, *m.*, religion, form of worship, religious practices.
cultivateur, *m.*, farmer.
cupide, avaricious.
cure-dents, *m.*, toothpick.
curé, *m.*, priest, pastor, curé.
cuvette, *f.*, basin.

d'abord, at first; ——— **que**, as soon as; **tout** ———, right at first, right away.
dague, *f.*, dagger.
daigner, to deign.
d'ailleurs, besides, furthermore.
dalle, *f.*, flagstone.
dame, *f.*, lady; **faire la** ———, to act the lady; **jouer aux** ———**s**, to play checkers.
damner, to damn.
dandiner, to move about, to waddle.
danseuse, *f.*, dancer, dancing partner.
dard, *m.*, barb, dart.
darique, *f.*, darique (*Persian coin*).
dater, to date.
dauphin, *m.*, dolphin.
Dauphin, *m.*, Dauphin, Crown Prince.
davantage, more.
dé, *m.*, die (*pl.* dice); **les** ———**s sont jetés**, the die is cast.
débarquement, *m.*, disembarkment, landing.
débarquer, to disembark, to unload.
débarrasser, to free, to rid.
débat, *m.*, discussion, debate, struggle.
débattre, *v. ir.*, to debate; **se** ———, to struggle.
débauche, *f.*, debauchery, "binge."
débiter, to utter, to speak.
déblayer, to clear.
déborder, to overflow.
débordoir, *m.*, billy.
déboucher, to emerge, to enter, to come out.
debout, standing, whole.
débrouiller, se ———, to get along.
début, *m.*, beginning, opening.
débuter, to begin.
décéder, to die.
déchaîner, to unleash, to unchain.
décharge, *f.*, discharge.
décharger, to discharge, to free.
décharné, fleshless, thin.
déchirement, *m.*, heart break.
déchirer, to tear (open).
déchirure, *f.*, ripping, tear, opening.
déchu, fallen.
de-ci, here; ———, **de-là**, here and there.
décider, to convince, to decide.
décimer, to decimate.
déclenchement, *m.*, release.
déclencher, to set off, to set free.
déclic [deklik], *m.*, click.
déclinaison, *f.*, declination (*of stars*).
décoller, to take off (*aviation*).
décolorer, to discolor.

déconfit, disconcerted.
déconseiller, to disapprove, to advise against.
déconsidération, *f.,* disrepute.
décor, *m.,* setting.
découper, to cut, to shape.
découragement, *m.,* discouragement.
décourager, to discourage.
découvert, *p. p. of* **découvrir.**
découverte, *f.,* discovery.
découvrir, *v. ir.* to reveal, to uncover, to discover.
décret, *m.,* decree.
décréter, to decree.
décrire, *v. ir.,* to describe.
décriv-, *ir. stem of* **décrire.**
déçu, *p. p. of* **décevoir,** to deceive, to disappoint.
décupler, to multiply tenfold.
dédaigner, to disdain.
dédaigneux, -se, disdainful.
dédale, *m.,* labyrinth.
dedans, inside; **là- ———,** in that.
dédicacer, to autograph.
dédoré, with the gilt off.
défaillance, *f.,* weakening.
défaillant, weak.
défaire, *v. ir.,* to undo, to defeat, to upset; to unform; **se ——— de,** to get rid of.
défais-, *ir. stem of* **défaire.**
défait, *p. p. of* **défaire.**
défaite, *f.,* defeat.
défaut, *m.,* defect.
défavorable, unfavorable.
défendre, to forbid, to defend.
défenseur, *m.,* defender.
défer-, *fut. stem of* **défaire.**
déférent, deferential.
défilé, *m.,* procession.
défiler, to pass by, to file by.
définir, to define, to designate.
déformer, to deform, to be misshapen.
défriper, to smooth (out).
défroquer, to unfrock.
dégagé, free and easy.
dégager, to free.
dégeler, to thaw, to unfreeze.
dégoût, *m.,* distaste, disgust.
dégoûter, to arouse distaste, to disgust.
dégrafer, to unhook, to undo.
degré, *m.,* step, degree.
dégringoler, to scamper down, to come rattling down.
déguenillé, ragged, in tatters.
déguiser, to disguise.
déguster, to sip, to sample.
dehors, en ——— de, outside, abroad.
déjà, already.
déjeuner, to lunch; *m.,* lunch, breakfast.
delà, au ——— de, par ———, beyond.
de-là, there; **de-ci de- ———,** here and there.
délabrement, *m.,* ruin, decay.
délaisser, to abandon, to leave.
délasser, to relax.
délateur, *m.,* spy, informer.
délecter, se ———, to take pleasure.
délicatesse, *f.,* delicacy.
délice, *m.,* **———s,** *f. pl.,* delight.
délier, to untie.
délire, *m.,* frenzy, delirium.
délirer, to be raving mad.
délit, *m.,* crime.
délivrer, to deliver, to free.
déloger, to dislodge.
déluge, *m.,* flood, deluge.
demain, tomorrow.
demande, *f.,* request. **——— d'avis,** request for information.
demander, to ask, to request; **se ———,** to wonder.
démarche, *f.,* step, gait.

démence, *f.,* insaneness.
démener, se ——, to wave wildly.
dément, wild, lunatic.
démenti, *m.,* denial, formal contradiction.
démentir, *v. ir.,* to contradict.
démesure, *f.,* excess, exaggeration.
démesuré, enormous, excessive, long, huge, extreme, abnormal.
demeure, *f.,* dwelling.
demeurer, to dwell, to live.
demi, half; **—— -tour,** about turn, about face; **entendre à demi-mot,** to understand the allusion.
demi-monde, *m.,* demi-monde (*women of doubtful reputation*).
démission, *f.,* resignation.
demoiselle, *f.,* young lady.
démonter, to confound, to "take down."
démontrer, to demonstrate.
dénomination, *f.,* name, designation.
dénonciateur, -trice, denunciatory.
dénouer, to untie, to undo, to finish, to end, to separate.
dénoûment, dénouement, *m.,* ending, resolution, denouement.
densité, *f.,* density.
dent, *f.,* tooth; **—— à lait,** baby tooth.
dentelé, lacy.
dentelle, *f.,* lace (work).
dentifrice, eau ——, mouthwash.
dénué, denuded, bare.
départ, *m.,* departure; **matériel de ——,** necessary starting equipment.
dépasser, to surpass, to extend beyond.
dépêche, *f.,* dispatch.
dépêcher, to send, to dispatch.
dépeindre, *v. ir.,* to depict.
dépens, *m. pl.,* expenses.
dépense, *f.,* pantry.
dépenser, to spend.
dépister, to hunt out, to trail down.
dépit, *m.,* spite.
déplacement, *m.,* displacement.
déplacer, to displace.
déplaire, *v. ir.,* to displease.
déplaisant, unpleasant.
déplier, to unfold.
déployer, to unfold, to reveal, to show, to use.
déplu-, *ir. stem of* **déplaire.**
déposer, to put (aside).
dépouiller, to take off, to make bare, to rob, to put away.
dépourvu, deprived; **au ——,** unexpectedly.
déprécier, to depreciate.
depuis, since, from, for.
député, *m.,* deputy, representative.
déraciner, to uproot.
déranger, to disturb.
déraper, to slip.
dérèglement, *m.,* disorder(liness).
dérisoire, ridiculous.
dérive, *f.,* drift; **à la ——,** drifting off course.
dériver, to drift off course.
dernier, -ère, last, remaining; **avoir le ——,** to have the last word.
dérobée, à la ——, stealthily.
dérober, to steal, to conceal.
dérouler, to unroll, to reveal, to unfold.
dérouter, to discourage.
derrière, behind.
dès, from, as early as, right, upon; **—— que,** as soon as; **—— à présent,** right now; **—— lors,** from that time; **—— l'abord,** right off.
désapprobateur, disapproving.
désarmer, to disarm.
désavouer, to disown.

descendre, to descend, to go *or* to come down, to stop (*at an hotel*), to get off.
désertique, desert-like.
désespéré, *n.,* desperate (person).
désespérer, to despair.
désespoir, *m.,* despair, disappointment.
déshabiller, to undress.
déshérité, *n.,* poor, disinherited (one), classless person.
déshonoré, dishonored.
désigner, to designate.
désindividualisation, *f.,* killing of individualism.
désintéressé, unselfish.
désintéressement, *m.,* unselfishness.
désobéir, to disobey.
désoler, to ravage, to desolate.
désolidariser, to disengage.
désordonné, disorderly, wild, illegible.
désordre, *m.,* disorder, infraction (of the rules).
désormais, henceforth.
dessaisir, se ——— de, to give up.
dessécher, to dry up.
dessein, *m.,* plan, design.
desservir, to clear table, to do a disservice to, to harm.
dessin, *m.,* design, plan.
dessinateur, *m.,* designer, artist.
dessiner, to design, to reveal, to make.
dessous, beneath, under; *m.,* bottom, under part; **là- ———,** underneath.
dessus, over, on top; *m.,* top; **là- ———,** thereupon, on that matter; **par- ———,** over, on top; **par- ——— bord,** overboard; **prendre le ———,** to take the upper hand.
destin, *m.,* destiny, fate.
détaché, cold, detached.
détacher, to unfasten.
détailler, to look one over, to look one up and down.
détaler, to hurry away.
dételer, to unhitch.
détendre, to relax.
détente, *f.,* decrease of tension, relaxation.
détour, *m.,* turn, detour.
détourner, to turn aside *or* away.
détraquer, se ———, to get off the subject.
détresse, *f.,* distress.
détritus [detritys], *m.,* refuse.
détrôner, to dethrone.
détruire, *v. ir.,* to destroy.
détruis-, *ir. stem of* **détruire.**
deuil, *m.,* grief, sorrow, mourning.
deux, two; **tous les ———,** both; **en ——— temps,** in a jiffy.
dévaliser, to rob.
devancer, to anticipate.
devant, in front of, in the face of; *m.,* front; **courir au- ——— de,** to run to meet.
devanture, *f.,* shop window.
déveine, *f.,* rotten luck, piece of bad luck.
devenir, *v. ir.,* to become (of).
dévêtir, *v. ir.,* to undress.
devien-, *ir. stem of* **devenir.**
deviendr-, *fut. stem of* **devenir.**
devin-, *ir. stem of* **devenir.**
deviner, to guess.
devis, *m.,* chitchat.
dévisager, to stare in one's face.
dévoiler, to reveal.
devoir, to owe, to have to; **je dois,** I must, am (supposed) to, *etc.;* *m.,* duty, exercise, home-work **se faire un ———,** to undertake.

dévorer, to devour, to consume; ——— **du regard,** to look fiercely at.
dévotement, reverently.
dévouement, *m.,* devotion.
dévoyer, to mislead, to lead astray.
devr-, *fut. stem of* **devoir.**
diable, the devil! the deuce! **faire le** ———, to do great things.
diagnostic [diagnostik] *m.,* diagnosis.
diagonale, *f.,* traverse.
dialectique, *f.,* argumentation, dialectic.
diamant, *m.,* diamond.
diaphane, diaphanous.
diapré, variegated.
dictature, *f.,* dictatorship.
dicter, to dictate.
dièse, *m.,* sharp (*musical term*).
Dieu, *m.,* God.
diffamation, *f.,* libel.
différer, to defer, to put off, to differ.
difficile, difficult.
digérer, to digest.
digne, worthy, dignified.
dignité, *f.,* dignity, high office.
diluvien, -ne, diluvian, of the flood.
dimanche, *m.,* Sunday.
diminuer, to lessen, to diminish.
dire, *v. ir.,* to say, to tell; **à vrai** ———, to tell the truth; **c'est-à-** ———, i.e., that is to say; ——— **leurs vérités à,** to tell off, to set right; **vouloir** ———, to mean.
directeur, -trice, directing, dominating.
direction, *f.,* office, direction, administrative officers.
diriger, to direct, to steer; **se** ———, to go.
dis-, *ir. stem of* **dire.**
discipline, *f.,* scourge, whip.
discourir, *v. ir.,* to discourse.
discours, *m.,* speech, talk, conversation, discourse.
discret, -ète, discreet, modest.
discrétion, *f.,* **à** ———, unconditionally.
discuter, to discuss.
disparais-, *ir. stem of* **disparaître.**
disparaître, *v. ir.,* to disappear.
disparition, *f.,* disappearance.
disparu-, *p. p. and ir. stem of* **disparaître.**
dispenser, to dispense, to bequeath, to free.
disperser, to scatter.
disposer, to dispose; **se** ——— **à,** to get ready to.
disputer, *m.,* argument(ation); *v.,* to dispute; **se** ———, to argue.
dissimulation, *f.,* secrecy, dissimulation.
dissimuler, to hide, to dissemble.
dissiper, to scatter, to remove, to dissipate.
distinguer, to point out, to distinguish.
distraction, *f.,* absent-mindedness, distraction.
distraire, *v. ir.,* to amuse; **se** ———, to amuse oneself, to have a good time.
distrait, absent-minded, distraught.
dit, *p. p. of* **dire.**
divagation, *f.,* mental wandering.
divers, different.
divertir, to amuse.
divinatrice, soothsaying, fortunetelling.
diviser, to divide.
divulguer, to divulge.
dix, ten.
dix-huit [dizyit], eighteen.
dizaine, *f.,* (about) ten.
doi-, *ir. stem of* **devoir.**
doigt, *m.,* finger, toe.

domestique, *n.,* (domestic) servant.
dominer, to dominate, to look down upon, to overlook, to overcome.
dominium (Latin), dominion, empire.
dommage, *m.,* pity.
dompter, to tame.
dompteur, *m.,* animal tamer.
don, *m.,* gift.
donc, therefore, thus, so, then.
donner, to give; ——— **sur,** to have a view on, to overlook; ——— **des regrets à,** to arouse regret in; **se** ——— **la main,** to shake hands.
dont, of whom, of which, whose, with which, *etc.*
doré, gilded, golden.
dorénavant, henceforth.
dormir, *v. ir.,* to sleep.
dortoir, *m.,* dormitory.
dos, *m.,* back.
dossier, *m.,* file, back.
dot [dɔt], *f.,* dowry.
doter, to endow.
douane, *f.,* customs (office).
douanier, -ère, *n.,* customs (officer); **visite douanière,** customs inspection.
douce, fresh, gentle, kind, sweet.
doucement, gently; take it easy!
doucereux, sweetish.
doucettement, gently.
douceur, *f.,* gentleness, kindness.
douche, *f.,* shower.
douer, to endow.
douillet, soft, comfortable.
douleur, *f.,* grief, pain.
douleureux, -se, sad, painful.
doute, *m.,* doubt; **sans** ———, perhaps, no doubt.
douter, to doubt; **se** ——— **de,** to suspect.
douteux, -se, doubtful, dubious.
doux, -ce, pleasing, gentle, sweet, soft; **filer** ———, to go cautiously.
douzaine, *f.,* dozen.
douze, twelve.
drachme [drakm] *or* [dragm], *f.,* drachma (*Greek coin*).
dragonne, *f.,* thong.
drame, *m.,* drama, tense situation.
drap, *m.,* cloth.
drapeau, *m.,* flag.
draper, to drape.
dresser, to erect, to raise, to stick up.
droit, *m.,* law, right, royalty (*from books*); *adj., adv.,* straight; **piquer** ———, to dive straight down.
droite, *f.,* right (hand).
droiture, *f.,* honesty, rectitude.
drôle, *n.,* scoundrel, queer, funny (fellow).
drôlerie, *f.,* buffoonery, rascality.
drosser, to drive.
dru, thick.
du—, *ir. stem of* **devoir.**
dû, due, *p. p. of* **devoir.**
dum-dum, soft-nosed, dum-dum.
dur, hard, harsh.
durant, during.
durcir, to harden, to stiffen.
durée, *f.,* duration.
durer, to last.
dureté, *f.,* harshness.
duvet, *m.,* eiderdown.

eau, *f.,* water; ——— **dentifrice,** mouthwash; **cours d'**———, stream; **poussière d'**———, mist; **ville d'** ———, spa, watering-place.
ébaucher, to sketch, strike up (*a friendship*); ——— **un sourire,** to give a faint smile.
ébaudir, s'———, to frolic.
ébène, *f.,* ebony.
éblouir, to dazzle.

éblouissement, *m.,* dazzle, brightness.
éboulement, *m.,* cave-in.
ébouriffé, ruffled, dishevelled.
ébranlement, *m.,* shock.
ébranler, to shake.
ébullition, *f.,* boiling.
écaille, *f.,* shell.
écaillé, plated.
écarter, to remove, to take away, to drive away, to part, to separate, to avoid, to go away; **écarté,** remote, to one side.
échafaud, *m.,* scaffold.
échancrure, *f.,* neckline, front of dress.
échange, *m.,* exchange.
échanger, to exchange.
échantillon, *m.,* sample.
échappement, *m.,* exhaust, escape.
échapper, to escape; **escapé,** escapee.
échauffer, to warm, to heat, to excite; **s'———,** to get excited, to get heated.
échéait, happened (*from infinitive* **échoir,** *v. ir.*).
échec, *m.,* failure, defeat.
échelle, *f.,* ladder.
écheniller, to rid of caterpillars.
écho-sondeur, *m.,* echo-sound tape.
échouer, to fail **s'———,** to ground.
éclaircir, to clear (up).
éclairement, *m.,* lighting.
éclairer, to light (up), to clear, to enlighten.
éclat, *m.,* brightness, burst; ——— **de rire,** outburst of laughter.
éclatant, striking, thundering bright (*in color*).
éclater, to shine, to burst; ——— **de rire,** to burst into laughter.
écoeuré, discouraged.
écolier, -ère, *n.,* student, scholar, schoolboy(ish).
école, *f.,* school.
économie, *f.,* economy, saving.
économiser, to save.
écossais, *n.,* Scotch(man).
écouler, s'———, to slip by, to slip away, to pass (*of time*).
écouter, to listen (to).
écouteur, *m.,* (telephone) receiver.
écraser, to crush.
écrier, s'———, to call out, to exclaim.
écrit, *m.,* writing; *p. p. of* **écrire,** to write.
écriture, *f.,* (hand)writing.
écriv-, *ir. stem of* **écrire,** to write.
écrivain, *m.,* writer.
écroulement, *m.,* crumbling, collapse.
écrouler, to crumble.
écu, *m.,* crown (*coin worth three francs.*)
écume, *f.,* foam.
écureuil, *m.,* squirrel.
écurie, *f.,* stable.
édifice, *m.,* building, structure.
édifiant, edifying, instructive.
édit, *m.,* edict, decree.
éducation, *f.,* breeding, up-bringing, education.
effacement, *m.,* obliteration.
effacer, to erase, to efface, to disappear.
effarement, *m.,* bewilderment.
effarer, to frighten.
effectuer, to carry out, to effect.
effet, *m.,* effect; **en ———,** as a matter of fact, in fact.
efficace, effiacacious, effective.
effilé, thin, sharp.
effiler, s'———, to unravel.
effleurer, to graze, to touch lightly.
effondrement, *m.,* collapse, disaster.
efforcer, s'———, to strive.
effrangé, frayed.

effrayer, to frighten.
effroi, *m.,* fright, terror.
effroyable, frightful.
égal, equal; **être ——— à,** to be all the same to.
également, likewise, equally.
égaler, to equal.
égard, *m.,* consideration, regard; **à l'——— de,** toward.
égarement, *m.,* mistake.
égarer, to mislead, to lose, to mislay, to wander; **s'———,** to be bewildered.
égayer, to amuse.
église, *f.,* church.
égorger, to kill, to butcher; **égorgé,** slain (one).
égorgeur, *m.,* murderer, butcher.
égratignure, *f.,* scratch.
eh bien, well!
égrener, to tell, to recite (beads).
élan, *m.,* outburst, soaring flight; **prendre son ———,** to get set.
élancé, slim, rushing; **——— à sa poursuite,** in hot pursuit.
élancer, to bring forth; **s'———,** to rush.
élargir, to enlarge.
élastique, supple, elastic.
élégant, *adj.,* elegant; *m.,* dandy.
élève, *n.,* pupil.
élevé, high, elevated.
élever, to raise, to educate.
élixir, *m.,* elixir, potion, cordial.
élogieux, laudatory.
éloigné, distant, away.
éloigner, to remove, to keep away, to drive away; **s'———,** to go away.
élu, *p. p. of* **élire,** to elect.
El Verdugo (*Span.*), *m.,* The Executioner.
émail, *m.,* enamel.
émaner, to emanate.
emballeur, *n.,* packing.
embarcation, *f.,* boat.
embarquement, *m.,* loading.
embarras, *m.,* embarrassment.
embaumer, to embalm, to be fragrant.
embellir, to embellish, to grow handsome.
embêter, to annoy.
embonpoint, *m.,* fat paunch, belly.
embouchure, *f.,* exit, mouth.
embout, *m.,* mouthpiece.
embrassement, *m.,* embrace.
embrasser, to embrace.
embrasure, *f.,* frame.
embrumer, to overcast, to darken.
embuer, to cloud.
embusquer, to ambush; **s'———,** to lie in ambush on.
émeraude, *f.,* emerald.
émetteur, poste ———, sending set.
émettre, *v. ir.,* to emit, to issue, to give off, to offer, to present.
émeute, *f.,* disturbance, riot.
éminemment, eminently.
émis, *p. p. of* **émettre.**
émission, *f.,* emission, giving off.
emmêler, to mix.
emmener, to lead, to take along, to bring, to lead off.
émoi, *m.,* emotion, confusion.
émouvoir, *v. ir.,* to move, to touch (*the heart*).
emparer, to seize; **s'——— de,** to seize, to win.
empêcher, to prevent, to keep (from); **n'empêche,** no matter, just the same.
empeser, to starch.
empesté, pestilential.
empiler, to pile (up).
empire, *m.,* domination, rule, empire.
emplir, to fill.

emploi, *m.,* job, position.
employé, *n.,* (office) worker, employee.
employer, to use, to employ.
empocher, to pocket.
empoigner, to seize.
empoisonner, to poison.
emporter, to carry away, to take, to carry off, to win out, to overcome.
empoté, stupid.
empourpré, scarlet.
empreint, imprinted, marked.
empreinte, *f.,* imprint.
empressement, *m.,* eagerness.
empresser, to hasten, to be in a hurry; **s'—— de,** to hasten.
emprunter, to borrow.
ému-, *p. p. and ir. stem of* **émouvoir.**
émule, *n.,* rival.
en, in, as a, like a; of it, of them, from it (them), some.
encadrer, to frame.
encan, *m.,* auction.
enceinte, *f.,* enclosure.
encenser, to perfume.
enchaîner, to chain, to control.
enchevêtrement, *m.,* confusion.
enclin, inclined.
enclos, *m.,* enclosure.
encombre, *m.,* **sans ——** without accident.
encombrer, to incumber, to fill, to crowd.
encore, again, still, yet; **—— un(e),** another one; **—— que,** although; **passe ——,** that's understandable.
encre, *f.,* ink.
endimanché, flowery, "dolled up."
endormir, *v. ir.,* to put to sleep, to be asleep; **s'——,** to go to sleep.
endosser, to put on.
endroit, *m.,* place.
endurcir, to harden.
énergique, energetic.
énervement, *m.,* enervation.
enfance, *f.,* childhood.
enfant, *n.,* child.
enfantin, childish.
enfer, *m.,* hell.
enfermer, to enclose, to contain, to close up.
enfiévré, (made) feverish.
enfiler, to slip on.
enfin, finally, after all, well.
enflammé, flaming.
enflammer, to excite, to flame (up).
enfler, to swell, to roll.
enfoncer, to bury, to sink, to descend.
enfouir, to stuff, to bury.
enfuir, s'——, to flee.
engager, to engage, to commit, to convince; **s'——,** to enter.
engelure, *f.,* chilblain.
engendrer, to engender, to cause.
engin, *m.,* equipment, mechanism.
engloutir, to gulp down, to engulf.
englué, dulled.
engoncer, to cramp.
engouffrer, to engulf, to bury.
engourdi, benumbed.
engrais, *m.,* pasture, fertilizer.
énigme, *f.,* mystery, riddle, enigma.
enivrement, *m.,* intoxication, enthusiasm.
enivrer, to intoxicate, to enrapture.
enjambée, *f.,* stride.
enjeu, *m.,* (gambling) stake.
enjoign-, *ir. stem of* **enjoindre,** to request, to enjoin.
enjoliver, to embellish.
enjoué, gay, playful.
enlacé, *n.,* enlaced (one).
enlacer, to entwine, to embrace.
enlever, to take away, to take off, to carry off.
enneigé, covered with snow.
ennui, *m.,* boredom, vexation.
ennuyer, to bore, to annoy.

ennuyeux, -se, *n.,* bore, boring, annoying.
énoncer, to enunciate, to pronounce.
enorgueillir, to fill with pride.
énorme, enormous.
énormément, enormously.
enquête, *f.,* inquiry.
enquit (il) *p. simple of* **enquérir,** to inquire.
enragé, enraged, afflicted with rabies.
enregistrer, to check, to register.
enregistreur, recording.
enrôler, to enlist.
enroué, hoarse.
enroulement, *m.,* rolling.
enrouler, to roll up, to roll in a "bun" (*of hair*).
enseigner, to teach.
ensemble, *adj., adv.,* together; *m.,* whole, ensemble, group; **d'———,** in a general glance.
ensevelir, to bury.
ensoleillé, sunny.
ensorcelé, witch-like, bewitched.
ensuite, next, then.
ensuivre, *v. ir.,* to follow.
entacher, to stain.
entamer, to begin, to impair, to injure.
entasser, to pile up.
entendement, *m.,* understanding.
entendre, to understand, to hear, to mean, to intend; **——— à demi-mot,** to get the allusion; **s'——— à,** to be skilled in; **s'——— (avec),** to come to an agreement (with).
entendu, understood, understanding, decided; **bien ———,** of course.
enterrement, *m.,* burial.
enterrer, to bury.
enthousiasmer, to enthuse.
entiché, infatuated.
entonner, to intone.
entourage, *m.,* circle of friends, entourage.
entourer, to surround.
entr'acte, *m.,* intermission.
entrailles, *f. pl.,* entrails.
entrain, *m.,* enthusiasm, liveliness.
entraîner, to lead (to), to pull, to carry along, to drag off.
entraver, to hinder.
entre, between, among.
entrechoqué, clashing.
entrecouper, to pierce.
entrée, *f.,* entrance.
entreprendre, *v. ir.,* to undertake, to take in hand.
entreprise, *f.,* undertaking, enterprise.
entrer, to enter; **——— en transes,** to shiver in one's boots.
entre-regarder, to look at one another.
entretenir, *v. ir.,* to keep up, to maintain; **——— des intelligences,** to be in communication; **s'———,** to converse.
entretien, *m.,* conversation.
entretien-, *ir. stem of* **entretenir.**
entrevi-, *ir. stem of* **entrevoir,** to glimpse.
entrevoy-, *ir. stem of* **entrevoir,** to glimpse, to catch sight of.
entrevu, *p. p. of* **entrevoir,** glimpsed.
entrevue, *f.,* interview.
entr'ouvert, *p. p. of* **entr'ouvrir.**
entr'ouvrir, *v. ir.,* to open part way.
envahir, to invade, to overcome.
envahisseur, *m.,* invader.
envelopper, to wrap, to surround, to envelope.
envers, toward.
envie, *f.,* desire, envy; **avoir ———,** to desire; **faire ———,** to arouse desire.

environ, about; *m.*, environ, neighboring region.
environner, to surround.
envoler, s'———, to fly away.
envoyé, *n.*, envoy.
envoyer, *v. ir.*, to send.
épais, -se, thick.
épaisseur, *f.*, thickness, depth.
épaissir, to thicken.
épancher, to pour out.
épandre, to spread.
épanoui, beaming.
épanouissement, *m.*, blossoming.
épargner, to spare.
éparpiller, to scatter.
épars, scattered.
épaule, *f.*, shoulder; **hausser les ———s**, to shrug one's shoulders.
épaulette, epaulet.
épave, *f.*, wreck, shipwreck, obstacle.
épée, *f.*, sword; **passer au fil de l'———**, to put to the sword.
éperdu, dazed, wild.
éperon, *m.*, spur.
éperonné, spurred.
éphémère, *n.*, insect living one day, gnat; **insecte ———**, gnat.
éphémerides, *f. pl.*, nautical table.
épicier, *m.*, grocer.
épier, to spy (on).
épingle, *f.*, pin.
éploré, weeping.
éponge, *f.*, sponge.
éponger, to sponge; **s'———**, to wipe one's brow.
épopée, *f.*, epic poem.
époque, *f.*, era, epoch.
épouse, *f.*, wife.
épouser, to marry, to follow exactly.
épouvantable, terrible, frightful.
épouvante, *f.*, fear, terror.
épouvanter, to frighten.
époux, *m.*, husband; *pl.*, husband and wife.
épreuve, *f.*, test, trial.
éprouver, to test, to experience, to feel.
éprouvette, *f.*, test-tube.
épuisement, *m.*, exhaustion.
épuiser, to exhaust.
épurer, to purify.
équilibre, *m.*, balance.
équipage, *m.*, crew.
équipe, *f.*, team, expedition, crew.
équipée, *f.*, escapade.
équitablement, equally.
équité, *f.*, equity.
équivaloir, *v. ir.*, to be equivalent to.
érable, *m.*, maple-tree.
érablière, *f.*, maple grove.
ère, *f.*, era.
éreinté, worn out, tired.
errer, to wander.
escadron, *m.*, squadron.
escalade, *f.*, climb, climbing.
escale, *f.*, stop, port of call.
escalier, *m.*, stairs.
espace, *m.*, space.
espacer, to space.
espadon, *m.*, swordfish.
Espagne, *f.*, Spain.
espagnol, Spanish.
espèce, *f.*, kind, species.
espérance, *f.*, hope.
espérer, to hope.
espion, *m.*, spy.
espoir, *m.*, hope.
esprit, *m.*, mind, wit, spirit; **——— de corps**, esprit de corps; **——— fort**, freethinker; **trait d'———**, shaft of wit, witty saying.
esquisser, to sketch, to outline, to try, to do lightly.
essai, *m.*, attempt, effort.
essayer, to try, to test.
essence, *f.*, essence, gasoline.
essoufflé, out of breath.
essoufflement, *m.*, breathlessness.

essouffler, to wind, to take one's breath away.
essuyer, to wipe, to dry.
estimer, to esteem.
estomac (*c silent*), *m.,* stomach.
estomper, to blur.
estrade, *f.,* platform.
estropier, to cripple.
et, and, furthermore, but; ——— . . . ———; both . . . and.
ét-, *ir. stem of* **être.**
étable, *f.,* stable, cow-shed.
établir, to establish, to construct.
étage, *m.,* rank, floor, story.
étalagiste, *n.,* window-dresser.
étaler, to display, to spread.
étang, *m.,* pool of water.
étape, *f.,* stage, step.
état, *m.,* state, condition, profession; **coup d'———,** revolt; **homme d'———,** statesman.
état-major, *m.,* (general) staff.
États-Généraux, *m. pl.,* National Assembly under the Ancien Régime.
été, *p. p. of* **être,** been, gone.
été, *m.,* summer.
éteign-, *ir. stem of* **éteindre.**
éteindre, *v. ir.,* to extinguist, to be lifeless, to fade away.
éteint, *p. p. of* **éteindre.**
étendre, to extend, to stretch (out).
étendu, extensive.
étendue, *f.,* extent.
éterniser, to last forever, to overstay.
étinceler, to sparkle.
étincelant, sparkling.
étique, consumptive.
étiqueteur, labelling.
étiquette, *f.,* label.
étirer, to stretch.
étoile, *f.,* star.
étonnement, *m.,* astonishment.
étonner, to astonish.
étouffer, to stifle, to hide.
étourdi, *n.,* hare-brain(ed).
étourdir, to dazzle, to deafen, to dizzy, to deaden.
étourneau, *m.,* starling.
étrange, strange, odd.
étranger, -ère, *n.,* foreign, foreigner, stranger.
étrangler, to strangle.
étrave, *f.,* stem, bow (*of a ship*).
être, *v. ir.,* to be, to go; *m.,* (human) being; **———s,** people; **——— d'accord,** to agree; **——— dans le vrai,** to speak the truth; **——— en train,** to be in the (right) mood, to be in the act; **bien-———,** *m.,* well-being, comfort.
étreindre, *v. ir.,* to grip.
étreint, *p. p. of* **étreindre.**
étroit, narrow, deep.
étude, *f.,* study.
étudiant, -e, *n.,* student.
étudier, to study.
eu-, *p. p. and ir. stem of* **avoir.**
euh?, eh? uh?
eunuque, *m.,* eunuch (*castrated male*).
eux, they, them.
évanouir, s'———, to faint, to vanish.
évasion, *f.,* escape.
éveiller, to awaken.
événement, *m.,* event, outcome.
évent, *m.,* blow hole, spout (*of whale*).
éventail, *m.,* fan.
éventer, to fan.
évidemment, evidently, of course, obviously.
évier, *m.,* sink, drain.
éviter, to avoid.
évoluer, to evolve, to transform gradually.
évoquer, to evoke, to recall.

examen, *m.,* examination.
examiner, to examine; —— **les talons,** to follow closely.
exclamation, point d'——, exclamation mark.
exécuter, to carry out, to execute.
exécuteur, *m.,* executor, executioner.
exemple, *m.,* example; **par ——,** *interj.,* I tell you, upon my word, *etc.,* for example.
exercer, to exercise.
exigence, *f.,* demand.
exiger, to require, to demand, to exact.
exorcisé, *n.,* one freed of devils.
exotique, *n.,* foreign(er).
expédier, to send.
expéditif, expeditious; **jugement ——,** summary judgment.
expédition, *f.,* expedition, sending service, dispatching office.
expéditionnaire, *m.,* dispatcher, shipper.
expérience, *f.,* experiment, experience; **monter une ——,** to set up an experiment.
expérimenté, experienced.
expier, to expiate.
explication, *f.,* explanation.
expliquer, to explain.
exprès, purposely.
exprimer, to express.
expulser, to expel, to eject.
exquis, exquisite.
extasier, to send into ecstasy.
exténuer, to exhaust, to wear out.
extirper, to pull out, to eradicate.
extrait, *m.,* (legal) extract.

fa, *m.,* F, fa (*musical note*).
fabriquer, to make, to manufacture.
face, *f.,* face; **bien en ——,** squarely in the eyes, point blank; **de ——,** from the front.
fâché, angry, sorry.
fâcher, to anger, to bother.
façon, *f.,* manner, fashion; **de —— à,** so as to; **sans ——,** unceremoniously.
fade, flat.
fagot, *m.,* piece of wood, faggot.
fagoter, to dress ridiculously, to bundle up.
faible, weak, slight.
faiblesse, *f.,* weakness.
faiblir, to weaken.
faïence, *f.,* porcelaine.
faill ——, *ir. stem of* **falloir.**
faillir, to fail; **j'ai failli tomber,** I almost fell.
faim, *f.,* hunger; **avoir ——,** to be hungry; **avoir grand'——,** to be starving.
fainéant, *m.,* loafer, good-for-nothing.
fainéantise, *f.,* laziness.
faire, *v. ir.,* to make, to do, to cause; —— **beau,** to be fine weather; —— **chaud,** to be warm; —— **froid,** to be cold; —— **grâce à,** to pardon, to take out of a plight; —— **la cour à,** to pay one's respects to; —— **le diable,** to do great things; —— **la chasse à,** to hunt; —— **le gros dos,** to arch one's back; —— **le malin,** to be sly, to be tricky; —— **montre de,** to display, to show off; —— **les points,** to take one's position (*nautical*); —— **des gorges chaudes,** to gloat; —— **fi de,** to scoff at; —— **irruption,** to burst; —— **mine,** to pretend, to appear; —— **place à,** to make room for; —— **mal à,** to hurt; —— **semblant de,** to pretend; —— **un tour,** to take a walk; —— **le tour,** to walk around;

extravagant 285

——— **le mort (la morte),** to play dead; ——— **le quart,** to be on watch; ——— **la noce,** to indulge in wild living; ——— **peine à,** to grieve; ——— **peur à,** to frighten; ——— **l'affaire,** to do the job; ——— **front à,** to confront; ——— **nombre,** to be a cipher; ——— **sombre,** to be dark; ——— **la dame,** to act the lady; ——— **savoir,** to inform; ——— **valoir,** to play up; ——— **venir,** to send for; ——— **un mauvais parti à,** to make it hard for; **se** ——— **à,** to become used to; **se** ———, to happen; **se** ——— **jour,** to make an opening; **se** ——— **attendre,** to be long in coming; **se** ——— **un devoir,** to undertake; **se** ——— **fort de,** to undertake; ——— **faire,** to let (be done).

fais-, *ir. stem of* **faire.**

fait (il), *pres. indic. of* **faire;** ——— **le quart,** is on watch; **ça ne** ——— **rien,** that makes no difference.

fait, *p. p. of* **faire; c'en est** ——— **de,** it's all over with.

fait [fɛt] *or* [fɛ], *m.,* fact, deed; **de** ———, **en** ———, in fact; **tout à** ———, completely; **n'est pas mon** ———, isn't what I want (admire), isn't my dish.

falaise, *f.,* cliff, rock band.

falloir, *v. ir.,* to be necessary.

fallu-, *p. p. and ir. stem of* **falloir.**

familial, -ux, family (like), intimate, domestic.

fanatisme, *m.,* fanaticism.

fanfaronnade, *f.,* boasting.

fange, *f.,* slime.

fanion, *m.,* pennant, pennon.

fantaisie, *f.,* fancy, trick.

fantôme, *m.,* phantom, ghost.

fardeau, *m.,* burden.

farouche, fierce, unsociable.

fasciner, to fascinate.

fass-, *pres. subj. stem of* **faire.**

fastidieux, -se, annoying.

fatalité, *f.,* fate, fatality.

faubourg, *m.,* suburb; **le Faubourg,** Faubourg St. Germain: *old aristocratic quarter of Paris.*

faucheur, *m.,* mower.

faucille, *f.,* sickle.

faudr-, *fut. stem of* **falloir.**

fausse, false.

faut (il), *pres. indic. of* **falloir,** it is necessary, it takes, one (I, we, you, *etc.*) must; **il ne** ——— **pas,** one musn't; **comme il** ———, proper.

faute, *f.,* mistake, fault, sin; ——— **de,** for lack (want) of.

fauteuil, *m.,* armchair.

fauve, *m.,* beast; *adj.,* tawny.

faux, -sse, false.

favoriser, to favor, to heed.

fébrile, feverish.

fécond, fertile.

féerique, fairy-like.

feign-, *ir. stem of* **feindre,** to pretend.

féliciter, to congratulate.

femme, *f.,* woman, wife.

fendre, to split; **se** ———, to be split, to be cracked.

fenêtre, *f.,* window.

fente, *f.,* crack.

fer, *m.,* iron; ——— **de lance,** lance tip; **chemin de** ———, railroad; **gris** ———, iron grey.

fer-, *fut. stem of* **faire.**

férir, *v. ir.,* to strike; **sans coup** ———, without striking a blow.

ferme, *adj.,* firm, hard; *f.,* farm.

fermer, to close.

fermeté, *f.,* firmness.

fermier, *m.,* farmer.

féroce, ferocious.

festin, *m.,* feast.
fête, *f.,* feast, celebration, anniversary, birthday, feast day, saint's day.
Fête-Dieu, *f.,* Corpus Christi day.
feu, *m.,* fire; **coup de** ———, shot; **mettre le** ———, to set fire; **prendre** ———, to catch fire, to get angry; **à petit** ———, slowly.
feuillage, *m.,* foliage.
feuille, *f.,* leaf, sheet of paper.
feuilleter, to leaf through.
fi-, *ir. stem of* **faire.**
fi, faire ——— **de,** to scoff at.
fiacre, *m.,* (horse) cab.
fiançailles, *f. pl.,* betrothal, engagement.
fiancer, to betroth.
ficher, (*in slang,* **fiche**), to stick; (*slang*) to get; **s'en** ———, not to give a hang.
fichu, given (*slang*).
fidèle, faithful.
fier, fière, proud.
fier, se ——— **à,** to trust.
fierté, *f.,* pride.
fièvre, *f.,* fever.
fiévreux, feverish.
figer, to freeze in place.
figuier, *m.,* fig tree.
figure, *f.,* face, figure.
figurer, to figure, to appear; **se** ———, to imagine.
fil [fil], *m.,* thread, wire; **passer au** ——— **de l'épée,** to put to the sword.
file, *f.,* file, line.
filer, to speed (away), to spin, to reel off, to drop away; ——— **doux,** to go cautiously.
filet, *m.,* net, fillet (*of meat, fish*), trickle, small stream.
fille, *f.,* girl, maiden; **vieille** ———, old maid.
fillette, *f.,* little girl.
fils [fis], *m.,* son; **beau-** ———, son-in-law.
fin, *f.,* end; **en** ——— **de compte,** when all is said and done.
fin, *adj.,* fine.
fini, *m.,* right taste.
fiole, *f.,* phial, small flask.
firmament, *m.,* heaven, firmament.
fixe, fixed.
fixement, fixedly.
fixer, to stare at.
flacon, *m.,* flask, bottle.
flairer, to smell, to sense.
flamboyer, to flame.
flamme, *f.,* flame, light.
flanc, *m.,* side.
flancher, to yield, to give ground.
flâner, to loaf, to stroll idly.
flanquer, to throw, to give; ——— **à la porte,** to kick out.
flatter, to flatter.
flatteur, -se, flattering.
flèche, *f.,* arrow.
fléchir, to bend, to move.
flétrier, to blast, to wither.
fleur, *f.,* flower, bloom; **à** ——— **de,** level with, flush.
fleurer, to smell of.
fleuri, flowery, ornate.
fleuve, *m.,* river.
florissant, flourishing.
flot, *m.,* wave, flood.
flotter, to float.
fluet, delicate.
fluorescéine, *f.,* fluorescent material.
Foca, (*make of*) camera.
foi, *f.,* faith.
foie, *m.,* liver.
foin, *m.,* hay.
foire, *f.,* fair, carnival.
fois, *f.,* time; **à la** ———, at once, at one and the same time.
folle, crazy (person), mad.

follement, madly.
foncer, to rush.
fonction, *f.,* function.
fonctionnement, *m.,* working, functioning.
fonctionner, to function, to move, to go.
fond, *m.,* back, bottom, depth, heart of the matter; **au ———,** basically, at heart, after all.
fonder, to base, to found.
fondeur, *m.,* founder.
fondre, to melt; **——— en larmes,** to burst into tears, melt into tears.
forain, fair-time, fair-ground, holiday.
font (ils), *pres. indic. of* **faire.**
force, *f.,* strength, force; *adj.,* much, a great quantity of; **à ——— de,** by virtue of; **à bout de ———s,** worn out; **dans la ——— de l'âge,** in his prime.
forcément, necessarily.
forêt, *f.,* forest.
forfait, *m.,* crime.
formel, -le, precise, definitive.
formule, *f.,* formula.
fort, *adj.,* strong, heavy, thick, clever; **château ———,** fortress; **c'est trop ———,** that's too much; **esprit ———,** freethinker; **se faire ——— de,** to undertake to; *adv.,* very, severely, hard; *m.,* fort, strong point.
fosse, *f.,* grave.
fossé, *m.,* ditch.
fou, crazy (person), mad.
foudre, *f.,* lightning.
foudroyant, stunning, striking.
fouiller, to search.
foule, *f.,* crowd; **en ———,** en masse.
fouler, to trample.
fourbe, deceitful.
fourberies, *f.,* deceit.
fourche, *f.,* fork.
fourmiller, to swarm.
fourneau, *m.,* stove.
fournir, to furnish.
fourré, *m.,* thicket.
foutez-moi la paix (*vulgar*), shut up!
foyer, *m.,* hearth, home, center, stove, seat.
fracas, *m.,* racket, much noise.
fraîcheur, *f.,* coolness.
frais, fraîche, fresh, cool; **habillés de ———,** with new garments.
frais, *m. pl.,* fees, expense.
franc, -che, frank.
français, French.
franchir, to cross.
franchise, *f.,* frankness, honesty.
franchissement, *m.,* crossing, freeing.
François, Francis.
frangé, fringed, dragged out.
frapper, to strike, to knock, to impose, to levy, to be stricken; **——— des pieds,** to stamp.
fratricide, fratricidal.
fraude, *f.,* fraud; **assister en ———,** to witness from hiding, to sneak in to watch.
frauduleux, fraudulent.
frayer, to open, to clear.
frayeur, *f.,* fright.
frégate, oiseau ———, frigate bird.
frein, *m.,* brake.
frêle, frail.
frémir, to tremble.
frémissement, trembling.
frénétique, frantic.
fréquemment, frequently.
fréquentation, *f.,* frequenting.
frère, *m.,* brother; **beau-———,** brother-in-law.
frétiller, to frisk.
friable, friable, easily crushed.
friandise, *f.,* dainty, titbit.
frictionner, to rub.

fringale, *f.,* hunger, keen appetite.
fripouille, *f.,* scum.
frisson, *m.,* shiver.
frissonner, to shiver, to tremble.
frivole, frivolous.
froid, cold; **faire ———,** to be cold (*of weather*); **avoir ———,** to be cold (*of a person or animal*).
froissement, *m.,* crunching sound.
froisser, to hurt (*feelings*).
frôler, to brush, to graze.
fromage, *m.,* cheese.
froncer les sourcils, to frown.
front, *m.,* forehead, brow, head, front; **faire ——— à,** to confront.
frotter, to rub.
fructueux, fruitful.
fu-, *ir. stem of* **être.**
fuir, *v. ir.,* to flee.
fuite, *f.,* flight.
fumée, *f.,* smoke, mist.
fumer, to smoke.
fumeux, hazy.
funèbre, sad, funereal.
funérailles, *f. pl.,* funeral, death ceremony.
funeste, unfortunate, sad.
fureteux, -se, prying.
fureur, *f.,* fury.
furtif, -ve, secret.
fusil, *m.,* gun.
fusiller, to shoot.
fuy-, *ir. stem of* **fuir.**

gadouille, *f.,* mess.
gage, *m.,* pledge.
gageure, *f.,* gamble.
gagner, to earn, to reach, to overcome, to win; **——— de vitesse,** to overtake.
gaieté, gaîté, *f.,* gayety.
gaillard, lusty, vigorous, robust.
galerie, *f.,* gallery, porch, hall.
galimatias, *m.,* nonsense.
galopin, *m.,* urchin.
gambader, to run around (*in play*), to frolic.
gamin, -e, *n.,* youngster, urchin.
gant, *m.,* glove.
garantir, to guarantee.
garçon, *m.,* boy, waiter.
garde, *n.,* guard, care; **avoir ——— de,** to be careful not to; **avant-———,** outpost; **prendre ——— à,** to pay attention to, to take care (of).
garde-manger, *m.,* pantry.
garder, to keep; **——— à vue,** to keep in sight; **se ——— de,** to be careful not to.
gardien, *m.,* guardian.
gare, *f.,* station, depot; **——— de marchandise,** freight shed.
garnir, to garnish.
garnison, *f.,* garrison.
garrotter, to bind, to tie.
gars [gɑ], *m.,* lad, boy.
gâteau, *m.,* cake.
gâter, to spoil.
gauche, left, awkward.
gaucherie, *f.,* awkwardness.
gaufrer, to break through.
gaz, *m.,* gas.
géant, *n.,* giant, gigantic.
geignant, groaning, creaking.
gel, *m.,* frost, frost bite.
gelée, *f.,* jelly.
geler, to freeze.
gémir, to groan.
gémissement, *m.,* groan, grief.
gênant, bothersome.
gendarme, armed policeman.
gendarmerie, *f.,* militia, police.
gendre, *m.,* son-in-law.
gêne, *f.,* uneasiness, difficulty, trouble, narrow quarters.
gêner, to bother, to disturb, to impede.

général, -ux, *n.,* general; **quartier ———,** headquarters.
genèse, *f.,* origin, background.
génie, *m.,* spirit, genius.
genou, *m.,* knee.
genre, *m.,* kind, form, (*literary*) genre, type; **——— humain,** mankind.
gens, *n. pl.,* people, followers; **honnêtes ———,** well-bred people.
gentil, nice.
gentilhomme, *m.,* gentleman, nobleman.
geôlier, *m.,* jailer.
gerbe, *f.,* sheaf, shower.
gérer, to govern, to administrate.
germer, to grow.
geste, *m.,* gesture, action, movement.
gestion, *f.,* administration.
gibier, *m.,* game.
gifler, to strike, to slap.
gigot, *m.,* leg of lamb (*or* mutton).
gilet, *m.,* vest, waistcoat.
girouette, *f.,* weathervane.
gis-, *ir. stem of* **gésir,** to lie.
gît (il), *pres. indic. of* **gésir,** to lie.
glace, *f.,* mirror, ice.
glacé, cold, icy, chilled.
glissant, slippery.
glisser, to slip.
globicéphale, bottle-nosed.
gloire, *f.,* glory, reputation, fame.
gloussement, *m.,* chuckling (sound).
godille, *f.,* scull, stern-oar.
gond, *m.,* hinge.
gonfler, to swell.
gorge, *f.,* gorge, throat, abyss; **faire des ———s chaudes,** to gloat.
gorgée, *f.,* swallow.
gouaillerie, *f.,* (coarse) jest, joking.
gourmand, greedy, self-satisfied.
goût, *m.,* (good) taste, liking.
goûter, to taste, to enjoy, to appreciate.
goutte, *f.,* drop, drink, gout.
goutteux, *n.,* gouty (person).
gouverne, *f.,* guidance.
grâce, *f.,* gift, grace, pardon, favor, thanks; **——— à,** thanks to; **coup de ———,** finishing blow *or* shot; **faire ——— à,** to pardon, to take out of a plight.
graillonnement, *m.,* throaty rumbling.
graisse, *f.,* grease, fat, oil.
grand, large, tall, great; **——— chemin,** highway; **——— ouvert,** wide open; **à ———s pas,** with long strides.
grand-écuyer, *m.,* Grand Squire.
grandesse, *f.,* grandeur, grandness .
grandeur, *f.,* grandeur, greatness.
grand'faim, *f.,* keen hunger.
grandir, to grow, to increase.
grand'mère, *f.,* grandmother.
grand-vizir, *m.,* Grand Vizir.
grange, *f.,* barn.
granit, *m.,* granite.
graphie, *f.,* writing, appearance on the page (*of a musical score*).
gras, greasy.
gratter, to scratch.
gratuit, free.
graver, to engrave.
gravir, to climb.
gravité, *f.,* seriousness, gravity.
gravois, *m.,* rubbish, rubble.
gré, *m.,* liking, will, wish; **bon ——— mal ———,** whether he liked it or not, willy-nilly; **savoir ——— à,** to be grateful to.
grec, Greek; **bonnet ———,** housecap.
gredin, -e, *n.,* scoundrel.
grêle, thin, frail.
grenadier, *m.,* grenadier.
grès, *m.,* sandstone.
grésillement, *m.,* crackling.

grief, *m.*, complaint.
grièvement, seriously.
griffe, *f.*, claw.
griffonner, to scribble.
grillage, *m.*, grill work.
grimace, *f.*, grimace, face.
grimper, to climb.
gris, grey; ——— **fer,** iron grey.
grisaille, *f.*, greyness.
grisâtre, greyish.
grisonnant, greying.
grondement, *m.*, racket.
gronder, to scold, to grumble.
gros, -se, big, heavy, fat; ——— **plan,** close-up; **faire le** ——— **dos,** to arch one's back; *m.*, quantity, main part.
groseille, *f.*, red currant.
grossesse, *f.*, pregnancy.
grossier, coarse.
grossir, to increase, to swell.
grotte, *f.*, grotto.
guenille, *f.*, tatter.
guêpe, *f.*, wasp.
guère, ne . . . ———, scarcely, hardly; **ne . . .** ——— **que,** only, scarcely anything but.
guéridon, *m.*, small table.
guérir, to cure, to heal.
guerre, *f.*, war.
guerrier, *m.*, warrior.
guêtre, *f.*, legging, gaiter.
guetter, to watch.
gueule, *f.*, snout, mug (*vulgar*), mouth.
gueuse, *f.*, beggar, guttersnipe.

h., *abbreviation for* **heure(s).**
habile, clever.
habillement, *m.*, clothing.
habiller, to dress.
habit, *m.*, clothing, clothes, uniform, suit.
habitant, *m.*, inhabitant.
habiter, to inhabit.
habitude, *f.*, custom, habit; **d'**———, **à l'**———, ordinarily.
habitué, habitué, steady customer, frequenter.
habituer, to accustom.
***hache,** *f.*, axe, blade.
***haie,** *f.*, hedge, row; ——— **vive,** hedge of living bushes; **faire la** ———, to line up.
***haillon,** *m.*, rag, tatter.
***haillonneux, -se,** ragged.
***haine,** *f.*, hatred.
***haïr,** *v. ir.*, to hate.
haleine, *f.*, breath.
***haler,** to haul.
***haleter,** to pant.
***hampe,** *f.*, flagstaff.
***hanter,** to haunt, to frequent.
***hantise,** *f.*, nightmare, obsession.
***happer,** to snatch.
***haranguer,** to harangue.
***hardi,** bold.
***hargne,** *f.*, quarrelsomeness, vicious temper.
***harnais,** *m.*, harness.
***harponnage,** *m.*, harpooning.
***hasard,** *m.*, chance; **au** ———, at random.
***hâte,** *f.*, haste, hurry, **à la** ———, hastily.
***hâter, se** ———, to hasten.
***hâtif, -ve,** quick, hasty.
***haussement,** *m.*, shrug.
***hausser,** to raise, to shrug; ——— **les épaules,** to shrug one's shoulders.
***haut,** *adj.*, high, upper; *adv.*, loudly, out loud; *m.*, top, height, upper part; ——— **-le-coeur,** nausea; **tout** ——, right out loud; —— **parleur,** loud speaker; **à** ———**e voix,** out loud; **en** ———, upward; **là-** ———, up there.

***hauteur,** *f.*, height, haughtiness, huff; **en** ———, aloft.
***haut-le-coeur,** *m.*, nausea.
hébété, dazed, stupefied.
hébraïque, Hebrew.
***hein,** eh? huh? what?
hélas, alas!
hélice, *f.*, propeller, screw.
héliographe, *m.*, heliograph, signal mirror.
herbe, *f.*, grass, weed, herb.
***hérisser,** to bristle.
héritier, -ère, *n.*, heir.
heure, *f.*, hour, moment, time, o'clock; **à la bonne** ———, fine; **de bonne** ———, early; **tout à l'**———, presently, just now, a while ago, shortly.
heureux, -se, *n.*, happy, fortunate, lucky (one).
***heurt,** *m.*, clash, shock, jarring.
***heurter,** to hit, to strike, to jolt.
hier, yesterday.
***hiérarchiquement,** in the order of things, hierarchically.
***hisser,** to hoist.
histoire, *f.*, story, history; ——— **de,** so as to, just to.
historiette, *f.*, tale, story.
historique, *n.*, historical (recital).
hiver, *m.*, winter.
***hochement,** *m.*, nod.
***hocher,** to shake, to nod.
homme, man; ——— **de tête,** clever man; ——— **d'état,** statesman; ——— **de sang,** bloodthirsty man; ——— **de coeur,** courageous man; ——— **sanguin,** man easily aroused.
honnête, honest, honorable, well-bred.
honnêteté, *f.*, uprightness, integrity.
honneur, *m.*, honor; **mettre en** ———, to honor; **rendre** ———, to do honor, award prizes *or* distinctions.
***honte,** *f.*, shame; **avoir** ———, to be ashamed.
***honteux, -se,** ashamed, shameful.
***hop,** up! **allez** ———, out you go!
***hoquet,** *m.*, gasp.
horloge, *m.*, clock.
hors, except; ——— **de,** out of, outside of; **mettre** ——— **de combat,** to knock out.
hôte, *m.*, host, guest.
***houle,** *f.*, swell.
***hourra,** hurrah!
huile, *f.*, oil.
huis clos, *m.*, secrecy, closed hearing.
huissier, *m.*, usher, bailiff.
***huit,** eight; ——— **jours,** a week.
humeur, *f.*, (bad) humor, nature, temperament.
***hurlement,** *m.*, howl, yell.
***hurler,** to howl.
***hutte,** *f.*, hut.
hyacinthe, *f.*, hyacinth (*precious stone*).
hydrographe, *m.*, hydrographer, marine geographer.

ibiscus, *m.*, hibiscus.
icitte = ici, here.
idéologue, *m.*, ideologist.
ignorant, *n.*, ignorant (person).
ignorer, to be unaware of, not to know, to be ignorant of.
île, *f.*, island.
Iliade, *f.*, Iliad.
illuminer, to light (up), to illuminate.
illustre, illustrious.
imiter, to imitate.
immeuble, *m.*, building.
immiscer, s'———, to interfere.
immobile, motionless.

immobiliser, s'———, to come to rest.
immobilité, *f.,* motionlessness.
immoler, to sacrifice.
immonde, filthy, unclean.
immuable, unchanging.
impasse, *f.,* blind alley.
impassibilité, *f.,* impassivity.
impassible, impassive.
impatienter, to be impatient.
impénétrable, unexpressive, impenetrable.
impérissable, imperishable.
imperméabilité, *f.,* insensitiveness.
impie, impious.
impitoyable, pitiless.
implacable, relentless, inplacable, insatiable.
implanter, to place, to implant.
impliquer, to imply.
importer, to be of importance, to amount to, to matter; **qu'importe?** what difference does it make?
importun, annoying, bothersome.
importuner, to annoy.
imposer, to impose (upon); **en ——— à, ——— de,** to overawe.
impôt, *m.,* tax.
imprécation, *f.,* curse.
impressionnant, impressive.
impression, *f.,* impress, impression, imprint, mark.
impressionner, to impress, to make an impression.
imprévisable, unforeseeable.
imprévu, unforeseen.
imprimer, to impress, to print, to impart, to imprint.
improbité, *f.,* dishonesty.
improviste, à l'———, suddenly.
impuissance, *f.,* powerlessness, impotence.
impuissant, powerless, weak.
impunément, with impunity, without being punished.
impunité, *f.,* impunity.
inaccoutumé, unaccustomed.
inachevé, unfinished.
inaliénable, rooted, inalienable.
inamovible, for life, permanent.
inaperçu, unnoticed.
inapplication, *f.,* lack of application.
inattendu, unexpected.
incendie, *m.,* burning, fire.
incendier, to burn.
incessant, immediate, at once, unceasing.
incessamment, ceaselessly, instantly.
incliner, to bow, to bend, to slope, to incline.
incommoder, to inconvenience.
inconnaissable, unapproachable, unknowable.
inconnu, -e, *n.,* unknown (thing *or* person).
inconscience, *f.,* consciencelessness.
inconscient, unconscious.
incontrôlable, enormous, uncontrollable.
inconvenant, lacking in propriety.
incrédule, unbelieving, incredulous.
incroyable, unbelievable.
inculquer, to inculcate.
indéchiffrable, undecipherable.
indécis, vague.
indéfini, indefinite.
indéfinissable, indefinable.
indemne, unhurt.
Inde(s), *f.,* India; **cochon d'———,** guinea-pig; **marron d'———,** horse chestnut.
indicateur, -trice, meaningful, indicatory.
indicible, unspeakable, indefinable.
indigence, *f.,* poverty, indigence.
indigne, unworthy.
indigné, indignant.

indigner, to anger, to make indignant.
indiquer, to indicate.
indiscipline, *f.,* lack of discipline.
individualisation, *f.,* individualization.
indivis, whole.
indolent, indolent, sluggish, painless.
indolore, painless.
indulgence, *f.,* (religious) indulgence, remission of punishment.
industriel, *m.,* manufacturer.
inéluctable, unavoidable, inevitable.
inépuisable, inexhaustible.
inespéré, unhoped for.
inétendu, not occupying space.
inexplicable, unexplainable, inexplicable.
inexprimable, inexpressible.
infaillibilité, *f.,* infallibility.
infaillible, infallible.
infamant, infamous, defamatory.
inféodé, in allegiance to.
infester, to infest.
infini, *m.,* infinite, infinity, boundlessness, extreme; **à l'——,** endlessly; *adj.,* infinite.
infirme, unhealthy.
infirmer, to weaken.
inflexibilité, *f.,* inflexibility, strength.
infliger, to inflict.
influer (sur), to influence.
informe, shapeless, formless, bodiless.
informulé, unformulated.
infructueux, -se, fruitless.
infuser, to steep, to brew.
ingénier, s'——, to use one's ingenuity, to exercise one's wits.
ingénieur, *m.,* engineer.
ingrat, -e, *n.,* ingrate, ungrateful (person).
inhabituel, -le, unusual.
inhospitalier, unhospitable.
inique, iniquitous.
inimitié, *f.,* enmity.
injure, *f.,* insult.
inlassable, untiring, endless, ceaseless.
inné, innate.
innocenter, to declare innocent.
inondation, *f.,* flood, flooding.
inonder, to flood.
inopiné, unexpected.
inouï, unheard of.
inquiet, -ète, disturbed, anxious, restless.
inquiétant, disturbing.
inquiéter, to worry.
inquiétude, *f.,* anxiety, worry.
insaisissable, that cannot be grasped, elusive.
inscrire, *v. ir.,* to inscribe.
inscrit, *p. p. of* **inscrire.**
insecte, *m.,* insect; **—— éphémère,** gnat.
insensé, madman.
insensible, unfeeling, without feeling.
insensiblement, gradually, imperceptibly.
inserviable, unserviceable.
insigne, *m.,* insignia.
insolation, *f.,* insulation, exposure to sunlight.
insolemment, insolently.
insolite, unaccustomed, unusual, out of her element.
insomnie, *f.,* insomnia.
insondable, unfathomable.
insondé, unfathomed.
insouciance, *f.,* nonchalance, carefreeness.
insouciant, carefree.
insoupçonné, unsuspected.
inspirer, to inspire, to breathe into.
installer, to install, to put, to settle.

instant, instant; **à l'———,** instantly; **par ———s,** at times.
instantanément, instantly.
instruction, *f.,* education, instruction, sermon, learned discourse.
instruire, *v. ir.,* to instruct, to gather evidence for, to inform, to learn.
instruis-, *ir. stem of* **instruire.**
insu, à l'——— de, unknown to; **à mon (leur,** *etc.***) ———,** unknown to me, to them, *etc.*
insuffisance, *f.,* inadequacy, insufficiency.
insuffisant, insufficient, inadequate.
insuffler, to insufflate, to create, to fill out.
insurgé, *n.,* insurgent.
intelligence, *f.,* understanding, intelligence; **entretenir des ———s,** to be in communication.
interdis-, *ir. stem of* **interdire,** to forbid.
interdit, *m.,* interdict, something forbidden; *adj.,* speechless.
intérêt, interest, self-interest.
interminé, unfinished.
interprète, *n.,* interpreter.
interrogatoire, *m.,* questioning, interrogation.
interroger, to interrogate, to examine, to question.
interrompre, to interrupt.
intervertir, to invert.
intervint (il), *p. simple of* **intervenir,** *v. ir.,* to intervene.
intime, inner, intimate.
intimité, *f.,* intimacy, inner secret.
intrépide, fearless, intrepid.
introduire, *v. ir.,* to show in, to put in, to go in, to bring in, to introduce.
intrus, -e, *n.,* intruder.
inutile, useless.
inventaire, *m.,* inventory, report.
invincible, unconquerable, invincible.
invite, *f.,* inducement, incentive.
involontairement, without thinking.
invraisemblable, unlikely, improbable.
ir-, *fut. stem of* **aller.**
irascible, irritable, irascible.
irisé, iridescent.
irréductible, irreducible.
irréel, -le, unreal.
irrévérencieux, -se, irreverent.
irruption, *f.,* invasion; **faire ———,** to burst.
isolement, *m.,* isolation; **lazaret d'———,** isolation hospital.
isolément, alone.
isoler, to isolate.
issue, *f.,* exit, issue.
ivre, drunk, intoxicated, enraptured.
ivresse, *f.,* intoxication, excitement.
ivrogne, *n.,* drunkard.

jadis, [ʒadis], formerly.
jaillir, to spring, to project.
jalousie, *f.,* jealousy.
jaloux, -se, jealous.
jamais, ever, never; **ne . . . ———,** never; **à ———,** forever.
jambe, *f.,* leg.
jardin, *m.,* garden.
jarret, *m.,* calf of the leg.
jasmin, *m.,* jasmine.
jauger, to gauge.
jaune, yellow; **colère ———,** towering rage.
jaunir, to yellow.
jetée, *f.,* wharf, dock.
jeter, to throw, to utter, to give off; **——— des clartés,** to shimmer; **les dés sont jetés,** the die is cast; **se ——— au cou,** to throw one's arms around.

jeu, x, *m.*, games (s), gambling; **en** ——, at stake.
jeudi, *m.*, Thursday.
jeune, *n.*, young.
jeûne, *m.*, fasting.
jeûner, to fast, to go without food.
jeunesse, *f.*, youth.
joie, *f.*, joy; **mettre en** ——, to make happy.
joign-, *ir. stem of* **joindre.**
joindre, *v. ir.*, to join, to meet.
joint, *p. p. of* **joindre.**
joli, pretty.
jonc, *m.*, reed, stem.
joncher, to strew.
jonction, *f.*, junction.
joue, *f.*, cheek.
jouer, to play, to gamble, to risk, to pretend; —— **aux dames,** to play checkers.
jouet, *m.*, toy.
joueur, *m.*, gambler.
joufflu, chubby.
jouir (de), to enjoy.
jouissance, *f.*, enjoyment, joy.
joujou, *m.*, plaything.
jour, *m.*, day, light, daylight; —— **de l'an,** New Year's day; **au petit** ——, at daybreak; **de** ——, by day; **lever du** ——, daybreak; **tenir à** ——, to keep up to date; **se faire** ——, to make an opening; **huit** ——**s,** a week.
journal, -ux, *m.*, newspaper, periodical.
journée, *f.*, day, day's work.
jouvenceau, *m.*, stripling, youth.
joyau, x, *m.*, jewel.
joyeux, -se, joyous; **tenir de** —— **propos,** to talk rather coarsely.
Juanito (*Spanish*), *diminutive of* **Juan** (*John*), Jack, Johnny.
judiciaire, judicial.
judicieux, -se, judicious, wise.
jugé, *m.*, guess, guess-work.
jugement, *m.*, judgment; —— **expéditif,** summary judgment.
juger, to judge.
juif, -ve, *n.*, Jew, Jewess, Jewish.
juillet, *m.*, July.
juin, *m.*, June.
jumeau, *m.*, twin.
jumelle, *f.*, spy-glass; —— **marine,** spy-glass.
jument, *f.*, mare.
jupe, *f.*, skirt.
jupon, *m.*, underskirt, petticoat.
jurer, to swear.
juridique, judicial.
jurisconsulte, *m.*, jurist, lawyer.
juron, *m.*, oath.
jus, *m.*, juice, sap.
jusqu'à, up to, until; —— **la corde,** threadbare, worn thin; **jusqu'au sang,** until the blood ran.
jusque, jusques, until.
juste, just right, true, accurately; **point** ——, main point.
justement, precisely.
justicier, *n.*, lover of justice.

kilo, *m.*, kilogram.
kiosque, *m.*, kiosk, stand; — **à musique,** band-stand.
kirsch, *m.*, cherry brandy.

là, there, here; **çà et** ——, **par-ci, par-** ——, here and there; **par** ——, over there, that way.
là-bas, yonder, over there, down there.
laborieux, hard-working, laborious.
lac, *m.*, lake.
lâche, *n.*, coward, cowardly.
lâcher, to let go, to let loose, to release; —— **prise,** to let go; —— **un cuir,** let out an incorrect linking (*error of pronunciation*).

lâcheté, *f.,* laxness.
laconique, concise(ly), laconic(ally).
laconisme, *m.,* excessive brevity.
là-dedans, in that, inside.
là-dessous, down there, underneath.
là-dessus, thereupon, on that matter.
là-haut, up there.
lai, *m.,* lay.
laid, ugly.
laideur, *f.,* ugliness.
laine, *f.,* wool.
laisse, *f.,* leash.
laisser, to let, to leave, to fail; —— **faire,** to let, to leave alone; **se** —— **faire,** to make no objection; **se** —— **vivre,** to take it easy; **se** —— **prendre,** to let oneself be taken in; —— **tranquille,** to leave alone.
lait, *m.,* milk; **soeur de** ——, foster sister.
lama, *m.,* lama, pontiff.
lambeau, *m.,* tatter.
lame, *f.,* wave, blade.
lampe, *f.,* lamp, light.
lancer, to launch, to throw, to hurl, to utter, to rush.
lancier, *m.,* lancer.
langue, *f.,* language, tongue.
langueur, *f.,* boredom, langor.
languir, to languish.
languissant, monotonous, languid.
lanterne, *f.,* lantern; —— **sourde,** dark lantern.
lapidaire, *n.,* lapidary, jeweller.
lapin, *m.,* rabbit.
lard, *m.,* pork, bacon.
large, broad, wide, general, big; *m.,* width, open sea; **de long en** ——, up and down; **ne pas en mener** ——, to be in a tight fix, to cut a sorry figure.
largesse, *f.,* generosity, bounty, largesse.
largeur, *f.,* width.
larguer, to cast off.
larme, *f.,* tear.
las, -se, tired.
lasser, to tire.
lassitude, *f.,* fatigue.
lavande, *f.,* lavender.
laver, to wash.
lazaret, *m.,* quarantine hospital; —— **d'isolement,** isolation hospital.
lécher, to lick.
lecteur, *m.,* reader.
lecture, *f.,* reading; **en prendre** ——, to read it.
légataire, *n.,* inheritor; —— **universel(le),** sole heir.
léger, -ère, slight, light, frivolous.
légèreté, *f.,* lightness, frivolity.
légitime, legitimate.
légitimer; to justify.
legs [lɛ], *m.,* legacy.
léguer, to bequeath.
lendemain, *m.,* following day, next day.
lent, slow; **à pas** ——**s,** slowly,
lenteur, *f.,* slowness.
lequel, laquelle, lesquel(le)(s), which, which one(s), who, whom.
lèse- ——, *prefix,* crime against. . . .
leste, quick, lithe.
lettré, *m.,* man of letters.
leurrer, to lure, to deceive.
lever, to raise; —— **du jour,** daybreak; **se** ——, to get up, to rise.
levier, *m.,* lever, button.
lèvre, *f.,* lip; **du bout des** ——**s,** lightly, superficially.
lézard, *m.,* lizard.
liard, *m.,* farthing.
libation, *f.,* drink, libation.
libre, free; **plongée** ——, skin dive.
lie, *f.,* dregs.

liège, *m.,* cork.
lien, *m.,* bond.
lier, to bind, to tie; **avoir partie liée,** to be committed or jointly responsible.
lieu, *m.,* place, occasion; **avoir ——,** to take place; **au —— de,** instead of.
lieue, *f.,* league (*usually about three miles*).
lièvre, *f.,* hare.
ligne, *f.,* line; **troupe de ——,** infantry.
lignée, *f.,* lineage.
ligue, *f.,* league.
liguer, to league, to conspire.
linge, *m.,* linen.
lire, *v. ir.,* to read.
lis-, *ir. stem of* **lire.**
lisse, *f.,* rail; *adj.,* smooth.
lisser, to smooth (out).
lit, *m.,* bed; **—— de parade,** ceremonial bed.
litige, *m.,* quarrel, litigation.
littérateur, *m.,* man of letters.
livre, *f.,* pound; *m.,* book; **grand-——,** ledger.
livrer, to deliver, to give, to hand over.
local, -ux, *m.,* site, place.
locution, *f.,* saying, locution.
logement, *m.,* dwelling.
loger, to lodge.
logis, *m.,* home, lodging.
loi, *f.,* law.
loin, *m.,* distance; *adv.,* far, afar.
lointain, -e, *n.,* distant, distance.
loisir, *m.,* leisure.
Londres, *m.,* London.
long, *n.,* length; **——, -gue,** long; **le —— de,** alongside, the length of; **de ——,** in length; **de —— en large,** up and down; **savoir plus —— de,** to know more about; **à la ——ue,** in the long run, over a period of time; **de si ——ue main,** so long beforehand.
longer, to follow alongside.
longtemps, a long time.
longuement, at length, for a long time.
longueur, *f.,* length.
lorgner, to scrutinize.
lors, then; **—— même que,** even when; **dès ——,** from that time (on), **pour ——,** at that point.
lorsque, when.
losange, *m.,* diamond-shaped opening.
loti, provided for.
lotus [lɔtys], *m.,* lotus-flower.
louable, praiseworthy.
louche, suspicious.
louer, to praise; to rent.
loup, *m.,* wolf.
lourd, heavy, careless, coarse.
lové, coiled.
lu-, *p. p. and ir. stem of* **lire.**
lubie, *f.,* whim.
lubrifier, to lubricate.
lueur, *f.,* gleam, glimmer, light.
lugubre, lugubrious, sorry (state).
luire, *v. ir.,* to gleam, to shine.
luis-, *ir. stem of* **luire.**
lumière, *f.,* light, enlightenment.
lundi, *m.,* Monday.
lune, *f.,* moon; **clair de ——,** moonlight.
lunette, *f.,* field glass; **——s,** eyeglasses.
lustre, *m.,* chandelier.
lutte, *f.,* struggle.
lutteur, *m.,* battler; struggler.
luxe, *m.,* luxury.
luxueux, -se, luxurious.
lyrisme, *m.,* lyricism.

machinal, mechanical, wooden.

mâchoire, *f.*, jaw.
mâchonner, to munch.
maçon, *m.*, mason.
madrier, *m.*, beam.
magasin, *m.*, store, store-room.
mage, *m.*, wise man, priest.
magnifier, to magnify.
magnifique, magnificent.
maigre, thin.
maillot, *m.*, diaper, tights.
main, *f.*, hand; **battre des ——s,** to clap hands; **coup de ——,** unexpected attack; **de si longue ——,** so long beforehand; **mettre la —— à la pâte,** to take a hand in; **poignée de ——,** handshake.
maint, many a.
maintenant, now.
maintenir, *v. ir.*, to maintain, to keep, to hold.
maintenu, *p. p. of* **maintenir.**
maintien-, *ir. stem of* **maintenir.**
maintin-, *ir. stem of* **maintenir.**
maire, *m.*, mayor.
mairie, *f.*, town hall.
mais, but.
maïs, *m.*, corn, maize, porridge.
maison, *f.*, house.
maître, *m.*, master, teacher; **——-autel,** *m.*, main altar.
maîtresse, *f.*, mistress, teacher; **—— générale,** headmistress, principal.
maîtriser, to master.
mal, *m.*, difficulty, harm, sickness, evil, trouble; *adv.*, badly; **—— à propos,** inopportunely; **faire —— à,** to hurt, to weaken; **tant bien que ——,** somehow or other.
malade, *n.*, sick (one), patient.
maladie, *f.*, sickness.
maladif, sickly.
maladroit, awkward.
malchance, *f.*, bad luck.
malfaisance, *f.*, evil, wrongdoing.
malfaisant, *n.*, evil (person), malefactor, maleficent.
malfaiteur, *m.*, malefactor, criminal.
malgré, despite, in spite of.
malheur, *m.*, misfortune, unfortunate thing.
malheureux, -se, *n.*, unhappy (one), unfortunate (one), wretched (one), unlucky, miserable.
malin, sly, clever; **faire le ——,** to be tricky.
malotru, *m.*, lout.
malpropre, unclean.
malsain, unhealthy, bad for the health.
manche, *f.*, sleeve; *m.*, handle.
manchette, *f.*, cuff.
mandat, *m.*, mandate.
mander, to send for.
manège, *m.*, intrigue.
mangeoire, *f.*, manger.
manger, to eat; **salle à ——,** dining room.
mangeur, *m.*, eater.
maniable, manageable.
maniement, *m.*, handling.
manière, *f.*, manner; **de —— à,** so as to.
manifestement, clearly, manifestly.
manoir, *m.*, manor, home.
manquer, to lack, to fail, to spoil, to be missing, to be missed, to miss.
mansarde, *f.*, attic.
mansuétude, *f.*, mildness, gentleness.
manteau, *m.*, coat, cloak, mantle.
manufacture, *f.*, factory.
mappemonde, *f.*, atlas.
marbre, *m.*, marble.
marchand, -e, *n.*, merchant.
marchander, to bargain, to barter.
marchandise, *f.*, merchandise; **gare de ——s,** freight shed.

marche, *f.*, march, progress, walking, step; **mise en ——**, starting; **se mettre en ——**, to set out.
marché, *m.*, market, bargain.
marcher, to walk, to go, to progress.
mardi, *m.*, Tuesday.
mare, *f.*, pool, pond.
maréchal, *m.*, marshal.
marge, *f.*, margin.
mari, *m.*, husband.
marié, -e, *n.*, bride, groom.
marier, to marry off; **se ——**, to get married.
marin, *m.*, sailor.
marine, *f.*, navy.
marque, *f.*, stamp, mark.
marquer, to mark, to stamp, to note, to indicate, to show; **—— un temps d'arrêt,** to make a significant pause.
marquise, *f.*, marchioness.
marri, grieved.
marron, *m.*, chestnut; **—— d'Inde,** horse chestnut.
mars, *m.*, March.
marsouin, *m.*, porpoise.
marteau, *m.*, hammer.
martinet, *m.*, strap.
martyre, *m.*, martyrdom.
martyriser, to torture, to martyr.
mas [mɑ] *or* [mɑs], small farmhouse (in southern France).
masse, *f.*, mass; **en ——**, in a group.
massif, *m.*, (clump of) shrubbery.
massue, *f.*, club, hockey stick, bat.
mât, *m.*, mast, tent pole.
matamore, *m.*, bully.
matériel, *m.*, material, goods, equipment; **—— de départ,** necessary starting equipment.
maternité, *f.*, maternity.
matière, *f.*, matter, subject-matter.
matin, *m.*, morning.
matinal, early rising, morning.
matines, *f. pl.*, matins, morning prayers.
maudire, *v. ir.*, to curse.
maudit, *p. p. of* **maudire.**
mauser, *m.*, (*make of*) revolver.
maussade, sulky.
mauvais, bad; **faire un —— parti à,** to make it hard for.
maux, *pl. of* **mal,** afflictions.
maxime, *f.*, maxim.
méandre, *m.*, bend, winding path.
méchant, wicked, bad, cruel.
mèche, *f.*, mesh.
méconnaiss-, *ir. stem of* **méconnaître.**
méconnaître, to disregard, to misunderstand.
méconnu, misunderstood.
mécontent, dissatisfied.
mécontentement, *m.*, dissatisfaction.
mécontenter, to dissatisfy.
médecin, *m.*, doctor.
médical, -ux, medical.
médicament, *m.*, medicament, medicine.
médisance, *f.*, slander.
médisant, slanderous, back-biting.
méfait, *m.*, misdeed.
méfiant, distrustful.
méfier, se —— de, to distrust, to be wary of.
mégarde, *f.*, mistake.
Mégathérium, *m.*, megatherium (*extinct type of ground sloth*).
meilleur, better, best.
mélange, *m.*, mixture.
mélanger, to mix.
mêler, to mingle, to mix; **se —— de,** to meddle with.
même, *adv.*, even; *adj.*, (*before noun*) same; (*after noun*) very, even, self; **de ——**, likewise; **de —— que,** the same (as), just as; **lors —— que,** even when;

quand ——, even if, just the same; **tout de** ——, just the same; **il en va de** ——, it's the same (way).
mémoire, *f.*, memory; *m.*, memorandum.
menace, *f.*, threat.
menacer, to threaten.
ménage, *m.*, household; **pain de** ——, homemade loaf.
ménagé, discreet.
ménagement, *m.*, care, concern.
ménager, to spare.
mendiant, -e, *n.*, beggar.
menée, *f.*, manoeuver, intrigue.
mener, to lead, to take, to conduct; **ne pas en** —— **large,** to be in a tight fix, to cut a sorry figure.
mensonge, *m.*, lie.
mensonger, lying.
mensuelle, *f.*, monthly publication.
mentir, *v. ir.*, to lie.
menton, *m.*, chin.
menu, trifling, minute, small, insignificant, *m.*, menu.
méprendre, se ——, *v. ir.*, to be mistaken.
mépris, *m.*, scorn.
méprisable, detestable.
méprisant, scornful.
mépriser, to scorn.
mer, *f.*, sea; **en pleine** ——, on the high seas.
merci, *f.*, mercy; *m.s.* thanks.
mercredi, *m.*, Wednesday.
mère, *f.*, mother; **belle-** ——, mother-in-law.
mériter, to deserve, to merit.
merle, *m.*, blackbird.
merveille, *f.*, marvel; **à** ——, marvelous, wonderful.
merveilleux, -se, marvelous, miraculous.
messager, -ère, *n.*, messenger.
messe, *f.*, mass.
Messie, *m.*, Messiah.
messieurs, *m. pl.*, gentlemen.
mesure, *f.*, measure; **à** —— **que,** as; **en** —— **de,** in a position to.
mesurer, to measure.
métairie, *f.*, farm.
métaphysique, *f.*, metaphysics.
métaux, *m. pl.*, metals.
métier, *m.*, trade, craftsmanship, job, profession, undertaking.
metteur en scène, *m.*, (stage) director.
mettre, *v. ir.*, to put, to set; —— **à l'abri,** to shelter; —— **en honneur,** to honor; —— **en joie,** to make happy; —— **hors de combat,** to knock out; —— **la main à la pâte,** to take a hand in; —— **le feu,** to set fire; **se** —— **à,** to begin, to take part, to happen; **se** —— **en marche, en route,** to set out; **se** —— **en branle,** to start moving.
meubler, to furnish.
meur-, *ir. stem of* **mourir.**
meurtre, *m.*, murder, slaughter, homicide.
meurtri, crushed.
meurtrier, -ère, *n.*, murderer, murderous.
mi-, *prefix,* mid, half.
mi-, *ir. stem of* **mettre.**
mica, *m.*, mica.
midi, *m.*, noon, South.
miel, *m.*, honey.
miette, *f.*, crumb.
mieux, *adv.*, better, best; *m.*, best; **de son (mon)** ——, to his (her, my, *etc.*) best, to the best of his (*etc.*) ability; **aimer** ——, to prefer; **valoir** ——, to be better.
mignon, -ne, darling.
milice, *f.*, militia.

milicien, *m.,* militiaman.
milieu, *m.,* midst, environment, milieu, middle.
militaire, *n.,* military (man), soldier.
mille, thousand, mile.
millier, *m.,* (about a) thousand.
millionième, *m.,* millionth part.
mince, thin, slight, skinny.
mine, *f.,* face, mien, countenance; **faire** ———, to appear, to pretend.
minéral, -ux, *m.,* mineral.
minime, very small.
ministère, *m.,* ministry.
ministre, *m.,* minister, (cabinet) secretary.
minuit, *m.,* midnight.
minuscule, tiny, minuscule.
minutieux, -se, delicate.
mioche, *n.,* brat.
miroir, *m.,* mirror.
miroiter, to shimmer, to reflect.
Miryem, Miriam (*Hebrew form of Mary*).
mis-, *p. p. and ir. stem of* **mettre.**
mise, *f.,* ——— **en marche,** starting.
misérable, *n.,* wretch, wretched, miserable (one).
misère, *f.,* wretchedness, dire poverty, grief, insignificance.
miséricorde, *f.,* mercy, merciful heavens!
miss (*English*), English girl.
mitraille, *f.,* grapeshot.
mitrailleuse, *f.,* machine gun.
mitre, *f.,* mitre (*of bishop or abbot*).
mixte, mixed.
mobilité, *f.,* adaptability, mobility.
mode, *f.,* style.
modéré, moderate.
modérer, to moderate.
modifier, to modify.
moelle [mwal], *f.,* spinal tissue, medulla.
moelleux, *m.,* softness, springiness.
moeurs, [moɛrs] *or* [moɛr], *f. pl.,* customs, mores, manners.
moindre, *adj.,* slightest, least.
moine, *m.,* monk.
moineau, *m.,* sparrow.
moinette, *f.,* little nun (*facetious*).
moinillon, *m.,* novice, young monk.
moins, *adv.,* less, least; **au** ———, **du** ———, at least; **à** ——— **que, à** ——— **de,** unless.
moire, *f.,* watered silk, shimmering.
mois, *m.,* month.
moitié, *f.,* half; **à** ——, half (way).
molle, soft.
mollement, softly, with indifference.
mollesse, *f.,* softness, lifelessness.
momentanément, momentarily.
monceau, *m.,* pile, heap.
mondain, social, worldly.
monde, *m.,* people, society, world; **tout le** ———, every one; **demi-** ———, demi-monde.
monnaie, *f.,* money, cash, change.
monsieur, *m.,* Mr., sir, gentleman.
monseigneur, *m.,* monsignor.
mont, *m.,* mount, mountain.
montagnard, *m.,* mountaineer.
montagne, *f.,* mountain; **battre la** ———, to scour (search) the mountains.
monter, to climb, to arise, to go (come) up, to add up to, to bring up, to climb on; ——— **une expérience,** to set up an experiment.
montre, *f.,* watch; **faire** ——— **de,** to display; ——— **-bracelet,** wrist watch.
montrer, to show.
moquer, se ———, to jest; **se** ——— **de,** to make fun of, to laugh at, to be scornful of, not to care a rap about.
moral, *m.,* morale.

morale, *f.,* ethics, morality.
morceau, x, piece; **s'en aller en ——x,** to fall apart.
mordiller, to bite, to nibble.
mordre, to bite.
moribond, dying, moribund.
morigéner, to chide.
morsure, *f.,* bite.
mort, *f.,* death.
mort, *p. p. of* **mourir,** died, dead; *n.,* dead person; **faire le ——, la ——e,** to play dead.
mot, *m.,* word; **bon ——,** clever saying; **entendre à demi- ——,** to understand the allusion.
mouchoir, *m.,* handkerchief.
moudre, *v. ir.,* to mill, to smash.
mouiller, to wet, to grow damp.
mouillure, *f.,* wetting, soaking, downpour.
moulin, *m.,* mill.
mourant, -e, dying person.
mourir, *v. ir.,* to die.
mourr-, *fut. stem of* **mourir.**
mouru-, *ir. stem of* **mourir.**
mousse, *f.,* foam.
moustique, *m.,* mosquito.
mouvoir, *v. ir.,* to move.
moyen, *m.,* means; **——, ne,** *adj.,* middle, average.
moyennant, with, by means of.
moyenne, *f.,* average.
mû, mue, *p. p. of* **mouvoir.**
muer, to change.
muet, -te, silent.
mulet, *m.,* mule; mullet.
muletier, *m.,* mule driver.
munificence, *f.,* bounteousness, generosity, munificence.
munir, to provide, to arm.
mur, *m.,* wall.
mûr, mature, ripe.
muraille, *f.,* wall.
mûrir, to ripen, to mature.
musclé, muscled.
museau, *m.,* snout.
musée, *m.,* museum.
muselière, *f.,* muzzle.
mutisme, *m.,* (obstinate) silence.
myopie, *f.,* shortsightedness, myopia.
mystique, *n.,* mystical, mysticism.

nacre, *f.,* mother of pearl.
nager, to swim, to float.
nageur, *m.,* swimmer.
naguère, not long ago, previously.
naïf, -ve, simple.
naiss-, *ir. stem of* **naître.**
naissance, *f.,* birth.
naître, *v. ir.,* to be born, to come to life.
naïveté, *f.,* childishness.
nappe, *f.,* table cloth, sheet, cloth, stretch.
narine, *f.,* nostril.
natal, native.
nationale, route ——, main highway.
natte, *f.,* pigtail.
nature, *f.,* nature, kind.
naufragé, *n.,* wrecked (one), castaway.
nausée, *f.,* nausea.
navigant, sailing.
naviguer, to sail.
navire, *m.,* ship, boat.
navré, upset.
naziste, *m.,* (*follower of German national socialism*) Nazi.
ne . . . pas; not; **—— . . . point,** in no way; **—— . . . rien,** nothing, not anything; **—— . . . jamais,** never; **—— . . . que,** only; **—— . . . nulle part,** nowhere; **—— . . . aucun(e),** no, none; **—— . . . guère,** scarcely; **—— . . . plus,** no more, no longer; **—— . . . plus**

que, only; ——— . . . personne, no one, nobody; ——— . . . guère que, only; ——— . . . nullement, not at all; ——— . . . pas du tout, not at all.

né, *p. p. of* **naître.**

néanmoins, nevertheless.

néant, *m.,* void, nil, nullity, nothing, nothingness.

nécromant, *m.,* magician, necromancer.

nef, *f.,* nave.

néfaste, baneful.

négligé, informal.

négligemment, casually, carelessly, nonchalantly.

négligence, *f.,* negligence, nonchalance.

négligent, careless, negligent.

négliger, to neglect.

négociant, *m.,* merchant.

neige, *f.,* snow.

neigeux, -se, snowy.

nerf, *m.,* nerve; ——— **de boeuf,** whip.

nervosité, *f.,* nervousness.

nervure, *f.,* rib.

net [nɛt], **te,** clear; **trancher** ———, to cut clean.

netteté, *f.,* clearness.

neuf, nine.

neuf, -ve, new; **quoi de** ———, what's new(s)?

neutre, neutral, toneless.

neveu, *m.,* nephew.

névralgie, *f.,* neuralgia.

nez, *m.,* nose; **rire au** ———, to laugh in one's face.

niais, *n.,* fool, silly.

niche, *f.,* niche, recess.

nier, to deny.

noblesse, *f.,* nobility.

noce, *f.,* wedding, gay party.

nocif, -ve, harmful.

nocturne, nocturnal, night(ly).

Noé, *m.,* Noah.

noeud, *m.,* knot, clew, source; ——— **coulant,** slip knot.

noir, *n.,* black; **pot au** ———, Doldrums.

noirâtre, blackish.

nom, *m.,* name; **petit** ———, Christian name.

nombre, *m.,* number; **faire** ———, to be a cipher.

nombreux, -se, numerous.

nommer, to name.

non, no!; **non plus,** either, neither, no longer; **que** ———, of course not.

non-partant, *m.,* stay-behind.

nord, *n. s.,* north.

nostalgie, *f.,* homesickness.

notaire, *m.,* notary.

note, *f.,* grade, bill, note.

noter, to consider, to note.

notoirement, notoriously.

Notre Seigneur, Our Lord.

nouer, to tie.

nougat, *m.,* nougat.

nourrice, *n.,* nurse.

nourrir, to feed, to rear (a child).

nourrisson, *m.,* nursling.

nourriture, *f.,* food.

nouveau, -vel, -velle, new; **de** ———, **à** ———, again; ——— **venu,** newcomer; **nouvelle,** *f.,* news, opinion.

noyau, *m.,* nucleus, pit, center, core.

noyer, to drown.

nu, naked, bare, bald.

nuage, *m.,* cloud.

nuance, *f.,* shade, shade of difference.

nuancer, to shade, to have a shade (of meaning).

nuée, *f.,* cloud.

nuire, *v. ir.,* to harm.

nuis-, *ir. stem of* **nuire.**
nuisible, harmful.
nuit, *f.*, night; **de** ———, **la** ———, at night.
nul, -le, no, no one; **ne . . . nulle part,** nowhere; **ne . . .** ———, no one.
nullement, ne . . . ———, not at all.
nullité, *f.*, nullity, insignificance.
nuque, *f.*, nape of the neck.

obéir, to obey.
obéissance, *f.*, obedience.
objet, *m.*, object.
obligation, *f.*, (financial) bond, obligation.
obligatoire, necessary, obligatory.
obscurcir, to obscure.
obscurément, obscurely.
obstruer, to obstruct.
obtenir, *v. ir.*, to obtain.
obtenu, *p. p. of* **obtenir.**
obtiendr-, *fut. stem of* **obtenir.**
obtin-, *ir. stem of* **obtenir.**
occasion, *f.*, **dans l'**———, when needed.
occuper, s'——— **de,** to be concerned with.
occurrence, en l'———, under the circumstances.
Octave, Octavius.
odorant, sweet-smelling.
odoriférant, odorous.
oeil, *m.*, eye; **coup d'**———, glance; **clignement d'**———, wink.
oeuf, *m.*, egg.
oeuvre, *n.*, work.
offenser, to offend.
offert, *p. p. of* **offrir.**
office, *m.*, (prayer) service.
officier, *m.*, officer; ——— **de troupe,** field officer (*as distinguished from staff officer*).
offrande, *f.*, offering.
offrir, *v. ir.*, to offer.
oiseau, *m.*, bird; ——— **-frégate,** frigate bird.
oisiveté, *f.*, idleness.
olivier, *m.*, olive tree.
ombrageux, suspicious, touchy.
ombre, *f.*, shadow, shade.
ombrelle, *f.*, sunshade, parasol.
omi-, *ir. stem of* **omettre,** to omit.
omnivore, *n.*, omnivorous (creature).
onagre, *m.*, wild ass.
once, *f.*, ounce.
oncle, *m.*, uncle.
onction, *f.*, **extrême** ———, extreme unction.
onde, *f.*, wave.
ondulation, *f.*, wave, movement.
onéreux, -se, harsh, heavy, onerous.
ongle, *m.*, (finger) nail, claw.
***onze,** eleven.
opaque, hidden, opaque, invisible.
opérateur, *m.*, operator.
opérer, to operate (on), to function.
opiner, to judge, to be of the opinion.
opiniâtre, stubborn.
opiniâtreté, *f.*, stubbornness, persistence.
opposant, n., opposition.
opprimer, to oppress.
optique, *n.*, optics, optical, visual; **piège d'**———, optical illusion.
or, *m.*, gold.
or, now.
orage, *m.*, storm.
oranger, *m.*, orange tree.
oraison, *f.*, prayer.
oratoire, *m.*, oratory.
oratorien, Oratorian (*religious order*).
ordinaire, d'———, ordinarily.
ordonner, to command, to order.
oreille, *f.*, ear; **pendant d'**———, earring.
orgie, *f.*, debacle, orgy.

orgueil [ɔrgœ:j], *m.*, pride.
orgueilleux, -se, proud, prideful.
orifice, *m.*, opening, aperture, orifice.
orme, *m.*, elm.
orner, to decorate, to be ornate.
ornière, *f.*, rut.
orteil, *m.*, toe.
orthodoxe, *n.*, orthodox, conservative.
os, *m.*, bone.
osciller, to undulate.
oser, to dare.
ossement, *m.*, bone(s).
otage, *m.*, hostage.
ôter, to remove.
ou, or.
où, where, when, on which, in which, at which.
***ouate,** *f.*, cotton-wool, wadding.
ouaté, soft, velvety, padded.
oubli, *m.*, oversight, forgetfulness.
oublier, to forget.
ouïe, *f.*, hearing.
ouragan, *m.*, hurricane.
ourdir, to contrive, to weave.
ours [urs], *m.*, bear; **promenade d'—— en cage,** endless walking up and down.
outil, *m.*, tool, implement.
outre, *f.*, water-skin, leather bottle.
outre, beyond; **en ——,** furthermore; **passer —— à,** to defy.
ouvert, *p. p. of* **ouvrir; à coeur ——,** frankly; **grand ——,** wide open.
ouverture, *f.*, opening.
ouvrage, *m.*, work.
ouvragé, worked, finely detailed.
ouvrier, *n.*, workman.
ouvrir, *v. ir.*, to open.

pactiser, to come to terms.
page, *f.*, page; *m.*, page boy.
paille, *f.*, straw.
paillette, *f.*, spangle.
pain, *m.*, (loaf of) bread; **—— de ménage,** homemade loaf.
pair, *m.*, peer.
paisible, peaceful, calm.
paiss-, *ir. stem of* **paître,** to pasture.
paix, *f.*, peace; **foutez-moi la ——,** (*vulgar*), shut up!
palais, *m.*, palace.
pâleur, *f.*, pallor, paleness.
palier, *m.*, landing, stage, "plateau" (*of learning process*).
pâlir, to turn pale.
palmes académiques, *f. pl.*, decoration (*awarded by ministry of public instruction*).
panache, *m.*, plume.
panier, *m.*, basket.
panne, *f.*, breakdown; **rester en ——,** to lie to, to make no progress.
pantalon, *m.*, trousers.
pape, *m.*, pope.
paperasse, *f.*, old papers.
papillonner, to flutter.
Pâques, *f. pl.*, Easter.
paquet, *m.*, chunk.
par, by, through, out; **—— -là,** over there, that way; **—— -ci, ——-là,** here and there, now and then; **—— -dessus,** over, above; **—— instants,** at times.
parade, *f.*, display; **lit de ——,** ceremonial bed.
paradoxe, *m.*, paradox, conflicting idea.
parages, *m. pl.*, region, vicinity.
parais-, *ir. stem of* **paraître.**
paraître, *v. ir.*, to appear.
parapet, *m.*, railing, parapet.
parasite, *m.*, parasite, static.
parbleu, *interj.*, of course! why not! good lord!
parce que, because.

passé, *n.,* past.
passe-montagne, *m.,* wool helmet.
passer, to pass, to spend, to pass by; —— **au fil de l'épée,** to put to the sword; —— **outre à,** to defy; **passe encore,** that's understandable; **se** ——, to occur, to happen; **se** —— **de,** to get along without.
passerelle, *f.,* bridge, gangplank.
passionnant, exciting.
passionné, enthusiastic, deep.
passionner, se ——, to become enthusiastic.
pastèque, *f.,* watermelon.
pâte, *f.,* dough; **mettre la main à la** ——, to take a hand in.
pathologie, *f.,* (study of) disease.
patauger, to wade, to waddle.
patiemment, patiently.
pâtir, to suffer.
patois, *n.,* (in) (local) dialect.
patrie, *f.,* country, fatherland.
patrimoine, *m.,* inheritance, patrimony.
patron, ne, *n.,* boss, master, mistress.
patrouille, *f.,* patrol.
patte, *f.,* paw, leg; **à quatre** ——**s,** on all fours.
pâture, *f.,* pasture, "grub"; **en** ——, as food.
paume, *f.,* palm.
paupière, *f.,* eyelid.
pauvre, *n.,* poor.
pauvreté, *f.,* poverty.
pavé, *m.,* pavement, stone.
paver, to pave.
pavillon, *m.,* flag.
paye, *f.,* pay, salary.
payer, to pay (for); —— **d'audace,** to put up a bold front.
pays, *m.,* country, home town, region, district.
paysage, *m.,* landscape, seascape.
paysan, -ne, *n.,* peasant, farmer.
peau, *f.,* skin.
péché, *m.,* sin.
pêcher, to fish.
pêcheur, *m.,* fisherman.
peindre, *v. ir.,* to paint.
peine, *f.,* difficulty, trouble, grief, pain, labor; **à** ——, scarcely, hardly, with difficulty; **faire** —— **à,** to grieve.
peiner, to work hard, to strive.
peint, *p. p. of* **peindre.**
peintre, *m.,* painter.
peinture, *f.,* painting.
pelé, bald, hairless, bare.
pêle-mêle, pell-mell, in confusion.
pèlerin, *m.,* pilgrim.
pelle, *f.,* shovel.
pellicule, *f.,* spool, reel (of recording tape).
pelotonner, to curl up.
pénates, *m. pl.,* home, household gods.
pencher, to lean, to bend.
pendant, during; —— **que,** while; *m.,* pendant; —— **d'oreilles,** earring; *adj.,* hanging.
pendre, to hang.
pendule, *f.,* clock.
pénible, painful.
péninsule, *f.,* peninsula.
pénitence, *f.,* penance.
pénombre, *f.,* (semi-)darkness.
pensée, *f.,* thought.
pensionnaire, *n.,* boarder.
pensionnat, *m.,* boarding school.
pente, *f.,* slope.
pénurie, *f.,* poverty, penury.
percer, to pierce, to show, to stand revealed, to cut (*a tooth*).
perchoir, *m.,* perch.
perclus, paralyzed.
perçu-, *ir. stem of* **percevoir,** to notice.

parchemin, *m.,* parchment.
parcourir, *v. ir.,* to cross, to go through, to run through.
parcours, *m.,* distance.
parcour-, *p. p. and ir. stem of* **parcourir.**
par-dessous, beneath.
pardessus, *m.,* overcoat.
par-dessus, over, above, on top.
pare-brise, *m.,* wind shield.
pareil, *n.,* similar (one); **un ———,** such a.
parent, -e, *n.,* relative; **———s,** parents.
parenté, *f.,* relationship.
parer, to decorate, to ornament; **——— à,** to remedy, to parry, to ward off, to set off.
paresse, *f.,* laziness.
paresser, to idle.
paresseux, -se, *n.,* lazy (person).
parfait, *n.,* perfect, complete.
parfois, at times, sometimes.
parfum, *m.,* perfume.
pari, *m.,* bet, wager.
parier, to bet, to wager.
parjure, *n.,* perjury, perjurer.
parlementaire, *n.,* parliamentarian.
parler, to speak; *m.,* speech.
parleur, *m.,* speaker; **haut- ———,** loud-speaker.
parloir, *m.,* parlor.
parmi, among.
paroi, *f.,* wall.
paroissien, -ne, *n.,* parishioner.
parole, *f.,* word; **couper la ———,** to interrupt; **prendre la ———,** to begin to speak.
part, *f.,* part; **à ———,** aside, apart; **à ——— soi,** to himself; **d'une ———,** on the one hand; **d'autre ———,** on the other hand; **de la ——— de,** in the name of; **de ——— et d'autre,** on both sides; **de toutes ———s,** sides; **de ——— en** through and through.
partage, *m.,* sharing.
partager, to share, to divi
partant, therefore.
parterre, *m.,* pit, orchestra
parti, *m.,* party, group, **——— pris,** determina **un mauvais ——— à,** hard for.
particulier, -ère, *n.,* part vate (individual).
partie, *f.,* game, part, c **faire ———,** to be **——— liée,** to be joi sible.
partir, *v. ir.,* to leave, derive; **à ——— de** with.
partout, everywhere.
paru-, *p. p. and ir. sten*
parure, *f.,* adornment.
parvenir, *v. ir.,* to succ
parvenu, *p. p. of* **parv** made man.
parviendr-, *fut. stem o*
pas, not; **ne . . . ———** at all.
pas, *m.,* pace, step; **à** slowly; **à grands —** strides; **au ———** **céder le ———,** to f precedence; **de ce** now; **prendre le –** cede; **revenir sur** retrace one's steps.
passage, *m.,* passing **———,** in passing **de ———,** passing
passager, -ère, passin
passant, -e, *n.,* passe
passe, *f.,* **en ———** of.

perdre, to lose, to ruin.
perfectionner, to perfect.
perfide, *n.*, perfidious (ness), perfidy, bad faith.
péril, *m.*, danger, peril.
périlleux, risky, perilous.
périr, to perish.
perle, *f.*, pearl, bead, bubble.
perler, to glisten, to be in a drop.
permettre, *v. ir.*, to permit.
permi-, *ir. stem of* **permettre.**
perruque, *f.*, wig.
Perse, *f.*, Persia.
persévérant, *n.*, persistent (one).
persiflage, *m.*, banter, jest.
personne, ne . . . ——, nobody.
perte, *f.*, loss, ruin.
pesant, heavy.
pesanteur, *f.*, weight.
pèse-liqueur, *m.*, alcoholometer.
peser, to weigh (down), to push down.
peste, *f.*, pestilence, plague.
pétiller, to sparkle.
petit, *n.*, little (one); **—— nom,** Christian name.
petitesse, *f.*, pettiness.
pétrole, *m.*, oil, kerosene.
peu (de), little, few; **à —— près,** almost, nearly; **dans ——,** in a short time; **tant soit ——,** somewhat, the least bit.
peu-, peuv-, *ir. stems of* **pouvoir.**
peuple, *m.*, people, common people.
peupler, to people.
peur, *f.*, fear; **faire —— à,** to frighten.
peureux, fearful, frightened.
peut-être, perhaps.
phare, *m.*, beacon, lighthouse.
pharmacie, *f.*, drug kit, drug store.
pharmacien, *m.*, pharmacist, druggist.
pharmaceutique, pharmaceutical.
phénique, carbolic.
philharmonie, *f.*, philharmony, love of music.
philosophe, *n.*, philosopher, freethinker.
phrase, *f.*, sentence, phrase.
physicien, -ne, *n.*, physicist.
physionomie, *f.*, face, look.
picholine, à la ——, pickled.
pièce, *f.*, room, piece, document, evidence; **—— à conviction,** exhibit for the prosecution.
pied, *m.*, foot; **frapper des ——s,** to stamp; **prendre ——,** to get a footing, to establish (oneself), to insinuate oneself; **valet de ——,** footman.
piège, *m.*, trap, snare; **—— d'optique,** optical illusion.
pierre, *f.*, stone; **—— de touche,** touchstone.
pierrerie, *f.*, precious stone.
pierreux, -se, stony.
piété, *f.*, piety.
pigeon voyageur, *m.*, carrier pigeon.
pigeonnier, *m.*, dovecote, pigeon house.
pignon, *m.*, gable.
pile, *f.*, battery.
piller, to pillage.
pince, *f.*, tong.
pinceau, *m.*, brush.
pincer, to pinch.
piolet, *m.*, ice-axe.
piper, to catch.
pique, *f.*, pike.
piquer, to prick, to sting, to harpoon, to dive, to pique; **piqué au vif,** hurt to the quick; **—— droit,** to dive straight down.
piquet, *m.*, stake, picket, detail (*military*).
piqûre, *f.*, prick, injection.
pire, *n.*, worse, worst.

pis, *adv.,* worse, worst; **tant ——,** too bad, so much the worse, it doesn't matter.

pis=puis, (*Canadian patois*).

piste, *f.,* track; **tenir la ——,** to be on the track.

pistolet, *m.,* pistol, (pistol-shape) receiver; **à portée de ——,** within pistol shot.

pitié, *f.,* pity.

pitoyable, pitiful.

placard, *m.,* wall-cupboard.

place, *f.,* room, public square, place, position.

placet, *m.,* petition.

plafond, *m.,* ceiling.

plage, *f.,* beach, freeboard deck.

plaider, to plead (at law).

plaie, *f.,* wound.

plaideur, *m.,* litigant.

plaign-, *ir. stem of* **plaindre.**

plaindre, *v. ir.,* to pity; **se ——,** to complain.

plaire, *v. ir.,* to please; **se —— à,** to take pleasure in.

plais-, *ir. stem of* **plaire.**

plaisant, strange, odd, funny.

plaisanterie, *f.,* pleasantry, joke.

plaisir, *m.,* pleasure.

plan, *m.,* plane, plan; **gros ——,** closeup: *adj.,* even.

planche, *f.,* plank; **terrain en ——,** plotted ground.

plancher, *m.,* floor.

planter, to plant, to fix, to install, to "leave flat."

plaque, *f.,* sheet, medal, plate, plaque.

plaqué sur, glued to.

plastron, *m.,* stiff shirt-front, breast-plate.

plat, *m.,* dish of food, plate; *adj.,* flat, flat-chested.

plâtre, *m.,* plaster; **se battre comme ——,** to beat each other black and blue.

plein, full; **à —— coeur,** with all her heart; **à ——s bras,** with all her might; **en ——e mer,** on the high seas; **en ——,** full, fully.

plénier, -ère, full, plenary.

plénitude, *f.,* plenitude.

pleu-, *ir. stem of* **pleuvoir.**

pleur, *m.,* tear.

pleurer, to weep.

pleuvoir, *v. ir.,* to rain.

pleuvr-, *fut. stem of* **pleuvoir.**

pli, *m.,* fold, wrinkle.

plier, to bend, to fold.

plisser, to pucker.

plomb, *m.,* lead, leading.

plongée, *f.,* dive; **—— libre,** skin dive.

plonger, to dive, to plunge.

ployer, to bend, to yield.

plu-, *p. p. and ir. stem of* (1) **plaire,** (2) **pleuvoir.**

pluie, *f.,* rain.

plume, *f.,* feather, pen.

plupart, *f.,* majority.

plus, more, plus; **ne . . . ——,** no longer, no more; **ne . . . que,** only; **en ——,** in addition; **de ——,** furthermore, extra, more; **non ——,** either, neither, no longer.

plusieurs, several; **à —— reprises,** several times.

plutôt, rather.

poche, *f.,* pocket.

poêle, [pwal], *m.,* stove.

poésie, *f.,* poetry, poem.

poids, *m.,* weight.

poignant, gripping, poignant.

poignard, *m.,* dagger, knife.

poignarder, to stab.

poignée, *f.,* handle, handful; ——— **de main,** handshake.
poignet, *m.,* wrist.
poil, *m.,* (body) hair.
poindre, *v. ir.,* to break.
poing, *m.,* fist; **au** ———, in hand.
point, *m.,* point, lace, pointer; **à** ———, at the right time; ——— **juste,** main point; **faire les** ——**s,** to take one's bearings (*nautical*); ——— **de repère,** reference mark; ——— **d'exclamation,** exclamation mark; **ne . . .** ———, in no way, not at all.
pointe, *f.,* tip, (sharp) point, trace.
pointu, pointed, sharp.
poisson, *m.,* fish.
poitrine, *f.,* breast, chest.
poivre, *m.,* pepper.
police, *f.,* policing, police.
policier, -ère, *n.,* police; **roman** ——, detective story.
polir, to polish.
polisson, *m.,* scoundrel, rascal.
politesse, *f.,* politeness.
politique, *n.,* politics, politician, political, (good) policy.
Pologne, *f.,* Poland.
polonais, Polish.
pomme, *f.,* apple.
pont, *m.,* deck, bridge.
porcelet, *m.,* young pig.
porc-épic, *m.,* porcupine.
porche, *m.,* portal.
portail, *m.,* portal.
portatif, portable.
porte, *f.,* door, gate; ——— **cochère,** carriage gate; **flanquer à la** ——, to kick out.
porte-bannière, *m.,* standard-bearer.
portée, *f.,* reach; **à** ——— **de pistolet,** within pistol shot.
portefeuille, *m.,* portfolio.
porte-plume, *m.,* pen-case.
porter, to wear, to bring, to carry, to bear, to put; ——— **à,** to lead to; **à bout portant,** pointblank; **se** ——— **bien,** to be healthy, to keep healthy.
porte-voix, *m.,* megaphone.
portier, *m.,* porter, doorman.
portière, *f.,* car window, door (*of a carriage or automobile*).
portugais, Portuguese.
posé, slow.
poser, to put, to rest, to ask, to pose.
posséder, to possess.
poste, *m.,* station, set, post, guard; ——— **émetteur,** sending set.
postérieur, rear, posterior.
pot, *m.,* pot, jar; ——— **au noir,** Doldrums.
potager, *m.,* vegetable garden.
poteau, x, *m.,* post, stake.
potelé, dimpled, chubby.
potence, *f.,* gallows.
potentat, *m.,* power, potentate.
pouah, (*interj.*) bah!
pouce, *m.,* thumb, big toe.
poudre, *f.,* powder.
poudreux, -se, powdery, dusty.
poule, *f.,* chicken; **chair de** ———, goose flesh.
poupée, *f.,* doll.
pour, for; ——— **. . . que,** however; ——— **lors,** at that point; ——— **cent,** per cent; **le** ——— **et le contre,** the pros and cons.
pourparler, *m.,* negotiation, pourparler.
pourpre, *n.,* purple, crimson.
pourr-, *fut. stem of* **pouvoir.**
pourriture, *f.,* decay.
poursuite, *f.,* pursuit; **élancé à sa** ———, in hot pursuit.
poursuivre, *v. ir.,* to pursue, to continue.
pourtant, however.

pourvu-, *p. p. and ir. stem of* **pourvoir,** to provide; ——— **que,** provided (that).
poussée, *f.,* urge, surge.
pousser, to push, to grow, to project, to utter, to drive, to urge.
poussière, *f.,* dust; ——— **d'eau,** mist.
poutre, *f.,* beam.
pouvoir, *v. ir.,* to be able, to have power; *m.,* power.
prairie, *f.,* field.
praticable, feasible.
pratique, *f.,* practice.
pratiquer, to frequent, to practice.
pré, *m.,* meadow.
préalable, previous, preliminary.
préau, *m.,* courtyard.
précédemment, previously.
précepteur, *m.,* tutor.
prêcher, to preach.
précipitamment, hastily, hurriedly.
précipiter, to rush, to throw.
préciser, to specify, to state precisely, to stand out, to outline.
précocement, prematurely.
préconiser, to extol.
prédicateur, *m.,* preacher.
prédire, *v. ir.,* to predict.
prédit, *p. p. of* **prédire,** predicted, foretold.
préférence, de ———, preferably.
préjudice, *m.,* **sans** ——— **(de),** without taking into account.
préjudiciable, unfavorable.
prélasser, to strut.
prendre, *v. ir.,* to take, to get, to deceive; ——— **connaissance,** to become aware; ——— **à tâche,** to undertake; ——— **à témoin,** to make plain (*to someone*), ——— **garde à,** to pay attention to; ——— **de l'audace,** to become daring; ——— **la parole,** to begin to speak; ——— **feu,** to catch fire, to get angry; ——— **au sérieux,** to take seriously; ——— **le dessus,** to take the upper hand; ——— **son élan,** to get set; **se** ——— **à,** to begin, to go about; **se laisser** ———, to let oneself be taken in; **s'en** ——— **à,** to attack; **en** ——— **lecture,** to read it.
pren-, *ir. stem of* **prendre.**
près (de), near; **à peu** ———, almost, nearly; **à beaucoup** ———, far from it; **de** ———, closely.
présager, to predict.
presbytère, *m.,* parsonage.
prescience, *f.,* foresight, prescience.
prescrire, *v. ir.,* to prescribe.
prescrit, *p. p. of* **prescrire.**
présent, à ———, now, at present; **dès à** ———, right now.
présidence, *f.,* presidency.
presque, almost.
pressé, in a hurry.
pressentiment, *m.,* presentment, foreboding.
pressentir, *v. ir.,* to feel, to guess.
presser, to crowd, to press; **se** ———, to hurry.
pression, *f.,* pressure.
preste, quick, agile.
prestigieux, impressive.
prêt, ready.
prétendre, to claim, to pretend.
prétention, *f.,* claim.
prêter, to lend, to ascribe, to give.
prêtre, *m.,* priest.
preuve, *f.,* proof.
prévenir, *v. ir.,* to warn, to forestall, to prevent, to interrupt.
prévin-, *ir. stem of* **prévenir.**
prévision, *f.,* anticipation, forecast.
prévoir, *v. ir.,* to foresee.
prévoy-, *ir. stem of* **prévoir.**
prévu, *p. p. of* **prévoir.**

pri-, *ir. stem of* **prendre.**
prier, to pray, to beg, to ask.
prière, *f.*, prayer.
prieur, *m.*, prior.
princier, princely.
principauté, *f.*, principality.
principe, *m.*, principle.
printanier, -ère, spring.
printemps, *m.*, spring.
prise, *f.*, hold, grip; —— **de corps,** seizure; **lâcher** ——, to let go.
prisonnier, -ère, *n.*, prisoner.
priver, to deprive.
prix, *m.*, value, prize, price; **à tout** ——, at any price; **en** —— **de,** at the cost of.
probité, *f.*, honesty.
procédé, *m.*, procedure.
procès, *m.*, law-suit, trial.
prochain, -e, *n.*, near, coming, forthcoming, immediate, next; neighbor, fellow man.
prochainement, soon.
proche, near, close.
prodige, *m.*, wonder, marvel, miracle.
prodiguer, to waste, to lavish.
produire, *v. ir.*, to produce; **se** ——, to occur.
produis-, *ir. stem of* **produire.**
produit, *p. p. of* **produire;** *m.*, product.
profane, *n.*, earthly, irreligious, layman.
profiter, to profit; —— **de,** to take advantage of.
profond, deep, profound, deep-throated.
profondeur, *f.*, depth.
progresser, to progress.
proie, *f.*, prey; **en** —— **à,** a prey to.
projet, *m.*, project, plan.
projeter, to plan, to project, to turn, to throw, to propel.
prolonger, to prolong, to extend.
promenade, *f.*, walk, excursion.
promener, to take (out), to parade; **se** ——, to walk; —— **sa vue,** to turn one's gaze.
promettre, *v. ir.*, to promise; **s'en** ——, to be heavy with meaning.
prophylaxie, *f.*, antiseptic treatment.
propice, suitable, propitious.
propos, *m.*, discourse, conversation; **à** —— **de,** concerning; **à** ——, opportunely, at the proper time; **mal à** ——, inopportunely; **tenir de joyeux** ——, to talk rather coarsely.
proposition, *f.*, proposal, proposition.
propre, suitable, clean, proper, neat; (*preceding noun*), own.
propreté, *f.*, cleanliness.
propriété, *f.*, property, ownership.
prosaïque, commonplace, prosaic.
proscrit, *m.*, outcast.
prospection, *f.*, investigation.
prosterner, to prostrate.
protecteur, -trice, protective.
Protée, *m.*, Proteus.
protéger, to protect.
prouver, to prove.
provençal, -ux, *n.*, Provençal (*language*), inhabitant of Provence.
provien-, *ir. stem of* **provenir,** to come (from), to derive.
provincial, *n.*, provincial (person).
provision, *f.*, stock, store, provision.
provisoire, temporary.
provoquer, to cause, to bring about, to provoke.
prudemment, prudently.
prunelle, *f.*, eye ball.
psaume, *m.*, psalm.
psychographe, *m.*, mind-reading machine.
p'têtre = peut-être.
pu-, *p. p. and ir. stem of* **pouvoir.**

publier, to publish.
puce, *f.,* flea.
pudeur, *f.,* modesty, reserve.
pudibond, bashful.
puis, then.
puis, (je), *pr. indic. of* **pouvoir.**
puiser (dans), to dip into, to draw from.
puisque, since.
puiss-, *pr. subj. stem of* **pouvoir.**
puissamment, powerfully.
puissance, *f.,* power, might.
puissant, powerful.
puits, *m.,* pit.
punir, to punish.
punition, *f.,* punishment.
pupitre, *m.,* (pupil's) desk.
pur, pure.
pureté, *f.,* purity.
purgatoire, *m.,* purgatory.
pusillanime, cowardly.

quai, *m.,* dock.
quand, when; ——— **même,** even if, just the same.
quant à, as for.
quarantaine, about forty.
quarante, forty.
quart, *m.,* quarter, watch; **fait le** ———, is on watch.
quartier, *m..* piece, quarter, headquarters; ——— **général,** headquarters.
quasi, quasi, almost.
quatre, four; **à** ——— **pattes,** on all fours.
quatorze, fourteen.
quelconque, whatever, whatsoever.
quelque, some; ——— **part,** somewhere; ———**(s) . . . que,** however, whatever.
quel que, quelle que, whatever.
quelquefois, sometimes.
quémandeur, begging.
querelleur, -se, quarrelsome.
queue, *f.,* tail.
quiconque, whoever.
quiétude, *f.,* calm.
quille, *f.,* keel.
quinconce, en ———, opposite.
quintessence, *f.,* gist, quintessence.
quinzaine, about fifteen; **une** ——— **de jours,** about two weeks, half a month.
quinze, fifteen.
qui que, whoever.
quitter, to leave.
quoi, what; ——— **de neuf,** what's new? **de** ———, enough (to), reason, grounds, wherewithal; ——— **que,** whatever.
quoique, although.
quotidien, ne, *n.,* daily.

rabattre, se ———, to swoop down.
raccommoder, to reconcile.
racheter, to redeem, to buy again, to buy back.
racine, *f.,* root.
raconter, to relate, to tell.
radeau, *m.,* raft.
radieux, -se, radiant.
radio, *f.,* radio; *m.,* radioman, operator.
rafale, *f.,* gust of wind or rain, squall.
raffermir, to strengthen.
rafistoler, to mend.
râfler, to carry off.
rafraîchir, to refresh.
rage, *f.,* rage, rabies.
rageur, bursting with anger.
raide, stiff, steep.
raideur, *f.,* stiffness.
raidir, to stiffen.
raie, *f.,* ray (*fish*).
rainure, *f.,* groove.

raison, *f.*, reason, rate; **à ——— de,** at the rate of; **avoir ———**, to be right; **avoir ——— de,** to get the better of, to annihilate.
raisonnement, *m.*, reasoning.
raisonner, to reason, to discourse.
raisonneur, *m.*, reasoner, rationalist.
rajeunissement, *m.*, rejuvenation.
rajuster, to adjust.
ralenti, au ———, slowly, slowing down.
ralentir, to slow (down).
rallumer, to relight.
ramasser, to gather, to pick up.
rame, *f.*, oar.
ramener, to bring back, to pull down.
rameur, *m.*, rower.
rampe, *f.*, slope.
rancoeur, *f.*, rancor, bitterness.
rancune, *f.*, grudge, grief, rancor.
rang, *m.*, rank, row; **——— de taille,** order of stature.
rangée, *f.*, row.
ranger, to draw up, to arrange.
rapetisser, to belittle.
rapiécé, patched, mended.
rapide, steep.
rappel, *m.*, recall, call.
rappeler, to recall.
rapport, *m.*, connection, rapport; **par ———**, in relation.
rapporter, to bring (in), to bring back, to carry back, to relate.
rapprocher, to approach, to draw near, to approximate, to bring near, to bring closer together.
raquette, *f.*, racket.
rareté, *f.*, rarity.
rassasié, sated.
rassembler, to assemble, to gather.
rasseoir, se ———, to sit down again.
rassurer, to reassure.
ratatiné, shrunken.
rattacher, to tie, to attach.
rattraper, to catch, to overtake, to make up for.
rauque, hoarse.
ravir, to delight, to rob, to steal.
raviver, to revive.
rayer, to erase, to streak.
rayon, *m.*, ray, radius.
rayonnement, *m.*, radiance.
rayonner, to beam.
réagir, to react.
réaliser, to complete, to achieve, to bring about, to come true, to realize.
réapparaître, to reappear.
rebâtir, to rebuild.
rebelle, *n.*, rebel, rebellious.
rebondir, to bounce.
rebut, *m.*, scum.
rebutant, repulsive.
récapituler, to review, to recapitulate.
recéler, to conceal, to contain.
récemment, recently.
recensement, *m.*, census, count.
recette, *f.*, recipe.
recevoir, *v. ir.*, to receive.
recevr-, *fut. stem of* **recevoir.**
réchaud, *m.*, small stove, heater.
réchauffer, to warm.
recherche, *f.*, research, search, quest.
recherché, sought after, careful.
rechercher, to seek.
rechute, *f.*, backsliding.
récif, *m.*, reef.
récit, *m.*, story, tale.
réclamer, to ask for, to claim, to protest, to require, to demand, to call.
reçoi-, *ir. stem of* **recevoir.**
recoiffer, to do over one's hair.
recoin, *m.*, recess.
récolte, *f.*, harvest.
récompense, *f.*, reward.

récompenser, to reward.
recompter, to recount, to count again.
réconfort, *m.,* comfort.
reconnais-, *ir. stem of* **reconnaître.**
reconnaissance, *f.,* recognition, gratitude, reconnoitering.
reconnaître, *v. ir.,* to recognize, to admit, to be grateful.
reconnu-, *p. p. and ir. stem of* **reconnaître.**
reconquérir, *v. ir.,* to reconquer.
recoucher, to lie down again.
recourber, to bend, to curl.
recouvrir, to cover.
recrue, *f.,* recruit.
reçu-, *p. p. and ir. stem of* **recevoir.**
recueillement, *m.,* period of calm, composure.
recueillir, to take in, to give refuge to, to pick up.
reculé, withdrawn, remote, old.
reculer, to draw back, to retreat.
récuser, to reject, to excuse, to put aside.
rédacteur, *m.,* editor.
rédaction, *f.,* wording, theme.
redescendre, to go (come) down again.
redevable, indebted.
redevenir, *v. ir.,* to become again.
redevenu, *p. p. of* **redevenir.**
rédiger, to edit, to draw up (*a note*).
redingote, *f.,* frock coat.
redire, *v. ir.,* to resay.
redoutable, fearful.
redouter, to fear.
redresser, to straighten, to stand.
réduire, *v. ir.,* to reduce.
réduis-, *ir. stem of* **réduire.**
réduit, *m.,* hole, hovel.
réduit, *p. p. of* **réduire.**
refaire, *v. ir.,* to redo, to retell.
réfectoire, *m.,* dining hall, refectory.
refermer, to close again, to close in.
réfléchir, to reflect, to think.
reflet, *m.,* reflection.
refleurir, to reflower.
refroidir, to grow cold.
refouler, to drive back, to repress.
réfractaire, rebellious, refractory.
réfugier, se ——, to take refuge.
refus, *m.,* refusal.
regagner, to reach, to return to.
regard, *m.,* look, glance; **en —— de,** opposite; **dévorer du ——,** to look fiercely at.
regarder, to watch, to look (at), to concern.
regimber, to kick, to protest.
régime, *m.,* government, diet, regime.
régir, to guide.
régisseur, *m.,* steward, bailiff.
règle, *f.,* rule; **en ——,** in order.
réglé, ordered, orderly.
règlement, *m.,* regulation.
régler, to regulate, to set, to pay, to focus.
règne, *m.,* reign, kingdom.
régner, to reign.
regret, donner des ——s à, to arouse regret in.
rehausser, to elevate, to raise.
reine, *f.,* queen.
reins, *m. pl.,* kidneys, back.
réinstaller, to resettle.
rejaillir, to spout.
rejet, *m.,* rejection.
rejeter, to reject, to throw back.
rejoign-, *ir. stem of* **rejoindre.**
rejoindre, *v. ir.,* to join, to overtake; **se ——,** to meet.
réjouir, se ——, to relax, to rejoice.
relâcher, to loosen.
relèvement, *m.,* recovery.

relever, to raise (again), to restore, to put up; **se ——,** to get up, to recover, to rise again.
relief, *m.,* outline.
religieuse, *f.,* nun.
relique, *f.,* relic.
relire, *v. ir.,* to reread.
relu-, *ir. stem of* **relire.**
remâcher, to mull over, to go over, to "rehash."
remarquer, to notice.
rembrunir, to darken.
remède, *m.,* remedy.
remercier, to thank.
remerciement(s), *m.,* thanks.
remettre, to hand over, to recover, to replace, to hand.
remi-, *ir. stem of* **remettre.**
remonter, to climb again, to go back, to come up to, to cover again, to wind, to mount again, to go, to lift, to ride again, to pull up, to come (go) up to.
remontrer, —— à, to remonstrate.
remords, *m.,* remorse.
remorque, *f.,* towline; **à sa ——,** in tow.
remou, *m.,* eddy, gust.
remplaçable, replaceable.
remplacer, to replace.
remplir, to fill, to fulfill.
remporter, to win.
remuement, *m.,* rattling about.
remuer, to stir (up), to move.
renaissant, renascent.
renaître, *v. ir.,* to be reborn.
rencontre, *f.,* meeting.
rencontrer, to meet.
rendez-vous, *m.,* meeting, appointment, date.
rendormir, se ——, to go to sleep again.
rendre, to render, to hand over, to give (back), to return, to make, to deliver; **se ——,** to go, to surrender; **se —— compte,** to become aware, to realize; **—— visite,** to pay a visit; **—— honneur,** to honor; **compte rendu,** *m.,* report.
renfermer, to enclose, to close, to contain.
renforcer, to reinforce.
rengorger, se ——, to throw out his chest.
renier, to disown, to deny.
renommée, *f.,* renown.
renoncer, to renounce, to give up.
renouer, to tie together, to bind.
renouveler, to renew.
renseignement(s), *m.,* information.
renseigner, to inform.
rente, *f.,* income.
rentré, hollow, sunken.
rentrée, *f.,* return.
rentrer, to return (home).
renverr-, *fut. stem of* **renvoyer.**
renverser, to overthrow, to knock over, to turn over; **se ——,** to lean back.
renvoyer, *v. ir.,* to dismiss, to send away, to send back.
repaire, *m.,* retreat, den, lair.
repaître, *v. ir.,* to feed, to nourish, (*of animals*).
répandre, to spread (out), to fall, to spill.
repartir, to start again, to leave again.
reparu-, *p. p. and ir. stem of* **reparaître,** to reappear.
repas, *m.,* meal.
repêcher, to fish out.
repentir, *v. ir.,* to repent.
repère, *m.,* **point de ——,** reference mark.
repérer, to spot, to notice.
répétition, *f.,* rehearsal.

répit, *m.,* respite, rest.
replier, to fold (back).
réplique, *f.,* reply; **sans** ——, without fear of contradiction.
répliquer, to reply.
replonger, to plunge again.
répondre, to respond, to answer; —— **de,** to answer for, to be held responsible.
répons, *m.,* (*antiphonal*) response (in church).
réponse, *f.,* response.
reportage, *m.,* reporting assignment.
repos, *m.,* rest, repose.
reposer, to put back, to rest.
repoussant, repulsive.
repousser, to push back, to repulse.
repren-, *ir. stem of* **reprendre.**
reprendre, *v. ir.,* to reply, to resume, to scold, to correct, to take again, to seize again, to pick up; **se** ——, to correct oneself.
représentant, *m.,* representative.
représentation, *f.,* performance, representation.
repri-, *ir. stem of* **reprendre.**
réprimer, to repress.
reprise, *f.,* resumption, occasion, time; **à plusieurs** ——**s,** several times.
réprobation, *f.,* reproach, disapproval.
reproche, *m.,* reproach.
reprocher, to reproach.
requérir, *v. ir.,* to call for.
requin, *m.,* shark.
résolu, resolute, determined.
résolu-, *ir. stem of* **résoudre.**
résonner, to resound.
résorber, to absorb.
résoudre, *v. ir.,* to resolve; **se** —— **à,** to decide to (on).
respectueux, respectful.
respirer, to breathe, to live.
ressaisir, se ——, to pull onself together.
ressembler (à), to resemble.
ressentir, *v. ir.,* to feel; **se** —— **de,** to show the effects of, to resemble.
resserrement, *m.,* condensation, compactness.
ressort, *m.,* resort; **en dernier** ——, as a last resort.
ressortir à, to derive from.
ressouvenir, *v. ir.,* to call to mind, to remember.
ressusciter, to revive.
reste, *m.,* remainder, residue, leftover, rest; ——**s,** remains; **du** ——, furthermore.
rester, to remain, to stay, to be left; —— **en panne,** to lie to, to make no progress; —— **court,** to be confused.
restituer, to restore.
restreign-, *ir. stem of* **restreindre,** to restrict.
résultat, *m.,* result.
résumer, to sum up.
rétablir, to reestablish.
retard, *m.,* delay, lost time; **en** ——, late.
retarder, to delay.
retenir, *v. ir.,* to hold (back), to keep, to detain, to restrain, to remember.
retentir, to resound.
retentissement, *m.,* resounding, repercussion.
retenu, *p. p. of* **retenir.**
retien-, *ir. stem of* **retenir.**
rétif, -ve, restive.
retin-, *ir. stem of* **retenir.**
retirer, to retire, to draw in, to take out; **se** ——, to withdraw.
retomber, to fall again, to fall back.
retour, *m.,* return, retrospection; **de** ——, back.

retourner, to turn, to return, to upset, to capsize, to turn again; **se ——,** to turn around; **s'en ——,** to return.
retraite, *f.,* retreat; **battre en ——,** to beat a retreat.
rétrécir, to contract.
rétrécissement, *m.,* contraction, abbreviation.
rétrogradation, *f.,* retrogression.
retrousser, to turn up, to curl.
retrouver, to find again, to join.
réunir, to unite, to join, to gather.
réussir, to succeed.
réussite, *f.,* success.
revanche, *f.,* revenge, compensation; **en ——,** on the other hand.
rêve, *m.,* dream, dreaming, dreaminess.
réveil, *m.,* awakening.
réveiller, to awaken.
révéler, to reveal.
revenir, *v. ir.,* to come back, to return, to be due; **—— sur ses pas,** to retrace one's steps.
revenu, *p. p. of* **revenir.**
rêver, to dream.
révérence, *f.,* bow, curtsey, genuflection.
reverr-, *fut. stem of* **revoir.**
revers, *m.,* reverse(s).
revêtir, *v. ir.,* to don, to clothe.
revêtu, *p. p. of* **revêtir,** clad, dressed, lined.
rêveur, *m.,* dreamer.
revi-, *ir. stem of* (1) **revoir,** (2) **revivre.**
revien-, *ir. stem of* **revenir.**
reviendr-, *fut. stem of* **revenir.**
revin-, *ir. stem of* **revenir.**
revision, *f.,* review.
revivre, *v. ir.,* to live again.
revoir, *v. ir.,* to see again.
révolté, *n.,* revolutionist, rebel.
révolter, to revolt, to shock.
revu, *p. p. of* **revoir.**
revue, *f.,* review.
rez-de-chaussée, *m.,* ground floor.
rhume, *m.,* cold; **—— de cerveau,** head cold.
ri-, *p. p. and ir. stem of* **rire.**
ricanement, *m.,* sneer, derisive laugh.
ricaner, to sneer.
richesse, *f.,* wealth, riches.
ride, *f.,* wrinkle, line.
rideau, *m.,* curtain.
rider, to wrinkle.
ridicule, ridiculous.
rien, anything, nothing; *m.,* trifle; **ne . . . ——,** nothing, not anything; **ne . . . —— que,** merely, only; **ça ne fait ——,** that makes no difference.
rieur, *m.,* laugher.
rigueur, *f.,* rigor, accuracy.
riposte, *f.,* riposte, retort, counterattack.
riposter, to counterattack, to reply.
rire, *v. ir.,* to laugh; *m.,* laughter, laugh; **—— au nez,** to laugh in one's face; **éclat de ——,** outburst of laughter; **éclater de ——,** to burst into laughter.
risposter = riposter
rivage, *m.,* bank, shore.
rival, -ux, *n.,* rival.
river, to rivet.
rivière, *f.,* river, stream.
robe, *f.,* dress, robe, legal profession; **—— de chambre,** dressing gown.
roc, *m.,* rock.
roche, *f.,* rock.
rocher, *m.,* rock.
rocheux, -se, rocky.
rôder, to prowl.
rôdeur, *m.,* prowler.
rognonnade, *f.,* dish of kidneys.

roi, *m.,* king.
roide, stout, strong.
rôle, *m.,* **à tour de ——,** by turns.
romain, -e, *n.,* Roman.
roman, *m.,* novel; **—— policier,** detective story; *adj.,* Romance, Romanic.
romance, *f.,* ballad, romance (*song*).
romanesque, fantastic, fictional, romantic, romanesque.
roman-feuilleton, *m.,* serialized story.
rompre, to break; **à tout ——,** to the bursting point.
rond, *n.,* round; **rond-de-cuir,** *m.,* leather pad, bureaucrat; **—— de serviette,** napkin ring.
ronde, *f.,* patrol, circle.
ronger, to gnaw.
rosace, *f.,* rose window.
rose, pink.
rosé, rosy.
roseau, *m.,* reed.
rosée, *f.,* dew.
rosse, *f.,* old nag.
roue, *f.,* wheel.
rouge, red.
rougeur, *f.,* ruddiness.
rougir, to blush, to redden.
rouleau, *m.,* roll.
roulement, *m.,* roll, rolling.
rouler, to roll, to wander, to move, to ramble, to move off.
roulette, *f.,* roulette wheel.
route, *f.,* road; **—— nationale,** main highway; **en ——,** on the way, go ahead! ; **se mettre en ——,** to set out.
rouvrir, *v. ir.,* to re-open.
royaume, *m.,* kingdom.
royauté, *f.,* royalty.
ruban, *m.,* ribbon.
ruche, *f.,* hive.
rude, rough, steep.
rudement, roughly.
rue, *f.,* street.
ruisseau, *m.,* stream.
ruisselant, dripping.
rumeur, *f.,* uproar, noise.
rupture, *f.,* outburst, rupture.
ruse, *f.,* trickery, craftiness, ruse.
rusé, *n.,* sly one.
Russie, *f.,* Russia.
rusticité, *f.,* primitiveness, rustic manner.
rutiler, to shine.

sable, *m.,* sand, sprinkling.
sablé, sanded, gravelled.
sac, *m.,* sack, knapsack; **—— de couchage,** sleeping bag.
sacerdoce, *m.,* priesthood.
sach-, *ir. stem of* **savoir.**
sachet, *m.,* small bag.
sacre, *m.,* coronation.
sacré, sacred; (*before noun*) damned.
sacredié (*for* **sacredieu**), Good Lord!
sacrificateur, *m.,* high-priest, sacrificer.
sacristine, *f.,* vestry-nun.
sagace, sagacious, wise.
sage, *n.,* good, well-behaved, wise (man).
sagesse, *f.,* wisdom, wise thing.
sagouin, *m.,* squirrel-monkey.
saigner, to bleed.
sain, healthy, sane.
saint, -e, *n.,* holy, saint.
sainteté, *f.,* holiness.
Saint-Laurent, *m.,* St. Lawrence river.
sai-, *pr. indic. stem of* **savoir.**
saisir, to seize, to take up, to take hold of, to grasp.
saisi de, accepting jurisdiction over.
saisissement, *m.,* shock.
sale, dirty.
salé, salty.
salir. to soil, to dirty, to sully.

salle, *f.,* hall, room, main room; ——— **à manger,** dining room.
saluer, to greet, to bow (to), to salute.
salut, *m.,* safety, salvation, greeting.
salutaire, healthy, salutary.
salve, *f.,* salvo, salute.
samedi, *m.,* Saturday.
sang, *m.,* blood; **jusqu'au** ———, until the blood ran; **homme de** ———, bloodthirsty man.
sang-froid, *m.,* composure.
sanglant, bloody.
sanglot, *m.,* sob.
sangloter, to sob.
sanguin, full-blooded, easily aroused.
sanguinaire, bloody.
sans, without; ——— **doute,** perhaps, no doubt; ——— **coup férir,** without striking a blow.
sans-gêne, *m.,* over-familiarity.
santé, *f.,* health.
sapidité, *f.,* savor.
satisfaire, *v. ir.,* to satisfy.
satisfais-, *ir. stem of* **satisfaire.**
satisfait, *p. p. of* **satisfaire.**
satrape, *m.,* (*governor of a province in ancient Persia*) satrap.
saucisson, *m.,* sausage.
sauf, save, except; ——— **votre respect,** with all due respect to you.
saugrenu, preposterous.
saupoudrer, to sprinkle.
saur-, *fut. stem of* **savoir.**
saut, *m.,* leap, jump.
sauter, to jump, to leap, to blow up.
sauterelle, *f.,* grasshopper.
sauteuse, *f.,* tumbler, acrobat.
sauvage, *n.,* savage, wild, unsociable.
sauvegarde, *f.,* safeguard.
sauvegarder, to safeguard.
sauver, to save; **se** ———, to run away.
sauvetage, *m.,* rescue.
sauveteur, *m.,* rescuer, life guard.
sauveur, protective, protecting.
savant, -e, *n.,* scholar, scientist.
saveur, *f.,* savor, taste.
savoir, *v. ir.,* to know, to learn, to find out; *m.,* knowledge, learning; ——— **gré à,** to be grateful to; ——— **plus long de,** to know more about; **faire** ———, to inform.
Saxe, *f.,* Saxony (*German province*).
scandale, *m.,* scandal, trouble.
scaphandre, *m.,* diving suit.
scaphandrier, *m.,* diver.
sceau, *m.,* seal.
scène, *f.,* scene, stage; **metteur en** ———, (stage) director.
scélérat, -e, *n.,* scoundrel, scoundrelly.
schako, shako, *m.,* officer's cap.
scie, *f.,* saw.
sciemment [sjamã], knowingly.
science, *f.,* science, knowledge.
scintillement, *m.,* sparkling.
sclérose, *f.,* sclerosis, hardening.
scrutateur, scrutinizing.
séance, *f.,* session; ——— **tenante,** then and there.
séant, becoming, suitable.
sec, sèche, dry, thin, skinny.
sèche, *f.,* dryness.
sécher, to dry, to blot.
sécheresse, *f.,* dryness, drought.
seconder, to second, to agree with.
secouer, to shake.
secourir, *v. ir.,* to aid.
secours, *m.,* help.
secousse, *f.,* shock, start.
séduire, *v. ir.,* to charm.
séduisant, charming.
seigneur, *m.,* lord.
sein, *m.,* bosom, breast, midst, womb.
seize, sixteen.

séjour, *m.,* residence, stay, abode.
séjourner, to stay.
sel, *m.,* salt, smelling-salts.
selle, *f.,* saddle.
selon, according to.
semaine, *f.,* week.
semblable, *n.,* similar, like, fellow being.
semblant, *m.,* pretense, semblance; **faire —— de,** to pretend.
sembler, to seem.
semence, *f.,* seed.
semer, to sow, to strew, to scatter.
sens, *m.,* directing, meaning, sense, realization.
sensible, sensitive, feeling.
sensibilité, *f.,* sensitivity, feeling.
sentier, *m.,* path.
sentir, *v. ir.,* to smell, to feel, to perceive.
séparé, separate.
sept, seven.
ser-, *fut. stem of* **être.**
serein, serene.
sérieux, *n.,* serious; **prendre au ——,** to take seriously.
serin, *m.,* canary.
seringue, *f.,* hypodermic needle.
serment, *m.,* oath, pledge; **prestation de ——,** taking an oath of allegiance.
sermonneur, sermonizing.
serpenter, to wind.
serpentin, *n.,* coil, worm, serpentine.
serrement, *m.,* clasp, clasping.
serrer, to grip, to clutch, to hold tight, to crowd, to close, to seal, to shake, to tighten; **—— la main, —— les mains,** to shake hands; **se ——,** to crowd, to cling; **le coeur serré,** heavy of heart.
sert (il), *pr. indic. of* **servir.**
serrure, *f.,* lock.
serviable, helpful.
serviette, *f.,* napkin, school-bag; **rond de ——,** napkin ring.
servir, *v. ir.,* to serve; **se —— de,** to use, to help oneself to; **—— de, —— à,** to be used as, useful for.
serviteur, *m.,* servant.
seuil, *m.,* threshold.
seul, alone, only, mere.
seulement, only, even, merely, just.
seulette, all alone.
sevrer, to wean.
siècle, *m.,* century.
sied (il), suits, from **seoir,** *v. ir.,* to be suitable.
siège, *m.,* seat, bench, location.
siéger, to sit, to reign, to preside.
sieur, *m.,* (*with proper names*), certain, said.
siffler, to hiss, to whistle.
sifflet, *m.,* whistle.
signalement, *m.,* description.
signaler, to indicate.
signer, to sign; **se ——,** to make the sign of the cross.
signification, *f.,* meaning.
signifier, to signify, to mean.
silencieux, -se, silent.
sillage, *m.,* wake.
sillonner, to furrow.
simple, *n.,* simple, medicinal herb.
simulacre, *m.,* semblance.
simuler, to pretend, to simulate.
sine qua non (*Latin*), indispensable (element).
singe, *m.,* monkey.
singulier, -ère, strange, singular.
sinon, except, if not.
site, *m.,* site.
sirop, *m.,* (maple) syrup.
site, *m.,* site.
sitôt que, as soon as.
snobisme, *m.,* vulgar affectation.

soeur, *f.,* sister, nun; ——— **converse,** lay sister (*used for domestic work*); ——— **de lait,** foster sister; **belle-** ———, sister-in-law.
soie, *f.,* silk.
soif, *f.,* thirst; **avoir** ———, to be thirsty.
soigner, to care for, to take care of.
soigneusement, carefully.
soin, *m.,* care, attention; **avoir** ——— **de,** to take care of.
soir, *m.,* evening, night.
soirée, *f.,* evening, night.
soi-, *ir. stem of* **être.**
soit, so be it, all right; ——— . . . ———, either . . . or; ——— **que,** whether.
soixantaine, *f.,* about sixty.
soixante, sixty.
sol, *m.,* ground, floor, soil; **sous-** ———, basement, underground, subsoil.
soldat, *m.,* soldier.
soleil, *m.,* sun.
solennel, solemn.
solennité, *f.,* solemnity.
solfège, *m.,* solfeggio.
solidaire, answerable.
solliciter, to request, to solicit.
sombre, dark; **faire** ———, to be dark.
sommaire, summary.
somme, *f.,* sum; **en** ———, in short.
sommeil, *m.,* sleep.
sommer, to call upon.
sommes (nous), are.
sommet, *m.,* top, summit.
sommitale, highest.
somnoler, to doze.
son, *m.,* sound.
sonder, to sound.
songe, *m.,* dream.
songer, to reflect, to think.
sonner, to ring, to sound.
sonnette, *f.,* little bell.
sordide, sordid, sorry-looking.
sort, *m.,* fate, lot.
sortable, suitable.
sorte, *f.,* sort, kind; **de la** ———, in that way; **de** ——— **que,** so that; **en** ——— **de,** so as to; **en** ——— **que,** so that.
sortilège, *m.,* spell, magic, charm.
sortir, *v. ir.,* to leave, to come (go) out, to project, to get out, to put out, to take out; **au** ——— **de,** upon leaving.
sot, sotte, *n.,* stupid, fool.
sou, *m.,* cent, sou; ——— **vaillant,** red cent.
souci, *m.,* care, concern.
soucier, se ——— **de,** to care about.
soucieux, -se, careworn.
soucoupe, *f.,* saucer.
soudain, sudden, suddenly.
souder, to solder, to weld.
souffert, *p. p. of* **souffrir.**
souffle, *m.,* breath, breathing, wind.
souffler, to breathe, to blow, to whisper, to prompt.
soufflet, *m.,* slap.
souffleter, to slap.
souffrance, *f.,* suffering.
souffrir, *v. ir.,* to suffer, to endure, to permit.
souhait, *m.,* wish.
souhaitable, desirable.
souhaiter, to wish.
souiller, to soil.
souillure, *f.,* stain, blot, blemish.
soulager, to relieve.
soûler, to stuff, to surfeit, to make drunk.
soulèvement, *m.,* uprising.
soulever, to arouse, to lift, to raise; ——— **le coeur,** to sicken, to frighten.
soulier, *m.,* shoe.

souligner, to stress, to underline.
soumettre, *v. ir.,* to submit.
soumi-, *ir. stem of* **soumettre.**
soumission, *f.,* submission.
soupçon, *m.,* suspicion.
soupçonner, to suspect.
soupir, *m.,* sigh.
soupirer, to sigh.
souple, lithe, supple.
sourcil, *m.,* eyebrow; **froncer les ——s,** to frown.
sourciller, to wrinkle a brow, to flinch.
sourd, dull, deaf, muffled; **lanterne ——e,** dark lantern.
souriant, smiling, promising.
sourire, *v. ir.,* to smile; *m.,* smile; **ébaucher un ——,** to give a faint smile.
souris, *f.,* mouse.
sournois, stealthy, sly.
sous, under, beneath **—— -sol,** basement, subsoil, underground.
sous-chef, *m.,* assistant chief.
souscrit, *p. p. of* **souscrire,** to subscribe, to sign.
sous-lieutenant, *m.,* second lieutenant.
sous-titre, *m.,* heading.
soustrait, *p. p. of* **soustraire,** out of the way.
soutenir, *v. ir.,* to sustain, to support.
soutenu, *p. p. of* **soutenir.**
souterrain, -e, *n.,* subterranean (passage), underground.
soutien-, *ir. stem of* **soutenir.**
soutin-, *ir. stem of* **soutenir.**
souvenir, *v. ir.,* **se —— de,** to remember.
souvenir, *m.,* memory, reminder.
souverain, -e, *n.,* sovereign, supreme.
souveraineté, *f.,* sovereignty.
souvien-, *ir. stem of* **souvenir.**
souviendr-, *fut. stem of* **souvenir.**
souvin-, *ir. stem of* **souvenir.**
soy-, *ir. stem of* **être.**
soyeux, -se, silky.
spécial, -ux, special.
spectacle, *m.,* show, spectacle.
spirituel, -le, witty, mental.
spontanément, spontaneously.
squale, *m.,* dog-fish (*type of shark*).
stalle, *f.,* stall, cubicle.
stratagème, *m.,* stratagem, scheming.
stupéfaction, *f.,* amazement.
stupéfait, dumbfounded, amazed.
stupéfier, to amaze.
stupeur, *f.,* helplessness, stupor.
stylet, *m.,* stiletto.
su-, *p. p. and ir. stem of* **savoir,** learned, found.
su = sur (*Canadian patois*).
suave, sweet, suave.
subalterne, inferior, lower.
subir, *v. ir.,* to undergo.
subit, sudden.
subtilité, *f.,* subtleness.
succéder, to follow.
succession, *f.,* inheritance, succession.
sucer, to suck.
sucre, *m.,* sugar; **cabane à ——,** sugar shed.
suédois, *n.,* Swede, Swedish.
suer, to sweat.
sueur, *f.,* perspiration, sweat.
suffire, *v. ir.,* to suffice.
suffis-, *ir. stem of* **suffire.**
suffisance, *f.,* (self-) sufficiency.
suffisamment, sufficiently.
suffisant, sufficient.
suffoquer, to suffocate.
suggérer, to suggest.
suggestionner, to convince, to prejudice.
sui-, *ir. stem of* **suivre.**
suicider, se ——, to commit suicide.

suinter, to ooze, to drip.
suite, *f.*, sequence, coherence; **à la ——de,** after; **attendre la——,** to wait for what is to follow; **de ——,** in succession; **par la ——,** later; **tout de ——,** immediately.
suivre, *v. ir.*, to follow.
suivi, *p. p. of* **suivre.**
sujet, -te, *n.*, subject.
sujétion, *f.*, subjection.
suppliant, *n.*, beseeching, supplicant.
supplication, *f.*, entreaty, supplication.
supplice, *m.*, torture, execution.
supplicier, to torture, to execute.
supplicié, *n.*, executed (man).
supplier, to beg, to supplicate.
supporter, to support, to endure, to stand.
supprimer, to suppress, to eliminate.
sûr, sûre, safe, sure, certain; **à coup ——,** without fail, certainly.
sur, on, toward, upon, out of.
suraigu, very shrill.
surcharger, to load, to overload.
surcroît, *m.*, addition, increase.
sûreté, *f.*, safety, certainty, sureness.
surgir, to arise.
surhumain, superhuman.
sur-le-champ, immediately.
surmonter, to be tipped, to surmount.
surnaturel, le, supernatural.
surnommer, to nickname.
surplis, *m.*, surplice.
surpren-, *ir. stem of* **surprendre.**
surprendre, *v. ir.*, to surprise, to take *or* catch by surprise, to find unexpectedly.
surpri-, *ir. stem of* **surprendre.**
sursaut, *m.*, start, jerk, reaction; **en ——,** with a start.
sursauter, to be startled.
sursis, *m.*, reprieve.
surtout, especially.
surveillance, *f.*, supervision.
surveillant, *m.*, guardian, watcher.
surveille, *f.*, **la ——,** two days before.
survien-, *ir. stem of* **survenir,** to arrive unexpectedly, to come (up).
survivant, *m.*, survivor.
survivre, *v. ir.*, to survive.
survoler, to fly over.
suspect, suspect, suspicious.
suspendre, to hang, to suspend.
suspension, *f.*, hanging lamp, suspension.
sycomore, *m.*, sycamore, (*type of maple tree*).
sympathiser, to fraternize, to sympathize.

tableau, *m.*, picture.
tablée, *f.*, service, sitting.
tablette, *f.*, tablet, notebook.
tablier, *m.*, apron.
tabouret, *m.*, stool.
tache, [taʃ], *f.*, stain, spot, patch.
tâche, [tɑ:ʃ], *f.*, task; **prendre à ——,** to undertake.
tâcher, to try.
tacheté, mottled.
tacite, silent.
taille, *f.*, (human) figure, build, size, cut, stature, waist; **rang de ——,** order of stature.
tailler, to cut.
taire, *v. ir.*, to keep silent, to be silent; **se ——,** to be silent.
tais-, *ir. stem of* **taire.**
talon, *m.*, heel; **examiner les ——s,** to follow closely.
talonner, to spur on.
tambour, *m.*, drum.
tambouriner, to strum, to drum.
tamis, *m.*, sieve.
tandis que, while, whereas.

tant, so much, so many; ——— **que,** as long as, while, as much as; ——— **pis,** too bad, it doesn't matter; ——— **soit peu,** somewhat, the least bit; ——— **bien que mal,** indifferently; **si** ——— **est,** if it is possible.
tante, *f.,* aunt.
tantôt . . . tantôt, now . . . then.
taper, to tap, to stamp, to strike, to slap.
tapis, *m.,* rug, carpet.
tard, late.
tarder, to delay, to take long.
tarir, to dry up.
tas, *m.,* heap, pile.
tasse, *f.,* cup.
tasser, to huddle.
tâtons, à ———, groping.
teign-, *ir. stem of* **teindre,** to dye.
teint, *m.,* complexion.
teinte, *f.,* tint.
teinter, to color, to tint.
tel, le, such; **un** ———, such a (an) Mr. so-and-so, John Doe; ——— **et** ———, so and so.
tellement, so.
téméraire, *n.,* bold, rash (one).
témoignage, *m.,* testimony, testimonial, indication, consideration, recompense, act of faith.
témoigner (de), to testify, to show.
témoin, *m.,* witness; **prendre à** ———, to make plain, to call to witness.
tempe, *f.,* temple (*of head*).
tempête, *f.,* storm, tempest.
temps, *m.,* time, weather; **de** ——— **en** ———, **de** ——— **à autre,** from time to time; **en deux** ———, in a jiffy; **marquer un** ——— **d'arrêt,** to make a significant pause.
tendance, *f.,* tendency.
tendancieux, tendentious, incriminating.
tendeur, *m.,* guy-rope.
tendre, to extend, to tend, to hold out, to stretch (out).
tendre, *adj.,* tender, touching.
tendresse, *f.,* tenderness.
ténèbres, *f. pl.,* darkness, shadows.
tenez, *interj.,* see here.
tenir, *v. ir.,* to hold, to keep, to follow; ——— **à,** to insist on, to be anxious to, to depend on, to cling to; ——— **à bail,** to hold a lease on (have tax rights to); ——— **à jour,** to keep up to date; ——— **compte de,** to pay attention to; **se** ———, to be, to remain; ——— **de joyeux propos,** to talk rather coarsely; ——— **la piste,** to be on the track.
tentation, *f.,* temptation.
tentative, *f.,* attempt.
tenter, to tempt, to attempt.
tenture, *f.,* hanging.
tenu, *p. p. of* **tenir.**
ténu, tenuous, uncertain.
terminer, to end.
termitière, *f.,* termite hill, anthill.
terne, dull, colorless.
terrain, *m.,* land, terrain, ground; —— **en planche,** plotted ground.
terrasse, *f.,* sidewalk space in front of a café, terrace.
terrasser, to knock down, to bring down.
terre, *f.,* land, earth, clay; **à** ———, **par** ———, on land, on the floor, on the ground; ——— **brune,** earthenware.
terreau, *m.,* mould, humus.
Terre-Neuve, *f.,* Newfoundland.
terrestre, earthly, terrestrial.
terreux, -se, earthy, dull.
terrier, *m.,* burrow.

terrine, *f.*, dish, basin.
tête, *f.*, head; **à tue- ——**, at the top of his voice; **—— -bêche,** head to toe; **homme de ——**, clever man.
tête-à-tête, *m.*, private interview.
thé, *m.*, tea.
théâtre, *m.*, theater; **coup de ——**, sensational surprise.
thèse, *f.*, thesis.
thon, *m.*, tuna, tunny fish.
tiare, *f.*, tiara.
tiède, warm, lukewarm.
tiédeur, *f.*, warmth.
tiédir, to cool (off), to grow lukewarm.
tien-, *ir. stem of* **tenir.**
tiendr-, *fut. stem of* **tenir.**
tiens!, *interj.*, you see! here!
tiers, *m.*, third; **en ——**, as a third party.
tige, *f.*, trunk, stem.
tin-, *ir. stem of* **tenir.**
tinter, to ring.
tirailler, to pull about.
tirer, to draw, to shoot, to pull, to draw out; **—— à balle,** to shoot with a rifle; **—— au clair,** to clarify; **—— dessus,** to keep tugging; **—— le cordon,** to pull the bell-cord; **se —— d'affaire, s'en ——**, to get along, to get out of (a) difficulty.
tisser, to weave.
titiller, to tickle.
titre, *m.*, title, grounds, right.
toile, *f.*, cloth, ,material; **—— métallique,** mesh; **—— d'araignée,** spider web.
toilette, *f.*, dress, costume.
toit, *m.*, roof.
tombeau, x, *m.*, tomb, grave.
tomber, to fall, to sink, to drop in.
tombereau, *m.*, tumbril, cart, tip-cart.
ton, *m.*, tone.
tonneau, *m.*, keg.
tonner, to thunder.
tonnerre, *m.*, thunder.
toquer, to rap.
tordre, to twist.
tort, wrong, mistake; **avoir ——**, to be wrong; **à ——**, wrongly.
tortiller, to twist.
tortue, *f.*, tortoise.
torturant, torturesome.
tôt, soon, early.
touche, *f.*, touch; **pierre de ——**, touchstone.
toucher, to touch; **——à** to border on.
touffe, *f.*, tuft.
toujours, always, yet, still.
toupet, *m.*, nerve.
tour, *f.*, tower; *m.*, trick, turn; **faire un ——**, to take a walk; **faire le —— de,** to walk around, to surround; **demi- ——**, about turn, about face; **—— à ——**, in turn; **à —— de rôle,** by turns.
tourbe, *f.*, rabble, mob.
tourbillonner, to whirl.
tourelle, *f.*, turret.
tourmenter, to torment, to be irregular.
tournant, *m.*, turn.
tournée, *f.*, trip, round.
tourner, to turn, to walk around, to "shoot" pictures.
tournoyer, to walk around, to whirl.
tousser, to cough.
tout, e, tous, all, every *m.*, everything, the whole; *adv.*, all, very, quite, while; **—— à coup,** suddenly; **—— à fait,** completely; **—— d'abord,** at the outset, right at first; **—— de suite,** immedi-

ately; ——— **de même,** all the same; **pas du** ———, not at all; **tous les deux,** both.

toute-puissance, *f.,* absolute power.

trace, *f.,* footstep, path, trace.

traduire, *v. ir.,* to translate, to lead, to reveal, to prosecute.

traduis-, *ir. stem of* **traduire.**

traduit, *p. p. of* **traduire.**

tragediante, (*Italian*), tragedian.

trahir, to betray, to reveal.

trahison, *f.,* treason, betrayal, treachery.

train, *m.,* speed, pace, train; **en** ——— **de,** in the act of; **être en** ———, to be in the (right) mood.

traîner, to drag, to pull, to lie around, to drag out.

trait, *m.,* deed, trait, feature, arrow, characteristic expression, character, gulp; **vider, avaler d'un** ———, to empty (swallow) at one gulp; ——— **d'esprit,** shaft of wit, witty saying.

traité, *m.,* treaty.

traitement, *m.,* treatment.

traiter, to treat.

traître, *m.,* traitor.

trajet, *m.,* trip, distance.

tranche, *f.,* slice.

trancher, to cut off, to cut short, to settle; ——— **net,** to cut clean; ——— **de,** to lord it (over).

tranquille, calm; **soyez** ———, don't worry; **laisser** ———, to leave alone.

tranquilliser, to calm.

transe, *f.,* apprehension; **entrer en** ———**s,** to shiver in one's boots.

transpercer, pierce (through).

transpiration, *f.,* sweating, perspiration.

transporter, to carry away, to transport.

travail, *m.,* work; **travaux,** research.

travailler, to work.

travailleur, hard-working.

travers, à ———, **au** ———, across, through; **de** ———, crooked, wrong.

traverse, traverse, horizontal crossing; **chemin de** ———, shortcut.

traversée, *f.,* crossing.

trébucher, to stumble.

treillis, *m.,* trellis, mesh.

treize, thirteen.

tremblement, *m.,* trembling.

tremper, to dip, to temper; **acier trempé,** tempered steel.

trentaine, *f.,* about thirty.

trente, thirty.

trépanation, *f.,* trepanning.

trépignement, *m.,* stamping.

trésor, *m.,* treasure.

trésorier, *m.,* treasurer.

tressaillement, *m.,* trembling.

tressaillir, *v. ir.,* to quiver, to tremble.

tresser, to braid.

tribord, *m.,* starboard.

tri-bouteilles, *f.,* three-cylinder tank.

tribunal, -ux, *m.,* court.

tribune, *f.,* gallery.

tricorne, *m.,* three-cornered hat.

triage, *m.,* sorting; **voie de** ———, freight yard.

trier, to sort.

Trinité, *f.,* Trinity Sunday, first Sunday after Pentecost.

triste, sad, miserable.

tristesse, *f.,* sadness.

trois, three.

tromper, to deceive; **se** ——— **de,** to be wrong *or* mistaken (about).

trompeur, -se, deceptive.

tronc, *m.,* body, trunk.

tronçon, *m.,* stub, piece, end, section.

trône, *m.,* throne.

trop, too, too much, any too much; **c'est ——— fort,** it's too much; **de ———,** excess, in excess, too much; **par ———=beaucoup ———.**

trophée, *m.,* trophy.

trottoir, *m.,* sidewalk.

trou, *m.,* hole, niche.

trouble, *n.,* confusion, confused (state), mixed, disturbed, upset.

troubler, to confuse, to cloud, to disturb, to upset.

trouer, to pierce.

troupe, *f.,* troop(s); **——— de ligne,** infantry; **officier de ———,** field (*as distinguished from staff*) officer.

troupeau, x, *m.,* flock.

trousse, *f.,* bundle, quiver.

trouvaille, *f.,* find, discovery.

trouver, to find; **se ———,** to happen, to be, to happen to be, to be located.

trousseau, *m.,* clothes, outfit.

tuer, to kill.

tuerie, *f.,* slaughter.

tue-tête, à ———, at the top of his voice.

tueur, *m.,* killer.

tuile, *f.,* tile; bad luck, "crusher."

tunique, *f.,* coat, jacket.

tuque, *f.,* stocking-cap (*Canadian patois for* **toque**).

Turquie, *f.,* Turkey.

tut, il se, he was silent (*from* **taire**).

tutelle, *f.,* guardianship.

ulcéré, cankered, poignant.

ultérieur, subsequent, later.

ultime, final.

ultra, extra, ultra.

unique, single, only, sole, unique.

unir, to unite.

unité, *f.,* unity.

usage, *m.,* custom, use.

user, to wear out; **——— de,** to use.

usine, *f.,* factory.

usurier, *m.,* money lender, usurer.

usurpateur, *m.,* usurper.

utile, useful.

va (il), *from* **aller,** go!, goes; **il en ——— de même,** it is the same (way).

vacances, *f. pl.,* vacation.

vacarme, *m.,* racket.

vache, *f.,* cow.

vaciller, to waver, to be unsteady.

vague, *n.,* vague, vagueness.

vaill-, *ir. stem of* **valoir.**

vaillant, valiant; **sou ———,** red cent.

vaincre, *v. ir.,* to conquer.

vainqueur, *m.,* conqueror.

vais (je), *from* **aller,** go.

vaisseau, *m.,* vessel.

vaisselle, *f.,* dishes.

valable, valid, accurate, good (for).

valet, *m.,* servant, valet, assistant; **——— de pied,** footman.

valétudinaire, *n.,* valetudinarian, sickly person.

valeur, *f.,* value.

vallée, *f.,* valley.

valoir, to be worth, to earn, to merit; **——— mieux,** to be preferable; **——— le coup,** to be worth the trouble (effort); **faire ———,** to play up.

valse, *f.,* waltz.

vanter, to boast, to praise.

vapeur, *f.,* vapor, mist, steam.

vas (tu), *from* **aller,** go.

vat=va-t'en.

vau-, *ir. stem of* **valoir.**

vaudr-, *fut. stem of* **valoir.**

vautour, *m.,* vulture.

vautrer, se ———, to wallow.

veau, *m.,* veal, calf.
vécu-, *p. p. and ir. stem of* **vivre.**
vedette, *f.,* star (billing).
végétal, *m.,* vegetable.
veille, *f.,* eve, vigil, day *or* evening before, watch; **avant ———,** two days before.
veiller, to watch (over), to take care of.
veilleur, -se, *n.,* watcher.
veine, *f.,* vein, luck.
veiné, veined.
velléité, *f.,* impulse, whim.
velours, *m.,* velvet.
velouté, *n.,* velvety, smoothness.
vendre, to sell.
vendredi, *m.,* Friday.
vengeance, *f.,* revenge.
venger, to avenge.
venin, *m.,* venom; **à ———,** venomous.
venimeux, venimous, poisonous.
venir, *v. ir.,* to come; **——— de** *plus infinitive,* to have just; **———à,** to happen; **——— à bout de,** to succeed in; **faire ———,** to send for; **s'en ———,** to come; **en ——— à,** to reach the point of.
vent, *m.,* wind; **coup de ———,** gust of wind.
vente, *f.,* sale.
ventre, *m.,* belly, stomach, midst, depth.
venu, *p. p. of* **venir; nouveau ———,** newcomer.
venue, *f.,* coming.
venustre, (*these syllables have no meaning*).
ver, *m.,* moth, worm.
verbal, -ux, *n.,* verbal, affidavit, minute (*of a meeting*).
verdâtre, greenish.
Verdugo (*Spanish*), Executioner.
véridique, truthful.
vérifier, to check, to verify.
véritable, real.
vérité, *f.,* truth; **en ———,** in truth; **dire leurs ———s à,** to set right.
vermeil, *m.,* silver gilt.
verr-, *fut. stem of* **voir.**
verre, *m.,* glass.
verroterie, *f.,* piece of glass, cheap glass trinket.
verrou, *m.,* bolt.
vers, *m.,* line of verse.
vers, toward.
versant, *m.,* slope.
verser, to pour, to pay, to shed.
vert, green.
vertèbre, *f.,* vertebra.
vertige, *m.,* dizziness.
vertigineux, -se, dizzying.
vertu, *f.,* virtue, power, skill.
vêtement, *m.,* garment, clothing.
vêtu, *p. p. of* **vêtir,** to dress.
veu-, veul-, veuill-, *ir. stems of* **vouloir.**
veuillez, please, be kind enough to.
veuve, *f.,* widow.
vi-, *ir. stem of* (1) **vivre,** (2) **voir.**
viande, *f.,* meat.
vibrer, to vibrate.
vice-roi, *m.,* viceroy.
victoire, *f.,* victory.
victuailles, *f.,* victuals, food.
vide, *n.,* empty, void; **à ———,** empty.
vider, to empty.
vie, *f.,* life, lifetime, living.
vieillard, *m.,* old man.
vieille, *f.,* old; **——— fille,** old maid.
vieillesse, *f.,* old age.
vieillir, to grow old, to age.
vien-, *ir. stem of* **venir.**
viendr-, *fut. stem of* **venir.**
vierge, *f.,* virgin, new, blank.
vieux, *n.,* old (fellow).

vif, -ve, lively, keen, alive, deep, bare; **piqué au** ———, hurt to the quick; **haie vive,** hedge of living bushes.
vigne, *f.,* (grape) vine.
vil, vile.
vilain, -e, vile, dirty, bad, evil, naughty.
ville, *f.,* city, town; ——— **d'eau,** spa, watering-place.
vin, *m.,* wine; ——— **cuit,** spiced wine.
vin-, *ir. stem of* **venir.**
vinaigre, *m.,* vinegar.
vingt, twenty.
vingtaine, *f.,* score, about twenty.
violer, to violate.
virer, to turn.
virgule, *f.,* comma.
visage, *m.,* face.
vis-à-vis, toward.
visible, noticeable, at home, visible.
visite, *f.,* visit, inspection.
visiter, to visit, to examine, to inspect.
vite, quickly.
vitesse, *f.,* speed; ——— **acquise,** momentum; **à petite** ———, at a crawl; **à grande** ———, **à toute** ———, at full speed; **gagner de** ———, to overtake.
vitrage, *m.,* window, windowpane.
vitrail, -aux *m.,* (stained-glass) window(s).
vitre, *f.,* windowpane, window.
vitré, glassed (in).
vitrine, *f.,* shop window, large window.
vivace, deep-rooted.
vivacité, *f.,* vivacity, sharpness, quick temper.
vivant, *n.,* living (person); **de son (mon)** ———, during her (his, my) lifetime.
vive, *adj., fem. of* **vif;** ——— **allure,** good speed; ———, *pr. subj. of* **vivre,** long live, hurrah for.
vivement, keenly, deeply, quickly, tenaciously.
vivre, *v. ir.,* to live; **se laisser** ———, to take it easy; ———**s,** *m. pl.,* foodstuff(s), provisions.
v'la = **voilà** (*Canadian patois*).
vocable, *m.,* word.
vocation, *f.,* calling, vocation.
voeu, *m.,* wish, vow.
voici, here is, here are; ——— **que,** suddenly.
voie, *f.,* way, track, means; ——— **de triage,** freight yard.
voilà, there (here) is, there are.
voile, *m.,* veil; *f.,* sail.
voiler, to veil, to hide.
voir, *v. ir.,* to see.
voire, in truth.
voisin, -e, *n.,* neighbor, neighboring, close to.
voisinage, *m.,* neighborhood, neighborliness, closeness, proximity.
voiture, *f.* carriage, car.
voix, *f.,* voice; ——— **neutre,** toneless voice; **à haute** ———, out loud; **porte-** ———, *m.,* megaphone.
vol, *m.,* flight.
volée, *f.,* peal, flight; **à la grande** ———, at full peal.
voler, to fly; to steal; **ne pas avoir volé,** to bring upon oneself, to deserve.
volet, *m.,* shutter.
voleur, *m.,* thief, robber.
volontaire, willing, voluntary.
volonté, *f.,* will, desire, wish.
volontiers, gladly.
voltiger, to hover, to wave, to flutter.
volupté, *f.,* sensual pleasure.
voluptueux, *m.,* pleasure-loving man.

vont (ils), *from* **aller,** go.
voracité, *f.,* voraciousness.
voudr-, *fut. stem of* **vouloir.**
vouloir, *v. ir.,* to wish, to want, to consent, to be determined; —— **bien,** to be willing, to consent; —— **dire,** to mean; **en** —— **à,** to hold (have) it against (someone for); *m.,* desire, will.
voulu-, *p. p. and ir. stem of* **vouloir.**
voûte, *f.,* vault, arch, vaulted ceiling.
voûté, arched, bent.
voy-, *ir. stem of* **voir.**
voyager, to travel.
voyageur, -se, *n.,* traveler; **pigeon** ——, carrier pigeon.
voyance, *f.,* prophecy, vision.
voyons, *interj.,* see here!, of course, all right, come now.
voyou, *m.,* gutter-snipe.
vrai, -e, *n.,* true; **être dans le** ——, to speak the truth; **à** —— **dire,** to tell the truth.
vraisemblable, probable, plausible, likely.
vu-, *p. p. and ir. stem of* **voir; j'en ai** —— **bien d'autres,** I've seen plenty worse; ——, *m.,* sight.
vue, *f.,* view, sight, vision; —— **basse,** poor eyesight; **garder à** ——, to keep in sight, under observation; **promener sa** ——, to turn one's gaze.
vulgaire, common, ordinary.

y, there; **il y a,** there is, there are; (*with expression of time*) ago.
yeux, *pl. of* **oeil,** eyes.